著 イ・イクフン
Lee IK Hoon

極めろ！リーディング解答力 TOEIC® TEST Part 5&6

スリーエーネットワーク

ISBN978-4-88319-473-5

■はじめに

本書のオリジナル版である『E-TOEIC』シリーズは、韓国における TOEIC 対策書としては異例のベストセラーとなりました。それは、英語検定試験のトップ校であり、実績のある「イ・イクフン語学院」のノウハウを結集して、短期間でハイスコアを導き出せるような内容となっているからに他なりません。

このたび、『E-TOEIC』シリーズのストラテジーを、日本の TOEIC テスト受験者に広く役立てたいという故イ・イクフン博士の遺志を継ぎ、この本を日本で翻訳出版することになりました。

● 徹底的な分析

TOEIC テストの開発機関である ETS（Educational Testing Service）は、英語到達度評価の理論に基き、蓄積され定型化された TOEIC テスト問題の単語や構文を、ある程度形を変えながら試験問題を作成しています。そのため TOEIC テストを徹底的に分析をすれば顕著な傾向が見えてきます。本書では、独自の分析をもとに、TOEIC テスト本試験に極めて近い問題を作成し、パートごとの出題形式に適した学習方法を提案しています。

● Step by step 方式

学習者が簡単に取り組むことの出来るテスト攻略から始め、徐々に応用力がつくような構成を本書は取り入れています。この学習法によって、受験初心者でも、自ら段階的に TOEIC テスト対策ができるのです。

TOEIC テストを受験する日本の皆さんが、本書で例題演習による基礎力と基本的な受験技術を身に付け、短期間のうちに高得点を獲得していただくことを願っております。

2009 年 3 月

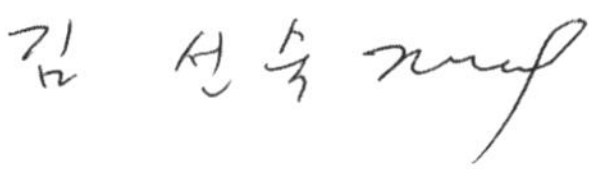

Kim Sun Suk
イ・イクフン語学院代表

極めろ！リーディング解答力
TOEIC® TEST Part5＆6の構成と特徴

● Part 5　文法問題

文法のポイント

TOEIC テストに出題される構文や文法事項を 16 の Unit に分類し、各 Unit では出題ポイント別にわかりやすく正確な文法体系を確立するようにした。

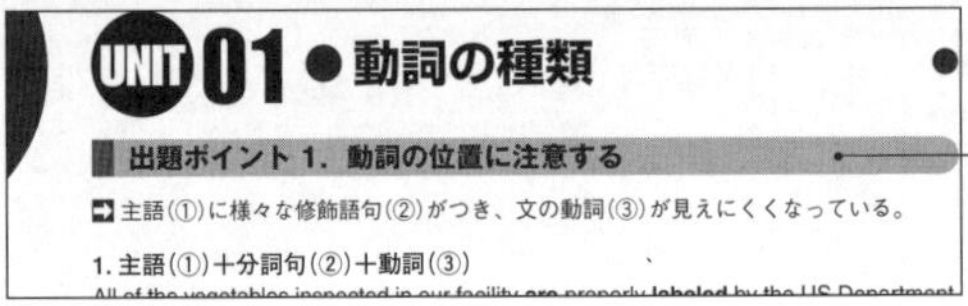

各 Unit の出題ポイントを示し、学習の指針とした。

Unit 別例題

文法のポイントとそれに基づく Unit 別例題を、見開きで「問題」と「解き方」として配置し、ページをめくることなしにその成果の確認と復習ができるようにした。

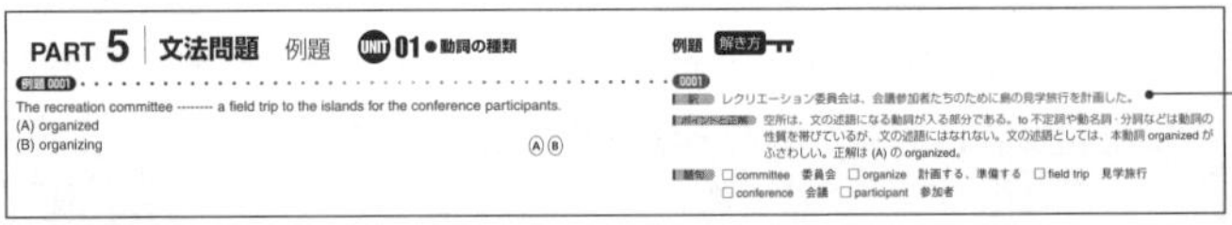

左ページは問題、右ページは解き方という構成で、学習効果が高まる。

実践問題

すべての構文や文法問題を合わせた 40 問の本番形式問題を解くことにより、文法知識の総まとめをし、実際の試験に備えられるようにした。例題が各 Unit の内容を再確認するためのものであるのに対し、実践問題は 2006 年 5 月に始まった新 TOEIC のすべての文法・構文問題の傾向を徹底して分析・研究し、今後出題される可能性のある問題だけを選んで構成したものである。

● Part 5　語彙問題

全体の構成

1. 市中の教材が Part 5 の問題解法に重点を置いているのに対し、本書では語彙問題の解き方や TOEIC の文に慣れることに力点を置いた。過去数年間に蓄積された TOEIC テストの情報を基に、最も頻度の高い単語や各種熟語、TOEIC でよく問われる表現などを選定し、総網羅した。
2. 単語については、その意味だけでなく機能的側面を考慮して語法(usage)の比重を大幅に増やし、単語活用力を高められるようにした。
3. 無責任に暗記事項を並べ立てるだけでなく、覚えた語彙や表現を確認できるよう所々に様々な形の「例題」を挿入し、学習効果を高めるようにした。

細部の構成

Chapter1 は 11 の Unit に分かれており、Unit 01 から 10 は品詞別主要語彙、Unit 11 は混同しやすい単語、Chapter 2 は実践問題で構成されている。

①Unit 01から10は、動詞・名詞・形容詞・副詞のように代表的品詞で構成されている。品詞別にTOEICテストで最も頻度の高い単語を選別し、「主要語彙」として示す。

2 agenda ❶（会議で扱う）主題、議題、議事日程

用例 cover all the items on the **agenda**（議題の全項目を取り扱う）❷
circulate a meeting **agenda** to the attendees（出席者に会議の議題を配布する）
Be sure to send out copies of the **agenda** to the attendees.
（出席者に必ず議題のコピーを送るようにしてください。）❸

❶その単語固有の用法の説明❷その単語の含まれるよく使われる語句❸その単語の例文

例題
□空所に当てはまる名詞を選択肢から選びなさい。

assurance analysis alternative account amount applications assingment approval

0713 現在の状況に対する代案を提示する
offer an ________ to the status quo

10語ごとに、これを身につけたかどうかを確認するための例題を出題。

②各品詞「主要語彙」の後のUNITでは、単語の使用構造やともに使われる前置詞を紹介し、用法問題に備えられるようにした。

❶名詞＋to

□**access to** …への接近、利用権限	□**solution to** …の解決策
□**approach to** …に近づくこと、接近	□**addition to** …に対する追加
□**damage to** …に対する被害、損傷	□**resistance to** …に対する抵抗
□**exposure to** …に接すること、…への暴露	□**allergy to** …に対するアレルギー
	□**alternative to** …に対する代案
□**commitment to** …に対する約束、献身	□**devotion to** …に対する献身
□**contribution to** …への寄付、寄与	□**return to** …への帰還、回帰
□**attention to** …に対する注目、注意	□**introduction to** …の導入、…入門、…

テストに出題された前置詞と関連のある各品詞の用法をすべてまとめてある。

③Unit11では混同しやすい単語の意味と用法を説明する。

1. ensure vs. **assure** 例題1018

Inspectors will check the facilities to ______ that they meet all necessary safety standards.
(A) ensure (B) assure

· **ensure** ensure（確かにする、保証する）はassureと意味が似ているが、後に人を目的語として取ることも取らないこともでき、「ensure＋（人）＋目的語」「ensure＋that節」といった構文になる。

比較語の提示

穴埋め問題

2つの単語の意味・語法の違いを説明

④最後のChapter 2では、PART 5語彙問題の実践問題を40問の本番形式で出題する。学習した内容をもとに問題を解いた後、「解き方」を見ながら実力を確認しよう。

● Part 6

Part 5とパターンの同じ部分は省き、Part 6だけに登場するContext Question（文脈を理解しなければ解けない問題）を中心に構成した。

Part 6の分析

新TOEICで新たに導入されたPart 6は、文法・語彙問題に読解が組み合わされたパートだ。Part 6の問題構成と最近の出題傾向を分析し、問題の攻略方法を示した。特にPart 6だけに出てくるContext Questionをパターン別に分類し、理解しやすいように簡単な事例と例題を示しながら説明した。

Part 6のContext Question Exercise

Part 5と同じパターンの問題は除き、Part 6だけに登場するContext Questionを集中的に練習できるようにした。まず30の短文で文脈に合った語彙・時制を選ぶ問題を練習し、その後、実践問題を解いてPart 6を仕上げる。

● はじめに 3
● 構成と特徴 4
● 目次 6
● 使い方の例 8

PART 5 文法問題

Chapter 1: 文法のポイント 9
Part 5 文法問題の手引き 10

UNIT 01: 動詞の種類 **12** 例題 **22**
UNIT 02: 動詞の時制 **42** 例題 **46**
UNIT 03: 受動態 **60** 例題 **64**
UNIT 04: 不定詞 **74** 例題 **80**
UNIT 05: 分詞 **94** 例題 **100**
UNIT 06: 動名詞 **114** 例題 **116**
UNIT 07: 代名詞 **126** 例題 **132**
UNIT 08: 名詞・冠詞 **144** 例題 **152**
UNIT 09: 形容詞 **166** 例題 **172**
UNIT 10: 副詞 **182** 例題 **190**
UNIT 11: 前置詞 **204** 例題 **214**
UNIT 12: 接続詞 **232** 例題 **244**
UNIT 13: 関係詞 **262** 例題 **270**
UNIT 14: 仮定法 **284** 例題 **288**
UNIT 15: 比較・最上級 **298** 例題 **304**
UNIT 16: 省略・倒置 **316** 例題 **320**

Chapter 2: Part 5 文法問題に慣れるための実践問題 332

解き方 **338**

PART 5 語彙問題

Chapter 1: 語彙 CHECK 355
Part 5 語彙問題の手引き 356

UNIT 01: 主要動詞 TOP 100 **360**
UNIT 02: 注意を要する動詞 **404**
UNIT 03: 主要名詞 TOP 80 **420**
UNIT 04: 注意を要する名詞 **454**
UNIT 05: 複合名詞 **460**

UNIT 06: 物を表わす名詞 vs 人を表わす名詞 **466**
UNIT 07: 主要形容詞 TOP 80 **470**
UNIT 08: 注意を要する形容詞 **502**
PLUS+ 「形容詞+名詞」慣用表現 **506**
PLUS++ 意味の似ている形容詞 **508**
UNIT 09: 主要副詞 TOP 80 **510**
UNIT 10: 前置詞を使った副詞句 **542**
UNIT 11: 混同しやすい単語 **546**

Chapter 2: Part5 語彙問題に慣れるための実践問題 560

解き方 **566**

PART 6 長文穴埋め問題

Part 6 長文穴埋め問題の手引き 586

UNIT 01: Context Question 攻略法 **588** 例題 **594**
UNIT 02: Part 6 に慣れるための実践問題 **614** 解き方 **618**

解答一覧 627

『極めろ！リーディング解答力 TOEIC® TEST Part 5 & 6』の使い方の例

① まず本全体を 1 周する。無理に覚えようとしない。「間違え」「あやふや」「分らない」問題はチェックしておく。

▼

② 2 周目は 1 回目でチェックした問題をもう一度解く。「解き方」を読んで理解したあと、問題文を何度も音読する

▼

③ 3 周目以降は全問題を「選択肢を見ないで」解答してみる

【Part 5 文法問題の極め方】

●文法を忘れている

▼

Chapter 1 各 UNIT の「文法のポイント」を 1 回読む ▶ 例題を解き、「解き方」を理解する

●文法のチェックをしたい ▶ 各 UNIT の例題を先に解く

▼

巻末の「解答一覧」を切り離して答えを確認 ▶ 弱点部分の「解き方」と「文法のポイント」を読む

実践問題を解く（15 分の時間を厳守する）

【Part 5 語彙問題の極め方】

●語彙力に不安がある ▶ Chapter 1 語彙チェック 各 UNIT をページ順に読む

▼

例題を解く ▶ 「正解」欄の「語句」も確認する

●語彙力をチェックしたい ▶ 各 UNIT の例題を解く

▼

巻末の「解答一覧」を切り離して答えを確認 ▶ 各単語を確認する

実践問題を解く（15 分の時間を厳守する）

【Part 6 長文穴埋め問題の極め方】

●Part 6 の解き方を知らない ▶ UNIT 01 ▶ UNIT 02

●実力を確認したい ▶ UNIT 02 ▶ 巻末の「解答一覧」を切り離して答えを確認

▼

UNIT 01 で解き方の確認をする

実践問題を解く（6 分の時間を厳守する）

PART 5 文法問題

Chapter 1 文法のポイント

UNIT 01 動詞の種類
UNIT 02 動詞の時制
UNIT 03 受動態
UNIT 04 不定詞
UNIT 05 分詞
UNIT 06 動名詞
UNIT 07 代名詞
UNIT 08 名詞・冠詞
UNIT 09 形容詞
UNIT 10 副詞
UNIT 11 前置詞
UNIT 12 接続詞
UNIT 13 関係詞
UNIT 14 仮定法
UNIT 15 比較・最上級
UNIT 16 省略・倒置

PART 5 文法問題の手引き

1. Grammar 問題の構成と特徴

	PART 5
問題番号	101 ～ 140
構成および形式	計 40 問（語彙問題含む）
文法および品詞選択問題の出題比率	平均 24 ～ 26 問
文法および品詞選択の問題の特徴	4 者択一型で品詞および各種文法事項を問う問題
問題を解く時間	全体：15 分以内　1 問：約 23 秒

2. 問題の形式

〔品詞選択問題〕 同一語源のいくつかの品詞が選択肢として示される問題

When operating heavy construction equipment, make sure all safety belts are ------- fastend.
(A) securely　(B) to secure　(C) secure　(D) security

➡ 文の構造をきちんと把握しているかを問うタイプの問題で、空所に入る適切な品詞を選ぶ問題がほとんである。新TOEICでは普通11問、最大15問出題される。

〔文法問題〕 異なる 4 つの選択肢から文法的に適切なものを選ぶ問題

Hundreds of people had ------- lined up at the door two hours before the grand opening.
(A) already　(B) over　(C) besides　(D) yet

➡ 正確な文法知識を習得しているかを問う問題で、品詞選択問題と語彙問題を除いてすべてこの問題パターンに属する。普通11～13問が出題される。

3. 文法必須戦略

1. たくさんの文法問題を解いて、問題のパターンを把握すること
文法問題のパターンは問題を解きながら把握するのが最も効果的で、時間も節約できる。できるだけ多くの問題を解いて、感覚を身につけることが大切だ。

2. 頭からすべて理解できなくてもよい
文法問題は、文全体が理解できなくても、品詞や構造さえしっかり把握すれば簡単に解けるものが大部分だ。問題を解くにあたって頭からすべて理解する必要はない。

3. 4つの選択肢をよく見て出題ポイントを把握すること
示される4つの選択肢を見ると、この問題が文法・語彙・構文のうちいずれを問うものなのか把握できる。出題意図がわかるので、問題を解く前に必ず選択肢を確認することだ。

4. 空所の前後の品詞に注目すること
空所の前に形容詞があれば、空所には形容詞に修飾される名詞が入る確率が高い。空所の前後にある単語の品詞をすばやく把握することで、文法や構文問題の答えを意外にたやすく見つけることができる。

5. 一つの問題にしがみつかないこと
Part 5は1問当たり23秒で解かなければならない。わからない問題はどんなに時間をかけて読んでも解けないので、答えをマークをして次の問題に進まなければならない。くりかえし強調するが、TOEICは時間配分（タイム・マネジメント）が重要である。

UNIT 01 ● 動詞の種類

出題ポイント 1．動詞の位置に注意する

➡ 主語(①)に様々な修飾語句(②)がつき、文の動詞(③)が見えにくくなっている。

1. 主語(①)＋分詞句(②)＋動詞(③)

All of the vegetables (①) inspected in our facility (②) **are** properly **labeled** (③) by the US Department of Agriculture.

(私たちの施設で検査されるすべての野菜は、米国農務省の適切なラベル表示がなされる。)

2. 主語(①)＋不定詞句(②)＋ 動詞(③)

Our plan (①) to complete the project on time (②) **seemed** (③) viable at that time.

(期限通りにプロジェクトを完成する計画は、当時は実行可能に見えた。)

3. 主語(①)＋前置詞句(②)＋ 動詞(③)

Children (①) under the age of 12 (②) **are not permitted** (③) in this hardware department alone.

(12歳未満の子どもがこの金物売り場に一人で入るのは許されていない。)

4. 主語(①)＋ 関係詞節(②)＋ 動詞(③)

Donors (①) who give more than $5,000 (②) **are eligible to become** (③) members of the DOF Club.

(5000ドル以上寄付した者は、DOFクラブのメンバーになる資格がある。)

語句

□inspect　検査する　□viable　実行可能な、成功しそうな　□be eligible to do　…する資格がある

出題ポイント2. 助動詞の後では動詞の原形を使う

will/would, may/might, must, can/could, should＋動詞の原形

Mr. Sanderson **will** soon **have** the opportunity to visit the new office in Germany.
（Mr. Sandersonは、ドイツの新しい事務所を訪れる機会がすぐにあるでしょう。）

Realtors **must appraise** the real estate of their clients.
（不動産業者は、顧客の不動産を評価しなければならない。）

When customer service staff talk to customers on the phone, they should always speak clearly.
（カスタマーサービスのスタッフが電話で顧客と話すときは、いつも明瞭に話すべきである。）

語句 □opportunity to do …する機会 □realtor 不動産業者 □appraise 評価する、判断する

出題ポイント3. 助動詞 used to の用法

➡ 助動詞 used to は一つの単語として扱われるものだが、形が use の受動態である be used に to 不定詞がついたものと似ており、また慣用表現として be used to ...ing もあるので注意が必要だ。

be used to 不定詞 …するために使われる
used to＋動詞の原形 …したものだ（現在はしない）
be used［**accustomed**］**to**＋動名詞 …するのに慣れている

Chrome **is used to** make stainless steel.
（クロムはステンレスを作るのに使われる。）

I **used to** attend the board meeting every month.
（私は毎月、取締役会に出ていた。）

Mr. Kamaya **is used to** handl**ing** difficult customer complaints.
（Kamaya氏は顧客から来る困難な苦情に対応するのに慣れている。）

PART 5 文法

出題ポイント4. 命令文では動詞の原形を使う

➡ 命令文では動詞は原形を使うが、次のようなbe動詞で始まる命令文に注意しよう。この場合「be動詞＋形容詞」が一つの動詞のように使われる。

Please **be aware** that the regulations will change on the first of next month.
（規則が来月1日に変更になるので注意してください。）

Please **be advised[assured]** that the operation of cameras is prohibited during the performance.
（上演中のカメラのご使用は禁止されていることを申し上げます。）

Please **make[be] sure[certain]** / Please **ensure** that batteries are inserted correctly.
（バッテリーが正しく挿入されていることをご確認ください。）

Please **complete** the enclosed survey as soon as possible.
（できるだけ早く同封のアンケートにご記入ください。）

語句　□operation 操作　□prohibit 禁止する　□performance 上演　□make sure that …を確認する　□insert 挿入する　□correctly 正しく、正確に　□enclosed 同封の

出題ポイント5. 「完全自動詞＋副詞句」構文

➡ 完全自動詞は目的語や補語を必要としない動詞で、副詞句とともに使われる。TOEICでは、完全自動詞とともによく使われる副詞句に関する問題がよく出される。

必須暗記事項！

よく出題される完全自動詞
begin 始まる, work 働く, speak 話す, happen 起こる, occur 発生する, take place 起こる、行われる, arrive 到着する, rise 昇る、上がる, appear 現れる, disappear 見えなくなる, come 来る, go 行く, live 住む

よく出題される副詞
precisely 正確に, cooperatively 協力して, rapidly 速く, dramatically 劇的に, significantly 著しく, cautiously 用心して, regularly 規則正しく, directly 直接に、じかに, slowly 遅く

The financial briefing for our investors will **begin precisely** at 9:00 A.M. on Thursday.
　　　　　　　　　　　　　　　　　　　　　　完全自動詞　副詞
（投資家への財務報告は、木曜日の午前9時ちょうどに始まります。）

The research and development division must **work cooperatively** to achieve our goals.
　　　　　　　　　　　　　　　　　　　　　完全自動詞　　副詞
（研究開発部門は、目標を達成するために協力して働かなければならない。）

出題ポイント 6.「There + 完全自動詞 ...」構文

➡「There ＋完全自動詞＋（副詞）＋主語」では、主語に動詞の「数」を一致させなければならない。また、副詞は完全自動詞と主語の間に置かれる。

There are currently many positions available in our company.
（我が社には現在多くの求人ポストがあります。）
➡ 主語が many positions と複数形なので、複数形の動詞 are が使われている。

There appeared［**seemed**］（to be） serious financial difficulties.
（深刻な財政難のようです。）
➡ There の後の be 動詞の代わりに appear［seem］ を使って There appear［seem］ とすると、「…があるようだ」という意味になる。

動詞の種類

区分	種類	文の構造
自動詞	完全自動詞	主語＋動詞
	不完全自動詞	主語＋動詞＋補語
他動詞	完全他動詞	主語＋動詞＋目的語
	授与動詞	主語＋動詞＋間接目的語＋直接目的語
	不完全他動詞	主語＋動詞＋目的語＋目的格補語

➡完全動詞と不完全動詞を分ける基準は補語の有無だ。補語があれば不完全動詞、なければ完全動詞である。

出題ポイント 7.「主語＋不完全自動詞＋補語」における「名詞の補語」と「形容詞の補語」

1.補語に名詞を使うと主語と同格になり、形容詞を使うと主語の状態・性質の叙述になる。

The factory **remains** operational. × The factory **remains** operation.
（工場は依然として稼動可能な状態です。）

➡ operational は形容詞で「運転可能な」、operation は名詞で「運転」という意味。remain は「依然として…の状態のままである」という意味の不完全自動詞なので、形容詞の補語 operational で、主語 the factory の状態を表している。

2.不完全自動詞の種類

…だ	**be** 動詞＋補語
…になる	**become/get/grow/go/turn/run** ＋補語
…であるようだ	**seem/appear** ＋補語
…の状態にとどまる	**remain/stay** ＋補語
…のように感じる / 見える / 臭う / 聞こえる / 味がする	**feel/look/smell/sound/taste** ＋補語

The man standing next to our boss **is our accountant**.
名詞の補語（主語と同格）
（上司の隣に立っている男性は私たちの会計士です。）

The company's new product **has become popular**.
形容詞の補語（主語の状態）
（会社の新しい製品は人気が出てきた。）

Many people still **feel uneasy** about making an online purchase.
（多くの人々が、今もインターネットでの購入に不安を感じている。）

After many interviews, the last candidate **seems** （**to be**） **the best**.
（たくさん面接をした結果、最後の候補者が一番良いようです。）

We decided to let some employees go in order to **remain competitive**.
（競争に勝ち残るために、社員を何人か解雇することに決めました。）

語句
□let someone go 人を解放する、解雇する

出題ポイント 8. よく出題される「自動詞＋前置詞 ＋（目的語）」

●必須暗記事項！

get through …を乗り越える、終える
benefit from …から利益を得る
clear through …（税関）を通過する
assist with …を手伝う
lag behind …に後れを取る
concentrate on …に集中する
consist of …から成る
fill in …に記入する
care for …の世話をする
add to …に加える
look for …を捜す
contribute to …に貢献する
narrow down …を狭める
comply with …に従う
interfere with …を妨げる
succeed in …において成功する
agree with/on …に同意する
turn down …を断わる、小さくする
deal with …を処理する
arrive at …に到着する
account for …を説明する
think of …のことを思う

出題ポイント 9. 自動詞と勘違いしやすい他動詞

➡ 自動詞は目的語をとれず、逆に他動詞は必ず目的語をとる。他動詞の直後には目的語が置かれるのであって、前置詞が置かれることはない。

●必須暗記事項！

disclose	…を明らかにする（× **disclose about**）	**influence**	…に影響を及ぼす（× **influence on**）
discuss	…について議論する（× **discuss about**）	**interview**	…と会見する（× **interview with**）
exceed	…を超える（× **exceed at**）	**provide**	…を与える（× **provide with**）
join	…に加わる（× **join into/to**）	**check**	…を確認する（× **check of**）
reach	…に連絡する（× **reach to**）	**regret**	…を後悔する（× **regret for**）
approve	…を承認する（× **approve for**）	**alert**	…に警告する（× **alert to**）
arrange	…を手配する（× **arrange to**）	**access**	…にアクセスする（× **access to**）
answer	…に答える（× **answer to**）	**approach**	…に近づく（× **approach to**）
damage	…に損害を与える（× **damage to**）	**question**	…に質問する（× **question about**）
visit	…を訪問する（× **visit to**）	**contact**	…に連絡する（× **contact with**）
resemble	…に似ている（× **resemble with**）		

➡ approve（…を承認する）：approve of（…に賛成する）は可能。

➡ arrange：「arrange to do（…するよう取り決める）」、「arrange for someone to do（人が…するよう手配する）」は可能。

➡ provide：「provide someone with something」→（受動態）「someone be provided with something」

➡ answer, damage, visit, check, regret, alert, access, approach, question は動詞・名詞のいずれにもなれるが、discussion about（…に関する討論）, express his regret for（…に対する遺憾の表現）, have access to（…を利用する）, have a question about（…について質問がある）のように名詞として使われる場合には、前置詞とともに使われる。

The managers will meet on Friday in the conference room to **discuss** the recent sales decrease. ×discuss about,○talk about
（最近の売上減少を議論するために、部長は金曜日に会議室に集まります。）

If you **join** the club during the next month, you will receive a 20% discount on the fee.
×join into
（来月中にクラブに参加すれば、料金の20%割引が受けられます。）

出題ポイント 10. 慣用的に特定の前置詞をともなう他動詞

●必須暗記事項!

with ＋ 名詞

provide A with B	AにBを供給する	**replace A with B**	AをBと交換する
present A with B	AにBを贈る、提出する	**confuse A with B**	AをBと混同する

for ＋ 名詞

pay A for B	AにBを支払う	**exchange A for B**	AをBと交換する
compensate A for B	AにBを償う	**thank A for B**	AにBを感謝する

of ＋ 名詞

inform(notify) A of B	AにBを通知する	**remind A of B**	AにBを思い出させる
convince A of B	AにBを確信させる	**relieve A of B**	AをBから取り除く

from ＋ 名詞

prevent A from B	AがBするのを防ぐ	**stop A from B**	AがBするのを止めさせる
prohibit A from B	AがBするのを禁止する	**distinguish A from B**	AとBを区別する

The manager agreed to **replace** the faulty product **with** a new one.
（マネージャーは不良品を新しいものと取り替えることに同意した。）

Holiday Inn should **compensate** me **for** its mistake on my bill.
（Holiday Innは請求書の誤りに関して私に補償しなければならない。）

The supervisor, Mr. Tucker will **notify** the research team **of** any changes to the timetable.
（上司のTucker氏は、予定の変更を研究チームに通知するつもりだ。）

To **prevent** the sauce **from** sticking to the pan, you should constantly stir it.
（ソースがフライパンにくっつかないように、絶えずかき混ぜてください。）

出題ポイント 11. 授与動詞

➡ 次の構文のAは目的語なので、Aに代名詞を使う場合は目的格を使う。格を問う問題は毎回出題されている。

●必須暗記事項！

award A B	AにBを授与する	**present A B**	AにBを提出する
bring A B	AにBを持っていく	**pass A B**	AにBを手渡す
buy A B	AにBを買う	**sell A B**	AにBを売る
give A B	AにBを与える	**send A B**	AにBを送る
hand A B	AにBを渡す	**show A B**	AにBを見せる
lend A B	AにBを貸す	**teach A B**	AにBを教える
make A B	AにBをさせる	**tell A B**	AにBを話す
offer A B	AにBを提示する	**throw A B**	AにBを投げる

They offered **me** **a transfer** to the Hong Kong office.
A(～に)　B(…を)
(彼らは私に香港支店への転勤を提示した。)

This morning I **sent you an e-mail** with an attached invoice for the order.
(今朝、私はあなたに注文の送り状を添付して電子メールを送りました。)

➡ bring, give, offer, send については、それぞれ bring B to A, give B to A, offer B to A, send B to A に置き換えることができる。
➡ A（～に）を「間接目的語」、B（…を）を「直接目的語（動作の直接の対象）」という。

出題ポイント 12. 間接目的語に前置詞 to を使う動詞と使わない動詞

1.「動詞＋to＋目的語（人）＋that...」型

●必須暗記事項！

mention（言う） **describe**（描写する）
introduce（紹介する） **explain**（説明する）
prove（証明する） **propose**（提案する）
suggest（提案する） **recommend**（推薦する）
→ **to** ＋ 間接目的語(人に)＋ **that** ＋主語 ＋動詞

Nicole **mentioned to** Mr. Monahan that she would be promoted to assistant manager.
(NicoleはMonahan氏に、彼女がアシスタントマネージャーに昇進するだろうと言った。)

2.「動詞＋目的語（人）＋that...」型

●必須暗記事項！

tell A that...	…をAに話す	**convince A that...**	…をAに確信させる
inform A that...	…をAに通知する	**remind A of...**	…をAに思い出させる
notify A that...	…をAに通知する	**brief A on...**	…についてAに説明する
assure A that...	…をAに保証する	**alert A to...**	…をAに通報する、警戒させる

A Defense Department spokesman **briefed** reporters **on** the current situation on the battlefield.
(国防総省のスポークスマンは、戦場の現在の状況に関して、リポーターに説明しました。)

出題ポイント 13.「主語＋動詞＋目的語(...)＋目的格補語(～)」構文における目的格補語の種類

1.目的格補語に動詞の原形をとる動詞：have, let「…に～させる」

The boss **had her employees write** their own proposal.
目的語　目的格補語：動詞の原形
（社員たちに）　（書かせる）
（上司は、社員に自分たちの提案を書かせた。）

The manager **let his assistant revise** the budget plan.
目的語　目的格補語：動詞の原形
（アシスタントに）　（修正させる）
（マネージャーは、自分のアシスタントに予算計画の修正をさせた。）

2.目的格補語に形容詞や分詞をとる動詞：make, have, keep, find, get「…を～にする」

Repeated failure of the test **made the researchers upset.**
目的語　目的格補語：目的語の状態を述べる形容詞
（研究者たちを）　（狼狽している状態に）
（度重なる検査の失敗によって、研究者たちは狼狽した。）

Employees have to **keep the file room locked** at all times.
目的語　目的格補語：分詞
（資料室を）（施錠されている状態に）
（社員は、資料室をいつも施錠しておかなければならない。）

➡ 目的格補語の種類
目的格補語が名詞：目的語と同格（目的語＝目的格補語）
目的格補語が分詞や形容詞：目的語の性質や状態の叙述（目的語≠目的格補語）

√ **3.動詞 help**

➡ help は目的格補語に動詞の原形、to 不定詞のいずれもとることができる。

We will help you **to stay** healthy.
＝ We will help you **stay** healthy.
＝ We will help you **with your health**.
（私たちはあなたが健康でいられるように協力します。）

語句
□proposal　提案　□budget plan　予算案　□repeated　度々の　□at all times　いつも、常に

出題ポイント 14. 目的格補語の前に as を置く動詞

➡ 次の動詞は、目的格補語に名詞をとる場合、その前に as が置かれる。

●必須暗記事項！

regard A as B	A を B とみなす	**refer to A as B**	A を B と呼ぶ
define A as B	A を B と定義する	**cite A as B**	A を B として例にあげる
designate A as B	A を B と指定する	**look upon A as B**	A を B だとみなす

(on)

The board members **regard** community relations **as** an integral part of the business in a foreign country.
（役員たちは、地域住民との相互関係を、海外事業では不可欠な要素だとみなしている。）

語句
□integral　欠くことのできない、肝要な

出題ポイント 15. 知覚動詞 see, hear, feel は目的格補語に動詞の原形や現在分詞をとる

➡ see, hear, feel, watch, observe のように見る・聞く・感じるといった感覚を表す動詞を知覚動詞というが、これらの動詞は目的格補語に動詞の原形や、進行を意味する現在分詞をとる。

We **saw** people **perform** the ritual.
（私たちは、人々が儀式を行うのを見た。）

× We **saw** people **to perform** the ritual.

語句
□ritual　儀式、しきたり

PART 5 文法問題 例題 UNIT 01 ●動詞の種類

例題 0001

The recreation committee -------- a field trip to the islands for the conference participants.
(A) organized
(B) organizing
(A)(B)

例題 0002 ✓

The director who conducted the research -------- the research data to be available by the end of July.
(A) expecting
(B) expects
(A)(B)

例題 0003

The team -------- a number of measures to increase corporate efficiency.
(A) introducing
(B) has introduced
(A)(B)

例題 0004

Please be -------- and refrain from using a cellular phone on the subway.
(A) consider
(B) considerate
(A)(B)

例題 0005

Design entries must -------- received before the March 14 deadline.
(A) be
(B) are
(A)(B)

例題 0006

Individuals -------- get research grants for product development more easily than they do now.
(A) are used
(B) used to
(A)(B)

例題 解き方

0001

訳 レクリエーション委員会は、会議参加者たちのために島の見学旅行を計画した。

ポイントと正解 空所は、文の述語になる動詞が入る部分である。to 不定詞や動名詞・分詞などは動詞の性質を帯びているが、文の述語にはなれない。文の述語としては、本動詞 organized がふさわしい。正解は (A) の organized。

語句 □ committee 委員会 □ organize 計画する、準備する □ field trip 見学旅行 □ conference 会議 □ participant 参加者

0002

訳 調査を実施した部長は、7 月末までに調査データの入手を期待している。

ポイントと正解 動詞 conducted は主語 director を修飾する関係代名詞節の動詞で、空所には別に文の述語になる動詞が入らなければならない。本動詞として機能する (B) expects が正解だ。

語句 □ director 指揮者、管理者 □ conduct the research 調査を実施する □ available 利用可能な、入手可能な

0003

訳 そのチームは、会社の効率性を高めるために多くの対策を導入した。

ポイントと正解 この文には空所の外には本動詞が見当たらないので、空所に本動詞が入ることがわかる。動名詞の introducing は本動詞にはなれない。後に目的語があるので、能動態で本動詞としても機能する (B) has introduced が正解である。

語句 □ introduce 採りいれる、導入する □ a number of 多数の □ measures 対策 □ increase 増進する □ corporate 企業 □ efficiency 効率性、能率

0004

訳 地下鉄での携帯電話のご利用はご遠慮いただきますようご協力お願いいたします。

ポイントと正解 直前に be 動詞があるので、空所に別の本動詞が入ることはない。be 動詞の補語として形容詞の considerate が入る。正解は (B) の considerate。

語句 □ considerate 思いやりのある、よく考えた □ refrain from ...ing …するのを慎む、控える

0005

訳 デザインの出品作品は 3 月 14 日の締め切り前に受理されなければなりません。

ポイントと正解 助動詞の後には動詞の原形を置くのが原則なので、正解は (A) be である。

語句 □ entry 出品物 □ deadline 締め切り、期日

0006

訳 製品開発のために研究補助金を個人が得ることは、以前は今より簡単にできたものだった。

ポイントと正解 than they do now（今よりは）という現在と比較する言葉があるので、空所には過去を表わす表現が入る。「（過去に）…たが今は違う」の意味で使われる助動詞 used to が正解。used to の後に動詞の原形が置かれ、used to get となる。正解は (B)used to。

語句 □ individual 個人 □ grant 補助金 □ product development 製品開発

PART 5 文法

例題 0007

Customers not completely satisfied with our product -------- to a full refund.
(A) are entitled
(B) entitled

Ⓐ Ⓑ

例題 0008

Children under the age of 13 will not -------- to this film.
(A) are admitted
(B) be admitted

Ⓐ Ⓑ

例題 0009

Please -------- sure your account number is written on any correspondence.
(A) make
(B) making

Ⓐ Ⓑ

例題 0010

The furniture you ordered -------- to be delivered on August 26.
(A) scheduled
(B) is scheduled

Ⓐ Ⓑ

例題 0011

The terms of the contract must be reviewed to ensure that they -------- standard business practices.
(A) comply with
(B) comply

Ⓐ Ⓑ

例題 解き方

・・・0007

訳 弊社製品に完全には満足していない顧客は、全額払い戻しを受ける資格がある。

ポイントと正解 この文の本動詞は satisfied ではなく、空所に入る単語となり、satisfied with our product は主語の customers を修飾する形容詞句である。entitle は「資格を与える」「権利を与える」という意味の他動詞で、主語の customers は払い戻しの対象になるので受動態になる。正解は (A)are entitled。

語句 □ satisfied with …に満足している □ be entitled to do …する資格がある □ full refund 全額払い戻し

・・・0008

訳 13 歳未満の子どもは、この映画を観ることは認められない。

ポイントと正解 主語 children は admit「許可」を受ける対象であり、動詞は受動態「be ＋過去分詞」となる。前に助動詞 will があるので、ここでの be 動詞は原形になる。正解は (B)be admitted。

語句 □ be admitted to …に入るのを認められる（参考）admit A to B A が B に入ることを許可する

・・・0009

訳 あなたの口座番号がいずれの文書にも書かれているのを確認してください。

ポイントと正解 命令文の動詞は原形になることを思い出そう。空所にはこの文の本動詞が入り、「Please make sure（that）主語＋動詞」の形になる。動詞 is は that 節の動詞である。正解は (A)make。

語句 □ make sure (that) …を確認する □ account number 口座番号 □ correspondence 文書、書簡

・・・0010

訳 お客様が注文した家具は、8 月 26 日に配達されます。

ポイントと正解 文の構造は、furniture が主語で、後の you ordered は主語を修飾している。空所には主語に対する述語が置かれるが、主語が物なので、動詞の schedule（予定をたてる）は受動態になる。正解は (B) is scheduled。

語句 □furniture 家具 □order 注文する □be scheduled to do …する予定である □deliver 配達する

・・・0011

訳 契約条件が標準的な商慣習に沿っているかを確かめるため、再検討されなければならない。

ポイントと正解 自動詞は後に目的語が置かれる場合、必ず前置詞を必要とする。comply は前置詞 with とともに用いられ、「（規則・規定などに）従う・守る」の意味になる。正解は (A)comply with。

語句 □ terms 条件 □ contract 契約 □ review 再確認する、再検討する □ ensure that …ということを保証する、確実にする □ comply with …に従う □ practice 慣例

例題 0012

The quality of the furniture designed at the Oak Valley Company has remained -------- consistent for the last 100 years.

(A) remarkable
(B) remarkably
Ⓐ Ⓑ

例題 0013

There are -------- a number of employees in the department who can correct it.

(A) normal
(B) normally
Ⓐ Ⓑ

例題 0014

Staff members in the editorial department work so -------- , they are likely to make mistakes.

(A) rapid
(B) rapidly
Ⓐ Ⓑ

例題 0015

The plan has been only somewhat -------- .

(A) success
(B) successful
Ⓐ Ⓑ

例題 0016

Before you -------- the download page, you have to agree to our Terms of Service.

(A) access to
(B) access
Ⓐ Ⓑ

例題 0017

Please -------- to our website for a comprehensive list of the items that we market.

(A) refer
(B) be refer
Ⓐ Ⓑ

例題 解き方

0012

訳 Oak Valley Company で設計された家具の品質は、過去 100 年の間、ずっと一貫したままである。

ポイントと正解 動詞 remain が後に名詞や形容詞補語を取るからと、うかつに remarkable を選んではならない。空所の後に remain の形容詞補語 consistent がすでにあるので、形容詞を前から修飾する副詞が空所に入る。正解は (B) remarkably。

語句 □ quality　品質　□ design　設計する　□ remarkable　注目に値する、目立った　□ remarkably　著しく、目立って　□ consistent　一貫した、変わらない

0013

訳 通常、その部署には修正ができる社員が多くいます。

ポイントと正解 空所の後に真主語 a number of employees があるが、There is / are... 構文では真主語の前には副詞が置かれるので、normally が正解である。副詞 normally は文全体を修飾し、「普通は」の意味となる。正解は (B)normally。

語句 □ normally　通常、普通は　□ a number of いくらかの、多数の　□ correct　正す、訂正する

0014

訳 編集部のスタッフたちは非常に慌てて仕事をしているので、ミスをしやすい。

ポイントと正解 空所には動詞 work を修飾する副詞が入る。正解は (B) rapidly。

語句 □ editorial department　編集部　□ rapidly　急いで　□ be likely to do　…しやすい　□ make a mistake　ミスをする、間違いを冒す

0015

訳 その計画は、少ししか成功しなかった。

ポイントと正解 空所には、be 動詞の補語であり、副詞の somewhat の修飾を受ける形容詞が入る。正解は (B) successful。

語句 □ somewhat　いくらか、多少

0016

訳 ダウンロード画面にアクセスする前に、弊社のサービス規約に同意してください。

ポイントと正解 主に「利用」「接近」「面会」の意味でよく使われる access が動詞として使われる場合、他動詞として前置詞なしに目的語をとり、「…を入手する・利用する」の意味で使われる。この文の access は動詞で、前置詞 to は必要ない。正解は (B) access。

語句 □ access　…を利用する、アクセスする　□ download page　ダウンロード画面　□ agree to …に同意する　□ Terms of Service　サービス条件、利用規約

0017

訳 弊社取り扱い品目の総合一覧に関しては、弊社ウェブサイトをご参照ください。

ポイントと正解 命令文の動詞は原形となる。refer は自動詞なので、受動態にはできない。be refer は be 動詞の後にまた動詞があるので文法的にもおかしい。refer は、普通 refer to の形で用いられ、「…を参照する」の意味になる。正解は (A) refer。

語句 □ refer to　…を参照する　□ comprehensive　包括的な、総合の　□ item　種目、品目

例題 0018

Ms. Jenkins has met or -------- every single standard of the basic fitness test and will now progress to the next level.

(A) exceeded at

(B) exceeded

Ⓐ Ⓑ

例題 0019

Everybody needs to come here on Friday so we can -------- ways to clean up Central Park.

(A) discuss about

(B) discuss

Ⓐ Ⓑ

例題 0020

At Pizza Delight, we want to provide our customers -------- the best service possible.

(A) with

(B) at

Ⓐ Ⓑ

例題 0021

Unfortunately, the vice president did not approve -------- the proposal.

(A) for

(B) of

Ⓐ Ⓑ

例題 0022

The assistant manager will notify the research team -------- any change to the project schedule.

(A) of

(B) to

Ⓐ Ⓑ

例題 0023

When you -------- the airport, you must first let me know.

(A) reach

(B) arrive

Ⓐ Ⓑ

例題 解き方

0018

訳 Ms. Jenkins は、体力テストの各水準を満たしたか、あるいは上回ったので、これから次の段階に進む。

ポイントと正解 exceed（超過する）は代表的な他動詞であり、後に前置詞は置かれないので、(B)exceeded が正解である。このような自動詞と錯覚しやすい他動詞に注意しよう。出題ポイント 9 の「自動詞と勘違いしやすい他動詞」（17 ページ）参照。

語句 □ exceed　超える、上回る　□ fitness　適応、適性　□ standard　水準、標準　□ progress　前進する、進む

0019

訳 Central Park の清掃方法について話し合うために、金曜日に全員が集まる必要がある。

ポイントと正解 discuss は他動詞・自動詞を区別する問題によく出される単語だ。これは他動詞なので、前置詞なしに目的語をとり「…について話し合う」という意味になる。正解は (B) discuss。

語句 □ need to do　…する必要がある　□ clean up　清掃する

0020

訳 私たち Pizza Delight では、お客様に出来る限りのサービスを提供したいと考えています。

ポイントと正解 動詞 provide とともに用いられる前置詞を問う問題だ。provide A with B、provide B for A（A に B を提供する）の形をとるので、ここでは (A) with が正解だ。

語句 □ customer　顧客　□ possible　出来る限りの、可能性がある

0021

訳 残念ながら、副社長はその提案を承認しなかった。

ポイントと正解 動詞 approve とともに用いられる前置詞を選ぶ問題だ。approve は前置詞の of をともない「…を承認する」の意味で使われる。また、他動詞としても使われるので、前置詞はなくてもかまわない。正解は (B)of。

語句 □ unfortunately　残念ながら、不運にも　□ vice president　副社長　□ approve (of)　…を承認する

0022

訳 アシスタントマネージャーは、プロジェクトの日程に関するあらゆる変更を調査チームに知らせるつもりだ。

ポイントと正解 動詞 notify は、このような前置詞を問う問題によく出される。notify A of B で「A に B を知らせる」という意味になる。正解は (A)of。

語句 □ assistant manager アシスタントマネージャー □ notify A of B　A に B を知らせる、通知する

0023

訳 空港に到着したら、必ず私に先に知らせてください。

ポイントと正解 空所には「…に到着する」という意味の動詞が入る。reach と arrive のどちらでも意味は通じるが、すぐ後に目的語の the airport があるので、他動詞の (A) reach が正解。arrive は自動詞で、後に前置詞 at が必要である。

語句 □ reach　到着する　□ let A know　A に知らせる

例題 0024

Please type your fax number and then we will send a new password -------- you by fax.
(A) to
(B) at

Ⓐ Ⓑ

例題 0025

You should give -------- to your employees immediately after they make a mistake.
(A) encourage
(B) encouragement

Ⓐ Ⓑ

例題 0026

Our supervisor -------- us that the project due date had been moved up by one week.
(A) mentioned
(B) mentioned to

Ⓐ Ⓑ

例題 0027

We hope to offer -------- a promotion next year due to your hard work.
(A) your
(B) you

Ⓐ Ⓑ

例題 0028

Manufacturers should let customers -------- about all the features of their products.
(A) know
(B) to know

Ⓐ Ⓑ

例題 0029

All of the heavy equipment operators have to have their licenses -------- by the end of this month.
(A) renew
(B) renewed

Ⓐ Ⓑ

例題 解き方

0024

訳 ファックス番号を入力してくだされば、ファックスで新しいパスワードをお知らせいたします。

ポイントと正解 「(人)に(物)を送る」の意味にするには、send something to someone または send someone something の形にしなければならない。空所には前置詞 (A)to が入る。

語句 □ type タイプする、入力する □ password パスワード □ by fax ファックスで

0025

訳 社員が間違いをしたら、あなたはすぐに彼らを激励するべきです。

ポイントと正解 一つの文中に動詞が連続して現われることはない。空所には、動詞 give の目的語になる名詞が入る。正解は (B) encouragement。

語句 □ give encouragement to …に励ましをおくる、激励する □ make a mistake 間違いをする、誤りをする

0026

訳 上司は、そのプロジェクトの期日が一週間繰り上げられたことを私たちに告げた。

ポイントと正解 他動詞 mention は間接目的語(…に)をとらない動詞で、「…に」は「to +目的語」で表わす。このように授与動詞と間違えやすい動詞には、explain、suggest、announce などがある。正解は (B)mentioned to。

語句 □ mention 話に出す、…に言及する □ due date 締切日、期日 □ move up 繰り上げる

0027

訳 あなたは一生懸命働いたので、来年、昇進させたいと思います。

ポイントと正解 空所の後ろに冠詞 a があるので、所有格の your は入らない。動詞 offer の間接目的語になる目的格の (B) you が正解。

語句 □ offer A B AにBを提供する □ promotion 昇進、昇格 □ due to …が原因で、…のおかげで

0028

訳 メーカーは、自社製品のあらゆる機能について顧客に知らせるべきである。

ポイントと正解 使役動詞 let は「let +目的語(...)+動詞原形(~)」で「…が~するようにする」の意味になるので、空所には動詞の原形である (A)know が入る。

語句 □ manufacturer 製造業者、メーカー □ feature 性能、機能

0029

訳 重機の運転者は全員、今月末までに免許を更新しなければなりません。

ポイントと正解 have が使役動詞として使われる場合には「have +目的語(人)+目的補語(動詞原形)」の形になるが、受動の場合には動詞が過去分詞になる。ここでは目的語が物であり「更新される」という受動の意味なので、(B) の renewed が正解である。

語句 □ heavy equipment 重機 □ license 免許 □ renew 更新する □ have + 物 + 過去分詞 (...) 物を…してもらう、…される

例題 0030

It is required that everyone first show -------- photo identification before receiving your package.
(A) the clerk
(B) the clerk of
Ⓐ Ⓑ

例題 0031

You had better -------- them of any changes in the plan.
(A) explain
(B) inform
Ⓐ Ⓑ

例題 0032

Be assured that your personal information will be kept -------- .
(A) confidential
(B) confidence
Ⓐ Ⓑ

例題 0033

We -------- you that it won't happen again.
(A) mentioned
(B) assured
Ⓐ Ⓑ

例題 0034

The director would like to see all employees -------- contact with potential clients.
(A) to develop
(B) develop
Ⓐ Ⓑ

例題 0035

The Chamber of Commerce helps local businesses -------- disputes with customers.
(A) resolve
(B) with resolve
Ⓐ Ⓑ

例題 解き方

0030

訳 小包を受け取る際には、写真付の身分証を係員に見せなければならない。

ポイントと正解 空所には他動詞 show の目的語になる名詞が入るが、the clerk of photo identification では「身元証明書の販売員」というおかしな意味になってしまう。動詞 show の目的語には、前置詞 of は要らない。正解は (A) the clerk。

語句 □ require that …ということを要する □ show A B A に B を見せる、提示する □ identification 身分証 □ package 小包、荷物

0031

訳 計画の変更点は、なんでも彼らに知らせたほうがよい。

ポイントと正解 後にある前置詞 of とともに使われる動詞を選ぶ問題だ。inform A of B で「A に B を知らせる」という意味になる。explain が同じ意味で用いられる場合は、explain to them any changes... という形になる。正解は (B) inform。

語句 □ had better …したほうがいい □ inform A of B A に B を通知する、知らせる □ change 変更

0032

訳 個人情報は機密にされるのでご安心ください。

ポイントと正解 「keep ＋目的語（...）＋補語（～）」は「…を～の状態で維持する」という意味だ。空所に形容詞 confidential がくると「個人情報を機密として維持する」という自然な文になる。正解は (A)confidential。

語句 □ be assured that …ということを保証する □ personal 個人的な □ confidential 機密の、内密の □ confidence 信頼、信用

0033

訳 そのようなことが二度と起こらないと保証します。

ポイントと正解 「動詞＋人＋ that 節」の形で用いられる動詞は assure だ。mention は直後に that 節が置かれる。正解は (B) assured。

語句 □ assure A that A に…を保証する、A に…だと確信させる □ happen 起こる

0034

訳 部長は、社員全員が見込み客と交渉を進めているのを確かめたい。

ポイントと正解 動詞 see に注意しよう。see は視覚動詞で「see ＋目的語＋動詞原形」の形で使われるので、正解は (B) の develop だ。

語句 □ director 部長 □ contact 交渉、接触 □ potential 潜在的 □ client 顧客

0035

訳 商工会議所は、地元企業と顧客の紛争解決を手助けします。

ポイントと正解 help が使役動詞だという点に注意しよう。「help ＋目的語＋動詞原形」の形になるので、空所には動詞の原形である (A) resolve が入る。

語句 □ The Chamber of Commerce 商工会議所 □ local 地元の □ resolve 解決する □ dispute 争う、論争する

例題 0036

Timothy Zawyer will have his assistant -------- the recorded interviews as soon as they are all completed.

(A) transcribe
(B) transcribed
(C) be transcribing
(D) to be transcribed

Ⓐ Ⓑ Ⓒ Ⓓ

例題 0037

Rachel -------- to her classmates that she became interested in the topic after working in a woman's rights center.

(A) informed
(B) reminded
(C) assured
(D) explained

Ⓐ Ⓑ Ⓒ Ⓓ

例題 0038

After you have had your medical checkup, give the form to your volunteer coordinator and also give -------- the dates you are available to work.

(A) she
(B) her
(C) hers
(D) herself

Ⓐ Ⓑ Ⓒ Ⓓ

例題 0039

Local activists regard education on environmental issues -------- a crucial part of their movement's focus.

(A) to
(B) about
(C) for
(D) as

Ⓐ Ⓑ Ⓒ Ⓓ

例題 0040

Revamping the company logo and image will surely -------- sales in the coming months.

(A) stimulating
(B) stimulated
(C) to stimulate
(D) stimulate

Ⓐ Ⓑ Ⓒ Ⓓ

例題 解き方

・・0036

訳 インタビューの録音が終り次第、Timothy Zawyer はアシスタントにそれを書き起こしてもらうつもりだ。

ポイントと正解 have は使役動詞で、「have ＋目的語（...）＋動詞原形（～）」で「…に～させる」の意味になる。正解は (A) transcribe。

語句 □ assistant　助手、アシスタント　□ transcribe　書き起こす、文字に起こす　□ recorded　録音された

・・0037

訳 女性権利センターで働いてからその話題に興味を持つようになったと、Rachel は同級生たちに説明した。

ポイントと正解 直後に「to＋人目的語」があるので、空所には(D)explainedが入る。動詞explain は「explain ＋ to 間接目的語＋ that 節」の形で使われる。(A) は inform A of B、(B) は remind A to do, remind A that 節、(C) は assure ＋人＋ that 節の形で使われる。

語句 □ classmate　同級生　□ topic　話題　□ inform　通知する　□ remind　…に気づかせる　□ assure　…を保証する、確信する

・・0038

訳 健康診断を受けたら、ボランティアコーディネーターに用紙を渡して、あなたが活動できる日を彼女に教えてください。

ポイントと正解 これは「give ＋間接目的語＋直接目的語」の形であり、空所には目的格の代名詞が入るので、(B) の her が正解だ。主語と目的語が同一人物ではないので、再起代名詞の (D) は不適当である。

語句 □medical　医学の、健康診断　□checkup　(詳しい)検査　□volunteer　有志、ボランティア　□ coordinator　取りまとめ役、コーディネーター

・・0039

訳 地域の活動家たちは、環境問題に関する教育が運動の重要部分であるとみなしている。

ポイントと正解 これは「regard A as B」の形で、「A を B とみなす」の意味である。目的語（education on environmental issues）が長くて、構文が把握しにくい。正解は (D)as。

語句 □ activist　活動家　□ regard A as B　A を B とみなす　□ environmental　環境上の　□ crucial　決定的な、きわめて重要な　□ movement's focus　運動の焦点

・・0040

訳 会社ロゴと会社イメージの刷新により、来月の売上はきっと増加するだろう。

ポイントと正解 助動詞 will の後には動詞の原形がくるのが原則だ。助動詞と動詞の間に副詞 surely が挟まれているので紛らわしい。正解は (D) stimulate。

語句 □ revamp　改良する、改訂する　□ surely　確かに、必ず　□ stimulate　刺激する

例題 0041

Topics at the business communication workshop -------- active listening.
(A) include
(B) includes
(C) including
(D) inclusion

Ⓐ Ⓑ Ⓒ Ⓓ

例題 0042

At the close of each shift, all cashiers need to sign out and -------- their time cards.
(A) initialed
(B) initials
(C) initial
(D) initialing

Ⓐ Ⓑ Ⓒ Ⓓ

例題 0043

Russel Carson, who -------- the tenant forum, will donate proceeds from the bake sale to a local children's charity.
(A) founded
(B) foundation
(C) founding
(D) founds

Ⓐ Ⓑ Ⓒ Ⓓ

例題 0044

Quicksilver Entertainment asks that reporters -------- all press releases carefully before printing them.
(A) edit
(B) edits
(C) editing
(D) edition

Ⓐ Ⓑ Ⓒ Ⓓ

例題 0045

The new photocopier we ordered last month is used to -------- copies of the documents.
(A) supply
(B) supplies
(C) supplied
(D) supplier

Ⓐ Ⓑ Ⓒ Ⓓ

例題 解き方

0041

訳 ビジネスコミュニケーションセミナーには、積極的に聞くという内容も含まれている。

ポイントと正解 空所は本動詞が入る位置である。文の主語は Topics という複数形なので、動詞もそれに合わせる。正解は (A) include。

語句 □ topic 話題、題目 □ include 含む □ active 積極的な、有効な

0042

訳 勤務時間の終わりに、レジ係は全員タイムカードに署名して外に出る必要がある。

ポイントと正解 and で続けられる並列構文だ。前に need があり、to 不定詞の後なので、空所には動詞の原形が入る。initial は「初めの」という意味の形容詞としてよく使われるが、動詞としては「署名する」という意味になる。正解は (C) initial。

語句 □ at the close of …の終わりに □ shift 勤務時間 □ cashier レジ係 □ sign out 署名して外出する □ initial 署名する、初めの □ time card タイムカード

0043

訳 テナント広場を設立した Russel Carson は、バザーの収益を地元の児童福祉団体に寄付するつもりです。

ポイントと正解 主格関係代名詞 who の後には動詞が置かれる。名詞の (B) が入ることはありえず、分詞形である (C) も不適当だ。本動詞になれる (A) と (D) のうち、意味的に「設立した」という過去形がふさわしいので、(A) founded が正解。

語句 □ tenant テナント、賃借人 □ donate 寄付する □ proceeds 収益 □ bake sale (お菓子などを持ち寄って行う)バザー □ charity 慈善(団体)、義援金

0044

訳 報道発表を印刷する前には慎重に編集するよう、Quicksilver Entertainment は記者達に求めている。

ポイントと正解 忠告･提案･命令を表わす動詞 (insist, suggest, ask, request, demand) の後にくる that 節の動詞は原形になる。詳しくは、Unit14 の仮定法を参照のこと。正解は (A) edit。

語句 □ edit 編集する □ press release 新聞発表、公式発表 □ carefully 慎重に

0045

訳 我々が先月注文した新しいコピー機は、書類をコピーして配布するのに使われる。

ポイントと正解 be used to do は「…するのに使われる」、be used to...ing は「…するのに慣れている」という意味である。この文は「コピー機が…に使われる」という意味なので、空所には動詞の原形が入る。正解は (A) supply。

語句 □ photocopier コピー機 □ order 注文する □ be used to do …するのに使われる □ supply 供給する、提供する

例題 0046

-------- remain a variety of ways to handle labor disputes according to the new regulations.
(A) It
(B) He
(C) They
(D) There

Ⓐ Ⓑ Ⓒ Ⓓ

例題 0047

Direct sunlight can interfere -------- your health while on the medication, so please wear a large hat when outdoors.
(A) to
(B) on
(C) about
(D) with

Ⓐ Ⓑ Ⓒ Ⓓ

例題 0048

The work environment at our company can sometimes seem -------- to someone who is new to the job.
(A) confusing
(B) confusion
(C) confuse
(D) confusingly

Ⓐ Ⓑ Ⓒ Ⓓ

例題 0049

There -------- to be many school teachers who voluntarily got involved in drug abuse prevention and education activities.
(A) resulted
(B) examined
(C) viewed
(D) appeared

Ⓐ Ⓑ Ⓒ Ⓓ

例題 0050

Traffic jams have become much more -------- now that a new subway system is operating.
(A) managing
(B) manageably
(C) manageable
(D) manage

Ⓐ Ⓑ Ⓒ Ⓓ

例題 解き方

0046

訳 新しい法規によると、労働争議を解決する様々な方法が依然として残っている。

ポイントと正解 この文は「様々な方法が依然としてある・残っている」という意味である。空所が主語の位置だからと、うっかり They を選んでしまわないようにしよう。「There remain(s)＋主語（…依然としてある・残っている)」の形にすると自然な文となる。There は形式的な単語なので、訳さない。正解は (D) There。

語句 □ handle　解決する　□ labor dispute　労働争議　□ according to　…によると

0047

訳 薬物治療中は、直射日光があなたの健康を害するので、屋外では大きな帽子を着用してください。

ポイントと正解 interfere は自動詞で、直後に目的語をとることができないので、前置詞を使って他動詞の働きをさせる。interfere with は「…を邪魔する・損傷する」という意味の熟語として覚えておこう。正解は (D) with。

語句 □ direct sunlight　直射日光　□ interfere with　…を損傷する、害する
□ while on the medication　薬物治療をする間　□ outdoor　戸外の

0048

訳 新しく入った人は、わが社の労働環境に戸惑うことがあるようだ。

ポイントと正解 空所には不完全自動詞 seem の補語になる形容詞が必要だが、分詞形で形容詞になる (A) confusing が正解だ。名詞の confusion も seem の補語になれるが、この場合補語の confusion と主語が同格でなければならない。主語 The work environment と confusion は同格になれないので、(B) は誤答である。正解は (A) confusing。

語句 □ confuse　混乱する

0049

訳 薬物乱用防止や薬物教育活動に自発的にかかわる教員が大勢いるように思われた。

ポイントと正解 完全自動詞 come, go, remain, seem, appear は、主語が動詞の後に置かれて There で文が始まる構文でも用いられる。appear の場合、「There appear to be ＋主語」の形で「…があるようだ」の意味になる。意味的にも空所には (D) appeared「…のようだ」が入るのが自然だ。(A) は「結果として現れた」、(B) は「調査した」、(C) は「眺めた」という意味なので、文の内容と合わない。正解は (D) の appeared。

語句 □ voluntarily　自発的に　□ get involved in　…にかかわる　□ drug abuse　薬物乱用
□ prevention　防止

0050

訳 今や、新しい地下鉄システムが導入されたので、交通渋滞はより制御しやすくなった。

ポイントと正解 まず、文の本動詞が become であることに注目しよう。補語を必要とする不完全自動詞 become の後には、形容詞または名詞が置かれる。名詞は、主語と同格になる場合のみ可能だ。副詞の (B) と動詞の (D) は誤答で、(A) は現在分詞で形容詞の働きをするが、交通渋滞を制御しやすくなったという意味で managing 「経営する…」よりは、(C) の manageable「制御しやすい」が正解となる。

語句 □ traffic jam　交通渋滞　□ manageable　制御しやすい　□ now that　今や…だから

例題 0051

Students have an assignment to visit the library to -------- for books on their community's history.

(A) find
(B) look
(C) care
(D) pick up

Ⓐ Ⓑ Ⓒ Ⓓ

例題 0052

As a party host, check the invitation cards and make sure to -------- all the invited people.

(A) contacting
(B) contacts
(C) contact with
(D) contact

Ⓐ Ⓑ Ⓒ Ⓓ

例題 0053

The Barclay Manor -------- guests with numerous services such as complimentary breakfast and city tour information.

(A) offers
(B) contributes
(C) provides
(D) extends

Ⓐ Ⓑ Ⓒ Ⓓ

例題 0054

Hikers in Grand State Park are prohibited -------- picking any wildflowers or plant species.

(A) by
(B) from
(C) under
(D) away

Ⓐ Ⓑ Ⓒ Ⓓ

例題 0055

The online book auction site was set up in order to provide the business with better -------- to potential customers across the world.

(A) accession
(B) excess
(C) approach
(D) access

Ⓐ Ⓑ Ⓒ Ⓓ

例題 解き方

0051

訳 学生たちには地域の歴史に関する本を探すために図書館に行くという宿題が課せられている。

ポイントと正解 図書館で本を探すという意味にするには、「…を探す」という意味の動詞を選ばなければならない。空所の後に前置詞 for があり他動詞は入り得ないので、(A) は誤答。前置詞 for とともに用いられて「…を探す」という意味になる (B) look が正解だ。

語句 □assignment 宿題 □community 地域社会 □care for …を世話する □look into …を詳しく調べる □look over …に一通り目を通す □look at …を見る □pick up …を拾いあげる

0052

訳 パーティー主催者として、招待状を確認し、来客全員と必ず接触するようにしてください。

ポイントと正解 make sure は「make sure to ＋動詞原形 /make sure that...」の形で「必ず…する」の意味になる。contact（連絡をとる・接触する）は他動詞なので、(C) のように前置詞 with とともに用いることはできない。正解は (D) contact。

語句 □host 主催者 □invitation card 招待状 □invited 招待された

0053

訳 Barclay Manor 社は無料の朝食や市内観光情報など、多くのサービスをお客様に提供している。

ポイントと正解 目的語 guests の後の前置詞に注目しよう。with とともに使われる動詞を選ぶ。provide は前置詞 with とともに使われ、provide A with B の形で「A に B を提供する」の意味になる。(A) offer は「offer ＋間接目的語＋直接目的語」の形で前置詞なしに直接目的語をとるので、誤答である。(B) contribute は、contribute A to B「A を B に寄付する」の意味になる。(D) extends も前置詞 to とともに使われる。正解は (C) provides。

語句 □numerous たくさんの □such as …のような □complimentary 無料の、招待の

0054

訳 Grand State Park でハイキングする人たちは、野生の花々や植物類を取ることを禁止されている。

ポイントと正解 動詞 prohibit とともに使われる前置詞は from しかない。from の後に ing 形がくることにも注目しよう。動詞 prohibit は prohibit A from...ing の形で用いられ、「A が…できないようにする」「A が…することを禁止する」という意味になる。正解は (B) from。

語句 □hiker ハイキングする人 □wildflower 野の花、野生植物の花 □species 種類

0055

訳 インターネットの書籍オークションサイトは、企業が世界中の見込み客にもっとアクセスできるように設置された。

ポイントと正解 空所は with の目的語が置かれる位置で、後にある前置詞 to とともに用いられる名詞を探せばよい。選択肢の単語はすべて似たような意味なので、少し紛らわしい。「見込み客に接近する」という意味にしなければならないので、前置詞 to とともに「…への接近」の意味になる (D) access が正解。(C) approach も前置詞 to とともに用いられるが可算名詞なので、冠詞が付くか複数形でなければならない。(A) accession は「（王位の）継承」という意味。(B) excess は「超過」で、文の内容と合わない。

語句 □set up 設置する □in order to …のために □potential customer 潜在的顧客、見込み客

UNIT 02 ● 動詞の時制

出題ポイント 1. 反復されることがらや習慣、一般的な事実を表わす現在時制

The conference room **is** usually available for meetings in the early morning.
（会議室は、早朝の会議にいつでも利用可能である。）

We **provide** job seekers with vast employment information.
（私たちは、膨大な就職情報を求職者に提供している。）

出題ポイント 2. 時間・条件を表わす副詞節では、未来の内容も現在時制で表わす

時間を表わす副詞節：**when, after, before, as soon as, by the time, while**
条件を表わす副詞節：**if, once, unless, in case**

If your application **arrives** after the deadline, it may not be considered.
（締め切り後の応募だと、審査されないかもしれません。）

Flight arrivals will be posted on the monitors **as soon as** the information **becomes** available.
（飛行機の到着は、情報が入り次第、モニターに表示されます。）

By the time you **read** this letter, I will be in the training program in New York.
（あなたがこの手紙を読むころまでには、私はニューヨークで訓練を受けているでしょう。）

出題ポイント 3. 過去を表わす副詞句

「last＋時間（night, week, month）」
「時間（a few days, a month, many years）＋ago」
yesterday, at that time, then, those days（当時）, just now

The organization **donated** more than 4 million dollars **last year**.
（その団体は、昨年400万ドル以上を寄付した。）

Last week, the stock market **reached** a series of new highs.
（先週、株式市場は引き続き、高値を更新した。）

Ms. Carla **joined** the company **three years ago** as a public relations manager.
（Carlaは、広報担当部長として3年前に入社した。）

●

出題ポイント 4. 未来を表わす副詞句

「next＋時間」「by/until＋未来の時間（…までには／…までずっと）」
「as of＋未来の時間（…現在）」
in the future, soon, sometime, by the end of next year, tomorrow, later

By early next year, the finished product **will be ready** for release.
（来年早々までには、完成品は発売の準備が出来ているだろう。）

During the next two weeks, the museum **will be closed** for renovation.
（今後2週間、博物館は改装のため閉鎖される。）

出題ポイント 5. 進行形

現在進行	**am/are/is** ＋～ **ing**
過去進行	**was/were** ＋～ **ing**
未来進行	**will be** ＋～ **ing**
現在完了進行	**have/has been** ＋～ **ing**

Susan **is looking for** the sales report at the moment.
（Susanは今、営業報告を探している。）

We **were discussing** the merger case with our partner when you dropped by my office.
（あなたが私の会社に立ち寄ったとき、ビジネスパートナーと合併問題を話し合っていました。）

At this time tomorrow, all staff **will be receiving** special overtime pay.
（明日のこの時間には、全スタッフは特別残業手当を受け取ります。）

Most of the employees **have been working** at the company for a minimum of three years.
（従業員のほとんどが、最低3年間はこの会社で働いてきた。）

The lawyer usually **charges** high fees for his legal services.
（その弁護士はいつも、法律相談に対し高い料金を請求します。）

× The lawyer usually **is charging** high fees for his legal services.

➡ 現在形と現在進行形の違い：現在時制は反復して起きることがらを表わす場合に、進行形は話す時点である動作がまだ終わっていない場合に用いる。

➡ charge（請求する）と副詞 usually（普通・たいてい）から、そのことが現在起きているのではなく反復して起きるものであることがわかるので、現在時制を用いる。

語句 □merger case　合併問題　□drop by　…に立ち寄る

出題ポイント 6. 現在完了時制の形

➡ 過去の行為が現在に影響を及ぼしながら今完了したことや、過去の経験を表わす。

現在完了の形：「**have［has］＋過去分詞**」

I **have been to** the branch office in Europe. 〈経験〉
（ヨーロッパの支社に行ったことがある。）

He **has worked** as marketing manager for 2 years. 〈継続〉
（彼は2年間マーケティングマネージャーとして働いてきた。）

My team **has just finished** preparing for an internal audit. 〈完了・結果〉
（私のチームは、内部監査のための準備がちょうど整った。）

語句
□prepare for …の準備をする □internal audit 内部監査

出題ポイント 7. 現在完了とともに使われる時間副詞句

➡ 現在完了とともによく使われる時間を表わす副詞（句）を整理しておこう。

since＋過去の時点, in/over/for＋last/past＋数＋時間名詞,
for＋数＋時間名詞
until now, up to now, recently, lately, in recent years（近年),
just, already, not...yet

Overall production of cellular phones **has increased since** the Plant 4 expansion project was completed.
（第4工場の拡張プロジェクトが完成して以来、携帯電話の総生産高は増加している。）

We **have won** more awards and medals than any other company **over the past five years**.
（過去5年間にわたり、私たちは他社よりも多くの賞とメダルを勝ち取っている。）

Advertisements **have promoted** consumer awareness of commodities **for decades**.
（広告によって、商品に対する消費者の認識が、この数10年の間に高まった。）

➡「since ＋時点」vs.「in[for, over]＋期間」
sinceは「過去のある時点から発話の時点まで」を意味するので、sinceの後には必ず「特定の時点を表わす言葉」が使われ、期間を表わす言葉は使われない。期間を表わす言葉はin, for, overとともに用いる。

○ since 2001（2001年以来） → × since the past five years

○ in[for / over] the past five years（過去5年間に / 5年の間 / 5年間にわたり）

語句 □overall 全体の、全部の □expansion project 拡張プロジェクト □awareness of …に対する意識 □commodities 商品

PART 5 文法

出題ポイント 8. 過去完了の使い方

➡「had＋過去分詞」の形の過去完了は、単独で使われるよりも、主節の過去よりに先立つ大過去を表わすときに使われる。

I **had solved** the problem **before** the technician **came to** us.
（技術者が来る前に私がその問題を解決した。）

When the visitors **arrived**, the meeting **had already started**.
（訪問者が到着したとき、会議は既に始まっていた。）

出題ポイント 9. 未来完了の形

➡「未来のある時点まで～するだろう」というときは、「will have＋過去分詞」の形を使う。

Muhatah **will have worked** for 15 years by the time he retires.
（Muhatahは、退職する頃には15年間働いたことになるだろう。）

➡ 未来完了は特に「by＋未来のある時点」からなる前置詞句とともによく使われる。

by next September（来る9月ごろに）
by the end of the next year（来年末ごろに）
by the time＋主語＋動詞現在形（…が～するころに）
］＋主語＋**will have**＋過去分詞

PART 5 | 文法問題 例題 UNIT 02 ● 動詞の時制

例題 0056

By next year, it -------- necessary for Merfco to undergo a stock split.
(A) is
(B) will be

Ⓐ Ⓑ

例題 0057

Only one year ago, the firm -------- a market leader in the area of office supplies.
(A) was
(B) has been

Ⓐ Ⓑ

例題 0058

Each month, the Wainwright Museum -------- a portion of the proceeds from their feature exhibit to the Marlow Library for the illiterate.
(A) donated
(B) donates

Ⓐ Ⓑ

例題 0059

Please remind all shifts that the mandatory semi-annual staff dinner -------- promptly at 8 p.m. tomorrow evening.
(A) is serving
(B) will be served

Ⓐ Ⓑ

例題 0060

The Asian branch office was informed that oil magnates from the Middle East -------- the following Friday.
(A) has arrived
(B) would arrive

Ⓐ Ⓑ

例題 0061

The division manager -------- absent from the team meeting yesterday because of an urgent meeting with important clients.
(A) is
(B) was

Ⓐ Ⓑ

例題 解き方

0056

訳 来年までには、Merfcoは株式分割が必要だろう。

ポイントと正解 by next yearは未来を表わす表現であり、ここでは現在形より未来形が適切なので、(B)のwill beが正解である。

語句 □ necessary　必要な　□ undergo　受ける、耐える、経験する　□ stock split　株式分割

0057

訳 ほんの1年前、その会社は事務用品の分野におけるトップ企業でした。

ポイントと正解 過去を表わすOnly one year agoに注目すること。agoは過去時制とともに用いられる代表的な副詞なので、正解は(A)のwasである。同じ意味の副詞beforeは、完了時制とともに用いられることを覚えておこう。

語句 □ firm　会社　□ market leader　最大手企業　□ in the area of　…の分野において　□ office supplies　事務用品

0058

訳 Wainwright博物館は読み書きの出来ない人のために、展覧会の出展で得る収益の一部を毎月Marlow図書館へ寄付している。

ポイントと正解 文中に動詞がないので、空所には動詞が入ることになるが、動詞は文中で一般的な事実や習慣を表わすときには現在形になる。正解は(B) donates。

語句 □ donate　寄付する　□ portion　一部　□ proceeds　収益　□ feature exhibit　展覧会での出展　□ illiterate　読み書きの出来ない(人)

0059

訳 明日の午後8時ちょうどに半期に一度の定期夕食会が催される旨、交代勤務スタッフ全員に周知してください。

ポイントと正解 はっきりと未来を表わすtomorrow eveningがあるので、文の時制は未来となり、夕食は人により提供されるものなので受動態になる。未来受動形の(B) will be servedが正解となる。

語句 □ remind　気付かせる、念を押す　□ shift 交代勤務者　□ mandatory　義務的な　□ semi-annual　半年に一度の　□ promptly　きっかり、ちょうど

0060

訳 中東の石油大実業家が今度の金曜日に到着すると、アジア支店に通知された。

ポイントと正解 the following Friday (この次の金曜日) が未来を表わしているのでwill arriveになりそうだが、この文ではwas informedという過去時制の動詞が使われているので、that節の動詞も過去形となって(B) would arriveが正解になる。

語句 □ inform　通知する　□ magnate　大事業家、有力者、大物　□ following　次の、次に来る

0061

訳 部長は、大事な顧客との急な会議のために、昨日のチームミーティングに居合わせなかった。

ポイントと正解 明確な過去を表わすyesterdayがあるので、時制は過去になる。正解は(B) was。

語句 □ division　部門、課　□ absent　不在の、居合わせない　□ because of　…のために、のせいで　□ urgent　緊急の

例題 0062

While Audiostall Studios -------- its technical staff, many of its engineers were let go.

(A) was restructuring

(B) was restructured

Ⓐ Ⓑ

例題 0063

Nearly all of the researchers in the museum's geology department -------- to work by bicycle.

(A) commute

(B) is commuting

Ⓐ Ⓑ

例題 0064

Sales -------- substantially since he began managing the store.

(A) increased

(B) have increased

Ⓐ Ⓑ

例題 0065

Vice President Chalmers -------- for almost a decade by the time he submits his resignation.

(A) will have served

(B) has served

Ⓐ Ⓑ

例題 0066

From the condition of the car, it was evident that it -------- hardly been used.

(A) had

(B) has

Ⓐ Ⓑ

例題 0067

Since they arrived, workmen -------- more than two-thirds of the hotel rooms in the new wing.

(A) have painted

(B) were painting

Ⓐ Ⓑ

例題 解き方

0062

訳 Audiostall スタジオが技術スタッフのリストラをする間に、多くのエンジニアが解雇された。

ポイントと正解 過去進行形は「be 動詞の過去形＋現在分詞」で表わされる。主語の Audiostall Studios は restructure する主体なので、動詞は能動態となる。was restructed は受動態なので、誤答である。正解は (A) was restructuring。

語句 □ restructure　リストラする　□ technical　技術的な　□ let someone go …を解雇する

0063

訳 博物館の地質学部門にいる研究員たちのほぼ全員が、自転車で出勤している。

ポイントと正解 この文での「自転車で出勤する」は習慣的な行為を表わすので、現在時制にすると自然な文になる。is commuting は現在進行形であるが、主語が複数名詞なので is は使えない。正解は (A) commute。

語句 □ nearly all of　ほとんど全部の…　□ geology　地質学　□ commute 通勤する

0064

訳 彼が店を経営し始めて以来、売上はかなり伸びている。

ポイントと正解 since は「…して以来」という意味の接続詞で、完了時制とともに使われる。また過去の特定の時点で売り上げが増えたのではなく、店を始めて以来引き続き売り上げが伸びているという意味なので、現在完了の (B) have increased が正解だ。

語句 □ increase　増す　□ substantially　しっかりと、十分に、実質的には

0065

訳 副社長の Chalmers は、辞表を提出するころには約 10 年間勤めたことになる。

ポイントと正解 辞表を提出するころには 10 年間会社に勤めたことになるという意味だ。「by the time ＋現在形」は、未来形または未来完了形とともに使われるので、未来完了形の (A) will have served が正解である。

語句 □ serve　に仕える　□ decade　10 年間　□ by the time　…する時までに（は）　□ submit one's resignation　辞表を出す、辞職を申し出る

0066

訳 車の状態からみて、ほとんど使われていなかったのは明白だった。

ポイントと正解 主節の時制が過去だが、that 節の時制は現在時制にはならない。車が使われた期間は主節の時制である過去 (was evident) 以前なので、過去完了形になる。正解は (A) had。

語句 □ condition　状態　□ evident　明白な、明らかな

0067

訳 作業員たちは到着してから、新棟の 3 分の 2 以上の客室にペンキを塗っている。

ポイントと正解 到着してから現在までずっとペンキを塗っているという意味なので、現在完了形が正解である。「since ＋主語＋過去形動詞 , 主語＋現在完了形動詞」構文を、この問題を通してしっかり覚えておこう。 正解は (A) have painted。

語句 □ workman　労働者　□ more than　…以上　□ two-thirds　3 分の 2　□ wing　翼部、棟

例題 0068

Richard Arnold has been working here -------- almost a decade, but he is planning to move to Texas in January.

(A) since
(B) for

Ⓐ Ⓑ

例題 0069

A lack of funding -------- limited the research center's activities.

(A) is
(B) has

Ⓐ Ⓑ

例題 0070

The federal government acknowledged that prices have -------- dramatically.

(A) raise
(B) risen

Ⓐ Ⓑ

例題 0071

By the time you finish reading this book, you -------- a lot of ideas and information that will help you start a successful business.

(A) have obtained
(B) will have obtained

Ⓐ Ⓑ

例題 0072

In the last thirty years, the number of insurance brokers working in the suburbs -------- by more than 20 percent.

(A) has risen
(B) will have risen

Ⓐ Ⓑ

例題 解き方

0068

訳 Richard Arnold は 10 年近くここで働いているが、1 月にテキサスへ転勤することになっている。

ポイントと正解 for は「…の間」という意味で、その後に 2 hours, a week, a year のような特定期間を表わす言葉が置かれるのに対し、since は「ある過去の時点から」という意味なので、明確な過去の時点を表わす言葉がくる。この文では「10 年間」という特定期間を表わす言葉があるので、(B) for が正解である。

語句 □ decade　10 年間　□ plan to do　…する予定

0069

訳 資金不足で研究センターの活動は制約されている。

ポイントと正解 直訳では、「資金不足が何かを制約する」という能動的な意味なので、受動形 is limited にすると意味が通じない。後に目的語 the research center's activities をとる能動形にするには、has limited としなければならない。完了形は「have ＋過去分詞」、受動態は「be ＋過去分詞」の形である。正解は (B) has。

語句 □ a lack of　…の欠如　□ funding　資金、基金

0070

訳 物価が急激に上がっていることを連邦政府は認めた。

ポイントと正解 完了時制は「have ＋過去分詞」の形になるので、risen が正解だ。raise は他動詞だがこの文では後に目的語がなく、「…を上げる」という意味なので文脈にもそぐわない。正解は (B) risen。

語句 □ acknowledge　認める、認知する　□ prices　価格　□ rise (rose-risen)　上がる
□ dramatically　劇的に　□ raise(raised-raised)　…を上げる

0071

訳 この本を読み終えるころには、あなたが始めた仕事が成功するのに役立つ多くのアイディアや情報を得ていることだろう。

ポイントと正解 By the time のような時を表す副詞節では、動詞の現在形で未来を表わすので、動詞は finish となっている。空所には未来形が入り、今から未来のある時点まで行為が続けられることを表わす必要がある。未来完了の (B) will have obtained が正解。

語句 □ obtain　…を得る　□ successful　成功した　□ start a business　事業を始める

0072

訳 過去 30 年間で、郊外で仕事をする保険代理人の数は 20%以上増加している。

ポイントと正解 in the last thirty years は過去から現在までの 30 年間を表わしているので、現在完了が正解になる。正解は (A) has risen。

語句 □ insurance broker　保険仲介人　□ suburbs　郊外

例題 0073

Lucy Ewing -------- the bank when her secretary called her in order to inform her that her bank statement was still on her desk.

(A) has already left
(B) had already left

Ⓐ Ⓑ

例題 0074

Retail outlets across the country are indicating that our latest swimwear line -------- better than expected.

(A) selling
(B) sold
(C) is sold
(D) is selling

Ⓐ Ⓑ Ⓒ Ⓓ

例題 0075

Herbs are plants which -------- some of the qualities of food and some of the properties of drugs.

(A) are possessing
(B) possesses
(C) possess
(D) possessed

Ⓐ Ⓑ Ⓒ Ⓓ

例題 0076

Access to the conference center's west parking garage will be restricted for the next two months because it is -------- .

(A) renovate
(B) being renovated
(C) renovated
(D) renovates

Ⓐ Ⓑ Ⓒ Ⓓ

例題 0077

The cause of the plane crash is -------- but local air safety officials believe that technical problems combined with hazy weather were likely factors in the accident.

(A) investigate
(B) investigates
(C) investigating
(D) being investigated

Ⓐ Ⓑ Ⓒ Ⓓ

例題 解き方

0073

訳 銀行取引明細書はまだ机にあることを知らせるために秘書が電話をした時には、Lucy Ewing はすでに銀行を出た後だった。

ポイントと正解 秘書が電話をした時、Lucy Ewing はすでに銀行を立ち去っていたという意味である。秘書が電話をした (called) 時点より銀行を去った時点が先なので、過去以前を表わす過去完了を用いる。正解は (B) had already left。

語句 □ secretary 秘書 □ in order to do …するために □ inform …を通知する □ bank statement 銀行取引明細書、預金報告書

0074

訳 当社の最新水着が期待以上の売れ行きであることを、国内中の小売店が明らかにしている。

ポイントと正解 空所は、that 節の動詞が置かれる位置だ。(A)(B) はそれぞれ現在分詞と過去分詞なので、文の述語にはなれない。are indicating（…であることを表わしている）なので、that 以下の内容も「水着がよく売れている」という進行形にする必要がある。(D) is selling が正解である。(C) の be sold は「売り切れた」という意味で、be sold out とも言い、is being sold なら正解になり得る。

語句 □ retail outlet 小売店 □ indicate 指摘する □ latest 最新の □ swimwear 水着

0075

訳 ハーブは、食べ物の性質と薬の特性を持った植物である。

ポイントと正解 不変の事実や一般的な既定事実を表わすときには、動詞の現在形を用いる。空所は関係代名詞節の動詞が置かれる位置で、先行詞が複数形の plants なので、(C) possess が正解になる。

語句 □ plant 植物 □ possess 所有する □ quality 性質 □ properties of …の特性

0076

訳 補修中のため、会議場西駐車場の利用は今後 2ヶ月間制限される。

ポイントと正解 「駐車場が補修される」という受動態になる文だが、現在も「補修中である」ことを表わすために、普通の受動態である is renovated ではなく現在進行形の受動態の is being renovated にすると自然な文になる。(C) の it is renovated は「すでに補修された」状態を表わす。正解は (B) being renovated。

語句 □ access to （車などを建物に入れること）…の利用、…への入場 □ conference center 会議場 □ parking garage （屋内）駐車場 □ restrict 制限する □ renovate 改装する

0077

訳 飛行機事故の原因は調査中であるが、地元の航空安全当局は、もやのかかった天気と共に起きた技術的な問題が事故の要因であるだろうと信じている。

ポイントと正解 be 動詞の is があるので、動詞が連続することになる (A)、(B) は誤答だ。人々によって飛行機事故の原因が現在調査されている状況であり、空所の後に目的語もないので、進行形の受動態である (D) being investigated が正解だ。

語句 □ cause 原因 □ crash 墜落 □ investigate 調査する □ combine 結合する □ hazy もやのかかった、かすんでいる □ likely おそらく、たぶん □ factor 要因

例題 0078

Evangeline Sawyer -------- from a severe case of food poisoning, so all of her appointments have been postponed for a few days.

(A) will suffer
(B) suffer
(C) will have suffered
(D) was suffering

Ⓐ Ⓑ Ⓒ Ⓓ

例題 0079

All of the residents have been -------- , despite the potential harmful effects the oil spill could have on their health.

(A) cooperative
(B) cooperated
(C) cooperate
(D) cooperation

Ⓐ Ⓑ Ⓒ Ⓓ

例題 0080

Last quarter's record sales numbers posted by Aeon Unlimited were phenomenal, and the company -------- its dominance of the telecommunications industry.

(A) reconfirm
(B) reconfirming
(C) reconfirmed
(D) are reconfirming

Ⓐ Ⓑ Ⓒ Ⓓ

例題 0081

Examining the available figures, it is clear that more families -------- in community programs than ever before.

(A) were participated
(B) are to be participating
(C) have been participating
(D) will have been participating

Ⓐ Ⓑ Ⓒ Ⓓ

例題 解き方

0078

訳 Evangeline Sawyer は食中毒でひどい症状に苦しんでいたので、アポは全て数日延期された。

ポイントと正解 have been postponed とあるので、食中毒にかかり何日か前から現在まで約束を延期してきたことがわかる。このことから食中毒にかかったのは過去のことだと判断できるので、過去を表わす (D) was suffering が正解となる。

語句 □ suffer from …で苦しむ □ severe 厳しい、耐えがたい □ food poisoning 食中毒 □ appointment 約束 □ postpone 延期する

0079

訳 石油流出による健康被害の可能性があるにもかかわらず、住民たちは皆協力的だった。

ポイントと正解 been の次に空所があるので、形容詞や ...ing/...ed の形が入る。住民たちが協力的だという意味なので、住民たちの状態を説明する形容詞 (A) cooperative が正解となる。

語句 □ resident 居住者 □ despite …にもかかわらず □ potential 起こり得る、潜在している □ harmful 有害な □ effect 影響 □ oil spill 石油流出 □ cooperative 協力的な

0080

訳 Aeon Unlimited が公表した最新四半期の記録的な売上は驚異的で、会社は電気通信産業における自社の優位を再認識した。

ポイントと正解 空所に当てはまる動詞の形を選ぶ問題である。前に過去形動詞 were があるので、and 以下の内容は前の内容の結果である過去の事実を述べるものだ。過去時制の (C)reconfirmed が正解となる。空所は動詞の位置なので、分詞形の (B) は誤答。文の主語は複数の last quarter's record sales numbers ではなく、単数の the company なので、(D) も誤答である。

語句 □ phenomenal 並はずれた、驚異的な □ dominance 優勢、支配 □ telecommunication industry 電気通信産業 □ reconfirm (重要性を)再確認する

0081

訳 統計を調査したところ、以前よりも多くの家族が地域社会プログラムに参加していることは確かである。

ポイントと正解 現在完了進行形は、過去から現在まである動作が続いてきたことを表わす。この文は、過去のある時点以降、社会プログラムに参加する家族たちが増えてきたという意味なので、現在完了進行形の (C) have been participating が正解となる。ever before (以前よりも) がヒントになる。

語句 □ examine 調査する □ available 利用できる、入手できる □ clear はっきりしている、明瞭な □ ever before 以前 □ participate in …に参加する

例題 0082

Posa Answering Service -------- your message when your mobile phone is turned off or busy.

(A) take (B) is taking
(C) took (D) takes

Ⓐ Ⓑ Ⓒ Ⓓ

例題 0083

The contracts with the shipping company -------- two weeks ago.

(A) expire (B) will expire
(C) expired (D) expires

Ⓐ Ⓑ Ⓒ Ⓓ

例題 0084

The financial audit of the corporation -------- conducted last week.

(A) is (B) will be
(C) was (D) is being

Ⓐ Ⓑ Ⓒ Ⓓ

例題 0085

The manager predicts that there -------- a sales increase in the next quarter.

(A) are (B) is
(C) will be (D) was

Ⓐ Ⓑ Ⓒ Ⓓ

例題 0086

Professional public speaker Gurney Miller is perennially booked, and usually -------- high fees for all his appearances.

(A) charge
(B) charges
(C) charging
(D) is charging

Ⓐ Ⓑ Ⓒ Ⓓ

例題 0087

Gasoline prices -------- dramatically yesterday, causing some residents to rethink their holiday travel plans.

(A) to rise (B) risen
(C) rising (D) rose

Ⓐ Ⓑ Ⓒ Ⓓ

例題 解き方

0082

訳 携帯電話の電源を切っているときや忙しい時、Posa Answering Service が伝言をお預かりします。

ポイントと正解 サービスの内容を一般的事実として述べているので、空所の動詞は現在形になる。主語の数と一致する (D) takes が正解。

語句 □ take a message 伝言を預かる □ mobile phone 携帯電話 □ turn off 電源を切る

0083

訳 船会社との契約は 2 週間前に失効した。

ポイントと正解 明確に過去を表わす two weeks ago があるので、空所には過去形が入る。expire は「契約や保証が満期になる」という意味の自動詞だ。正解は (C) expired。

語句 □ contract 契約 □ shipping 海運業 □ expire 満期になる、終了になる

0084

訳 会社の会計監査は先週実施された。

ポイントと正解 過去を表わす副詞 last week があるので、空所には過去形の動詞が入る。この文は受動態なので、「be ＋過去分詞」の be が過去形になる。正解は (C) was。

語句 □ financial 会計上の □ audit 監査 □ corporation 企業 □ conduct 行う

0085

訳 マネージャーは、次の四半期に売り上げ増加があると予測している。

ポイントと正解 文末に未来を表わす語句in the next quarterがあるので、that節の時制は未来形になる。正解は (C) will be。

語句 □ predict 予言する、予測する □ sales increase 売り上げ増加 □ quarter 四半期

0086

訳 プロの講演者である Gurney Miller には絶えず予約が入っており、仕事依頼には通常高い金額がかかる。

ポイントと正解 動詞の形を選ぶ問題である。副詞 usually から分るように、特定の場合に限って高額を要求するのではなく、普段からそうだという一般的な事実を表わしているので、動詞は現在形になる。主語が 3 人称単数なので、正解は (B) charges である。

語句 □ professional プロの □ perennially 絶えず □ charge 請求する □ appearance 出演

0087

訳 昨日のガソリン価格の高騰で、休暇の旅行計画を考え直している人もいる。

ポイントと正解 yesterday という過去を表わす副詞があるので、動詞の過去形 (D) rose が正解となる。to 不定詞や分詞は、文の述語として機能できない。

語句 □ gasoline ガソリン □ dramatically 劇的に □ resident 居住者 □ rethink 再検討する

例題 0088

The top-ranking executives at Hillman & Nelson -------- many of the most well-respected business minds in the state.

(A) include
(B) are including
(C) including
(D) includes

Ⓐ Ⓑ Ⓒ Ⓓ

例題 0089

A new projector for the conference room -------- purchased as soon as the spending request forms are filed and approved.

(A) had been (B) has been
(C) will be (D) would be

Ⓐ Ⓑ Ⓒ Ⓓ

例題 0090

Candy Kane -------- the nursing staff at Westbrook Hospital just two weeks ago, making her the newest addition to the unit.

(A) join (B) joins
(C) joined (D) joining

Ⓐ Ⓑ Ⓒ Ⓓ

例題 0091

As of next month, a piece of identification -------- necessary when attending the seminar.

(A) was
(B) will be
(C) has been
(D) being

Ⓐ Ⓑ Ⓒ Ⓓ

例題 0092

When the employees returned from the long holidays, they were shocked to hear that Gus Shackleford -------- .

(A) fired (B) had been fired
(C) had fired (D) will have been fired

Ⓐ Ⓑ Ⓒ Ⓓ

例題 0093

-------- we launched the new promotional campaign last year, our net sales have doubled every three months.

(A) Despite
(B) While
(C) Since
(D) Until

Ⓐ Ⓑ Ⓒ Ⓓ

例題 解き方

0088

訳 Hillman & Nelson の最高経営陣の中には、国中で最も評判の高いビジネスマインドの持ち主が多くいる。

ポイントと正解 この文の主語は複数形の The top-ranking executives で、「ビジネスマインドを持っている」は事実を表わしているので、現在進行形よりも現在形がふさわしい。複数形の現在形動詞 (A) include が正解だ。

語句 □ top-ranking　最高位の　□ executive　幹部、執行部　□ well-respected　評判の高い

0089

訳 購入稟議が提出され承認を受け次第、会議室の新しいプロジェクターは購入される。

ポイントと正解 新しいプロジェクターはまだ購入されておらず、条件が満たされればすぐに購入されるだろうという内容なので、受動態の未来形が適切である。正解は (C) will be。

語句 □ projector　プロジェクター　□ conference room　会議室　□ purchase　購入する
□ spending request form　購買要請書　□ file　提出する　□ approve　承認する

0090

訳 Candy Kan はちょうど 2 週間前に、看護士として Westbrook 病院に入り、その部署の新入りになった。

ポイントと正解 動詞の時制のヒントは two weeks ago で、過去形の (C) joined が正解になる。

語句 □ join　加わる、入る　□ addition　追加　□ unit　一団、編成単位

0091

訳 来月から、セミナーに参加する際には身分証明書が必要です。

ポイントと正解 動詞の時制のヒントとして next month があるので、未来形の (B) will be が正解である。As of は「…から」という意味だ。when attending は分詞による省略用法で、本来の文は when you attend ... である。

語句 □ identification　身元確認、身分証明　□ attend　出席する、参加する

0092

訳 Gus Shackleford が解雇されたと聞いて、長期休暇から戻った社員は衝撃を受けた。

ポイントと正解 Gus Shackleford が解雇されたのは、従業員たちが衝撃を受けた時点より前に起きたことなので、大過去を表わす過去完了形の動詞を選ばなければならない。また、解雇されたことは受動態で表わすので、過去完了受動態 (B)had been fired が正解となる。

語句 □ return from　…から戻る　□ be shocked　衝撃を受ける　□ fire　解雇する

0093

訳 昨年我々が販促キャンペーンを開始して以来、当社の売上数は 3 か月毎に倍に伸びている。

ポイントと正解 販売促進キャンペーンが始まって以来、販売数が伸びてきているという文なので、「…して以来」「…して以降」という意味の接続詞 (C) Since が正解だ。since は「Since ＋主語＋過去動詞 , 主語＋ have ＋過去分詞」の形でよく使われる。

語句 □ launch　開始する、参入する　□ promotional campaign　販促キャンペーン　□ net sales　純売上高、純収益（参考）　□ gross sales　総売上高

UNIT 03 ● 受動態

出題ポイント 1. 受動態の使い方

➡ 主語が動詞の行為の対象になる場合に「be ＋過去分詞」の形を使う。

主語が動詞の行為を行う主体：能動態
主語が動詞の行為を被る対象：受動態

Most employees **have received** an e-mail early in the morning. →能動態
主語　能動
（社員のほとんどが今朝早くに電子メールを受信した。）

The e-mail **has been received** early in the morning. →受動態
主語　受動
（電子メールは今朝早く受信された。）

➡ the e-mail が何かを受け取るのではなく receive の対象になるので、受動態を用いる。

出題ポイント 2. 受動態では、動詞の行為者は「by ＋目的語」で表現する

「主語＋be動詞＋過去分詞＋by＋目的語」

The labor union's demand for higher wages **was rejected by** the board of directors.
（労働組合の賃上げ要求は、取締役会に拒否された。）

➡「by ＋行為者」が不要の場合

①行為者が一般的な人の場合
English is spoken in the Philippines (by them).　（フィリピンでは英語が話されている。）

②行為者が明らかでない場合
The house was built in 1470 (by somebody).　（その家は1470年に建てられた。）

③行為者が誰かを述べる必要がない場合
Mary and I were invited to Jane's house.　（Maryと私はJaneの家に招待された。）

語句　□labor union　労働組合　□wages　給料　□board of directors　取締役会

出題ポイント 3. 受動態の様々な形

未来形の受動態：「**will be＋過去分詞**」
完了形の受動態：「**have [has] been＋過去分詞**」
進行形の受動態：「**is [are, am, was, were] being＋過去分詞**」

①助動詞＋受動態
Parking spaces **will be assigned** to all full-time employees next month.
（来月、駐車場は正社員に割り当てられるだろう。）

②完了形の受動態（have been ＋過去分詞）
The results of the budget review **have been distributed** to all the staff.
（予算案の検討結果は、スタッフ全員に配布された。）

③進行形の受動態（be ＋ being ＋過去分詞）
Food and other supplies **are** now **being flown** into the area.
（食料とその他の救援物資が、現在その地域に空輸されている。）

出題ポイント4. 自動詞は受動態にならない

➡ 自動詞は目的語をとらないので、受動態にはならない。「主語＋動詞＋補語」の形で状態を表わす不完全自動詞も同様に受動態にならない。受動態にならない動詞のうち、よく出題されるものは次のとおりである。

●必須暗記事項！
exist 存在する，**happen** 起こる，**look/appear** …のように見える，**seem** …のようだ，**occur** 起こる，**rise** 上がる，**remain** …のままでいる，**prove** …だと分る，**result** 結果として生ずる，**take place** 起こる、行われる，**proceed** 進む，**arrive** 到着する

The economic conference **will take place** next week.　（経済会議は来週開催される。）
→ × will be taken place

The new computer equipment **arrived** this morning and will be installed tomorrow morning.　→ × was arrived
（新しいコンピュータ設備は今朝到着したので、明日の午前中に設置されます。）

出題ポイント5.「be 動詞＋過去分詞＋名詞補語」の形の受動態

➡「動詞＋目的語＋目的格補語」の形の文を受動態にすると、目的語が主語になって「be動詞＋過去分詞＋目的格補語」の形になる。注意する点は、一般の受動文では「be ＋過去分詞」の後に前置詞句などが置かれるが、この形の文では「be 動詞＋過去分詞」の後に名詞補語（目的格補語）が置かれるという点である。

We appointed Mr. Prey president of the city assembly.　→能動態
（Mr. Prey＝**目的語**、president of the city assembly＝**目的格補語**）
（私たちは、Prey氏を市議会の議長に任命した。）

➡ Mr. Prey **was appointed** president of the city assembly (by us).　→受動態
（Prey氏は市議会の議長に任命された。）

必須暗記事項！

A is called B	AはBと呼ばれる	**A is considered B**	AはBと考えられる
A is elected B	AはBに選出される	**A is appointed B**	AはBに任命される
A is named B	AはBと名づけられる	**A is imagined B**	AはBと想像される

The work **is considered** a literary masterpiece.
（その作品は、名作文学の一つであると考えられている。）

語句
□assembly 集会、立法議会

出題ポイント 6.「be 動詞＋過去分詞＋前置詞＋（by）」

➡「自動詞＋前置詞」は他動詞のように機能するが、受動態になっても「be 動詞＋過去分詞」の後の前置詞はそのまま残る。

必須暗記事項！

能動	受動	意味（能動）
pay A for B	**A is paid for B (by ～)**	AにBの代金を支払う
provide A with B	**A is provided with B (by ～)**	AにBを提供する
direct A to B	**A is directed to B (by ～)**	AにBへの道を教える
mention A to B	**A is mentioned to B (by ～)**	BにAについて言う
replace A with B	**A is replaced with B (by ～)**	AをBに置き換える
relate A to B	**A is related to B (by ～)**	AをBと関連付ける
submit A to B	**A is submitted to B (by ～**	AをBに提出する
send A to B	**A is sent to B (by ～)**	AをBに送る
care for ...	**be cared for (by ～)**	…を大事にする
carry out ...	**be carried out (by ～)**	…を持ち運ぶ
talk about ...	**be talked about (by ～)**	…について話す
put off ...	**be put off (by ～)**	…を延期する
deal with ...	**be dealt with (by ～)**	…を処分する
take care of ...	**be taken care of (by ～)**	…の世話をする

Course evaluations should **be submitted to** the instructor for review.
（コース評価は、調査用にインストラクターに提出してください。）

Most of the fashion trends that happen in the city **are** somehow **related to** television and other mass media.（都市で見られる流行ファッションのほとんどは、何らかの形でテレビやマスメディアと関連している。）

語句
□evaluation　評価　□trend　流行　□be related to　…と関連している　□mass media　マスメディア

出題ポイント 7. by 以外の前置詞とともに使われる動詞

➡ 次の表現を前置詞に注意して覚えよう。これらは「be＋現在分詞」ではなく「be＋過去分詞」の形で使われる点を間違えないようにしよう。

1. with

be filled with …でいっぱいになる
be covered with …に覆われる
be satisfied with …に満足する
be delighted［pleased］with …に喜ぶ
be acquainted with …をよく知っている
be concerned with …に関係している
be faced with …に直面する
be associated with …と関係がある

I **am** not **satisfied with** the customer service.　（私はその顧客サービスに満足しない。）

We are happy to have **been associated with** you for so long.
（長い間、貴社と取引ができて嬉しく思います。）

2. at

be surprised at …に驚く
be astonished at …に驚く
be frightened at …にぎょっとする
be shocked at …にショックを受ける
be alarmed at …に驚く、おびえる
be disappointed at［with, in］ …にがっかりする

People **were surprised at** the closure of the plant.　（人々は工場の閉鎖に驚いた。）

3. to

be devoted to …に専念する
be known to …に知られる
be exposed to …に露出する、さらされる

The people in the town **were exposed to** a massive dose of radiation.
（町の人々は多量の放射能にさらされた。）

4. その他

be composed of …で構成される、成る
be derived from …に由来する
be engaged in …に従事する
be convinced of …を確信する
be tired of …に疲れる
be worried［concerned］about …に関して心配する
be interested in …に興味がある
be involved in［with］ …にかかわる
be ashamed of …を恥じる
be absorbed in …に没頭する
be made of［from］ …で（から）作られた

The lawyer **is convinced of** the innocence of the prisoner.
（弁護士は被告人の無罪を確信している。）

Employees **were absorbed in** preparing for the presentation.
（社員はプレゼンテーションの準備に余念がなかった。）

語句
□closure　閉鎖　□massive　多量の　□dose　（放射線の）量　□radiation　放射線
□innocence　無罪、潔白

例題 0094

Smoking inside the computer laboratory is no longer -------- .
(A) permitted
(B) permitting

Ⓐ Ⓑ

例題 0095

Money withdrawn from the renovation fund -------- at the end of each month.
(A) will have recorded
(B) will be recorded

Ⓐ Ⓑ

例題 0096

All the required documents -------- on time before the meeting.
(A) will be arrived
(B) will arrive

Ⓐ Ⓑ

例題 0097

The next board meeting -------- for March 6.
(A) has been rescheduled
(B) has rescheduled

Ⓐ Ⓑ

例題 0098

At this time of year, power supplies are frequently -------- by the heavy rain.
(A) disrupted
(B) disruption

Ⓐ Ⓑ

例題 0099

New company policies -------- in order to improve employee efficiency.
(A) have developed
(B) are being developed

Ⓐ Ⓑ

例題 解き方

0094

訳　コンピュータ実験室内での喫煙は、もはや許可されない。

ポイントと正解　permit は他動詞で、「…を許す」という意味だ。喫煙は許す主体ではなく対象なので、動詞は受動態になる。正解は (A) permitted。

語句　□ laboratory　実験室　□ no longer　もはや…ない

0095

訳　改修資金から引き出された金額は、各月末に計上される。

ポイントと正解　動詞 record は他動詞で目的語をとるが、空所の後には目的語がなく前置詞句が続いている。また、「引き出された金額」は記録する主体ではなく記録される対象なので、受動態の (B) will be recorded が正解である。

語句　□ withdraw　を引き出す　□ renovation　修繕、改装　□ fund　資金、基金

0096

訳　必要書類は全て、会議前に時間通りに届くだろう。

ポイントと正解　arrive は代表的な自動詞であり、受動態にはならないことを覚えておこう。同様の自動詞に look, happen, seem, remain などがある。正解は (B) will arrive。

語句　□ required　必要な　□ on time　時間通りに

0097

訳　次回の役員会は 3 月 6 日に予定変更となった。

ポイントと正解　文の主語 The next board meeting は日程調整の対象なので、受動態となる。 正解は (A) has been rescheduled。

語句　□ board meeting　役員会　□ reschedule　予定を変更する

0098

訳　毎年この季節に、豪雨でたびたび電力の供給が中断される。

ポイントと正解　主語の power supplies は中断される対象なので、受動態で表わすのが適切だ。disruption は、power supplies と同格の主格補語になれないので、誤答である。正解は (A) disrupted。

語句　□ power supplies　電力供給　□ frequently　しばしば、頻繁に　□ disrupt　崩壊させる、中断させる　□ heavy rain　豪雨

0099

訳　新しい会社方針は、社員の能率を向上させるために作成されているところだ。

ポイントと正解　develop は「…を作り上げる、開発する」という意味の他動詞なので、目的語をとる。この文は後に目的語がなく、また方針は作成される対象なので、受動態の (B) are being developed が正解である。

語句　□ policy 方針 □ in order to do　…するために　□ improve　向上させる、改善する　□ efficiency　能率、効率

PART 5 文法

例題 0100

It -------- that production will be behind schedule.
(A) expects
(B) is expected

Ⓐ Ⓑ

例題 0101

When the celebrities arrived, they were safely directed -------- banquet hall.
(A) to the
(B) the

Ⓐ Ⓑ

例題 0102

The financial issue will be dealt -------- as soon as all the figures are submitted.
(A) with
(B) out

Ⓐ Ⓑ

例題 0103

If the food is exposed -------- a sudden increase in temperature, it can easily spoil.
(A) to
(B) on

Ⓐ Ⓑ

例題 0104

Mr. Johanson has become involved -------- educating the employees on the company's new policies.
(A) at
(B) in

Ⓐ Ⓑ

例題 解き方

・・・0100

訳 生産が予定より遅れると予想される。

ポイントと正解 It ... that 構文での It は仮主語で、真主語は that 以下に現われる。生産が日程より遅れることが予想されるという意味なので、受動態を用いるのがふさわしい。正解は (B) is expected。

語句 □ production 生産 □ behind schedule 予定に遅れて

・・0101

訳 著名人が到着すると、宴会場まで安全に誘導された。

ポイントと正解 direct A to B という構文を覚えておこう。「A を B に誘導する」という意味だが、この文は目的語が前に移動した受動態構文 A were directed to B なので、(A) to the が正解となる。

語句 □ celebrity 有名人 □ safely 安全に、無事に □ be directed to …に誘導される
□ banquet hall 宴会場

・・0102

訳 数字での実績が全て出次第、財務上の問題は処理されるだろう。

ポイントと正解 自動詞 deal は前置詞 with とともに使われるが、受動態になっても with を必要とする。正解は (A) with。

語句 □ financial 財務上の □ deal with 対処する、処理する □ as soon as …するとすぐに
□ figures 数字、価格 □ submit 提出する

・・0103

訳 急に温度が上がる状態におかれると、食べ物は簡単にだめになる。

ポイントと正解 be exposed to は「…にさらされる」の意味で、exposure to の形でもよく出題される。正解は (A) to。

語句 □ be exposed to …にさらされる □ sudden 突然の、思いがけない □ spoil 台無しにする、だめにする

熟語 □ increase in …の増加 □ decrease in …の減少 □ advance in …の発達
□ rise in …の上昇 □ drop in …の下落 □ reduction in …の縮小

・・0104

訳 会社の新方針を社員に理解させることに、Johanson 氏は従事するようになった。

ポイントと正解 受動態の基本構文「be 動詞＋過去分詞＋ by 〜」において、一部の単語では by の代わりに特定の前置詞が使われるが、involve もこの一つである。「be involve in...」で「…に関与する」の意味になる。正解は (B) in。

語句 □ educate 教育する、指導する □ policy 方針

例題 0105

Evi has recently joined the local business school and her first semester will be -------- courses in business math.

(A) devoting to

(B) devoted to

Ⓐ Ⓑ

例題 0106

Because the engine capacity of the trucks -------, our shipments will be larger than they previously were.

(A) has been enhanced

(B) has enhanced

(C) enhanced

(D) is enhancing

Ⓐ Ⓑ Ⓒ Ⓓ

例題 0107

Mr. Valenti has just contacted a reputable employment agency, so the secretarial position should be -------- any time now.

(A) full

(B) filling

(C) fill

(D) filled

Ⓐ Ⓑ Ⓒ Ⓓ

例題 0108

Taxes have -------- on all income regardless of tax bracket.

(A) to be paid

(B) paid

(C) been paying

(D) to pay

Ⓐ Ⓑ Ⓒ Ⓓ

例題 0109

The employment agreement cannot be terminated -------- either the employer or the employee until at least six months have passed.

(A) on

(B) to

(C) in

(D) by

Ⓐ Ⓑ Ⓒ Ⓓ

例題 解き方

0105

訳 Evi は最近地元のビジネススクールに入学し、最初の学期は経営数学のコースに専念することになるだろう。

ポイントと正解 devote A to B は「A を B に捧げる」という意味で、受動態になると be devoted to ... の形で「…に捧げられる」という意味になる。her first semester と devote が受動の関係なので、(B) devoted to が正解である。

語句 □ recently　最近、近頃　□ semester　学期

0106

訳 トラックのエンジン能力が向上したので、当社の出荷は以前よりも量が多くなるだろう。

ポイントと正解 空所は「Because ＋主語＋動詞」構文の動詞が置かれる位置だ。主語は the engine capacity で単数名詞である。選択肢に動詞 enhance の様々な形が提示されているが、enhance（…を高める・強める）が他動詞であるにもかかわらず空所の後に目的語がないので、受動態であることが分る。正解は (A) has been enhanced。

語句 □ capacity　能力、容量　□ shipment　出荷　□ previously　以前に

0107

訳 Valenti 氏は評判の良い人材派遣会社に連絡したので、すぐにでも秘書の仕事は埋まるだろう。

ポイントと正解 fill は主に他動詞として「…を満たす」の意味で、自動詞としては fill with（…で満たす）の形で使われる。秘書の空席が埋めらるという意味なので、受動態にしなければならない。(A) は形容詞で「いっぱいの」という意味なので、内容的にふさわしくない。正解は (D) filled。

語句 □contact　連絡する、接触する　□reputable　評判の良い、信頼できる　□secretarial　秘書の

0108

訳 税金は税率区分にかかわらず全所得に対して支払われなければならない。

ポイントと正解 主語が事物の Taxes 、動詞が「支払う」という意味の pay なので、意味的に能動態は成立しない。したがって、能動形の (B)(C)(D) は誤答で、受動態の (A) to be paid が正解だ。

語句 □ tax　税金　□ regardless of　…にもかかわらず　□ bracket　（所得による）階層区分

0109

訳 少なくとも 6 か月が経過するまでは、雇用主または従業員のどちらからも雇用契約は解除できない。

ポイントと正解 受動態の基本構文は「be 動詞＋過去分詞＋ by 行為者」である。例外的に受動態で by 以外の前置詞をとるものがあるが、be disappointed at, be pleased with, be involved in などの慣用的受動表現がその例であるが、この場合は違う。正解は (D) by。

語句 □ terminate　を終わらせる、終結させる　□ employer　雇用主　□ at least　少なくとも

例題 0110

Being chosen from a short list for Employee of the Year, Jane MacDonald -------- for her spotless employment record.

(A) honored
(B) was honored
(C) have honored
(D) honoring

Ⓐ Ⓑ Ⓒ Ⓓ

例題 0111

The outdoor company event will -------- place regardless of recent bad weather conditions.

(A) took
(B) be taken
(C) take
(D) have been taken

Ⓐ Ⓑ Ⓒ Ⓓ

例題 0112

Ever since Katherine -------- leader of the community center, she has been facing a heavy workload.

(A) elects
(B) elected
(C) was elected
(D) had elected

Ⓐ Ⓑ Ⓒ Ⓓ

例題 0113

Sleeping-car passengers are provided -------- all bedding necessary for the journey.

(A) with
(B) for
(C) to
(D) at

Ⓐ Ⓑ Ⓒ Ⓓ

例題 0114

Factory equipment -------- to the mechanic for further repairs.

(A) sent
(B) being sent
(C) was sent
(D) was sending

Ⓐ Ⓑ Ⓒ Ⓓ

例題 解き方

0110

訳　年間社員賞の候補者リストから選ばれ、Jane MacDonald の素晴らしい実績に栄誉が与えられた。

ポイントと正解　honor は「…を尊敬する」「…に栄誉を与える」という意味の他動詞だ。他動詞の後に目的語がなければ、その文は受動態である。意味的にも「栄誉を授かった」は受動の意味なので、答えは受動態の (B) was honored である。

語句　□ short list　選抜候補者リスト　□ spotless　欠点のない、非の打ちどころのない

0111

訳　屋外の会社行事は、最近の悪天候にもかかわらず開催されるだろう。

ポイントと正解　take place は happen と同じ意味の自動詞なので、受動態にできない。助動詞の後には動詞の原形が置かれるので (A) はありえず、(B)(D) は受動態なので誤答である。正解は (C) take。

語句　□ outdoor　屋外の、戸外の　□ regardless of　…に関係なく、かかわらず　□ recent　最近の、近頃の

0112

訳　Katherine は、コミュニティセンターの責任者に選任されて以来ずっと困難な仕事を抱えている。

ポイントと正解　「…を選出する」という意味の elect は、「elect ＋目的語＋補語」の形で用いられる。Katherine は選出する主体ではないので、「選出された」という意味の受動態がふさわしい。正解は (C) was elected。

語句　□ ever since　…以来ずっと　□ face　直面する

0113

訳　寝台車の乗客には、旅に必要なすべての寝具が用意されている。

ポイントと正解　慣用表現 be provided with についての問題である。provide A with B（A に B を供給する）の A が主語になった受動文になっている。正解は (A) with。

語句　□ sleeping-car　寝台車　□ passenger　乗客　□ bedding　寝具　□ journey　旅、旅行

0114

訳　工場の機器は、再修理のために整備士に送られた。

ポイントと正解　空所は、文の述語が置かれる位置である。主語 Factory equipment が送られるのだから、空所には受動態が入る。「be 動詞＋過去分詞」の形で述語になれるのは (C) was sent しかない。

語句　□ factory　工場　□ mechanic　機械工、修理工　□ further　さらなる、より一層の

例題 0115

Employee evaluations should be completed by the end of the week and -------- to the personnel department.

(A) submit
(B) submitting
(C) submitted
(D) is submitted

Ⓐ Ⓑ Ⓒ Ⓓ

例題 0116

Please contact me if you are -------- in working overtime during the first week of September.

(A) interest
(B) interested
(C) interesting
(D) interests

Ⓐ Ⓑ Ⓒ Ⓓ

例題 0117

During his lengthy business career, Mr. Parker was closely -------- with powerful government officials.

(A) association
(B) associating
(C) associate
(D) associated

Ⓐ Ⓑ Ⓒ Ⓓ

例題 0118

Studies have proven that disabled students are able to excel in school when -------- with a challenge.

(A) faces
(B) face
(C) facing
(D) faced

Ⓐ Ⓑ Ⓒ Ⓓ

例題 0119

The new security department is a high-tech unit composed -------- 25 employees that carefully monitor surveillance cameras 24 hours a day.

(A) of
(B) for
(C) from
(D) to

Ⓐ Ⓑ Ⓒ Ⓓ

例題 解き方

0115

訳 人事考課は、週末までに仕上げて人事部に提出しなければならない。

ポイントと正解 主語 Employee evaluations と動詞 submit は受動の関係にあるので、受動態にしなければならない。このように主語と動詞が離れている場合は、基本的な文型を捉えることが大切だ。主語 evaluations が複数なので、(D)is submitted は誤答である。前に should be があるので、過去分詞を選べばよい。 正解は (C) submitted。

語句 □ evaluation 評価 □ complete 仕上げる、完成させる □ personnel department 人事部

0116

訳 9月第1週に時間外勤務ができるのであれば、私に連絡をください。

ポイントと正解 感情を表わす動詞 interest は「興味を持たせる」という他動詞なので、「…に興味がある」という意味にするには受動態「be interested in」にしなければならない。正解は (B) interested。

語句 □ contact 連絡する □ overtime 時間外、超過時間

0117

訳 長年のビジネス経験の間に、Parker 氏は影響力のある官僚と密接な関係を結んだ。

ポイントと正解 「be associated with ...」は、「…と関連がある、関係を結ぶ」という意味で慣用的に使われる。closely が間に置かれると、「密接な関係を結ぶ」という意味になる。正解は (D) associated。

語句 □ lengthy 長い □ be associated with …と関連がある、関係を結ぶ

0118

訳 身体障害を持つ生徒は困難に直面したとき、学校で卓越した力を発揮できることを研究が証明している。

ポイントと正解 動詞 face（直面する）は自動詞としても他動詞としても使われるが、他動詞の場合は前置詞 with を伴って be faced with（…に直面する）という受動形でよく使われる。when 以下の節は、主語 disabled students と be 動詞が省略された分詞構文である（when they are faced with → when faced with）。正解は (D) faced。

語句 □ prove 立証する、証明する □ excel 秀でる、他にまさる □ challenge 難題、困難

0119

訳 新しい警備課は25人の社員で構成する高度先端技術部隊で、監視カメラで1日24時間注意深くチェックする。

ポイントと正解 「be composed of ...」は、「…で構成されている」という慣用表現である。本来の文は a high-tech unit that is composed of 25 employees... だが、composed の前の that is が省略されている。本書の問題を解きながらこのような慣用表現に出合ったら、その都度しっかり暗記して、実際のテストに出題されてもすばやく答えが選べるようにしておこう。正解は (A)of。

語句 □ security department 安全局、セキュリティ部門 □ unit 部隊、編成単位 □ monitor チェックする、監視する □ surveillance camera 監視カメラ

UNIT 04 ● 不定詞

出題ポイント 1. 不定詞の形と文中での機能

1.名詞のように使われる不定詞

➡ 不定詞は文の主語・目的語・補語の役割をする。

To be the best is our goal in the end.
➡ 動詞 is の主語の役割
（一番になることが、最終的には私たちの目標である。）

Most employees hope **to run** their own business some day.
➡ 他動詞 hope の目的語の役割
（会社員たちのほとんどは、いつかは自身でビジネスを始めたいと望んでいる。）

The aim of the campaign is **to minimize** waste creation.
➡ 主格補語の役割「aim ＝ to minimize」
（キャンペーンねらいは、ごみ発生を最小限にすることである。）

2.形容詞のように使われる不定詞

➡ この場合、不定詞は名詞を後ろから修飾したり、come や get のような不完全自動詞の補語の役割をする。

We offer you the opportunity **to reach** your career goals.
➡ 名詞 opportunity を後ろから修飾
（わたしたちは、みなさんが職業上の目標を達成するための機会を提供します。）

We have come **to conclude** that our research must focus on practical issues.
（研究の焦点を実用的な問題に当てなければならないという結論に達した。）

3.副詞のように使われる不定詞

➡ この場合、不定詞は目的・原因・理由・結果・条件などを表わすが、TOEIC では主に目的や原因を表わす用法が出題される。

You should leave now **to avoid** traffic.
（交通渋滞を避けるためには今帰るべきです。）
➡ 目的：…するために

We are pleased **to inform** you that your bid has been accepted.
(そちらの入札が落札されたことをお知らせいたします。)
➡ 原因・理由：…ので

These cutters are designed to be easy **to use**.
(このカッターは使いやすく設計されている。)
➡ 前の形容詞 easy を修飾

語句
□run　経営する　□aim　ねらい、照準　□minimize　最小にする　□waste creation　ごみの発生　□come to do　…することになる　□conclude　結論を出す　□practical　実地の、実際的な　□inform A that　…ということをAに通知する　□bid　入札

出題ポイント 2.「It (仮主語) is ＋形容詞 ＋（for 意味上の主語）＋ to 不定詞（真主語)」構文

➡「仮主語 it」、「for ＋ 目的語」、「to 不定詞」のいずれも穴埋め問題として出題されている。

It is illegal **to use** copyrighted material without consent.
(著作権の保護を受ける資料を無断で使うことは違法である。)

It took three months **for them to finish** the first phase of the project.
(彼らがそのプロジェクトの第一段階を終わらせるのに、3ヶ月かかった。)

仮主語をよくとる形容詞

●必須暗記事項！
important 重要な, **impossible** 不可能な, **dangerous** 危険な, **fair** 公正な, **natural** 自然の, **necessary** 必要な, **easy** 簡単な, **difficult** 難しい, **hard** 困難な, **convenient** 便利な, **strange** 奇妙な, **crucial** 重要な

語句
□illegal　不法の　□material　資料　□without consent　同意なしで、無断で

出題ポイント 3.「make + it（仮目的語）+目的格補語+（for 意味上の主語）+ to 不定詞（真目的語）」構文

➡ 目的語が to 不定詞句や that 節のように長い場合、これを文の後ろに置いて、代わりに仮目的語 (it) をとる動詞には make, find, think, believe, consider などがある。

This program **makes it impossible for unauthorized persons to copy** licensed software.
（このプログラムによって、権限のない人々が正規のソフトを複製するのは不可能になる。）

語句
□impossible 不可能な □unauthorized 権限のない □copy 複製 □licensed 認可済みの、有資格の

出題ポイント 4. 目的語に動名詞でなく to 不定詞をとる動詞

➡ 下記の動詞の意味では、to 不定詞を目的語にとる。

●必須暗記事項！

want したいと思う，**agree** 同意する，**offer** 申し出る，**refuse** 拒否する，
plan 計画する，**decide** 決定する，**attempt** 試みる，**wish** したいと思う，
manage どうにかしてする，**promise** 約束する，**afford** 余裕がある，
struggle しようと努力する，**pretend** ふりをする，**care** することを望む，
hesitate ためらう，**need** 必要とする，**endeavor** 努力する，
fail しそこなう，**propose** 提案する，**intend** するつもり，**order** 命じる
prefer 好む，**rush** 急いでする

＋**to**不定詞

The opposition finally **refused to** agree with the opinion.
（反対派は結局その意見に同意することを拒絶した。）

The campaign was **intended to** boost public knowledge of the problem.
（キャンペーンは、その問題を周知させるのが目的だった。）

語句
□opposition 反対、敵対 □finally 最終的に、結局 □boost をあげる、増加する

出題ポイント5.「他動詞＋目的語＋ to 不定詞（目的格補語）」構文

●必須暗記事項！

enable 可能にさせる，**expect** 期待する，**instruct** 指示する **lead** 仕向ける，**invite** 勧める，**remind** 気付かせる， **encourage** 励ます，**advise** 忠告する，**recommend** 勧める **urge** 促す，**forbid** 禁止する，**cause** 引き起こす， **force** 強要する，**suggest** 提案する，**persuade** 説得する， **prepare** 準備する，**allow/permit** 承諾する， **require/request/ask** 要求する	＋目的語＋**to**不定詞 （「目的語」が…するように）

We **require** **all candidates** **to submit their applications** by June 2 at the latest.
目的語 目的格補語
（遅くても6月2日までに、志願者は申込書を提出するようお願いします。）

➡〈受動態〉

All candidates are required **to submit their applications** by June 2 at the latest.
目的語 目的格補語
（志願者は、遅くとも6月2日までに申込書を提出する必要があります。）

Parents must not **allow** their children **to stay** outside with wet clothes during winter.
（親は、子どもたちが冬に濡れた服で外にいるのを容認してはいけない。）

The doctor **asked** me **to stop** drinking.
（医者は私に飲酒をやめるよう求めた。）

➡「他動詞＋目的語＋ to 不定詞」構文は受動態の形でよく出題されるので、下記の表現に慣れておこう。

be asked to do	…するよう頼まれる	**be forced to do**	…せざるを得ない
be required to do	…するよう義務付けられている	**be invited to do**	…するよう勧められる
be expected to do	…するのを期待される	**be permitted to do**	…してもいい
be advised to do	…するよう忠告される	**be persuaded to do**	…するよう説得される
be allowed to do	…することを許される	**be told to do**	…するよう言われる
be requested to do	…するようお願いされる	**be urged to do**	…するようせきたてられる
be encouraged to do	…するよう勧められる	**be scheduled to do**	…する予定になっている

Customer service representatives **are expected to** handle all customer complaints courteously.
（カスタマーサービス担当者は、丁寧に全ての顧客の苦情を扱うことが期待されている。）

The products you ordered **are scheduled to** be delivered on June 14.
（あなたが注文した製品は6月14日に配達される予定です。）

語句 □at the latest　遅くても　□courteously　礼儀正しく、丁寧に

出題ポイント6.「be動詞＋形容詞＋to不定詞」の形で使われる形容詞

●必須暗記事項！

be able to do	…することができる
be likely to do	…しそうである
be willing to do	よろこんで…する
be ready to do	…する用意が整っている
be sure to do	必ず…する
be entitled to do	…する権利がある
be eligible to do	…する資格がある
be pleased to do	よろこんで…する
be apt to do	…しがちである
be liable to do	…しやすい
be certain to do	必ず…する

LK Telecom **is likely to recover** from the recent sales slump.
（LKテレコムは最近の販売不況から回復しそうである。）

語句 □recover from　…から回復する　□recent　最近の　□sales　販売　□slump　不況、不景気

出題ポイント 7.「自動詞＋ to 不定詞」の形で to 不定詞を補語にとる自動詞

●必須暗記事項!

seem to do	…のようである	**chance to do**	偶然…する
appear to do	…に見える	**happen to do**	偶然…する
remain to do	…のままである、まだ…されないでいる		

It **appears to** be a bit too soon to make a decision.
（決断をするには、まだちょっと早いように見える。）

What will happen to the new plan **remains to** be seen.
（新しい計画に何が起こるかはまだ分らない。）

語句
□make a decision　決断をする

出題ポイント 8. to 不定詞が名詞を修飾する形

●必須暗記事項!

ability to do	…できる能力	**decision to do**	…する決定
attempt to do	…する試み	**willingness to do**	…しようとする意思
effort to do	…する努力	**time to do**	…する時間
right to do	…する権利	**permit to do**	…できる許可
opportunity［chance］to do	…する機会	**plan to do**	…する計画
way to do	…する方法	**authority to do**	…できる権限

Students must have a permit **to post** notice on the bulletin board.
（学生たちは、掲示板にお知らせを貼る許可を取らなければならない。）

PART 5 文法問題 例題 UNIT 04 ● 不定詞

例題 0120

Biologists have been working -------- the bacteria samples in the hospital.
(A) analyze
(B) to analyze

Ⓐ Ⓑ

例題 0121

------- sure that the air conditioner functions properly, the unit should be cleaned regularly.
(A) Making
(B) To make

Ⓐ Ⓑ

例題 0122

The new community service program has allowed employees -------- concern for their neighborhoods.
(A) for showing
(B) to show

Ⓐ Ⓑ

例題 0123

The government has arranged -------- the trade mission to visit the ship-building yards.
(A) to
(B) for

Ⓐ Ⓑ

例題 0124

It is important -------- all staff to welcome the interns and get them acquainted with our procedures.
(A) that
(B) for

Ⓐ Ⓑ

例題 解き方

0120

訳　病院で細菌サンプルを分析するために、生物学者はずっと働き続けている。

ポイントと正解　空所の前に主語と動詞があるので、空所には準動詞が入る。analyze は動詞の原形なので、誤答である。「分析するために」という意味になるように、目的を表わす to 不定詞を入れる。正解は (B) の to analyze。

語句　□ biologist　生物学者　□ analyze　分析する

0121

訳　エアコンがきちんと動くようにするためには、装置を定期的に掃除しなければならない。

ポイントと正解　目的を表わす不定詞に関する問題で、「…するため」という意味にする必要がある。動名詞 making が入ると「…すること」というおかしな意味になってしまう。正解は (B) の To make。

語句　□ make sure that　…ということを確かめる　□ air conditioner　エアコン　□ function　作動する　□ properly　きちんと、適切に　□ regularly　定期的に

0122

訳　新しい地域サービスプログラムによって、社員たちは自分たちの隣近所に対する関心を示すことができるようになった。

ポイントと正解　「allow ＋目的語＋ to 不定詞」の構文を知っていれば解ける問題だ。同じ形で用いられる動詞に encourage, enable, require などがある。正解は (B) の to show。

語句　□ concern for　…に対する懸念、心配　□ neighborhood　近所、近隣

0123

訳　政府は、貿易視察団の造船所訪問の用意をした。

ポイントと正解　「arrange for A to 不定詞」（A が…するよう準備する）という構文に関する問題である。ちなみに TOEIC では、この文にある不定詞 to visit の to を選ばせるような問題も出題される。正解は (B) の for。

語句　□ trade mission　貿易視察団　□ ship-building　造船、造船術　□ yard　…場、作業場

0124

訳　スタッフ全員にとって重要なのは、インターン生を温かく迎え入れ、会社のやり方に慣れてもらうようにすることです。

ポイントと正解　「It（仮主語）＋ is ＋形容詞＋ for 目的語＋ to 不定詞」の構文で、空所に for が入り to 不定詞の意味上の主語になる。このような構文で用いられる形容詞に easy, difficult, possible, necessary などがある。正解は (B) の for。

語句　□ intern　インターン、研修生　□ get [become] acquainted with　…を知っている、わかっている　□ procedure　手順

例題 0125

The rainy spring makes -------- difficult for farmers to get their crops planted on time.
(A) it
(B) that

Ⓐ Ⓑ

例題 0126

The police are attempting -------- the public down.
(A) calm
(B) to calm

Ⓐ Ⓑ

例題 0127

Payment must be made promptly -------- additional overdue fees.
(A) avoiding
(B) to avoid

Ⓐ Ⓑ

例題 0128

I will not be able -------- into New York on Tuesday because of a last minute cancellation.
(A) to fly
(B) flying

Ⓐ Ⓑ

例題 0129

The photography session appears -------- on schedule.
(A) that
(B) to be

Ⓐ Ⓑ

例題 0130

The pamphlet was designed by City Hall to encourage cyclists -------- the numerous bike paths throughout the metropolitan area.
(A) use
(B) to use

Ⓐ Ⓑ

例題 解き方

0125

訳 雨の多い春は、農家にとって時期に合わせて作物を植えるのが難しい。

ポイントと正解 形容詞 difficult の主体は to get their crops であり、意味上の主語は farmers である。したがって、空所には to get their crops の代わりになる仮主語 it が入る。正解は (A) の it。

語句 □ rainy 雨降りの、雨の多い □ crop 作物、収穫物 □ plant を植える □ on time 時間どおりに

0126

訳 警察は市民を落ち着かせようとしている。

ポイントと正解 動詞 attempt は後に to 不定詞をとり、「…を試みる」「…を企てる」という意味を表わす。また名詞として「試み」「企て」という意味もあり、make an attempt（試みる·企てる）という形で TOEIC によく出題される。正解は (B) の to calm。

語句 □ attempt to do …することを試みる □ calm A down A を落ちつかせる

0127

訳 追加の延滞料金を避けるために直ちに支払わなければならない。

ポイントと正解 目的を表わす不定詞の副詞的用法「…するために」について問う問題で、「追加料金を払わないためには」という意味になる。正解は (B) の to avoid。

語句 □ payment 支払い □ make payment 支払う □ promptly 直ちに、即座に □ avoid 避ける □ additional 追加の □ overdue fee 延滞料金

0128

訳 直前のキャンセルのため、私は火曜日にニューヨークへ渡航出来ない。

ポイントと正解 able は、後ろに to 不定詞をとる代表的な形容詞だ。be able to do（…できる）の形をそのまま覚えておこう。正解は (A) の to fly。

語句 □ because of …の理由で、…のために □ a last minute 直前の瞬間、ぎりぎりの □ cancellation 取り消し

0129

訳 写真撮影会は予定通りのようだ。

ポイントと正解 appear は、直後に形容詞の補語や to be, to do 補語をとる。appear that も可能だが、その場合は that の後に主語・動詞のある節が置かれる。この文には on schedule（時間表どおりに）しかないので、that は誤答である。正解は (B) の to be。

語句 □ photography 写真撮影 □ session 会、集まり □ on schedule 予定通りに

0130

訳 市役所が作成したパンフレットは、都市圏のあちこちにあるサイクリング道路を利用するよう自転車利用者に奨励するためのものです。

ポイントと正解 「encourage ＋目的語＋ to do」は「(目的語）に…するよう勧める · 奨励する」の意味で使われる。同じ用法の動詞に require, request, advise, order などがある。正解は (B) の to use。

語句 □ pamphlet パンフレット、小冊子 □ be designed by …に設計された □ numerous 数多くの □ path 小道 □ throughout …のいたる所に □ metropolitan 大都市、主要都市

例題 0131

The ideological attractiveness of capitalist globalization -------- to be on the wane as people begin to question its basic assumptions.

(A) seems

(B) chances

Ⓐ Ⓑ

例題 0132

Effective public relations representatives must have the ability -------- corporate behaviour seem transparent.

(A) making

(B) to make

Ⓐ Ⓑ

例題 0133

Exhibitors wishing to attend the marketing expo are encouraged -------- at the Convention Center as early as possible.

(A) to register

(B) registering

Ⓐ Ⓑ

例題 0134

All staff members are allowed -------- one 30-minute break after every 8-hour shift.

(A) take

(B) to take

Ⓐ Ⓑ

例題 0135

Due to bad weather, this week's shipments are -------- to arrive late.

(A) like

(B) likely

Ⓐ Ⓑ

例題 解き方

0131

訳 資本主義のグローバル化に理念的な魅力があるという前提に、人々が疑問を持ちはじめ、その考え方は衰退しているようにみえる。

ポイントと正解 空所は動詞が入る位置だ。seem は「seem to be」「seem that ＋主語＋動詞」「seem to ＋動詞」の形をとる。chance to do は「折りよく…する」「偶然…する」という意味なので、この文には合わない。chance は、ほとんど名詞として用いられる。正解は (A)seems。

語句 □ ideological　イデオロギーの、観念学の、空論の　□ attractiveness　魅力　□ capitalist　資本家、資本主義者、資本主義の　□ globalization　グローバル化、地球規模化　□ on the wane　衰えかけて、衰退して　□ assumption　前提、仮定、条件

0132

訳 広報担当者の資質として、企業活動に透明性があると感じてもらう能力が必要だ。

ポイントと正解 ability は後ろに to 不定詞をとる代表的な名詞で、動名詞の ...ing 形が置かれることは決してない。似た形をとる名詞に way, right などがある。正解は (B) の to make。

語句 □ effective　効果的な、印象的な、能力のある　□ corporate　企業　□ behaviour　動き、反応、行動　□ transparent　透明の、わかりやすい、率直な

0133

訳 マーケティング展覧会への出席を希望する出展者は、出来るだけ早めに会議場で登録するようにしてください。

ポイントと正解 「encourage ＋目的語＋ to 不定詞」が受動態になり、be encouraged to do（…するよう勧められる・奨励される）の形になっている文である。正解は (A) の to register。

語句 □ exhibitor　展示者、出品者　□ attend　出席する　□ register　登録する、記録する　□ as early as possible　出来るだけ早く

0134

訳 全てのスタッフは、8 時間勤務ごとに 30 分の休憩をとることができる。

ポイントと正解 「allow ＋目的語＋ to 不定詞」が受動態になり、be allowed to do（…することが許される）の意味になっている。正解は (B) の to take。

語句 □ take a break　休憩する　□ shift　交代勤務

0135

訳 悪天候のため、今週の積み荷は遅れて到着するようだ。

ポイントと正解 「…しそうだ」という意味のイディオム be likely to do に関する問題である。正解は (B) の likely。

語句 □ due to　…のために　□ shipment　積み荷、船積み

例題 0136

It is crucial -------- all receipts to be signed before they are handed into the accounts department.

(A) that
(B) to
(C) for
(D) what

Ⓐ Ⓑ Ⓒ Ⓓ

例題 0137

According to the handbook, employees are not -------- to disclose medical facts to supervisors or managers.

(A) requirement
(B) required
(C) requires
(D) requisition

Ⓐ Ⓑ Ⓒ Ⓓ

例題 0138

The professor reminded the students that it was important -------- the assignment before the end of the semester.

(A) complete
(B) completed
(C) completing
(D) to complete

Ⓐ Ⓑ Ⓒ Ⓓ

例題 0139

When preparing for a job interview, -------- is a good idea to try to anticipate some of the potential questions you might be asked.

(A) there
(B) it
(C) which
(D) what

Ⓐ Ⓑ Ⓒ Ⓓ

例題 0140

The buyer refused to -------- to the terms of the existing contract, so certain conditions were changed before it was signed.

(A) agreeable
(B) agreement
(C) agreed
(D) agree

Ⓐ Ⓑ Ⓒ Ⓓ

例題 解き方

0136

訳 全ての領収書は、会計課に提出される前のサインが不可欠である。

ポイントと正解 「It（仮主語）is ＋形容詞＋ for 意味上の主語＋ to 不定詞（真主語）」の構文に関する問題だ。all receipts が to be signed の意味上の主語なので、正解は (C) の前置詞 for 。

語句 □ crucial　必須の、きわめて重要な　□ receipt　領収書、レシート　□ be handed into　…に提出される　□ hand A into B　A を B に渡す

0137

訳 ハンドブックによれば、医療上の事実を上司やマネージャーに明らかにするよう、社員には義務付けられていない。

ポイントと正解 動詞 require は「require ＋目的語＋ to do」または「require that 節」の形で用いられる。この文は受動態のbe required to do構文で、areの後に空所があるので(C)は誤答。(A)(D)は主語と補語が同格にならないので、これも誤答である。正解は (B)required。

語句 □ according to　…によれば、…に従って　□ disclose　…を開示する　□ medical facts　医学的事実　□ supervisor　上司、監督者

0138

訳 学期末前までに課題を仕上げることが大切であると、教授は学生たちに念押しした。

ポイントと正解 形容詞 important は「it is important to do（…することが大切だ）」の形でよく用いられる。(D) の to complete が空所に入る。(A) は、was の後に動詞の原形は置かれないので誤答である。後ろに目的語 the assignment があるので、(B) の受動態のような形にはなり得ない。important 後に…ing 形は置かれないので (C) も誤答である。正解は (D) の to complete。

語句 □ remind A that...　A に…を思い出させる、念押しする　□ assignment　課題　□ semester　学期　□ complete　仕上げる、完成させる

0139

訳 就職面接の準備をするときに、尋ねられる可能性のある質問をいくつか予想してみるのが良い。

ポイントと正解 When…job interview は分詞構文である。空所は is の主語が入る位置だが、事実上の主語は to try to… なので、これを受ける仮主語 it が入る。正解は (B) の it。

語句 □ prepare for　…の準備をする　□ anticipate　予想する　□ potential　潜在的な

0140

訳 買い手は現在の契約条件に同意しようとしなかったので、署名する前にいくつか条件が変更された。

ポイントと正解 refuse は to 不定詞を目的語にとる代表的な動詞で、refuse to do の形で「…することを拒む」という意味になる。to がすでにあるので、空所には動詞の原形が入る。正解は (D) の agree。

語句 □ refuse to do　…しようとしない、…するのを拒む　□ terms　期間、条件　□ existing　既存の、現在の　□ contract　契約　□ condition　条件　□ agreeable　合意できる　□ agreement　協定

例題 0141

Ms. Owens asked his assistant to take home only those plants that need -------- every day.
(A) to water
(B) being watered
(C) to be watered
(D) to watering

Ⓐ Ⓑ Ⓒ Ⓓ

例題 0142

Please take the time -------- the enclosed document carefully as it contains important information about the conference.
(A) review
(B) reviewing
(C) to review
(D) reviewed

Ⓐ Ⓑ Ⓒ Ⓓ

例題 0143

High tariffs make it impossible -------- textile manufacturers to export their products to the country.
(A) of
(B) if
(C) from
(D) for

Ⓐ Ⓑ Ⓒ Ⓓ

例題 0144

Although they developed a more efficient product, it still remains -------- whether it will actually be a hit with consumers because the price is so high.
(A) to see
(B) seeing
(C) to be seen
(D) seen

Ⓐ Ⓑ Ⓒ Ⓓ

例題 0145

To help reduce traffic congestion on the campground, visitors are -------- to make use of the parking lots on the north side of the bridge.
(A) advised
(B) advising
(C) advisable
(D) advisory

Ⓐ Ⓑ Ⓒ Ⓓ

例題 解き方

0141

訳 Owens 氏はアシスタントに、毎日水やりの必要がある植物だけを家に持ち帰るよう頼んだ。

ポイントと正解 受動の意味を表わす不定詞は「to be ＋過去分詞」の形になる。plants が水をもらうので、受動態の (C)to be watered が正解となる。

語句 □ ask …を頼む □ assistant アシスタント、助手 □ water 水をやる

0142

訳 会議についての重要な情報が入っているので、時間を取って同封の書類をしっかり確認しておいてください。

ポイントと正解 主節が「書類を検討するために時間をつくる」という意味になるよう、目的を表わす to 不定詞を用いればよい。take the time to do（時間をつくって…する）を熟語として覚えておこう。正解は (C) の to review。

語句 □ enclosed 同封の □ document 文書、書類 □ carefully 慎重に、入念に □ contain 含む □ conference 会議

0143

訳 関税が高いため、繊維メーカーは自分たちの製品をその国へ輸出することが不可能だ。

ポイントと正解 make の本来の目的語は to export …だが、これを仮目的語 it で受け「make it（仮目的語）＋目的格補語＋（for 意味上の主語）＋ to 不定詞（真目的語）」の構文になっている。to export の意味上の主語が textile manufacturers なので、空所には前置詞 (D) for が入る。

語句 □ tariff 関税 □ textile manufacturer 織物製造業、繊維メーカー □ export 輸出する

0144

訳 彼らはより能率のいい製品を開発したが、価格が非常に高いので、実際にヒット商品になるかどうかはまだわからない。

ポイントと正解 空所は主格補語が入る位置で、it が仮主語、後の whether 節が真主語である。「ヒット商品になるか」は、見守る主体ではなく見守られる対象なので受動態となるが、不定詞が受動の意味を表わすには「to be ＋過去分詞」の形にならなければならない。正解は (C) to be seen。remain to be seen は「現時点ではわからない」という意味の慣用句として覚えておこう。

語句 □ efficient 能率的な、有能な □ actually 実際に、事実 □ consumer 消費者

0145

訳 キャンプ場での車両混雑を減らすため、来場者は橋の北側にある駐車場を利用するようにしてください。

ポイントと正解 advise は「advise ＋目的語＋ to 不定詞」の形で用いられる。受動態 be advised to do は「…するよう勧められる・忠告される」という意味になる。空所には (A) の advised が入る。

語句 □ reduce 減少させる □ traffic congestion 交通渋滞 □ campground キャンプ場 □ parking lot 駐車場

例題 0146

The new fingerprint scanning payment method will -------- customers to do their grocery shopping more quickly.

(A) enable
(B) except
(C) acquire
(D) accept

Ⓐ Ⓑ Ⓒ Ⓓ

例題 0147

Mr. Jao cannot expect -------- the revised project specifications.

(A) finish
(B) finished
(C) finishing
(D) to finish

Ⓐ Ⓑ Ⓒ Ⓓ

例題 0148

The managers should arrange -------- the employees to be able to evaluate their performance as quickly as possible.

(A) of
(B) for
(C) from
(D) to

Ⓐ Ⓑ Ⓒ Ⓓ

例題 0149

Ms. Jones postponed her presentation until next week -------- gather more statistics, which will increase the level of her persuasiveness.

(A) and
(B) can
(C) which
(D) in order to

Ⓐ Ⓑ Ⓒ Ⓓ

例題 0150

It is essential for displays -------- the shopper's attention.

(A) catch
(B) catches
(C) catching
(D) to catch

Ⓐ Ⓑ Ⓒ Ⓓ

例題 解き方

0146

訳　指紋認識で行う新しい支払い方法によって、客はより短時間で食料品の買い物ができるようになるだろう。

ポイントと正解　「enable ＋目的語＋ to 不定詞」は TOEIC によく出題される形なので、しっかり覚えておこう。(A) の enable が適切。(B) は前置詞で位置･意味ともにふさわしくなく、(C)(D) は意味が合わない。正解は (A) の enable。

語句　□ fingerprint　指紋　□ payment　支払い　□ method　方法　□ customer　顧客　□ grocery　食料雑貨店、食料雑貨類　□ acquire　得る、獲得する

0147

訳　Jao 氏は、プロジェクト仕様書の改訂版を完成させられないだろう。

ポイントと正解　expect は、to 不定詞を目的語にとる代表的な動詞の一つだ。この不定詞は「…することを」と訳される。よって、(D) の to finish が空所に入る。

語句　□ expect　期待する　□ revised　改訂された　□ specifications　仕様書、明細事項

0148

訳　出来るだけ早く社員が自分たちの業績を評価できるように、マネージャーは調整するべきだ。

ポイントと正解　the employees は不定詞 to be の意味上の主語なので、(B) の前置詞 for が空所に入る。as quickly as possible は「できるだけ早く」という意味で、よく出題される表現である。正解は (B) の for。

語句　□ arrange for A to do　A が…するように手配する　□ be able to do　…できる　□ evaluate　評価する　□ performance　業績、業務

0149

訳　Ms. Jones は、より多くのデータを集めるために来週までプレゼンテーションを延期したが、それによってプレゼンの説得力は増すことになるだろう。

ポイントと正解　「より多くの統計資料を集めるために、プレゼンテーションを延期した」という意味なので、目的を表わす句を従える (D)in order to が正解だ。(A)and は同等の文成分を並列につなぐ役割をするが、動詞が過去形の postponed と現在形の gather なので、正解にはなり得ない。in order to は「…するために」という意味で、to 不定詞の目的・副詞的用法と同じ意味を表わすが、in order to は to の後の動詞を強調するときに用いられる。

語句　□ postpone　延期する　□ gather　集める　□ statistics　統計値、データ　□ increase　増す　□ persuasiveness　説得力

0150

訳　買い物客の注意を引く展示が不可欠である。

ポイントと正解　仮主語構文で、「It is ＋形容詞＋（for 意味上の主語）＋ to 不定詞」の形にするために、空所には to 不定詞の (D)to catch が入る。

語句　□ essential　不可欠の、必要な　□ display　展示する　□ attention　注意

例題 0151

We expect many celebrities -------- the opening ceremony.

(A) attends
(B) attended
(C) to attend
(D) attending

Ⓐ Ⓑ Ⓒ Ⓓ

例題 0152

The purpose of economic activity is -------- employment.

(A) foster
(B) fosters
(C) to foster
(D) fostered

Ⓐ Ⓑ Ⓒ Ⓓ

例題 0153

Employees are expected to arrive early on Monday -------- the early customers.

(A) meet
(B) to meet
(C) meeting
(D) to be meeting

Ⓐ Ⓑ Ⓒ Ⓓ

例題 解き方

• • • **0151**

訳 私たちは開会式に多くの有名人が出席すると期待している。

ポイントと正解 動詞 expect は、直後に目的語として to 不定詞をとるが、「expect ＋目的語＋ to 不定詞」の形でも使える。この文では many celebrities が目的語となり、目的格補語の働きをする to 不定詞の (C) to attend が空所に入る。

語句 □ celebrity　有名人　□ opening ceremony　開会式

• • • **0152**

訳 経済活動の目的は雇用を促進することである。

ポイントと正解 不定詞が文中で主語・目的語・補語の働きをする名詞的用法についての問題だ。空所は主格補語の位置で、「…すること」という意味になる。purpose（目的）は to foster（促進させること）なので、(C)to foster が正解である。

語句 □ purpose　目的　□ economic activity　経済活動　□ foster　促進する、助長する
□ employment　雇用

• • • **0153**

訳 早めに来る客を出迎えるため、社員は月曜日早めに出勤することになっている。

ポイントと正解 早く出勤するのは顧客を出迎えるためなので、目的を表わす不定詞 (B) to meet が空所に入る。

語句 □ be expected to do　…することを求められる、期待される

UNIT 05 ● 分詞

出題ポイント 1. 分詞は形容詞の役割をする

1.形容詞のように名詞を前後から修飾する

Osram Projector lamps are also available at **discounted rates**.
➡ 名詞を前から修飾
(Osramプロジェクターランプも割引価格で購入できる。)

The housing plan designed for low-income families was not approved.
➡ 名詞を後ろから修飾
(低所得層向けの住宅計画は認められなかった。)

2.主格補語や目的格補語として使われる

The project seems very **challenging**.
➡ 主格補語
(そのプロジェクトはとてもやりがいがありそうだ。)

Do not leave **your luggage unattended**.
➡ 目的格補語
(荷物をそのまま置きっぱなしにしないでください。)

語句
□rate　率、歩合　□approve　是認する、賛成する　□challenging　挑戦的な、やりがいのある　□unattended　従者のない、付き添いのない

PART 5 文法

出題ポイント 2. 分詞は動詞の性質を帯びる

➡ 分詞は動詞の性質を帯びているので、目的語をとることもできるし、副詞に修飾されることもある。

1.目的語をとる

We have many books **describing** **the historical situation**.
（describing = 分詞、the historical situation = 目的語）

（その歴史上の状況を記している本がたくさんある。）

2.副詞に修飾される

The F2000 is a reliable car, but the passenger space is **poorly** **designed**.
（poorly = 副詞、designed = 分詞）

（F2000は信頼性のある車だが、乗車スペースの設計は不十分だ。）

出題ポイント 3. 現在分詞と過去分詞の使い分け

1.分詞が名詞を修飾するとき、この名詞と分詞が能動関係であったり進行の意味を表わす場合は現在分詞を、受動関係であったり完了の意味を表わす場合には過去分詞を使う。

名詞と分詞が能動関係、または進行の意味：現在分詞
名詞と分詞が受動関係、または完了の意味：過去分詞

Most flights serving in-flight meals usually offer free beverages also.
（機内食を出す便のほとんどは、通常、飲み物も無料で提供する。）

➡ 修飾される名詞（most flights）と分詞が「フライトが～を提供する」という能動関係なので、現在分詞（serving）が使われている。Most flights that serve in-flight meals ～から that を省略し、serve を serving に置き換えたものと考えればよい。

Complete **the form provided** in the envelope.
（封筒の中にある書式を埋めてください。）

➡ 修飾される名詞（the form）と分詞が「書式が提供される」という受動関係なので、過去分詞（provided）が使われている。この文は、the form that is provided から that is が省略されたものと見ればよい。

2.分詞が主格補語や目的格補語の場合、主語・目的語と補語が能動関係の場合は現在分詞、受動関係の場合は過去分詞を使う。

主語（目的語）と補語の関係が能動関係：現在分詞
主語（目的語）と補語の関係が受動関係：過去分詞

The assistant manager was sitting down **reviewing** this year's sales figures.
（アシスタントマネージャーは、座って今年の販売実績を調べていた。）
➡ 主語 the assistant manager が売上額を調べているという能動関係なので、現在分詞（reviewing）が使われている。

This new feature makes **consumers frustrated**.
（この新しい機能は、消費者をイライラさせる。）
➡ frustrate は「…をイライラさせる」という意味だ。ここでは、目的語（consumers）と補語の関係が「消費者がイライラさせられる」という受動関係なので、過去分詞（frustrated）が使われている。

revise	→	**revised** edition	改訂版
finish	→	**finished** product	完成品
limit	→	**limited** capacity	限界、上限
sign	→	the **signed** contract	署名済み契約書
hire	→	newly **hired** employees	新たに雇用された従業員
issue	→	recently **issued** summary	最近発表された概要
involve	→	experts **involved** in the negotiations	交渉に関与する専門家
specify	→	the **specified** guidelines	規定されたガイドライン
propose	→	the **proposed** chemical plant	建設が予定されている化学工場

出題ポイント 4. 感情を表す動詞の分詞形

➡ 感情を表す動詞が分詞になって名詞を修飾するときは、人を修飾したり叙述する場合には過去分詞に、物を修飾したり叙述する場合には現在分詞になる。

excite	→	an **exciting** game	興奮するゲーム
disappoint	→	**disappointing** revenue	がっかりさせる収入
embarrass	→	**embarrassing** mistakes	厄介な間違い
confuse	→	**confusing** statistics	紛らわしい統計表
challenge	→	a **challenging** task	やりがいのある業務
fascinate	→	a **fascinating** universe	魅力的な宇宙
bore	→	The movie was **boring.**	映画は退屈だった。
exhaust	→	We found the long wait **exhausting.**	私たちは長く待って疲れきった。

出題ポイント 5.「主語＋ be 動詞」を省略した分詞構文

1.（接続詞）＋（主語＋be動詞）＋現在分詞

- **While they are working** under constant pressure, people can get tired quickly.

  ↓

  While working under constant pressure, people can get tired quickly.

  （仕事でプレッシャーが常にあると、すぐに疲れやすくなる。）

➡ TOEIC では、上の文の working が空所になっているような問題が出される。working のように現在分詞を使うか、または過去分詞を使うかは、従属節である接続節の主語と動詞が能動関係にあるか受動関係にあるかによって決まる。上の文では、接続節の主語 they と work の関係が能動関係なので、現在分詞が使われている。While worked とはならない。

2.（接続詞）＋（主語＋be動詞）＋過去分詞

- **Once your order is submitted,** it will be processed as quickly as possible.

  ↓

  Once submitted, your order will be processed as quickly as possible.

  （注文書を出すと、あなたの注文は出来るだけ早く処理されます。）

➡ your order と submit は受動関係にある。Once is submitted（×）, Once your order submitted（×）

出題ポイント 6.「接続詞＋主語＋一般動詞」は現在分詞に置き換えられる

➡「接続詞＋主語＋一般動詞」の主語が主節の主語と同じ場合、主語を省略して動詞を現在分詞に置き換えることができる。

If you turn to the right, you will find the bakery.

↓

Turning to the right, you will find the bakery.

（右に曲がれば、パン屋があります。）

➡ ①接続詞（If）省略
②従属節の主語が主節の主語と同じなので（you ＝ you）、これを省略
③従属節の動詞を現在分詞にする（turn → Turning）

出題ポイント 7. 完了分詞構文「having ＋過去分詞」

➡ 完了分詞構文は、主節の時制に先立つ時を現す。

- **After we had managed to obtain a ticket for an earlier train**, we were quite relieved.

= **We had managed to obtain a ticket for an earlier train**, we were quite relieved.

↓

Having managed to obtain a ticket for an earlier train, we were quite relieved.
（なんとか早めの電車のチケットが手配できて、私たちはとてもほっとした。）

➡ ほっとしたのよりチケットを買ったのが先なので、完了分詞構文（having ＋過去分詞）で表現している。

出題ポイント 8. 現在分詞の形になっている形容詞が語彙問題として出題される

rewarding discussion　実りのある討論
missing parts (=lost parts)　紛失した部品
surrounding area　周辺地域
presiding officer　議長、指揮官
misleading information　誤解を与える情報
operating instructions　操作マニュアル
opposing point of view　反対の見解
existing facility　既存施設
lasting effect　持続的効果
operating costs　運営費
incoming calls　電話の着信
mounting pressure　高まるプレッシャー
demanding boss　厳しい要求をする社長
opening remarks　開会の挨拶
remaining equipment　現存設備
leading company　トップ企業、優良企業
extenuating circumstances　斟酌するに値する状況
contributing writer　寄稿作家
welcoming smile　笑顔での出迎え
promising candidate　有望な候補者

We haven't located any of the **missing parts** yet.
（私たちはまだ紛失した部品を何も取り付けていない。）

The report on the **operating costs** for the next three years has been submitted to board.
（今後3年間の運営費に関する報告書は役員会に提出された。）

an **impressive** resume　（×）impressing
（印象的な履歴書）

All staff members have been quite **cooperative**.　（×）cooperating
（スタッフは皆とても協力的だった。）

➡ 形容詞形が別途ある場合は、分詞を使わず形容詞形を使う。

出題ポイント 9. 過去分詞の形になっている形容詞が語彙問題として出題される

preferred means 推奨手段
qualified [skilled] programmer 熟練プログラマー
seasoned traveler 旅なれた人
reserved seats 予約席
unused vacation 未消化の休暇
celebrated example 立派な模範
designated parking area 指定された駐車場
complicated process 複雑な過程
repeated dismissal 度重なる拒絶
purchased computer hardware 購入コンピューター
detailed product information 詳細な製品情報
accomplished fact 既成事実
written consent 書面上の同意
handcrafted pieces 手づくり
attached schedule 添付の予定表
customized products 特注品
distinguished customers 著名な顧客、貴賓

The new system will be implemented to identify the most **qualified applicants**.
(最も条件を満たしている応募者を特定するために、新しいシステムが導入される。)

An employee must obtain the **written consent** of supervisor to use confidential records.
(機密記録を利用する社員は、必ず上司から書面で許可をもらわなければならない。)

分詞を含む慣用句

●必須暗記事項!

Generally speaking 概して、一般的に
Frankly speaking 率直に言って
Considering (that) …ということを考慮すれば
Weather permitting 天気が良ければ
Supposing (that) …ということを仮定すれば
Providing [Provided] (that) ただし…ならば
Granting [Granted] (that) 仮に…だとしても

語句
□impressive 印象的な □cooperative 協力的な、協調性のある

PART 5 文法問題 例題 UNIT 05●分詞

例題 0154

The test showed very -------- results.
(A) satisfaction
(B) satisfying
Ⓐ Ⓑ

例題 0155

The tickets -------- on the Internet are non-refundable.
(A) purchased
(B) purchasing
Ⓐ Ⓑ

例題 0156

He submitted a proposal -------- extension of the contract with the Ikea Corporation.
(A) recommending
(B) recommended
Ⓐ Ⓑ

例題 0157

Don't forget to keep all the doors -------- .
(A) locking
(B) locked
Ⓐ Ⓑ

例題 0158

The company reported -------- revenue during the fourth quarter.
(A) disappointing
(B) disappointed
Ⓐ Ⓑ

例題 0159

The manager felt so -------- about her mistake.
(A) embarrassing
(B) embarrassed
Ⓐ Ⓑ

例題 解き方

0154
訳 試験は非常に満足な結果だった。

ポイントと正解 形容詞の働きをする分詞についての問題だ。この文では results を修飾するのにふさわしい形容詞が空所に入るので、名詞の satisfaction は誤答である。正解は (B) satisfying。

語句 □ result 結果 □ satisfaction 満足 □ satisfying 満足な、納得のいく

0155
訳 インターネットで購入したチケットは払い戻し不可である。

ポイントと正解 チケットは購入されるものなので、能動を表わす現在分詞 purchasing は誤答である。The tickets which are purchased の関係代名詞と be 動詞が省略された形とも考えられる。正解は (A) purchased。

語句 □ purchase 購入する □ refundable 払い戻し可能な □ non-refundable 払い戻し不可能な

0156
訳 彼は Ikea 社との契約延長を勧める提案を提出した。

ポイントと正解 分詞が名詞を修飾する場合、両者の関係が能動であれば現在分詞、受動であれば過去分詞を用いる。この問題では、名詞 a proposal と分詞の関係が「～を勧める提案」という能動的な意味なので、recommending が正解である。正解は (A) recommending。

語句 □ submit 提出する □ proposal 提案 □ recommend …を勧める □ extension 拡大、延長 □ corporation 会社

0157
訳 ドアは全て鍵を掛けるのを忘れないように。

ポイントと正解 ドアの鍵は自ら掛かるのではなく掛けられるものなので、受動の意味を表わす過去分詞 locked が正解となる。 正解は (B) locked。

語句 □ forget to do …するのを忘れる □ keep …しておく □ lock 鍵をかける

0158
訳 会社は第四半期の期待はずれの収益を発表した。

ポイントと正解 disappoint（がっかりさせる）と revenue（収入）との関係を考えると、revenue が誰かをがっかりさせるという能動関係なので、現在分詞形の disappointing が正解だ。 正解は (A) disappointing。

語句 □ report 報告する □ revenue 総収益、歳入 □ the fourth quarter 第四半期

0159
訳 マネージャーは、彼女のミスに非常に当惑した。

ポイントと正解 感情動詞には please, interest, disappoint, satisfy, excite, bore などがある。この文の manager と embarrass（当惑させる）との関係を見てみると、manager が当惑させられるという受動の意味なので、過去分詞形の embarrassed が正解だ。正解は (B) embarrassed。

語句 □ manager マネージャー □ embarrassing 当惑させるような、厄介な □ embarrassed 当惑した、きまりの悪い

例題 0160

The energetic music and stylish cinematography made the film quite -------- .
(A) excited
(B) exciting

Ⓐ Ⓑ

例題 0161

Print Lab will take your order and deliver the -------- product within two hours of completion.
(A) finished
(B) finishing

Ⓐ Ⓑ

例題 0162

When -------- your payment, use the return remittance envelope provided with the invoice.
(A) mail
(B) mailing

Ⓐ Ⓑ

例題 0163

Before -------- on the alarm system, please secure all doors and windows.
(A) turning
(B) turn

Ⓐ Ⓑ

例題 0164

-------- in the heart of Singapore, Hotel Asia offers facilities for both leisure and business activities.
(A) Located
(B) Locating

Ⓐ Ⓑ

例題 解き方

0160

訳 エネルギッシュな音楽と流行の撮影技術で、その映画は大変面白いものになった。

ポイントと正解 film（映画）が誰かを楽しくさせるという能動関係なので、現在分詞の exciting を用いる。ちなみに exciting（興奮させる）, excited（興奮した）は分詞の形だが、形容詞として用いられる。正解は (B) exciting。

語句 □energetic 精力的な、エネルギッシュな □stylish 流行の、上品な □cinematography 映画撮影(法) □excited 興奮した、活気のある □exciting 興奮させる、刺激的な

0161

訳 Print Lab は受注後、2 時間以内に完成品をお届けします。

ポイントと正解 分詞が名詞を修飾する場合、両者の関係が能動であるなら現在分詞、受動の関係なら過去分詞を用いる。この文では、修飾される名詞 product と分詞との関係が「完成された製品」という意味なので、受動を表わす過去分詞 finished が正解になる。正解は (A) finished。

語句 □take one's order …の注文を受ける □deliver 配達する □completion 完成、終了

0162

訳 支払いの送金時には、送り状に同封した返信用の送金封筒を利用してください。

ポイントと正解 本来の文は When you mail your payment だが、you を省略して mail を現在分詞形にした文になっている。意味を強調するために接続詞 when を省略せず、When mailing your payment となっている。正解は (B) mailing。

語句 □payment 支払い、請求 □return 戻りの、復路の □remittance 送金、送金受領書 □invoice 送り状

0163

訳 警報装置を作動させる前に、すべてのドアと窓をきちんと閉めてください。

ポイントと正解 この文は時間の副詞節を分詞構文にしたもので、本来の文は Before you turn on the alarm system, please secure all doors and windows である。副詞節と主節の主語が同じ場合は主語を省略でき、動詞を-ing 形にすることもできるので、動詞 turn に-ing の付いた turning が正解だ。before を前置詞とすると、turning は動名詞とみなすこともできる。正解は (A) turning。

語句 □turn on （スイッチを）入れる、オンにする □secure 確実にする、安全な

0164

訳 シンガポールの中心に位置するホテルアジアは、観光とビジネスの両方に配慮したサービスを提供している。

ポイントと正解 接続詞・主語・動詞が省略された分詞句で、本来の文は As it is located in the heart of Singapore である。正解は (A) Located。

語句 □be located in …に位置する、存在する □heart 中心 □facility 便利さ、便宜、設備 □both A and B A と B の両方、A も B も □activity 活動

例題 0165

During his -------- remarks, Dr. Walters highlighted several of the company's recent research accomplishments.

(A) opening

(B) openly

Ⓐ Ⓑ

例題 0166

Generally -------- , it takes four weeks to make a decision on an application.

(A) spoken

(B) speaking

Ⓐ Ⓑ

例題 0167

Of all the people I have waited on, Mrs. Jenkins has been my most -------- customer.

(A) demand

(B) demanding

Ⓐ Ⓑ

例題 0168

In contrast to most of other cars of its size, the model doesn't have a -------- navigation system.

(A) sophisticating

(B) sophisticated

Ⓐ Ⓑ

例題 0169

For many years, postal mail had been the -------- means of communication for most businesses.

(A) preferred

(B) preferring

Ⓐ Ⓑ

例題 解き方

0165

訳 Walters 博士は開会の辞のなかで、会社が遂行した最新研究成果をいくつか取り上げた。

ポイントと正解 名詞 remarks を修飾できるのは、形容詞 opening である。副詞の openly は remarks を修飾できない。opening remarks は「開会の辞」として覚えておこう。opening が名詞として用いられると「開幕」「開始」「空席」という意味になる。正解は (A) opening。

語句 □ opening　開会　□ remark　所見、意見　□ highlight　強調する、目立たせる　□ recent　最近の　□ accomplishment　成果、業績　□ opening remark　開会の辞

0166

訳 一般的に言って、申請に関する決定を下すには 4 週間かかる。

ポイントと正解 慣用的な分詞句表現には generally speaking（一般的に言うと）, briefly speaking（簡単に言うと）, frankly speaking（正直に言うと）などがある。正解は (B) speaking。

語句 □ generally speaking　一般的に言って　□ make a decision　決断を下す　□ application　申請、応募

0167

訳 私が応対したあらゆる人々のなかで、Jenkins 夫人は最も骨の折れる顧客だった。

ポイントと正解 名詞 customer を修飾する形容詞が空所に入る。demand は動詞または名詞として用いられるが、この位置にそのまま動詞として入ることはできず、名詞として入り複合名詞になっても意味が通らない。現在分詞の形容詞 demanding が正解である。正解は (B) demanding。

語句 □ wait on [upon]　(客に)応対する　□ demanding　骨の折れる、要求の厳しい　□ demand　要求する

0168

訳 サイズが同じ他の車とは対照的に、そのモデルは精巧なカーナビシステムを備えていない。

ポイントと正解 sophisticate という単語は「洗練させる」「複雑にする」という意味だ。「複雑な」という意味で用いられるのは過去分詞形の形容詞 sophisticated で、sophisticating がこのような意味で使われることはない。正解は (B) sophisticated。

語句 □ in contrast to　…に対比して、と対照的に　□ sophisticated　高度な、精巧な　□ navigation system　方向誘導システム、ナビゲーションシステム

0169

訳 長年の間、大部分のビジネスコミュニケーションにおいて、郵便が好まれる手段だった。

ポイントと正解 修飾される名詞は means であり、形容詞の働きをする分詞との関係は受動の関係なので、「好まれる手段」という意味を表わす preferred が正解である。正解は (A) preferred。

語句 □ postal mail　郵送　□ preferred　優先の、好ましい　□ means　手段、方法　□ communication　コミュニケーション、伝達

例題 0170

Most people find Stephen King's movies -------, despite the fact that the scripts make several deviations from his books.

(A) fascinating
(B) fascinated
(C) fascinate
(D) fascination

Ⓐ Ⓑ Ⓒ Ⓓ

例題 0171

The use of inexpensive machine components has been shown to drive down costs from order-fulfillment processes -------- maintaining good customer service.

(A) while
(B) because
(C) since
(D) in addition

Ⓐ Ⓑ Ⓒ Ⓓ

例題 0172

-------- to complete the audit by the date that had been set, Mr. Scott decided to seek help from a few of his colleagues.

(A) Have failed
(B) Failed
(C) Failure
(D) Having failed

Ⓐ Ⓑ Ⓒ Ⓓ

例題 0173

World Tour continues to grow, -------- hundreds of new destinations around the world each year.

(A) add
(B) adds
(C) adding
(D) added

Ⓐ Ⓑ Ⓒ Ⓓ

例題 0174

Please refer to the enclosed instructions -------- assembling your new Branford home entertainment center.

(A) as
(B) when
(C) than
(D) how

Ⓐ Ⓑ Ⓒ Ⓓ

例題 解き方

0170

訳 脚本がスティーブンキングの本からいくらか逸脱するという事実にもかかわらず、大部分の人々は彼の映画が魅力的だと思っている。

ポイントと正解 fascinate という単語は「…をうっとりさせる」という意味の感情動詞である。movies が人をうっとりさせるので、fascinating が正解となる。正解は (A) fascinating。

語句 □ despite the fact that …という事実にも関わらず □ script 脚本 □ deviation 逸脱、脱線

0171

訳 安い機械部品の使用で、良質の顧客サービスを維持しながら受注処理の費用が削減されたとわかった。

ポイントと正解 この文は「接続詞＋分詞」構文である。「接続詞 while/when ＋ S ＋ V」の形は「接続詞＋ ...ing」に置き換えられる。「良質のサービスを維持しつつ、費用を節減した」という意味になるので、(A) while が正解である。正解は (A) while。

語句 □ inexpensive 安価な □ component 部品 □ drive down （値を）下げる □ order-fulfillment process 受注処理システム □ maintain 維持する □ in addition さらに

0172

訳 締切日までに会計検査を終わらせることができなかったので、Scott 氏は 2，3 人の同僚に手伝ってもらうことにした。

ポイントと正解 分詞構文の問題である。「接続詞＋主語＋動詞」の副詞節は、主語が主節と同じ場合、接続詞と主語を省略し動詞に-ing をつけた形の分詞構文に置き換えられる。また、この文のように副詞節の時制が主節の時制より前である場合、「Having ＋過去分詞」のような完了分詞構文で時制を表わす。本来の文は Because Mr. Scott had failed to complete ～である。正解は (D) Having failed。

語句 □ complete 終える □ audit 会計検査 □ seek 求める □ colleague 同僚

0173

訳 毎年世界中に何百もの新しい行き先を増やして、World Tour 社は発展し続けている。

ポイントと正解 文中に continues という動詞がすでにあるので、空所に別の動詞が入る場合には、分詞句の形にする必要がある。本来の文は World Tour continues to grow, and adds hundreds of... だが、主節と時制が一致するので、動詞に ...ing をつけて接続詞を省略した分詞構文にできる。正解は (C) adding。

語句 □ add 加える □ hundreds of 数百の □ destination 目的地、行先

0174

訳 新しい Branford 家庭用娯楽機器の中身を組み立てる際には、同封の使用説明書を参照してください。

ポイントと正解 この文は「接続詞＋分詞」構文である。「接続詞 while/when S ＋ V」は「接続詞＋-ing」に置き換えられる。「家庭用娯楽機器を組み立てるとき」という意味にするためには、空所に (B) when が入る。(A)(C)(D) では分詞構文にならない。正解は (B) when。

語句 □ refer to …を参照する □ enclose 同封する、収まっている □ assemble 組み立てる □ entertainment 娯楽

例題 0175

Mr. Evans will discuss the most important issues -------- in each phase of the expansion plan.

(A) are involved
(B) involving
(C) involvement
(D) involved

Ⓐ Ⓑ Ⓒ Ⓓ

例題 0176

Once -------, the new company will produce greater efficiency in operations and higher returns than either company could achieve alone.

(A) merge
(B) are merged
(C) merged
(D) have merged

Ⓐ Ⓑ Ⓒ Ⓓ

例題 0177

To make a -------- impression on their customers, the company created a brochure with colorful graphics and positive wording.

(A) last
(B) lasting
(C) lasted
(D) lasts

Ⓐ Ⓑ Ⓒ Ⓓ

例題 0178

The -------- officer announced that the witness could not be cross-examined because the representative did not have authority to participate in the proceedings.

(A) preside
(B) presides
(C) presiding
(D) presided

Ⓐ Ⓑ Ⓒ Ⓓ

例題 解き方

• • **0175**

訳 Evans 氏は拡大計画の各段階で共通する最も重要な問題を議論するつもりだ。

ポイントと正解 「…と関連する」という表現は be involved in である。この文では、issues that are involved in の that are が省略され、involved が issues を直接修飾している。正解は (D) involved。

語句 □ discuss 議論する □ issue 問題 □ phase 段階、状態 □ involve 巻き込む、関係する □ expansion 拡大、延長

• • **0176**

訳 ひとたび合併したら、いずれか 1 社が単独で目的を成し遂げるよりも、効率的な運営と高い収益を新しい会社は実現させるだろう。

ポイントと正解 Once the company is merged の主語と be 動詞が省略され、Once merged になっている。接続詞の後に過去分詞を使うか現在分詞を使うかは、主語と動詞の関係によって決まる。「会社は合併されるもの」なので、受動の意味を表わす過去分詞 merged が正解となる。正解は (C) merged。

語句 □merge 合併する □produce 製造する、生産する □efficiency 能率、効率 □operation 操業、仕事、運営 □ return 利益、収益 □ achieve 成し遂げる

• • **0177**

訳 顧客の記憶に残る印象を与えるために、会社はカラーの図表と明るい言葉を使ったカタログを作成した。

ポイントと正解 空所は、名詞 impression を修飾する形容詞が入る位置である。lasting は現在分詞形の形容詞で、「長持ちする」「持続する」という意味だ。動詞は名詞を修飾できないので、(D) は誤答。lasting impression は「忘れない印象、消えない印象」という熟語として覚えておこう。正解は (B) lasting。

語句 □ last 長持ちする、持続する、長続きする、耐久性のある □ make an impression on …に印象を与える □ create 創作する、作成する □ brochure カタログ □ positive 前向きな、肯定的な、明るい □ wording 言葉づかい、表現

• • **0178**

訳 代理人が手続に関与する権利がなかったために、証人が反対尋問を受けることができなかったと、裁判官は発表した。

ポイントと正解 presiding は現在分詞形の形容詞で、「主宰する」「統率する」という意味だ。裁判官は presiding judge/officer という。正解は (C) presiding。

語句 □ preside 統轄する、主宰する □ announce 発表する、告知する □ witness 目撃者、証人 □ cross-examine 反対尋問する、厳しく追及する □ representative 代表者、代理人 □have authority to do …する権利がある □participate 参加する、関与する □proceeding 訴訟手続、手続き □ presiding officer 裁判官

例題 0179

The shuttle is available during -------- hours and can be arranged by calling the hotel directly.

(A) specified
(B) specify
(C) specifying
(D) specification

Ⓐ Ⓑ Ⓒ Ⓓ

例題 0180

There were -------- similarities between the characters in both author's books, which caused a lot of controversy among literary figures.

(A) struck
(B) strike
(C) strikes
(D) striking

Ⓐ Ⓑ Ⓒ Ⓓ

例題 0181

All Coleman products are covered by a one-year -------- warranty which begins on the date of the invoice.

(A) limited
(B) limiting
(C) limit
(D) limits

Ⓐ Ⓑ Ⓒ Ⓓ

例題 0182

-------- absenteeism will result in dismissal, particularly if an employee has been given warnings previously.

(A) Repeats
(B) Repeating
(C) Repeated
(D) Repeatedly

Ⓐ Ⓑ Ⓒ Ⓓ

例題 解き方

0179

訳 シャトルは指定時間内の利用が可能で、ホテルに直接電話をすれば手配してもらえる。

ポイントと正解 名詞 hours と specify が受動の関係なので、空所には過去分詞 specified が入り「指定された時間」という意味になる。(B) は動詞の原形なので名詞を修飾できず、(D) もこの位置では複合名詞になり得ないので誤答である。正解は (A) specified。

語句 □ shuttle シャトル、定期往復便 □ available 利用可能な □ specify 指定する、明記する、特定する □ arrange 手配する、用意する、準備する □ directly 直接に

0180

訳 両著書の本の登場人物は著しく類似しており、それは文壇の間で多くの論争を引き起こした。

ポイントと正解 similarities を修飾できる形容詞を選ばなければならないので、動詞の (B)(C) は誤答である。striking は現在分詞形の形容詞で、「印象的な」「目を引く」という意味だ。正解は (D) striking。

語句 □ similarity 類似(点) □ character 特徴、登場人物 □ author 著書 □ controversy 論争、議論 □ literary 文学の □ figure 人物、名士 □ struck ストで閉鎖中の □ strike 打つ □ striking 印象的な、目を引く、著しい、目立つ

0181

訳 すべてのコールマン社製品は、送り状の日付から 1 年間の限定保証が適用される。

ポイントと正解 名詞 warranty を修飾する形容詞が必要なので、形容詞の働きをする分詞が正解となる。limiting, limited はそれぞれ「制限する」「制限される」という能動・受動の意味の分詞だが、この文では warranty が one-year という条件により「制限される」受動の意味になるので、(A) limited が正解となる。

語句 □ be covered by …で覆われる □ limit 制限する □ warranty 保証 □ invoice 送り状、請求書

0182

訳 社員が以前警告されたことがある場合には特に、長期欠勤を繰り返すと解雇という結果になる。

ポイントと正解 副詞の (D) は、名詞 absenteeism を修飾できないので誤答である。ここでは「繰り返される欠勤」という受動表現にしなければならないので、過去分詞 (C) が正解だ。(B)Repeating を動名詞と考えることもできるが、repeat は「意図的に繰り返す」という意味であり、欠勤を意図的に繰り返すことは Repeating being absenteeism と言う。正解は (C) Repeated。

語句 □ absenteeism (理由のない)長期(無断)欠勤 □ result in …という結果になる □ dismissal 解雇 □ particularly 特に、とりわけ □ warning 警告 □ previously 以前の □ repeat 繰り返す □ repeatedly しばしば、繰り返して

例題 0183

We would like to thank our clients for being so -------- about the problems they have been experiencing with our computer network.

(A) understandable
(B) understanding
(C) understood
(D) understand

Ⓐ Ⓑ Ⓒ Ⓓ

例題 0184

With our wealth of experience in the medical industry, we offer a variety of services, -------- us to provide customers with solutions tailored to meet their individual needs.

(A) allows
(B) allowing
(C) allow
(D) will allow

Ⓐ Ⓑ Ⓒ Ⓓ

例題 0185

After years of financial difficulties, community residents were -------- to hear that the Public Accounts Committee Chairperson had mismanaged the budget.

(A) shock
(B) shocking
(C) shocked
(D) being shocked

Ⓐ Ⓑ Ⓒ Ⓓ

例題 0186

In the event of an emergency, personal information -------- on the medical form cannot be released without your permission.

(A) had given
(B) gave
(C) was given
(D) given

Ⓐ Ⓑ Ⓒ Ⓓ

例題 解き方

・・・0183

訳 お客様に感謝したいのは、当社のコンピュータネットワークで直面した問題について、非常に理解を示してくれたことだ。

ポイントと正解 空所は副詞 so の修飾を受ける位置で、ここには形容詞が入るので、動詞の (C)(D) は誤答となる。「顧客が物わかりがよい」という意味にするには、(A) understandable（理解できる・わかる）と (B) understanding（物わかりのよい）のうち (B) が適当である。正解は (B) understanding。

語句 □ thank A for B　A に B のことで感謝する、礼をいう　□ client　依頼人、顧客　□ experience with　…を経験する　□ understanding　物わかりのよい、思いやりのある

・・0184

訳 医療業界における私たちの豊富な経験で、お客様の個々のニーズに合った解決方法を提供するといった、様々なサービスを用意している。

ポイントと正解 文中に動詞 offer があるので、空所には接続詞なしに動詞が入ることはない。一旦 which allow が入り得るが、この which が省略されて動詞 allow が現在分詞形になることもできる。したがって、(B) allowing が正解だ。

語句 □ wealth　豊富、富、財　□ experience in　…の経験　□ a variety of　様々な、色々な　□ allow A to do　A に…することを許す　□ provide A with B　A に B を提供する　□ solution　解決策　□ tailored　(要求・条件に)合った　□ individual needs　個々の要求

・・0185

訳 数年間続いた財政危機の後、公認会計委員会の議長が予算管理に失敗していたことを聞いて地域住民は衝撃を受けた。

ポイントと正解 shock は感情動詞で「びっくりさせる」「衝撃を与える」という意味だが、この文では主語が人である residents なので、「衝撃を受けた」という意味になるよう空所には過去分詞 shocked が入る。正解は (C) shocked。

語句 □ financial difficulties　財政困難、資金難　□ resident　居住者　□ chairperson　議長　□ mismanage　管理を誤る

・・0186

訳 緊急事態の場合に、受診票にある個人情報はあなたの許可なく公開されません。

ポイントと正解 personal information と空所に入る動詞 give との関係を見ると、個人情報は与えられるものなので、受動形の (D)given がふさわしい。本来の文 information that is given on ～の that is が省略されて、given が直接修飾する形になっている。正解は (D)given。

語句 □ in the event of　…の場合には　□ emergency　緊急事態　□ medical form　医療審査表　□ release　公開する　□ permission　許可

UNIT 06 ● 動名詞

出題ポイント 1. 動名詞は名詞のように主語・補語・目的語の役割をする

1. 主語の役割

Obtaining an accurate market response to our products is one of the main objectives of the survey.（当社製品に対する正確なマーケットの反応を得ることが、この調査の主要目的の一つである。）

2. 補語の役割

The duty of a mentor is **offering guidance** to newcomers.（指導者の義務は、新人を指導することである。）

3. 目的語の役割

If there is any problem with the copier, we **suggest contacting** the manufacturer.
（コピー機になにか問題があるのなら、製造メーカーへの連絡を提案します。）

➡ 動名詞と名詞の区別…他動詞の動名詞は目的語をとることができるが、名詞は目的語をとることができない。

Reducing production costs is the key factor we have to consider. →（×）Reduction
（製造コストの削減は、私たちが考えるべき要素である。）

語句
□response to　…に対する反応　□objective　目的　□mentor　指導者　□newcomer　新人
□suggest ...ing　…することを提案する　□manufacturer　製造元

出題ポイント 2. 動名詞の形をしている名詞

advertising	広告	**beginning**	始め、始まり
belongings	身のまわりの品	**housing**	住宅、住宅供給
findings	調査結果、発見物	**earnings**	所得、利得
savings	貯金	**funding**	資金、資金提供
marketing	マーケティング	**opening**	欠員募集、開場、開設
planning	企画		

MCS Technology announced that its financial **earnings** were significantly above the expert expectations.
（MCSテクノロジーは、収益が専門家の予想をはるかに上回っていたと発表した。）

出題ポイント 3. 動名詞を目的語にとる動詞

consider	考慮する	**postpone**	延期する
suggest	提案する	**enjoy**	楽しむ
include	含む	**discontinue**	やめる
keep	続ける	**mind**	気にする、嫌だと思う
put off	先送りする	**admit**	認める
forbid	禁止する	**quit**	やめる
finish	終える	**advocate**	弁護する
deny	否認する		

When the guest speaker **finished speaking**, the audience enthusiastically applauded.
（ゲストの講演が終ると、聴衆は熱狂的に拍手を送った。）

IBM will **discontinue making** computer disk drives.
（IBMは、コンピュータのディスクドライブの生産を中止する。）

動名詞・不定詞のいずれもとることのできる動詞

●必須暗記事項！

begin/start	始める	**dislike**	嫌う	**attempt**	試みる
continue	続ける	**plan**	計画する	**decline**	断わる
cease	やめる				

語句　□enthusiastically　熱狂的に、熱心に　□applaud　拍手を送る

出題ポイント 4. 動名詞の慣用句

1. 「前置詞to＋動名詞」

be accustomed to ...ing　…に慣れている
object to ...ing　…を反対する
be devoted to ...ing　…に没頭する
be committed to ...ing　…するのに献身する
look forward to ...ing　…を期待する
be used to ...ing　…するのに慣れる
when it comes to ...ing　…については
as opposed to ...ing　…とは対照的に

You will have to **be accustomed to** taking care of demanding customers politely.
（骨の折れる顧客たちを丁寧に扱うことに慣れなければならないでしょう。）

2. 「in＋(動)名詞」vs.「with＋名詞」

be busy (in) ...ing　…するのに忙しい
assist in ...ing　…することを助ける
problems in ...ing　…における問題
be finished (in) ...ing　…し終える
spend A (in) ...ing　…することにA（お金や時間）を使う
succeed in ...ing　…に成功する
have difficulty[trouble, a hard time] (in) ...ing　…するのに困難を伴う
be busy with　…のために忙しい
assist with　…で助ける
problems with　…に対する問題
be finished with　…し終える

Several top construction designers **assisted in building** the shopping mall.
（一流の建築士数人がショッピングモールの建設を手助けした。）

3. その他

keep (on) ...ing　引き続き…する
be skilled at ...ing　…するのに熟達している
instead of ...ing　…する代りに
be capable of ...ing　…できる
upon [on] ...ing（**as soon as** 主語＋動詞）…するやいなやすぐ
It is no use ...ing　…しても無駄だ
insist on ...ing　…するのを主張する
be aimed at ...ing　…を目的としている
be aware of ...ing　…を知っている
be worth ...ing　…する価値がある

Upon arriving at the airport, you must declare what you have brought.
（空港に到着したらすぐに、何を持って来たのか税関に届けなければならない。）

We must **keep (on) doing** our best to get new clients.
（新しい顧客獲得のために最善を尽くし続けなければならない。）

語句　□demanding　要求の厳しい、手間のかかる　□declare　申告する

PART 5 | 文法問題 例題 UNIT 06●動名詞

例題 0187

Please confirm your attendance within seven days of -------- this invitation.
(A) receiving
(B) receipt

Ⓐ Ⓑ

例題 0188

The most important issue you face when marketing your product is -------- the right audience with appealing advertisements.
(A) the attracting
(B) attracting

Ⓐ Ⓑ

例題 0189

Anyone interested in any of the job -------- should visit the staffing office in person to fill out an application.
(A) openings
(B) opens

Ⓐ Ⓑ

例題 0190

The paper will be reviewed during the official meeting, and then will be passed on to the board for final -------- .
(A) approval
(B) approving

Ⓐ Ⓑ

例題 0191

Employees who have any questions about our new healthcare plan can learn all they want by -------- tomorrow's meeting.
(A) to attend
(B) attending

Ⓐ Ⓑ

例題 解き方

0187

訳 この招待状を受け取ってから7日以内に出欠をご確認ください。

ポイントと正解 名詞どうしを結ぶ前置詞 of の後に空所があるので、空所には名詞の性格をもつ要素が入る。また、後に目的語 this invitation があるので、動詞としての機能も要求される。この2つの条件を満足させられるのは、動名詞 receiving である。正解は (A) receiving。

語句 □ confirm　確かめる、確認する　□ attendance　出席　□ invitation　招待、招待状

0188

訳 商品マーケティングで直面する最も重要な問題は、ターゲットになる顧客にアピールできる販売促進だ。

ポイントと正解 動名詞に冠詞は必要ない。この文のように動名詞が動詞の性格を帯びて目的語をとる場合には、定冠詞はつかない。定冠詞をつけるには動名詞を名詞として扱い、目的語との間に前置詞 of を置く。正解は (B) attracting。

語句 □ issue　問題、課題　□ face　…に直面する　□ market　市場　□ attract　…を引き込む、魅了する　□ audience　聴衆、客　□ appealing　魅力的な

0189

訳 求人に興味がある人は、直接本人が事務所に出向いて応募書類の記入をしなくてはいけない。

ポイントと正解 一般に名詞を修飾するのは形容詞だが、名詞と名詞が結合して新しい複合的な意味をなす場合もあり、これを複合名詞という。ここでは、名詞 job と名詞 opening が結合して job opening「求職」「仕事口」という一つの名詞を作り出している。opening は -ing 形の名詞である。正解は (A) openings。

語句 □ opening　仕事の空き　□ staffing office　事務所　□ in person　自分で、本人が直接　□ fill out　(書式)に記入する　□ application　応募書類、申し込み

0190

訳 公式会議の中でその書類が検討され、その後、最終承認を得るのに重役に回される。

ポイントと正解 形容詞 final の修飾を受ける名詞が必要だが、動名詞 approving は必ず目的語をとり単独では用いられないので、(A) approval が正解である。

語句 □ review　検討する、見直す、再審査する　□ official　公式の　□ pass on to　…に回す、伝える　□ board　会議、委員会　□ approval　承認、承諾

0191

訳 新しい健康管理プランへの質問がある社員は、明日の会議に出席すれば知りたいことが全部わかる。

ポイントと正解 前置詞 by の後には目的語 tomorrow's meeting をとる動名詞が必要だ。前置詞 by の後に to 不定詞が置かれることはない。正解は動名詞の (B) attending である。

語句 □ healthcare　健康管理　□ plan　計画　□ attend　出席する

例題 0192

We will process your child's registration upon -------- the fee.

(A) receipt
(B) receiving

Ⓐ Ⓑ

例題 0193

The marketing department is considering -------- a mascot to help promote the products currently on the market.

(A) to introduce
(B) introducing
(C) introduce
(D) introduced

Ⓐ Ⓑ Ⓒ Ⓓ

例題 0194

To a lot of researchers, Internet means being able to gather information from their offices as opposed to -------- to a library.

(A) go
(B) going
(C) goes
(D) be going

Ⓐ Ⓑ Ⓒ Ⓓ

例題 0195

MDS Media Inc. has encountered many difficulties in -------- a new market in China.

(A) find
(B) found
(C) finding
(D) to find

Ⓐ Ⓑ Ⓒ Ⓓ

例題 0196

Responsibilities of the position include -------- cooperation between regional branches.

(A) to promote
(B) promoted
(C) promoting
(D) promotion

Ⓐ Ⓑ Ⓒ Ⓓ

例題 解き方

0192

訳 料金を受け取り次第、お子様の登録をいたします。

ポイントと正解 「upon＋（動）名詞」は「…するとすぐ」「…した途端に」という慣用表現だ。後に名詞 the fee があるので、目的語をとる動名詞 receiving を用いて「料金をもらった途端に」という意味にすればよい。receipt のように名詞を用いる場合は、upon receipt of the fee という形になる。正解は (B) receiving。

語句 □ process …を処理する □ registration 登録 □ receipt 受領（証） □ fee 料金

0193

訳 今売り出し中の製品の販売促進として、マーケティング部門はマスコットの起用を検討している。

ポイントと正解 considerは動名詞を目的語にとる動詞だ。この文ではto不定詞は誤答で、目的語a mascotをとる動名詞 (B) introducing が正解である。

語句 □ consider ...ing …を考慮する、検討する □ mascot マスコット □ promote 促進する □ currently 現在は □ on the market 市場で売られている

0194

訳 多くの研究者にとって、インターネットはオフィスで情報を集めることが出来るという意味では、図書館とは対照的だ。

ポイントと正解 as opposed to（…と反対に・対照的に）の to は前置詞だ。前置詞は動名詞をとるので、ここでは動名詞 going が正解である。「as opposed to ＋（動）名詞」の形を知っていれば、簡単に解ける問題だ。 正解は (B)going。

語句 □ researcher 研究者 □ gather 集める、収穫する

0195

訳 MDS Media 社は、中国での新規市場で困難に直面してきた。

ポイントと正解 「difficultly in ＋動名詞」は「…することの難しさ」という意味で、空所には動名詞 finding が入る。ここでの前置詞 in は分野を表わし、その後の動名詞が行為を表わしている。正解は (C) finding。

語句 □ encounter 遭遇する、直面する

0196

訳 その役職には、地方支社間のコミュニケーションを促す責任がある。

ポイントと正解 動詞 include は動名詞を目的語にとる。後にある目的語 cooperation をとる動名詞 (C) promoting が正解だ。名詞 promotion は目的語をとることができないので、空所には入らない。正解は (C) promoting。

語句 □ responsibility 責任 □ include 含める □ promote 促進する □ regional 地方の □ branch 支社

例題 0197 •

If the team members don't succeed -------- their differences, further action by their leader will have to be taken.

(A) in resolving
(B) to resolve
(C) resolve
(D) resolving

Ⓐ Ⓑ Ⓒ Ⓓ

例題 0198 •

Marriott International Inc. has postponed -------- about 5,000 hotel rooms because of reduced demand.

(A) to building
(B) to build
(C) build
(D) building

Ⓐ Ⓑ Ⓒ Ⓓ

例題 0199 •

If you don't object -------- a used vehicle, there are many great off-lease cars at great prices flooding the used-car markets.

(A) to driving
(B) drives
(C) driving
(D) to drive

Ⓐ Ⓑ Ⓒ Ⓓ

例題 0200 •

Making wise decisions is an important part of -------- a good leader.

(A) be
(B) being
(C) been
(D) to be

Ⓐ Ⓑ Ⓒ Ⓓ

例題 0201 •

-------- detailed employee manuals on company policies is a must for any respectable company.

(A) Development
(B) Developing
(C) Developed
(D) Develop

Ⓐ Ⓑ Ⓒ Ⓓ

例題 解き方

0197

訳　チームのメンバー同士の食い違いを解決できないならば、リーダーがもっとアクションを起こす必要がある。

ポイントと正解　succeed は前置詞 in とともに用いられ「…に成功する」「…に成果をあげる」という意味になる。前置詞の目的語として動名詞を用いなければならないので、(A) in resolving が正解だ。

語句　□ succeed in　…に成功する、成果を上げる　□ resolve　解決する、決心する　□ action　行動

0198

訳　Marriott International 社は、需要の減退が原因で、5000 部屋の工事を延期することになった。

ポイントと正解　動詞 postpone は、目的語に動名詞をとる代表的な動詞の一つだ。動名詞の (D) building が正解である。

語句　□ postpone ...ing　…するのを延期する　□ reduced　減少した　□ demand　需要

0199

訳　中古車が嫌いでなければ、中古車市場にはリース切れのお得な値段の車がたくさんある。

ポイントと正解　object の後の to は前置詞なので、目的語は動名詞になる。正解は (A) to driving。

語句　□ object to　…に反対する　□ used vehicle　中古車　□ off-lease car　リース外の車　□ at great prices　お得な価格で　□ flood　あふれさせる

0200

訳　賢明な決断を下すことは、良いリーダーの一要素である。

ポイントと正解　前置詞 of の後で be 動詞を用いる場合は、動名詞の形にしなければならない。正解は (B) being。

語句　□ make a decision　決断する

0201

訳　会社の方針に関して詳細な従業員マニュアルを作成するのは、ちゃんとした会社なら必ず必要なことだ。

ポイントと正解　この文の主語は文頭から policies までだ。主語になれるものに名詞・代名詞・to 不定詞・動名詞などがあるが、名詞の (A) を選ぶと空所の後の形容詞 detailed とつながらないので、動名詞 developing が正解である。正解は (B) Developing。この文中の must は、一般的に知られている「…しなければならない」という助動詞ではなく、「必ず必要なもの」という意味の名詞として用いられている。A raincoat is a must in the rainy seoson.（梅雨にレインコートは必需品だ。）

語句　□ develop　開発する、作成する　□ manual　取扱説明書、便覧、マニュアル　□ policy　政策、方針、規定　□ must　必ず必要なもの　□ respectable　尊敬すべき、まともな

例題 0202

The Revenue Board's investigation concluded that officials from the Credit Union had failed in -------- transactions made online.

(A) monitoring
(B) monitored
(C) was monitored
(D) has monitored

Ⓐ Ⓑ Ⓒ Ⓓ

例題 0203

The manual says that -------- the cellular phone battery takes about five hours.

(A) recharged
(B) recharger
(C) recharge
(D) recharging

Ⓐ Ⓑ Ⓒ Ⓓ

例題 0204

Police blocked -------- to the local airport on the outskirts of the city.

(A) accessed
(B) accessing
(C) access
(D) accesses

Ⓐ Ⓑ Ⓒ Ⓓ

例題 0205

The figures generated in the study can be equated with past -------.

(A) founded
(B) finds
(C) found
(D) findings

Ⓐ Ⓑ Ⓒ Ⓓ

例題 0206

If there is a mechanical problem, we suggest -------- the manufacturer directly.

(A) to contact
(B) contacting
(C) contact
(D) contacts

Ⓐ Ⓑ Ⓒ Ⓓ

例題 解き方

0202

訳 オンライン上の取引監視を信用組合の職員が失敗したと、税務調査は結論づけた。

ポイントと正解 前置詞 in の後には、目的語 transactions をとる動名詞が必要だ。文中にすでに主節の動詞 concluded と that 節の動詞 had failed があるので、動詞の (B)(C)(D) は文法的に合わない。正解は (A) monitoring。

語句 □ revenue 歳入、収益 □ investigation 調査 □ conclude 結論を下す □ official 公務員、職員 □ credit union 信用組合 □ monitor 監視する □ transaction 取引、議事録

0203

訳 取り扱い説明書によると、携帯電話の充電には 5 時間かかる。

ポイントと正解 recharge（充電する）は動詞なので、動詞 take の主語になるには動名詞や to 不定詞の形にしなければならない。正解は (D) recharging。

語句 □ manual 取り扱い説明書 □ recharge 充電する

0204

訳 警察は、市外にある地元空港への立ち入りを阻止した。

ポイントと正解 access は、他動詞・名詞のいずれにもなる。空所に動名詞の accessing が入る場合は、後の前置詞は必要ない。この文は「…への道・接近を遮断した」という意味なので、名詞の access が空所に入る。access に前置詞 to がつき、「…への接近・利用」の意味になっている。正解は (C) access。

語句 □ block 閉鎖する、阻止する □ on the outskirts of …のはずれに

0205

訳 調査で得られた数字が、以前の結果と同様ということもあり得る。

ポイントと正解 形容詞が修飾するのは名詞だ。この文でも、形容詞 past が修飾できるのは選択肢のうち名詞の findings（結果物）である。 正解は (D) findings。

語句 □ figure 数字、数量 □ generate 生む、起こす □ be equated with(to) …に等しい □ findings 結果、調査結果、研究結果

0206

訳 機械的な問題がある場合は、製造メーカーに直接連絡することを提案する。

ポイントと正解 suggest は動名詞を目的語にとる動詞なので、to 不定詞は誤答である。the manufacturer を目的語にとることのできる動名詞 contacting が正解。ちなみに、動名詞を目的語にとる動詞は他に avoid, finish, mind, deny, stop, enjoy, escape などがある。正解は (B) contacting。

語句 □ mechanical 機械の、機械的な □ suggest ...ing …しようと提案する □ contact 連絡を取る □ manufacturer 製造メーカー □ directly 直接

例題 0207

If you have any difficulty -------- your new Stockman appliance, call the customer service hotline number listed on the bottom of the package.

(A) for
(B) with
(C) in
(D) at

Ⓐ Ⓑ Ⓒ Ⓓ

例題 0208

Taking out a loan is a perfectly viable option for anyone aiming -------- to a state of financial freedom.

(A) at returning
(B) of returning
(C) to returning
(D) in returning

Ⓐ Ⓑ Ⓒ Ⓓ

例題 0209

The different colors are produced by -------- the amount of UV exposure for a certain period of time.

(A) varying
(B) varies
(C) varied
(D) vary

Ⓐ Ⓑ Ⓒ Ⓓ

例題 0210

Please contact the Accounts Department for help with ------- a password.

(A) creation
(B) creative
(C) creating
(D) creatively

Ⓐ Ⓑ Ⓒ Ⓓ

例題 解き方

0207

訳 Stockmanの新しい電化製品に不具合がある場合は、包装ケースの底にあるお客様用直通番号にお電話ください。

ポイントと正解 前置詞を選ぶ問題である。「have difficulty in ＋動名詞」の他に「have difficulty with ＋名詞」の形も覚えておこう。この文の目的語は動名詞ではなく名詞 your new Stockman appliance なので、前置詞 with が正解だ。difficulty を見て、うっかり前置詞 in を選んでしまわないようにしよう。正解は (B) with。

語句 □ difficulty 困難、不具合 □ appliance 電化製品 □ hotline ホットライン、緊急用直通電話 □ on the bottom of …の底に □ package 包装

0208

訳 経済的に自立するのを目指す人は誰でも、ローンを組むという選択の余地が当然ある。

ポイントと正解 動詞 aim のとる前置詞は at なので、(A)at returning が正解だ。

語句 □take out a loan ローンを組む、お金を借りる □perfectly 完全に □ viable 実行可能な □ aim at …を目指す、に狙いを定める □ state 状態、状況 □ financial freedom 経済的自立

0209

訳 ある一定の時間紫外線を当てる量を変化させると、違う色が現れる。

ポイントと正解 前に前置詞 by があるので、空所には名詞や動名詞が入る。後ろに目的語 the amount of ... があるので、動名詞 varying が正解だ。正解は (A)varying。

語句 □ the amount of …の量 □ exposure 露出、照射 □ vary 変える、変化をもたせる

0210

訳 パスワードを取得するのに、会計部門に連絡して手伝ってもらってください。

ポイントと正解 前置詞 with の目的語になり、後ろに目的語 a password をとるのは動名詞しかない。正解は (C) creating。

語句 □contact 連絡をする □create 作り出す、付与する □password 暗証番号、パスワード □ creation 生物、作品、創作 □ creative 創造的な、独創的な □ creatively 創造的に

UNIT 07 ●代名詞

出題ポイント 1. 代名詞の格の区別

➡ 最近は、所有格、目的格より主格を選ばせる問題がよく出題される。

代名詞の格：主格・目的格・所有格・所有代名詞

1. 主語の位置：主格
We want to place the same order. （同じ注文をしたいと思います。）

2. 動詞・前置詞の目的語の位置：目的格
Ms. Hander has not finished **her** work. （Handerは仕事を終えていない。）

3. 名詞の前で所有を表わす場合：所有格
Please confirm **your** reservation three days before leaving.
（出発の3日前に予約の確認をしてください。）

4. 「…のもの」：所有代名詞
Your network system is completely different from **ours**.
（あなたのネットワークシステムは私たちのものとは全く違う。）

出題ポイント 2. 強調用法の再帰代名詞

再帰代名詞
・再帰用法（一般他動詞や前置詞の目的語の役割）
・強調用法（代名詞を強調）

1. 再帰用法：一般他動詞の目的語
He wanted to release **himself** from the stress of work. （He = himself）
（彼は仕事のストレスから解放されたいと思っていた。）

He has bought **him** a new car. （He ≠ him）
（彼は新しい車を彼のために買った。）

➡ 動作が動作主自らに作用することを表わすときに再帰代名詞を使う。この再帰用法では、再帰代名詞は省略できない。

2. 強調用法
She told me **herself**. (彼女は直接私に言った。）
➡「自ら」という意味で名詞・代名詞を強調するのに使われるもので、省略してもかまわない。

3. 再帰用法：前置詞の目的語

Kai does everything for **himself**.（Kaiは全て自分でする。）

➡ 再帰代名詞の慣用的表現

for oneself (= on one's own)	一人の力で、自ら
by oneself (= alone)	一人で、自分で
of itself (= naturally)	それ自身で、自然に
beside oneself (= unconsciously)	無意識的に
to oneself (= exclusively)	独占して、排他的に

出題ポイント 3. 名詞の反復を避けるための代名詞 that/those

1. that/those：既出の名詞が反復するのを避けるために使われ、ofなどに続く前置詞句や関係詞節を伴う。

The overall marketing **expenses** were 23% less than **those** of the same period last year.
（全体的なマーケティング費用は昨年の同期間より23%少なかった。）

➡ 既出の名詞が単数の場合は that、複数の場合は those を使う。

2. those who ...：「…する人たち」。関係代名詞whoを伴い、those people who の意味である。

Those who fail to attend the orientation will be disqualified.
 = **Those people who** fail to attend the orientation will be disqualified.
（オリエンテーションに参加しない人は資格を失う。）

出題ポイント4. 文中での不定代名詞の構文的特徴

➡ 不特定の人や物を表わす代名詞を不定代名詞という。

1. all / both / some / any

All (of) the **computers** **are** out of order. ➡ 可算名詞
(コンピュータは全て故障している。)

All (of) the **information** **is** wrong. ➡ 不可算名詞
(情報は全て間違っている。)

Both (of) the **companies** **have agreed** to merge. ➡ both は複数形の可算名詞の前に置く
(両社は合併に同意している。)

Some of the bids exceeded the targeted costs. ➡ 肯定文に用いる
(予定価格を超過した入札がいくつかあった。)

Do not store or use **any of** the flammable liquids or gas near the heatsource
(可燃性液体やガスは、火元の近くで保存したり使用したりしないでください。)
➡ 否定文に用いる。
➡ any はふつう否定文に使うが、肯定文に使うと「いかなる…も」の意味になる。

2. each / every

each は代名詞として「それぞれ」、形容詞として「それぞれの」という意味で使われるが、every は形容詞としてのみ使われる。

each	代名詞	それぞれ、各自	**each of the** / 指示代名詞 / 所有格＋複数名詞
	形容詞	それぞれの、各自の	**each** ＋単数名詞
every	形容詞	すべての	**every** ＋単数名詞

Each of the cars is equipped with a two-stereo system.
= **Each** car is equipped with a two-stereo system.
　× Each cars
　(各自動車にはダブルステレオシステムが装備されている。)

Every applicant receives a written response.
　× Every of the applicants
　(応募者はみな書面で返事を受け取る。)

➡ 形容詞 each, every は単数名詞のみ修飾する。

3. most / almost

➡ most は「大部分（の）」という意味の代名詞・形容詞として使われ、almost は「ほとんど」という意味の副詞として使われる。

（1）most
形容詞：「most ＋名詞」
most books（大部分の本）

代名詞：「most of the〔所有格・限定詞〕＋名詞」
most of the books（本の大部分）

（2）almost
副　詞：「almost all〔every〕the ＋名詞」
almost all (of) the books（ほとんどすべての本）

Most of the petroleum is imported from the Middle East.
（大部分の石油が中東から輸入されている。）

Almost all of the petroleum is imported from the Middle East.
（ほぼ全ての石油が中東から輸入されている。）

4. either / neither

➡ either は「2 つのうち一つ」、neither は「2 つとも…ではない」という意味の否定文を作る。

	代名詞	形容詞
both	2 つとも	2 つともの、両方の
either	2 つのうち一つ	2 つのうち一つの
neither	いずれも…でない	いずれの…でもない
用法	**both/either/neither of** ＋ **the**［所有格 / 指示代名詞］＋複数名詞 （**of** の後に人称代名詞の目的語）	**both** ＋複数名詞 **either/neither** ＋単数名詞

I have access to **either of** these facilities.
（私はこの施設のどちらにも入場できます。）

Neither of us has (have) much free time these days.
（最近、私たち2人とも自由な時間があまりない。）

5. one / another / other

（1）one：不特定の単数可算名詞に取って代わる

My **computer** is out of order so I decided to buy a new **one**.
（私のコンピュータは故障しているので、新しいのを買うことに決めた。）
➡ one の前には必ず one が指す名詞が置かれる。

（2）another (an + other)：「他の一つ（一人）」という意味で単数として扱われる。

It is time that you started looking for **another** job.
（別の仕事を探し始める機会です。）

「another ＋単数名詞」
I'd like to have **another cup** of coffee. （もう1杯コーヒーをください。）

「another ＋数＋複数名詞」
The manufacturer wants us to give him **another two weeks**.
（あと2週間の時間をもらえるのを、製造メーカーは望んでいる。）

（3）other

2つのうちの	**one**（一つ）	**the other**（残りの一つ）
3つのうちの	**one**（一つ）	**another**（他の一つ）/ **the other**（残りの一つ）
特定多数のうちの	**one**（一つ）	**the others**（残りすべて）
	some（いくつか）	**the others**（残りすべて）
漠然とした多数のうちの	**one**（一つ）	**another**（他の一つ）
	some（いくつか）	**others**（他のいくつか）

I have two meetings; **one** is in the morning and **the other** is in the afternoon.
（私には2つの会議があります、一つは午前中で、もう一つは午後です。）
➡ 2つのうちの一つと、残りの一つ

There are six departments; **some** deal with customers and **the others** work on development.
（6つの部署があります、いくつかの部は顧客管理をし、残りは開発業務です。）
➡ 特定の数のうちいくつかとその残り

There are many available buyers; **one** is based in Milan and **another** is located in Tokyo.
（多くのバイヤーがいます、うち一人はミラノを拠点にしており、他の一人は東京です。）
➡ 多数のうちの2つ

Some are operable and **others** are faulty.（使用可能なものもあれば、欠陥品もある。）
➡ 多数のうちのいくつか

6. none / no / nothing

（1）none：「No ＋名詞」の意味の代名詞。否定文を作り、可算名詞・不可算名詞のいずれにも使われ、人・物のいずれも指すことができる。

None of the information is useful to me. （私に役立つ情報が何ひとつない。）

None have succeeded in solving the problem. （この問題解決に成功した人は誰もいない。）

（2）no：no は名詞を修飾し否定文を作る形容詞で、no one は人を指す。

No one has succeeded in convincing them. （誰も彼らを納得させるのに成功しなかった。）
＝ Not a person, Not anyone

I have **no cars**. = I **don't** have **any cars**. （私は車を持っていない。）
＝「no＋複数名詞」
＝「not ... any＋複数名詞〔不可算名詞〕」

(3) nothing：何も…ない（ = not anything）
Nothing has been done yet. （まだ何も終わっていない。）

語句
□disqualify　資格を奪う、失格させる　□operable　実行可能な、使用可能な　□petroleum　石油

PART 5 文法問題 例題 UNIT 07 ● 代名詞

例題 0211

Watanabe had to go home early in order to attend -------- evening classes at the community college.

(A) himself
(B) his

Ⓐ Ⓑ

例題 0212

The group announced the formation of -------- board of directors.

(A) its
(B) it's

Ⓐ Ⓑ

例題 0213

With over 30 years of experience, -------- is well-qualified for the position.

(A) hers
(B) she

Ⓐ Ⓑ

例題 0214

Product managers are asked to help -------- assembly team increase productivity.

(A) them
(B) their

Ⓐ Ⓑ

例題 0215

The samples are -------- to hold on to.

(A) his
(B) him
(C) he

Ⓐ Ⓑ Ⓒ

例題 0216

------- of the letters should be typed on company stationery.

(A) Every
(B) Each

Ⓐ Ⓑ

例題 解き方

0211

訳 ワタナベさんは、コミュニティカレッジの夜間クラスに出席するために早く帰らなければいけなかった。

ポイントと正解 代名詞の所有格と再帰代名詞の用法について問う問題だ。動詞 attend と名詞 evening classes との間には、he の所有格 his が入る。再帰代名詞は主語が再び目的語になったり、主語や目的語を強調したいときに使うもので、前から名詞を直接修飾することはできない。正解は (B) his。

語句 □ in order to do …するために □ evening class 夜間クラス

0212

訳 その団体は取締役会の設立を発表した。

ポイントと正解 board of directors は名詞なので、空所にはこれを修飾する代名詞が入る。its は it の所有格で名詞を修飾できるが、it's は it is の短縮形で、前置詞 of の後に「主語＋動詞」の形が置かれることはない。正解は (A) its。

語句 □ announce 発表する □ formation 構成、構造 □ board of directors 取締役会

0213

訳 30 年以上の経験があるので、彼女はその仕事に適任だ。

ポイントと正解 副詞句 With ～ experience の後に続く文の主語を選ぶ問題だ。所有代名詞 hers は「彼女のもの」という意味で、文脈に合わない。動詞 is の主語である (B) she が正解である。

語句 □ experience 経験 □ be qualified for …に適している □ position 地位、立場

0214

訳 組み立て部門の生産性を高める協力を製造マネージャーは頼まれている。

ポイントと正解 「help ＋目的語＋動詞原形」の形になっている。目的語 assembly team を修飾する所有格 (B) の their が正解である。

語句 □ be asked to do …するよう依頼されている □ assembly 組み立て、集会、総会、議会 □ increase productivity 生産性を高める

0215

訳 そのサンプルは彼が取っておくためのものだ。

ポイントと正解 be 動詞の後に置かれる主格補語を選ぶ問題で、3 つの代名詞のうち he は主格なので誤答だ。him は目的格だが「サンプル＝彼」ではないので、これも誤答。所有格代名詞 his を入れると「サンプルは彼のものだ」という意味になる。正解は (A) his。

語句 □ hold on to …を手放さない、売らずに置く

0216

訳 それぞれの手紙は、必ず会社の便箋にタイプしてください。

ポイントと正解 every は形容詞なので、直後に名詞が置かれる。each は形容詞以外に「各自」「各々」という意味の代名詞にもなるので、後に「of ＋ the ＋複数名詞」を置くことができる。正解は (B) Each。

語句 □ type タイプする □ stationery 文房具、便箋

例題 0217

-------- of our landscape architects are involved in developing plans for a new city park.
(A) Some
(B) Any
Ⓐ Ⓑ

例題 0218

-------- of the faculty members have been abroad for research work.
(A) Almost
(B) Most
Ⓐ Ⓑ

例題 0219

We each know what -------- wants.
(A) the other
(B) other
Ⓐ Ⓑ

例題 0220

-------- of the staff members expected that the idea would be accepted.
(A) Anyone
(B) None
Ⓐ Ⓑ

例題 0221

Instead of risking the loss of customers to -------- long distance carriers, we are planning to offer them a list of great deals.
(A) another
(B) other
Ⓐ Ⓑ

例題 0222

There is -------- more we can do to increase sales figures for this quarter except to hire more employees.
(A) anything
(B) nothing
Ⓐ Ⓑ

例題 解き方

・・・0217

訳 私たち造園技師の何人かは、新しい市立公園の開発計画に関わっている。

ポイントと正解 any を入れると「私たち造園技師のうち誰でも」という意味になって、文脈に合わない。普通 any は疑問文や否定文に用いられるものである。「いくつか」「一部」という意味の some が正解である。正解は (A) Some。

語句 □ landscape architect　造園技師　□ be involved in　…に関わっている

・・・0218

訳 学部のメンバーほとんどが、研究活動で海外へ行ったことがある。

ポイントと正解 almost は副詞なので、of の前で単独では用いられない。一方、most は「大多数の人々」「大部分のもの」を意味する代名詞として用いられる。「most (of) the〔one's〕＋複数名詞・不可算名詞」の形を覚えておこう。正解は (B) Most。

語句 □ almost　ほとんど　□ faculty　学部　□ abroad　海外へ、外国に　□ research　研究

・・・0219

訳 私たちそれぞれが、お互い欲しいものを知っている。

ポイントと正解 文の構造上 what と wants の間には主語が入るので、the other がふさわしい。一方の other は形容詞として、後に名詞が置かれる場合が多い。正解は (A) the other。

語句 □ each　それぞれ（の）　□ the other　もう一方の人（物）　□ other　もう一方の

・・0220

訳 スタッフメンバーの誰もが、そのアイデアが承認されるとは期待していなかった。

ポイントと正解 none は no one と同じ意味で、of の前では代名詞として用いられる。文は「誰も…でなかった」という意味なので、None が空所に入る。Anyone は前置詞 of とともには用いられず、また any は肯定文より疑問文や否定文でよく用いられる。正解は (B) None。

語句 □ expect　期待する　□ accept　受け入れる、承認する

・・0221

訳 他の長距離通信会社に顧客が流れる危険を冒す代わりに、我々は彼らに取引リストを提供する予定だ。

ポイントと正解 空所が修飾する名詞 carriers は複数形なので、単数名詞を修飾する another は誤答である。正解は (B) other。

語句 □ instead of　…の代わりに　□ risk　危険を冒す、敢えて…する　□ customer　顧客　□ long distance　長距離の　□ carrier　通信会社、電話会社　□ deal　取引、契約

・・0222

訳 この四半期の売上額を増やすために、もっと人を雇う以外に我々が出来ることは何も無い。

ポイントと正解 except 以下の節とともに「…以外にできるものがない」「…ぐらいしかない」という否定的な文にするには、nothing がふさわしい。これは「nothing more ... than」構文の than の代わりに except が使われている。正解は (B) nothing。

語句 □ nothing more ～ except to...　…する以外に～はない　□ sales figures　売上額
□ quarter　四半期　□ hire　雇う

例題 0223

He can lose all of his worldly possessions, but an education is -------- to keep for life.
(A) he
(B) his
(C) him
(D) himself

Ⓐ Ⓑ Ⓒ Ⓓ

例題 0224

The conference tickets are available down at the office, and the staff can pick -------- up during office hours.
(A) us
(B) them
(C) him
(D) you

Ⓐ Ⓑ Ⓒ Ⓓ

例題 0225

As soon as you finish the report, bring it to the office so that -------- can be approved.
(A) it
(B) she
(C) you
(D) they

Ⓐ Ⓑ Ⓒ Ⓓ

例題 0226

The quality of the product we chose to buy proved to be far superior to -------- of any other product in its class.
(A) those
(B) that
(C) these
(D) this

Ⓐ Ⓑ Ⓒ Ⓓ

例題 0227

If you are unable to come to the town meeting to cast a vote, please be aware that -------- proxy may do so for you.
(A) you
(B) yourself
(C) your
(D) yours

Ⓐ Ⓑ Ⓒ Ⓓ

例題 解き方

0223

訳 財産は全て無くなることがあっても、受けた教育は人生にずっと残る。

ポイントと正解 動詞 is の補語を選ぶ問題だ。教育は「彼が持っているもの」なので、所有代名詞 (B) his が正解になる。「主語＋ be 動詞＋所有代名詞＋ to 不定詞」構文はよく出題されるので、覚えておこう。正解は (B) his。

語句 □ worldly　名誉欲の強い、この世の　□ possession　財産、所有物

0224

訳 会議のチケットはこの先の事務所で入手できるので、スタッフが引き取って勤務時間内に届けることができます。

ポイントと正解 pick up のように動詞と副詞が組み合わさった熟語の場合、代名詞は動詞 pick と副詞 up の間に置かれる。空所に入る代名詞が指すのは the conference tickets なので、複数形 them が正解である。正解は (B) them。

語句 □ conference　会議　□ available　入手可能な　□ pick up　引き取る、得る　□ office hours　勤務時間

0225

訳 レポートが終ったらすぐに、承認をもらえるようにオフィスに持ってきなさい。

ポイントと正解 空所に入る代名詞が何を指すのか正確に把握しよう。承認されなければならないのは the report なので、(A) it が正解である。

語句 □ as soon as　…するやいなや　□ bring　もって来る　□ approve　承認する

0226

訳 買おうと決めている製品の品質は、この分野では他のどんなものよりも大変優れているのがわかった。

ポイントと正解 空所には、the quality に代わる代名詞で of any other product の修飾を受けるものが入る。that や those が可能だが、the quality が単数なので that が正解になる。正解は (B) that。

語句 □ prove　…であるとわかる　□ superior to　…よりも優れている　□ class　分野、クラス、階級、種類

0227

訳 投票するのにタウンミーティングに来られないなら、代理人の投票でも構わないことご了解ください。

ポイントと正解 proxy は「代理人」という意味の名詞だ。名詞の前に置かれる代名詞は、所有格の your である。正解は (C) your。

語句 □ be unable to do　…することができない　□ cast a vote　投票する　□ be aware that　(that 以下)と気づく、知る　□ proxy　代理、代理人

例題 0228 •

Adrian carefully checked the oil in her car -------- before starting her long trip.
(A) her
(B) she
(C) hers
(D) herself

Ⓐ Ⓑ Ⓒ Ⓓ

例題 0229 •

His ideas and -------- are expected to considerably influence the management's wholesale marketing strategies.
(A) my
(B) me
(C) I
(D) mine

Ⓐ Ⓑ Ⓒ Ⓓ

例題 0230 •

I really enjoyed the performance by the dance troupe, but the ending was -------- of a disappointment.
(A) anything
(B) everything
(C) nothing
(D) something

Ⓐ Ⓑ Ⓒ Ⓓ

例題 0231 •

-------- business leaders around the country agree that free on-line service companies will have to find new ways to generate revenue to maintain their operations.
(A) The most
(B) Almost
(C) Most
(D) Most of

Ⓐ Ⓑ Ⓒ Ⓓ

例題 0232 •

-------- called to enquire about our weekly and monthly rates for the DSL and cable modem lines.
(A) Anyone
(B) Someone
(C) A one
(D) One of

Ⓐ Ⓑ Ⓒ Ⓓ

例題 解き方

0228

訳 Adrian は、長距離の旅に出かける前に自分で車のオイル点検をした。

ポイントと正解 主語・動詞・目的語がすべて揃っている完全な文なので、空所には強調用法の再帰代名詞 herself を入れて「彼女自ら」という意味にするのが自然である。正解は (D) herself。

語句 □ carefully　注意深く　□ trip　旅行

0229

訳 会社の卸売りマーケティング戦略に、彼と私の考えが大きな影響を与えるはずだ。

ポイントと正解 空所には his ideas と対になる代名詞が入る。「彼の考え」と対になり主語にもなるのは、選択肢のうち所有代名詞 mine しかない。この mine は my ideas を表わしている。正解は (D) mine。

語句 □ be expected to do　…すると期待されている、…するはずだ　□ considerably　かなり、相当に　□ influence　影響を与える　□ management　経営、事業　□ wholesale　卸売り（の）　□ strategy　戦略

0230

訳 その舞踊団の演技は本当に楽しめたが、エンディングはかなりがっかりさせるものだった。

ポイントと正解 「演技はよかった」という肯定的な文の後に but があるので、否定的な内容が続くことになる。of a disappointment とうまくつながる代名詞は something である。「something of a〔an〕＋名詞」は補語として用いられ、「相当な…」「かなりの…」という意味になる。正解は (D) something。

語句 □ performance　演技、成果　□ troupe　一座、一行　□ disappointment　失望、がっかり

0231

訳 世界のほとんどのビジネスリーダー達が認めるのが、無料オンラインを提供する会社は、事業運営のための収入を得る新たな方法を探さなければならないだろうということだ。

ポイントと正解 空所には business leaders を修飾する単語が入る。the most は最上級の副詞、almost も副詞なので、business leaders を修飾できない。また、most of の後には the や所有格が必要だ。したがって、正解は名詞を修飾できる形容詞 (C) Most となる。

語句 □ generate　生み出す　□ revenue　歳入、収入　□ maintain　維持する、保つ　□ operation　運営、業務、営業、経営

0232

訳 デジタル回線とケーブルモデムの週極めと月極めの料金について、電話で尋ねてきた人がいた。

ポイントと正解 電話した人物が誰だかわからない状態なので、「誰か」「ある人」を表わす someone がふさわしい。anyone は疑問文や否定文で「誰でも」の意味で使われるので、この文にはそぐわない。one of は単独で主語になれない。正解は (B) Someone。

語句 □ enquire (=inquire)　尋ねる、聞く　□ weekly　毎週の　□ monthly　毎月の　□ DSL (digital subscriber line)　デジタル回線

例題 0233

We thought our offer would have been accepted by now, but -------- has called.
(A) somebody
(B) anybody
(C) someone
(D) nobody

Ⓐ Ⓑ Ⓒ Ⓓ

例題 0234

You won't have any trouble going to Moscow and -------- will Mr. Jefferson and your relatives.
(A) also
(B) however
(C) neither
(D) either

Ⓐ Ⓑ Ⓒ Ⓓ

例題 0235

If you do not have -------- of the equipment I requested, please let me know.
(A) any
(B) another
(C) one
(D) many

Ⓐ Ⓑ Ⓒ Ⓓ

例題 0236

Although ginseng is one of the most effective anti-aging products, -------- can cause tense muscles.
(A) rarely
(B) excessive
(C) too much
(D) also

Ⓐ Ⓑ Ⓒ Ⓓ

例題 0237

The election this year is affected by a number of issues, -------- of which could determine the final result.
(A) neither
(B) nothing
(C) any
(D) anything

Ⓐ Ⓑ Ⓒ Ⓓ

例題 解き方

• • • 0233

訳 今頃はもう、我々の提案は承認されていると思ったが、誰も連絡をしてこない。

ポイントと正解 肯定文の後に but があるので、否定的な内容が続くことになる。「誰も…ない」という意味の (D) nobody が正解。

語句 □ offer 申し入れ（する）、提案（する） □ accept 受け入れる、承認する

• • • 0234

訳 モスクワに行くのはそんなに難しいことではないでしょう。Jefferson さんとあなたの親戚の方も。

ポイントと正解 「…も～でない」という意味を表わす場合、「Neither〔nor〕＋（助）動詞＋主語」の構文を用いる。正解は (C) neither。

語句 □ have trouble ...ing …するのが難しい

• • 0235

訳 私がお願いした機材をお持ちでなかったらお知らせください。

ポイントと正解 否定文の条件節の中で「どんなものでも」という意味になる any が正解である。(D) many は複数なので、単数の equipment と数が一致しない。(B) another (C) one も of the equipment に修飾されるのは不自然だ。正解は (A) any。

語句 □ equipment 機器、装置、備品 □ request お願いする

• • 0236

訳 朝鮮人参は抗加齢製品では最も効果的ではあるが、多く取りすぎると筋肉の緊張を引き起こす。

ポイントと正解 空所には文中の主語として機能する要素が入る。too much は「多すぎる量」という意味で名詞のように用いられる。(A) rarely と (B) excessive はそれぞれ副詞・形容詞なので、主語の位置には置かれない。(D) also も接続詞なので、主語にはなれない。正解は (C) too much。

語句 □ although …であるけれども □ ginseng 朝鮮人参 □ effective 効果のある □ anti-aging 抗加齢 □ cause 引き起こす □ tense 緊張した □ muscle 筋肉

• • 0237

訳 今年の選挙はいろいろな問題の影響を受けていて、そのどの問題によっても選挙結果が左右される。

ポイントと正解 空所に入る要素が受ける a number of issues が 3 つ以上の数なので、「2 つとも…でない」という意味の (B) neither は誤答だ。単独で用いられる (B) nothing や (D) anything は、直後の of which となじまない。of which の前には none や any が置かれるので、選択肢のうちでは (C) any が正解となる。代名詞 any が肯定文で用いられると、「どんな…も」「どの…も」という意味になる。正解は (C) any。

語句 □ election 選挙 □ affect 影響を及ぼす □ a number of ＋複数名詞 いくつもの… □ determine 決心する、決定する

例題 0238

One of the two companies has been earning a lot of money, and -------- has gone out of business.

(A) other
(B) others
(C) the other
(D) the others

Ⓐ Ⓑ Ⓒ Ⓓ

例題 0239

We have bread in one basket and fish in -------- so I think we'll have enough food for our upcoming company picnic.

(A) other
(B) another
(C) one another
(D) each other

Ⓐ Ⓑ Ⓒ Ⓓ

例題 0240

We weren't impressed with -------- of the menus we looked at for the dinner party.

(A) any
(B) little
(C) another
(D) none

Ⓐ Ⓑ Ⓒ Ⓓ

例題 0241

Everyone who wanted a ticket to the concert was able to get -------.

(A) one
(B) other
(C) its
(D) their

Ⓐ Ⓑ Ⓒ Ⓓ

例題 0242

When an experiment is conducted, the environment needs to be controlled so that -------- factors do not affect the results.

(A) the others
(B) other
(C) another
(D) others

Ⓐ Ⓑ Ⓒ Ⓓ

例題 解き方

0238

訳 2社のうち1社は多くの売上を上げてきたが、もう1社は倒産してしまった。

ポイントと正解 2つのうち一つが one で表わされているので、その後にくる代名詞は the other になる。one ... the other ～（一つは…、残りの一つは～）の用法を覚えておこう。正解は (C) the other。

語句 □ earn 得る □ go out of business 倒産する

0239

訳 一つのカゴにパンがあり、別のカゴには魚料理があるので、今度の会社のピクニックには充分な食料だろうと思う。

ポイントと正解 持っているカゴがいくつなのかは示されていないので、不特定の「また別の物」を表わす (B) another が正解となる。(A) other は one...the other ～の形でないと、one とともに用いることはできない。(C) one another（お互い）と (D) each other（お互い）は文脈に合わず、文法的にも空所は名詞の位置なので誤答である。正解は (B) another。

語句 □ upcoming 次回の、今度の □ picnic ピクニック

0240

訳 ディナーパーティーで見たどのメニューにもいい印象はなかった。

ポイントと正解 (B) little は数えられない名詞なので、menus と一緒には使えない。(C) another は of the menus の前にくることができず、文脈もおかしくなる。(D) none を選ぶと前にある否定文と重複するので不正解だ。結局「どんなものも」という意味で of とともに使われる (A) any が正解だ。

語句 □ be impressed with …に感銘を受ける □ menu メニュー

0241

訳 コンサートチケットが欲しかった人は皆、手に入れることができた。

ポイントと正解 a ticket を受けることのできる代名詞は (A) one しかない。(B) other は形容詞、(C) its と (D) their は所有格なので、名詞の位置には入らない。正解は (A) one。

0242

訳 実験をする時は、別の要因が結果に影響を及ぼさないように実験環境をコントロールする必要がある。

ポイントと正解 選択肢のうち名詞 factors を修飾できるのは other と another だが、another は複数名詞を修飾できないので other が正解になる。正解は (B) other。

語句 □ experiment 実験 □ conduct 実施する □ environment 環境、周囲 □ control 支配する、制御する、管理する □ so that A... Aが…できるように □ factor 要素、要因 □ affect 影響を及ぼす

UNIT 08 ● 名詞・冠詞

出題ポイント 1. 名詞の位置

1. 名詞の役割

（1）主語

Confirmation of the request will be sent to Mr. Hanson immediately.
（注文確認はHanson氏に直ちに送ります。）

（2）目的語

Mr. Hanson keeps **his valuables** in the safe.
（Hanson氏は金庫に貴重品を保管しています。）

（3）補語

He is **the sales representative** who majored in chemistry.
（彼は化学を専攻した販売員です。）

2. 名詞の位置ー名詞句の中で

（1）冠詞の後

The advertising compaign was successful.
（広告キャンペーンは成功した。）

（2）所有格の後

Meanwhile, **their marketing strategy** was a total failure.
（一方で、彼らの市場戦略は完全な失敗だった。）

（3）前置詞（＋冠詞）の後

Management should take responsibility **for the failure**.
（経営陣はその失敗に対して責任を取るべきである。）

（4）形容詞の後

They only tried to avoid **legal responsibility**.
（彼らはただ法的責任を避けようとした。）

3. 接尾辞で見分ける名詞

➡ 次の接尾辞で終わる単語は大部分が名詞である。

（1）よく知られている接尾辞

-tion, -sion	**foundation**（創設）, **vacation**（休暇）, **introduction**（紹介）	**mission**（使命）, **conclusion**（結論）, **discussion**（討論）
-ment	**improvement**（改善）, **management**（管理）, **department**（部門）, **encouragement**（奨励）	
-ness	**happiness**（幸福）, **awareness**（意識）, **completeness**（完全）, **politeness**（礼儀正しさ）	
-ity	**ability**（能力）, **quality**（質）, **opportunity**（機会）, **similarity**（類似）	
-ship	**friendship**（友好）, **leadership**（指揮）, **fellowship**（団体）	
-ance, -ence	**clearance**（除去）, **severance**（断絶）	**interference**（干渉）, **convenience**（便利）, **influence**（影響）

（2）それ以外の接尾辞

-ive	**representative**（代表者）, **executive**（幹部）, **motive**（動機）, **incentive**（刺激）, **native**（原住民）, **objective**（目標）
-al	**approval**（承認）, **proposal**（提案）, **chemicals**（化学製品）, **rental**（賃貸）, **renewal**（再開）, **removal**（除去）, **capital**（首都）
-able	**valuables**（貴重品）, **durables**（耐久財）　※複数形で使われることが多い。
-ate	**subordinate**（部下）, **conglomerate**（複合企業、集塊）

4. 可算名詞vs.不可算名詞

（1）可算名詞

Speed reading is excellent **course** for students to read many books in a short time.
×

➡ an excellent course：単数可算名詞 course は冠詞を必要とする。

（速読法は、学生たちが短時間で多くの本を読めるようにしてくれる非常にすぐれた科目である。）

To request extra credit **card** for other members in your family, call our customer service department.
×

➡ cards：other members とあるので、複数可算名詞にするのが適切だ。

（あなたのご家族の方で追加のクレジットカードをご希望の場合、当社カスタマーサービス部門へお電話ください。）

よく出題される可算名詞

●必須暗記事項！

場所	**savings bank**（預金銀行）, **office**（事務所）, **region**（地域）, **workplace**（職場）, **company**（会社）, **airport**（空港）, **department**（部門）
物	**seat**（席）, **credit card**（クレジットカード）, **safety belt**（安全ベルト）, **statement**（陳述）, **team**（チーム）, **advertisement**（広告）, **resource**（資源）
金銭	**fund**（資金）, **refund**（返金）, **price**（価格）, **profit**（利益）, **bill**（請求書）, **invoice**（送り状）
時間	**day**（日）, **month**（月）, **year**（年）, **minute**（分）
人	**architect**（建築家）, **customer**（顧客）, **supervisor**（上司）, **individual**（個人）, **executive**（重役）
その他	**exhibition**（展示会）, **announcement**（告知）, **standard**（標準）, **regulation**（規定）, **rule**（規則）, **result**（結果）

（2）不可算名詞

State government officers recommend that **a** reflective **clothing** be worn when street cleaners are working at night.
×

a は削除：不可算名詞 clothing は不定冠詞 a / an をとることができない。
（夜間に道路清掃車が作業をする時は、反射剤付き作業服の着用を州政府が推奨している。）

If you want to file a claim for lost or damaged **luggages**, you must do it before it is too late.
×

luggage：不可算名詞 luggage は複数にはならない。
（紛失や破損した荷物に関して苦情を申し立てたいのなら、遅くなり過ぎる前にするべきです。）

よく出題される不可算名詞

●必須暗記事項！

information（情報）, **baggage [luggage]**（手荷物）, **equipment**（設備）, **clothing**（衣服）, **furniture**（家具）, **advertising**（広告）, **machinery**（機械）, **productivity**（生産性）, **care**（世話）, **advice**（忠告）, **safety**（安全）, **personality**（個性）, **access**（接近）, **use**（使用）, **processing**（処理）, **jewelry**（宝石）, **money**（お金）

語句
□valuables　貴重品　□major in　…を専攻する　□file a claim　苦情を申し立てる、被害届けを出す

出題ポイント2. 複合名詞

➡ 複合名詞は「名詞＋名詞」の形で一つの名詞のように使われ、前の名詞が後の名詞を修飾する形容詞の役割を果たす。

Attendance has increased thanks to **an** aggressive **marketing strategy**.
（積極的な市場戦略のおかげで入場者数は増加した。）

This newly designed equipment will make it possible to reduce **fuel consumption**.
（この新しく設計された設備によって、燃費の節約が可能になるでしょう。）

➡ 複合名詞の複数形は、後の名詞に (e)s を付ける。
a sales representative（営業担当者） → sales representatives
an enrollment form（登録用紙） → enrollment forms

➡ 代表的な複合名詞

●必須暗記事項！

staff[employee] productivity 社員の生産性
safety inspection 安全点検
job description 職務説明書
an application form 申込用紙
consumer awareness 消費者意識
research and development spending 研究開発費用
media coverage マスコミ報道
marketing strategy 市場戦略
shipping charges 輸送料
installment payment 分割払い
job openings 就職口

➡ 数を表わす言葉＆量を表わす言葉

数を表わす言葉＋(可算名詞)	量を表わす言葉＋(不可算名詞)
a few：数が少しの(肯定的意味) **few**：数がほとんどない(否定的意味) **a large number of** **a great number of** →数が多い＝ **many**	**a little**：量が少しの(肯定的意味) **little**：量がほとんどない(否定的意味) **a large amount of** **a great(good) deal of** →量が多い＝ **much**
数・量いずれにも使われる **some, any, no, a lot of, lots of, plenty of**	

There are <u>**much**</u> accountants in the seminar room.
× ○ many
（セミナールームに多数の会計士がいる。）

There is **a great** <u>**number**</u> **of** money in the box.
× ○ a great amount of
➡ a great number of の後には可算名詞が置かれる （その箱に巨額のお金が入っている。）

出題ポイント 3.「前置詞＋名詞」構文の意味

➡「of/in ＋抽象名詞」は文中で主に形容詞句として、「with ＋抽象名詞」は主に副詞句として使われる。

1. of＋抽象名詞：形容詞句

of importance = important（重要な）
of interest = interesting（面白い）
of significance = significant（重要な）
of service = helpful/useful（有用な）
the rate of decline in = the declining rate of（…の下落の割合）
of value = valuable（貴重な）
of use = useful（便利な）
of experience = experienced（経験のある）

These are political issues **of great importance**.（重要な政治的問題がある。）

2. out of＋抽象名詞：形容詞句

out of order（故障した）
out of sight（見えない）
out of date（旧式の）
out of control（制御出来ない）

The computers are **out of date** and need to be replaced.
（コンピュータは旧式なので、交換する必要がある。）

3. with＋抽象名詞：副詞句

with disappointment = disappointingly（失望するほどに）
with care = carefully（注意深く）
with caution = cautiously（慎重に）
with confidence = confidently（確信して）

The crystal should be handled **with care**.
（水晶は注意して扱ってください。）

4. to one's＋感情名詞：副詞句

to one's disappointment（…の失望したことには）
to one's sorrow（…にとって残念なことには）
to one's embarrassment（…が当惑したことには）
to one's satisfaction（…が満足したことには）
to one's surprise [amazement, astonishment]（…が驚いたことには）

To his embarrassment, he made a huge mistake.
（彼は大きな過ちを犯し当惑した。）

出題ポイント 4. 不定冠詞（a/an）と定冠詞（the）の用法

1. 不定冠詞（a/an）

（1）不特定の可算名詞を表わす場合

I was sitting on **a bench** reading **a book**.
（ベンチに座って本を読んでいた。）

➡ いくつもあるベンチのうちの不特定のベンチに座り、不特定の本を 1 冊読んでいたという意味である。

（2）per（毎）の意味で、頻度や一定の周期を表わす場合

I go to the gym twice **a week** and do weight training 2 hours **a day**.
1 週間につき ＝ per week　　**1 日につき** ＝ per day
（週に2度ジムに行き、1日 2時間ウェイトトレーニングをする。）

（3）不定冠詞を含む慣用句

as **a** symbol of　…の象徴として
as **a** rule　一般に、概して
in **an** effort to do　…しようとする努力で
as **a** result of　…の結果として
all of **a** sudden　突如として
at **a** distance　離れて
in **an** attempt to do　…しようとする試みで

2. 定冠詞（the）

（1）既出の名詞を反復する場合

I met a woman, and **the** woman told me where the store is.
（私は女性に会いました、そしてその女性は私に店がどこにあるかを話しました。）

（2）修飾句（形容詞句・形容詞節）により限定される場合

The man at the entrance is my brother.
（玄関にいる男性は、私の弟です。）

（3）話し手どうしが知っていたり、状況から知り得るものを述べる場合

It's too hot to have a meeting in here; please open **the** window.
（ここで会議をするには暑すぎるので、窓を開けてください。）

(4) 最上級・序数（first, second…）の前で
Egypt was **the first** country to become civilized.
（エジプトは最初に文明化した国です。）

(5) some / any / all / many / much / most＋of＋the（所有格）＋複数名詞

one of, two of **several of, many of** **none of, a few of**	**the**［所有格 / 指示代名詞］＋（修飾語句）＋複数名詞
some of, most of **all of, any of**	**the**［所有格 / 指示代名詞］＋（修飾語句）＋複数名詞 / 不可算名詞

➡ of の後に定冠詞 the や the 相当語句（所有格、指示代名詞）が置かれることが多い。

P.J., who is **one of the** most successful **employees**, has an enviable customer service rating.
（最も成果をあげた社員の一人であるP.J.は、うらやむほどの顧客サービスに対する評価を得ている。）

We will look at identified problems and **some of the solutions**.
（指摘された問題とその解決法をいくつか調べるつもりだ。）

➡ 慣用的な冠詞の省略

at work　仕事で
in conclusion　結論として
in good condition　良い状態で
on leave/vacation　休暇中の
upon request　要請に従って
take advantage of　…を利用する
keep track of　…の記録を残す

at first　最初に
in error　間違った、誤った
on business　仕事上
out of date　時代遅れの
with reference to　…を参照して
until further notice　追って通知があるまで
take ... into account　…を考慮に入れる

よく出る冠詞関連表現

●必須暗記事項！

fasten seat belts シートベルを締める
safety standards 安全基準
safety measures 安全装置
have an account 口座を持つ
the annual meeting 年次会議
into the region その地域に
the same 同様の…
the whole/entire 全体の…
to the point 適切な
at the beginning of …の始めに
over the past/last この…にわたって
reach an agreement 同意に至る
safety precautions 安全予防
a savings bank 貯蓄銀行
community relations 地域内の関係
in the workplace 職場で
the rest of …の残り
the only 唯一の…
on the way 途中に
the top five retailers 上位5社の小売業
at the end of …の終わりに
during the next 今後…の間に

基準点のある形容詞 last, past, top, next, first などは、次に数が続くと特定の範囲を表わすので、前に定冠詞 the をとる。

語句 □civilize 文明化する □enviable うらやむような、ねたましい（ほどに良い） □rating 評価、格付け □identified 特定された

PART 5 文法問題 例題 UNIT 08●名詞・冠詞

例題 0243

The -------- of employees want to register for a health insurance program.
(A) major
(B) majority

Ⓐ Ⓑ

例題 0244

When you request reimbursement, you need to have your supervisor's -------- .
(A) approval
(B) approve

Ⓐ Ⓑ

例題 0245

This system is designed to protect secret -------- from unauthorized users.
(A) informations
(B) information

Ⓐ Ⓑ

例題 0246

The bank requires two forms of -------- from anyone wishing to close an account.
(A) identified
(B) identification

Ⓐ Ⓑ

例題 0247

It is a company policy to seek -------- from consultants on matters requiring additional assistance.
(A) advise
(B) advice

Ⓐ Ⓑ

例題 0248

The price of -------- and shoes fell by nearly 5% last quarter.
(A) clothings
(B) clothing

Ⓐ Ⓑ

例題 解き方

0243

訳 従業員の大多数が健康保険のプログラムに入りたいと思っている。

ポイントと正解 前に定冠詞 the、後ろに前置詞 of をとる品詞は名詞だ。major は形容詞なので、名詞 majority が正解となる。正解は (B) majority。

語句 □ major 主要な、重要な □ majority 大多数 □ register 登録する □ health insurance 健康保険

0244

訳 払い戻しをする時は、上司の承認を得る必要がある。

ポイントと正解 所有格 your supervisor's の後には名詞が置かれるので、(A) approval が正解だ。approve は動詞である。

語句 □ request お願いする □ reimbursement 払い戻し □ supervisor 上司、管理者 □ approval 許可

0245

訳 無許可のユーザーから機密情報を守るためにこのシステムは設計されている。

ポイントと正解 information は不可算名詞で、複数形では使えない。正解は (B) information。

語句 □ be designed to do …するよう設計(考案)されている □ protect A from B AをBから防ぐ □ unauthorized 許可されていない、認定されていない

0246

訳 銀行口座を閉めたい人に対して、2 種類の身分証明書を銀行は求めている。

ポイントと正解 前置詞ofの後に分詞形のidentifiedはこない。前置詞ofの目的語となる名詞identificationが入り、「2 種類の身分証明書を要求する」という意味になる。正解は (B) identification。

語句 □ identified 身元が特定されている □ form of identification 身分証明書 □ close an account 口座を閉める

0247

訳 さらに支援が必要な問題に対して、コンサルタントからの助言を求めるのが会社の方針である。

ポイントと正解 advise は「忠告する」「助言する」という意味の動詞で、名詞の advice と形が似ているので紛らわしい。この文では空所に動詞 seek の目的語になる名詞が入るので、「忠告」「助言」の意味の不可算名詞 (B) advice が正解である。

語句 □ seek 求める、捜し求める □ consultant 相談役、顧問、コンサルタント □ assistance 援助、支援

0248

訳 衣類と靴の価格がこの四半期でほぼ 5%下落した。

ポイントと正解 clothing（衣類）は不可算名詞なので s は付かない。正解は (B) clothing。

語句 □ fall 落ちる、下がる □ nearly ほとんど □ quarter 四半期

例題 0249

The -------- for Korea's economy are optimistic but full of challenges.
(A) prospects
(B) prospective

Ⓐ Ⓑ

例題 0250

Customer -------- and product quality have made Widget Co. the top company in its field.
(A) satisfaction
(B) satisfactory

Ⓐ Ⓑ

例題 0251

At the beginning of the factory tour, all visitors are requested to review the safety -------- .
(A) precaution
(B) precautions

Ⓐ Ⓑ

例題 0252

We are sorry to inform you that the product you ordered is -------- stock.
(A) out of
(B) in

Ⓐ Ⓑ

例題 0253

Applicants who give any -------- of being on prescription drugs will be ruled out of participation in the clinical study.
(A) indication
(B) indicator

Ⓐ Ⓑ

例題 解き方

0249

訳 韓国の経済の見通しは楽観的ではあるが、厳しさに満ちている。

ポイントと正解 prospecive は「将来の」「予想された」という意味の形容詞で、定冠詞 The の後に単独で用いることはできない。「展望」という意味の prospects が正解だ。prospect は動詞として「調査する」「踏査する」という意味でも使われるので、覚えておこう。正解は (A) prospects。

語句 □ prospect　展望、見通し、見込み　□ prospective　将来の、予想された　□ optimistic　楽観的な

0250

訳 顧客満足と製品の品質によって、Widget 社はその分野でトップ企業となった。

ポイントと正解 複合名詞が主語になっている文だ。動詞 have made の主語になるには、空所に名詞が入る必要がある。customer satisfaction は複合名詞で「顧客満足」の意味である。正解は (A) satisfaction。

語句 □ satisfactory　満たしている、納得のいく、充分な　□ quality　品質　□ field　分野

0251

訳 工場見学の最初に、訪問者の皆様は安全の心得を再確認するようお願い致します。

ポイントと正解 慣用的な複合名詞について問う問題だ。safety precautions は「安全予防の心得」という意味の複合名詞で、常に複数形で使われる。正解は (B) precautions。

語句 □ at the beginning of　…の最初に、初めに　□ be requested to　…するよう求められている　□ review　再検討する、精査する　□ precaution　予防策、用心

0252

訳 申し訳ありませんが、ご注文された品物の在庫が切れておりますことお知らせします。

ポイントと正解 文頭で謝っていることから、「在庫がない」という意味の out of stock が正解になる。正解は (A) out of。

語句 □ order　注文する　□ in stock　在庫の　□ out of stock　在庫が切れて

0253

訳 処方薬を服用している何らかの兆候がある応募者は、臨床試験への参加を認められない。

ポイントと正解 「処方薬を服用している何らかの兆候 (indication) を見せる」という文になるのが自然だ。indicator は「指示する人」なので、意味が通らない。正解は (A) indication。

語句 □ applicant　申込者、応募者　□ give indication of　…の兆候がある　□ indicator　指示者　□ prescription　処方箋　□ be on prescription drug　処方薬を服用して　□ rule out　…を除外する　□ participation　参加　□ clinical study　臨床研究

例題 0254

It was crowded at the exhibition, but -------- people purchased the items.
(A) few
(B) any

Ⓐ Ⓑ

例題 0255

The speaker that we heard made a/an -------- of interesting points.
(A) amount
(B) number

Ⓐ Ⓑ

例題 0256

The expanding opportunities in South America is of -------- to Norwalk Ltd., which already does considerable business in the region.
(A) interesting
(B) interest

Ⓐ Ⓑ

例題 0257

Under the warranty, -------- equipment is guaranteed for five years.
(A) an
(B) the

Ⓐ Ⓑ

例題 0258

The company is undergoing negotiations with some manufacturers in -------- to search for new suppliers.
(A) an effort
(B) effort

Ⓐ Ⓑ

例題 解き方

0254

訳 展示会は混んでいたが、その品物をほとんど誰も購入しなかった。

ポイントと正解 but があるので、後の文は前の文と相反する内容になる。「ほとんどない」という否定の意味の few が正解だ。any が肯定文で使われると「どんな…でも」という意味になる。正解は (A) few。

語句 □ crowded　混んでいる　□ exhibition　展示会　□ purchase　購入

0255

訳 私達が聴講した講演者は、興味深い点を数多く話していた。

ポイントと正解 amount は量の概念、number は数の概念を表わすので、points には a number of が付く。a number of は「数多くの」、an amount of は「相当な量の」という意味である。正解は (B) number。

語句 □ speaker　講演者、演説者、スピーカー　□ make a point　言いたいことを言う、主張する　□ a number of　数多くの

0256

訳 南アメリカは既に多くのビジネス展開をしている地域であり、Norwalk 社にとってその地域でのビジネスチャンスが拡大していることは大変興味深いものだ。

ポイントと正解 「of/in ＋抽象名詞」は、文中で形容詞句の働きをする。例えば、of importance は形容詞 important と同じ意味を表わす。この文でも空所の前の前置詞 of と interest が一つになって、interesting と同じ意味になる。正解は (B) interest。「of ＋抽象名詞が形容詞句になる」例として、of value = valuable（価値のある）、of service = helpful,useful（役立つ）、of significance = significant（重要な）、of importance = important（大切な）、of experience = experienced（経験豊かな）などがある。

語句 □ expanding　拡大している　□ opportunity　機会　□ considerable　かなりの　□ region　地域

0257

訳 保証書では、その機器は 5 年間保証されている。

ポイントと正解 可算名詞と不可算名詞を見分ける問題だ。equipment（家具・装備・機器）は不可算名詞なので、不定冠詞 a や an は付かない。正解は (B) the。

語句 □ warranty 保証書　□ be guaranteed for　…の間保証されている

0258

訳 新しい仕入先を探そうとして、その会社はいくつかの製造メーカーと交渉をしているところだ。

ポイントと正解 in an effort to（…しようと努力して）という熟語を知っていれば解ける問題だ。effort は「努力」「試み」という意味で、加算・不可算名詞のいずれにもなるが、この熟語では必ず冠詞が付くので注意しよう。正解は (A) an effort。

語句 □ undergo　経験する、受ける　□ negotiation　交渉　□ search for　…を探す

例題 0259

Purchasing the land near the building seems like -------- a good investment.
(A) such
(B) so

Ⓐ Ⓑ

例題 0260

Many of the greatest advances in medicine came at -------- of the century.
(A) beginning
(B) the beginning

Ⓐ Ⓑ

例題 0261

All the items we've displayed back there are available -------- request.
(A) in
(B) upon

Ⓐ Ⓑ

例題 0262

Efforts to add one lane on the road were abandoned -------- of the city's budget shortage this year.
(A) as result
(B) as a result

Ⓐ Ⓑ

例題 0263

After a poor -------- during the first half of the year, the second half of 2008 showed much-improved results.
(A) perform
(B) performance
(C) performing
(D) performed

Ⓐ Ⓑ Ⓒ Ⓓ

例題 0264

I regret to inform you that I cannot accept your -------- because I will be out of town that night.
(A) invite
(B) invited
(C) invitation
(D) invites

Ⓐ Ⓑ Ⓒ Ⓓ

例題 解き方

0259

訳 その建物の近くに土地を購入するのは、大変いい投資である。

ポイントと正解 強調の so と such を見分ける問題だ。such は「such a(an) ＋形容詞＋単数名詞」または「such ＋形容詞＋複数名詞・不可算名詞」、so は「so ＋形容詞＋ a(an) ＋名詞」の形をとる。正解は (A) such。

語句 □ seems like …のように思える □ investment 投資

0260

訳 医学上の偉大な進歩の多くは今世紀初めに訪れた。

ポイントと正解 of の修飾を受ける名詞は、普通は定冠詞 the とともに用いられる。at the beginning of を「…のはじめに」という意味の慣用句として覚えておけば解ける問題だ。正解は (B) the beginning。

語句 □ advances in …の進歩 □ century 世紀

0261

訳 後方に展示している全ての品物は、ご要望次第入手できます。

ポイントと正解 upon(on)request は「要請した途端」「依頼してすぐ」という意味の熟語だ。request に冠詞はつかない。ちなみに in request は「需要のある」という意味である。正解は (B)upon。

語句 □ display 展示する □ available 入手可能な

0262

訳 その道路にもう一車線増やす取組みは、今年度の市の予算が不足していて駄目になった。

ポイントと正解 as a result of は「…の結果として」という意味の熟語で、可算名詞の result には冠詞 a が必ず付く。正解は (B) as a result。

語句 □effort 努力、取組み □lane 車線 □abandon 断念する □budget 予算 □shortage 不足

0263

訳 上半期の低い実績の後、2008 年下半期は大変良くなった。

ポイントと正解 前置詞 After の後で形容詞 poor に修飾される名詞相当語句が空所に入る。名詞の形の (B)(C) のうち目的語をとる動名詞 (C)performing は誤答である。(B) 名詞 performance が空所に入り、「低い実績」という意味になる。正解は (B) performance。

語句 □ performance 実績 □ improved 改善した…

0264

訳 大変申し訳ありませんが、その日の夜は出張中なのでご招待をお受けすることができません。

ポイントと正解 動詞acceptの目的語として所有格yourに修飾される名詞(C) invitationが正解。(A)(B)(D)はすべて動詞である。

語句 □ regret 残念に思う □ inform 知らせる □ out of town 出張中で、町を離れて □ invitation 招待

例題 0265

Because of the current abundance of gold on the market, it has fallen in -------.
(A) value
(B) validity
(C) valuable
(D) valor

Ⓐ Ⓑ Ⓒ Ⓓ

例題 0266

To ensure -------, Mr. Dervish's replacement will begin training and orientation two weeks before his predecessor retires.
(A) continual
(B) continue
(C) continuous
(D) continuity

Ⓐ Ⓑ Ⓒ Ⓓ

例題 0267

Through a -------- in machine operators, the assembly plant was able to balance their budget and avoid closing down.
(A) reduction
(B) reduce
(C) reduced
(D) reducer

Ⓐ Ⓑ Ⓒ Ⓓ

例題 0268

-------- to the parent company's proposed merger has led to the unlikely alliance of departments that typically don't interact.
(A) Opposing
(B) Oppose
(C) Opposition
(D) Opposite

Ⓐ Ⓑ Ⓒ Ⓓ

例題 0269

All customers of Johnson Packing Inc. who contact the -------- desk will be eligible for refunds.
(A) serving (B) serviceable
(C) serve (D) service

Ⓐ Ⓑ Ⓒ Ⓓ

例題 解き方

0265

訳　現在、金が市場にだぶついていて、その価値が下がってしまっている。

ポイントと正解　前置詞 in の後に名詞が置かれることを問う問題だ。「金の価値が下がった」という意味で、(A) が正解である。(B) も名詞だが「有効性」という意味なので、文になじまない。(D)valor は「勇気」で、これも誤答である。正解は (A) value。

語句　□current　現在の　□abundance　豊富、過多　□value　価値　□validity　効力　□valuable　価値の高い　□valor　勇気

0266

訳　確実に引継ぎができるように、Dervish 氏の後任者は、彼が退職する 2 週間前から研修と説明会を受ける予定だ。

ポイントと正解　空所は動詞の目的語が入る位置だ。動詞 ensure の目的語になるのは、選択肢のうち名詞 (D) continuity しかない。ensure continuity は「中断がないようにする」という意味。正解は (D) continuity。

語句　□ensure　確実にする、確保する　□replacement　交替者　□predecessor 前任者　□continual　絶え間の無い、継続的な　□continuous　連続的な　□continuity　連続、継続性

0267

訳　組立工場は機械工の削減で経費のバランスが図られ、閉鎖を避けることができた。

ポイントと正解　冠詞の後に名詞が置かれることを問う問題だ。(A) と (D) が名詞だが、(D) は「減らす人」という意味で文脈になじまず、「縮小」「減少」という意味の (A) reduction が正解となる。増減を表わす increase, decrease, reduction などは、前置詞 in をとることも覚えておこう。正解は (A) reduction。

語句　□operator　技師、オペレーター　□assembly plant　組立工場　□balance　バランス、釣り合い、調和　□budget　予算、経費、運営費　□reducer　弱化させる人（物）

0268

訳　親会社が考えていた合併に反対することで、本来は一緒に仕事をすることのない部署間の協力が思いがけず起こった。

ポイントと正解　空所は主語の入る位置だ。後に前置詞 to があるので、(A) の動名詞 opposing は誤答である。(C) の名詞 opposition が空所に入り、opposition to で「…への反対」という意味になる。動詞 oppose は他動詞で、よく「be opposed to ＋名詞（…に反対している）」の形で使われる。正解は (C) Opposition。

語句　□parent company　親会社　□proposed　提案された、予定された　□merger　合併　□lead to　…に至る　□unlikely　ありそうにない、起こりそうにない　□alliance　同盟、協力　□typically　一般的には　□interact　互いに影響し合う、相互に交流する　□oppose　対立する　□opposition　反対　□opposite　正反対の、逆の

0269

訳　案内デスクに連絡をくれた Johnson Packing 社のお客様全てが、返金の対象となる。

ポイントと正解　service desk（案内デスク）という複合名詞について問う問題だ。正解は (D) service。

語句　□contact　連絡する　□be eligible for　…の資格がある　□refund　払い戻し

例題 0270

Much -------- the surprise of the documentary team, when they approached the suspect he was very eager to be interviewed.

(A) of
(B) in
(C) to
(D) at

Ⓐ Ⓑ Ⓒ Ⓓ

例題 0271

The library was not able to acquire all the basic materials necessary for the newly established graduate program as some of the books were out of -------.

(A) prints
(B) printing
(C) print
(D) printed

Ⓐ Ⓑ Ⓒ Ⓓ

例題 0272

Course -------- should be filled in and deposited in the wooden box at the rear of the auditorium.

(A) evaluative
(B) evaluated
(C) evaluators
(D) evaluations

Ⓐ Ⓑ Ⓒ Ⓓ

例題 0273

Studies reveal that -------- competition in elementary school testing procedures may actually increase students' confidence and learning abilities.

(A) fewer
(B) least
(C) a few
(D) less

Ⓐ Ⓑ Ⓒ Ⓓ

例題 0274

The price of a front row seat to the hit musical performance "Abba" at the Gretta Lee Theatre is $165 -------- person.

(A) for
(B) per
(C) by
(D) with

Ⓐ Ⓑ Ⓒ Ⓓ

例題 解き方

・・・**0270**

訳 ドキュメンタリーチームにとって驚いたことは、容疑者に接した際、自ら進んでインタビューを受けたことだ。

ポイントと正解 to one's surprise は「驚いたことに」という意味の熟語だ。この much は強調の意味で使われている。正解は (C) to。

語句 □ suspect　容疑者　□ be eager to do　…することを熱望している

・・・**0271**

訳 大学院課程を新しく開設するために必要な基本資料のうちいくつかが絶版になったので、図書館はその資料を調達できなかった。

ポイントと正解 「基本資料が集められない」という文の内容に合う語句で本と関係のあるものは、「絶版の」という意味の out of print である。正解は (C) print。

語句 □ acquire　得る、入手する　□ newly established　新たに設立された　□ graduate　大学卒業生(向き)の

・・**0272**

訳 受講者アンケートは記入の上、講堂の後ろにある木の箱に入れて下さい。

ポイントと正解 空所は主語の位置で、名詞に相当する語句が入るので、(C)(D) のうちいずれかが正解になる。文脈的に (C) evaluators（評価者）より (D) evaluations（評価書）が適切である。course evaluations を「受講者アンケート」の意味で覚えておこう。正解は (D) evaluations。

語句 □ evaluation　評価　□ fill in　…に記入する　□ deposit　入れる　□ wooden　木製の　□ at the rear of　…の後ろの　□ auditorium　講堂　□ evaluative　評価的な　□ evaluate　評価する

・・**0273**

訳 調査によると、小学校では競争試験が少ないほうが生徒の自信と学習能力が高まることがわかる。

ポイントと正解 competition は「競争」という意味の抽象名詞だ。不可算名詞を修飾する形容詞 less や least はこの単語を修飾できるが、least は形容詞の最上級で the が必要なので空所には入らない。正解は (D) less。

語句 □ reveal　明らかにする、示す　□ elementary school　小学校　□ procedure　手順　□ confidence　自信　□ learning abiliy　学習能力

・・**0274**

訳 Getta Lee 劇場で人気のあるミュージカル「Abba」の最前列の席は、一人 165 ドルする。

ポイントと正解 person は可算名詞なので、普通は冠詞が必要だ。(A)(C)(D) は前置詞の後に冠詞がないので誤答になるが、(B)per はそれ全体に a/one の意味が含まれるので、冠詞がなくても正解となる。正解は (B) per。（参考）per day（1 日当たり）, per person（一人当たり）

語句 □ musical performance　ミュージカルの演奏　□ theatre　劇場（＝ theater）

例題 0275

Political analysts have warned that -------- overuse of negative ads in political campaigns can result in voter apathy and a low voter turnout.

(A) no
(B) if
(C) to be
(D) the

Ⓐ Ⓑ Ⓒ Ⓓ

例題 0276

Because of the fluctuations of the stock market, some of -------- are seeking the help of financial experts.

(A) investor
(B) investors
(C) the investors
(D) investment

Ⓐ Ⓑ Ⓒ Ⓓ

例題 0277

While the older buildings reflect -------- German colonial administration's influence, the newer buildings in town are truly Chinese in appearance.

(A) it
(B) the
(C) and
(D) every

Ⓐ Ⓑ Ⓒ Ⓓ

例題 0278

The limousine is an old model, but the driver keeps it in good -------- for the local use of company guests.

(A) condition
(B) conditions
(C) conditioning
(D) conditional

Ⓐ Ⓑ Ⓒ Ⓓ

例題 0279

The Department of Fisheries and Oceans has two summer employment -------- for interested university and college students.

(A) opens
(B) openings
(C) openness
(D) opener

Ⓐ Ⓑ Ⓒ Ⓓ

例題 解き方

0275

訳 選挙活動での中傷キャンペーンのやりすぎは有権者の無関心と低い投票率をもたらすと、政治評論家は警鐘を鳴らした。

ポイントと正解 of は「…の」「…のうちの」と範囲を限定する前置詞なので、of の句の修飾を受ける名詞は定冠詞 the や所有格とともに用いられる。正解は (D) the。

語句 □ analyst 解説者 □ overuse 乱用 □ negative ads 中傷広告 □ political campaign 遊説、政治運動 □ result in …に終わる □ apathy 無関心 □ turnout 投票者数

0276

訳 株式市場の変動により、金融専門家の助言を求めている投資家もいる。

ポイントと正解 「some of the / 所有格＋複数名詞 / 不可算名詞」の some は特定の集合の一部を指しているので、of の後には必ず定冠詞 the や所有格を伴う名詞が置かれる。この文では、すでにわかっている特定の投資者のうちの数人を指しているので、the invetors が正解である。正解は (C) the investors。

語句 □ fluctuation 変動 □ stock market 株式市場 □ financial expert 金融専門家、金融コンサルタント

0277

訳 古い建物はドイツ植民地の影響を受けているが、新しい建物は本当に見た目が中国風だ。

ポイントと正解 動詞 reflect と目的語 German との間に置けるのは (B) the と (D) evey しかない。「ドイツ植民地政府」は人々が知っている特定のものなので、定冠詞 the が必要だ。「すべてのドイツ植民地政府」では意味が通じないので、every は誤答である。正解は (B) the。

語句 □ reflect 反映する □ colonial administration 植民地統治 □ influence 影響 □ truly 実に、とても □ in appearance 見たところ、外見は

0278

訳 そのリムジンバスは旧型のモデルだが、会社のお客様が通常使用できるようにと運転手がきちんと整備している。

ポイントと正解 in condition は「状態のいい」という意味の熟語だが、人体や機械などの状態を表わすときには必ず不可算名詞を用いる。一方、「条件」の意味で用いられる場合は、普通 working conditions（職業条件）のように複数形になる。正解は (A) condition。

語句 □ conditioning 調節、検査 □ conditional 条件付きの

0279

訳 漁業海洋省は、興味のある学生のために夏期アルバイトを 2 人募集している。

ポイントと正解 空所は目的語の置かれる位置だ。employment とともに複合名詞になる要素が必要なので、openings が入り employment openings（職場・勤め口）という複合名詞を作る。interested は後の university and college students を修飾する形容詞の機能をもち、「興味のある」という意味である。正解は (B) openings。

語句 □ fishery 漁業 □ employment 雇用（状況） □ openings 就職口

UNIT 09 ● 形容詞

出題ポイント 1. 形容詞の位置

➡ 空所の前後の文構造を見て、そこに形容詞が入るかどうかがわかるような実力を身につけよう。最もよく出題される形は「冠詞＋(副詞)＋形容詞＋名詞」である。

1. 前から修飾

(1)「冠詞＋(副詞)＋形容詞＋名詞」

The company is expecting that **an active search** will be conducted next year.
(積極的な調査が来年行われることを会社は期待している。)

(2)「形容詞＋複合名詞」

There are four **clerical support workers** in the field office.
(出張所には事務補助の社員が4人いる。)

➡ 名詞を前からのみ修飾する形容詞

live（[動植物が] 生きている), **only**（唯一の), **sole**（唯一の), **main**（主な), **mere**（単なる), **elder**（年上の), **former**（前の), **inner**（内側の), **outer**（外側の), **wooden**（木製の), **spare**（余分の)

The **main** dish will be served with salad and a glass of wine.
(メインディッシュをサラダ、グラスワインと一緒に出します。)

The man with the black suit is my **elder** brother.
(黒いスーツを着た男性は、私の兄です。)

2. 後ろから修飾

(1) every, 最上級 , all the の後の名詞を､-able, -ble で終わる形容詞が修飾する場合

The new store will take **every measure possible** to meet the consumers' needs.
(顧客のニーズに応えるために、新しい店は可能な限りの手段を尽くすつもりだ。)

➡ every possible measure も可能である。

(2)「-thing」「-body（one)」で終わる名詞を、形容詞が修飾する場合

We need to prepare **something educational** for the new employee orientation.
(新入社員向けオリエンテーションで何かためになるような準備をする必要があります。)

(3)「数＋名詞＋形容詞」

My office building is **5 miles away** from the city hall.
(市役所から5マイル離れたところに私の事務所はあります。)

3. 補語の役割

(1) 第 2 文型の動詞の後で主格補語として

You should **stay awake and alert** during long-distance drives.
(長距離運転中は、居眠りしないように注意してください。)

Our new product release **was very successful**.
(当社が新しく発売した製品はとてもよく売れた。)

➡ 第 2 文型を作る動詞

be(…である、…という状態だ)
go, grow, get, come(…という状態になる)
sound, taste, feel, look(…と感じる[音、味など])
seem, appear(…に見える)**, prove**(…とわかる)
remain, stay(…のままである)

(2) 第 5 文型の目的語の後で、目的格補語として

After the training session, I **found** the tips on communicating with colleagues helpful.
(研修が終わり、同僚と意思疎通を図るコツは役立つと思った。)

➡ 補語としてのみ使われる形容詞

alike(似ている)**, alive**(生きている)**, alone**(ただ一人の)**, afraid of**(…を恐がる、…が心配で)**, aware of**(…に気がついている、…を知っている)**, worth**(…する価値がある=**worthy of**)**, unable to do**(…することができない)

We **are unable** to ship your order right now.
(注文をすぐに船積みすることができない。)

Please **be aware** that the contract files are placed in the file cabinet.
(契約書のファイルは書類棚に入れてあるのでご了承ください。)

4. 目的語をとる形容詞 （前置詞的な形容詞）

worth（…する価値がある）, **like**（…のように）, **unlike**（…と違って）, **next**（次の）, **near**（…の近くに）, **opposite**（…の反対に）

The result of this advertising campaign was well **worth the expense**.
目的語
（今回の販促キャンペーンは費用に見合う価値が充分あった）。

The HR Department office is located on the 3rd floor **near the elevator**.
目的語
（人事部は3階のエレベーター近くにある。）

➡ worth の用法（…の価値がある、…する価値がある、…にふさわしい）

be worth＋目的語（**...ing**）
be worthy of＋目的語（名詞）
be worthy to do

He **is worthy of** the award given his consistent dedication to the company.
（会社にいつも貢献しているということで彼が賞を受けるのはふさわしい。）

語句 □active 積極的な、活動的な □conduct 行う □clerical 事務員の □measure 措置、対策 □educational 教育的な、教育の □employee orientation 社員オリエンテーション（適応指導）□alert 油断のない □release 発売、解放 □tip 助言、情報、コツ □communicate 意思疎通をはかる □colleague 同僚 □helpful 有用な □right now 今すぐ、たった今 □contract 契約 □be placed …に置いてある

出題ポイント 2. 名詞の「数」と形容詞の用法

可算名詞	**many,** **(a) few, several,** a number of, a variety of	複数名詞	動詞は複数で受ける
	each, every, another	単数名詞	動詞は単数で受ける
不可算名詞	**much,** (a) little, a large/small amount of, a great deal of	単数名詞	動詞は単数で受ける
可算名詞・不可算名詞	**some, any,** **all, most,** a lot of (=lots of), plenty of	可算名詞（複数）	動詞は複数で受ける
		不可算名詞（単数）	動詞は単数で受ける

➡ 太字の形容詞は、代名詞として使われるときには「代名詞＋ of ＋ the/ 所有格＋複数名詞 / 不可算名詞」の形になる。

Most of the items displayed on the floor are fully refundable.
代名詞＋ of ＋ the ＋複数名詞
↓
「Most items」でも可。
形容詞＋複数名詞

（床に陳列されている商品のほとんどは、全額払い戻し可能です。）

1. many vs. **much**

Many analysts expected that the economy would improve this year.
（今年は経済が好転すると予想した分析家が多かった。）

There is so **much work** I can't manage by myself.
（一人で対処できないほど多くの仕事がある。）

2. few vs. **little**

（1）a few（少しの）/ few（ほとんどない）＋複数名詞
There were **a few** employees who attended the company event.
（会社の行事に参加した社員は多少いました。）

There were **few** employees who attended the company event.
（会社の行事に参加した社員はほとんどいませんでした。）

（2）a little（少しの）/little（ほとんどない）＋不可算名詞
The board has shown **a little** interest in funding for facility expansion.
（設備拡張のための資金調達に取締役会は少し興味を示した。）

The board has shown **little** interest in funding for facility expansion.
（設備拡張のための資金調達に取締役会はほとんど興味を示さなかった。）

3. all vs. **most** vs. **both**
（1）all（すべての）＋複数名詞 / 不加算名詞
All branch heads are under pressure to reduce costs and increase sales.
（支店長はみな、経費削減と売上増の必要に迫られている。）

All information regarding the company's business strategies becomes public for investors.
（会社の事業戦略に関する情報は全て、投資家に公開している。）

（2）most（大部分の）＋複数名詞 / 不可算名詞
Most businesses are experiencing a period of steady growth.
（ほとんどの企業が安定した成長をしている。）

Most research in this field has been carried out by our team.
（この分野における調査はほとんど、私たちのチームが実行してきた。）

（3）both（両方の）＋複数名詞
Both parties have finally decided to reach an agreement.
（両者はついに合意に達した。）

4. every vs. **each**　**：every[each]＋単数名詞**

（1）それぞれの / すべての

Every[**Each**] request has been given careful consideration.

（あらゆる要求に慎重に配慮してきた。）

（2）…毎、…ごとに

He goes to Europe **every** two years.

（彼は2年ごとにヨーロッパに行く。）

➡ every は形容詞なので「every ＋ of the / 所有格＋名詞」の形はとれないが、each は代名詞にもなるので「each ＋ of the / 所有格＋名詞」この形がとれる。

語句　□be fully refundable　全額払い戻し可能　□facility expansion　施設拡大　□consideration　考慮、熟考

出題ポイント 3. 数詞の形容詞的用法と名詞的用法

1. 形容詞的用法：「数詞（a, one, twoなど）＋hundred, thousand, million, billion ＋複数名詞」

Due to the limited space, only **two hundred people** will be able to apply for the competition.

（場所が限られているため、コンテストに応募できるのは200人だけの予定です。）

➡ hundred が形容詞として使われているので複数形にはならず、前に必ず数詞（a, one, two…）が置かれる。

2. 名詞の場合

➡ 数詞が名詞として漠然とした数を表わす場合には、次のように-s を付ける。

hundreds of（数百の…） thousands of（数千の…） millions of（数百万の…）	＋複数名詞

hundreds of participants（数百人の参加者）

thousands of employees（数千人の社員）

PART 5 文法問題 例題 UNIT 09●形容詞

例題 0280

Dr. Hines recommends regular exercise to complement a -------- lifestyle.
(A) healthy
(B) healthiness

Ⓐ Ⓑ

例題 0281

Information Technology has become an increasingly -------- market.
(A) competitive
(B) compete

Ⓐ Ⓑ

例題 0282

The board members did not think that the content of the briefing was -------- .
(A) satisfactory
(B) satisfaction

Ⓐ Ⓑ

例題 0283

A/An -------- broadcast of the speech was the high point of last year's convention.
(A) live
(B) alive

Ⓐ Ⓑ

例題 0284

The facility occupied by the research department is quite -------- .
(A) impressed
(B) impressive

Ⓐ Ⓑ

例題 解き方

0280

訳 健康的な生活スタイルを維持するためには、日常的に運動することをHines博士は推奨している。

ポイントと正解 空所には、名詞 lifesyle を修飾する形容詞が入る。healthiness が正解だとしたら複合名詞 healthiness lifestyle となるが、「健全さ生活スタイル」は不自然だ。形容詞 healthy を使うと「健康な生活スタイル」になる。正解は (A) healthy。

語句 □ recommend　勧める、推奨する　□ regular　規則的な　□ complement　補完する、補足する　□ lifestyle　生活様式

0281

訳 情報技術は、ますます競争の激しい市場となってきた。

ポイントと正解 空所の前に副詞 increasingly があるので、この副詞に修飾されつつ名詞 market を修飾する形容詞が正解になる。compete は「競争する」という意味の動詞、competitive は「競争の激しい」「競争する」という意味の形容詞である。正解は (A) competitive。

語句 □ increasingly　ますます

0282

訳 その報告の中身は満足のいくものではないと、取締役会のメンバーは思っていた。

ポイントと正解 空所は、be 動詞の補語になる名詞・形容詞の位置だ。that 節の主語 the content と satisfaction は同格関係にはならないので、主語の状態や性質を述べる形容詞 (A) satisfactory が正解になる。

語句 □ board member　取締役(会のメンバー)　□ content　中身、内容　□ briefing　概要説明、簡単な報告　□ satisfactory　申し分の無い、満足な　□ satisfaction　満足

0283

訳 昨年の総会での目玉はスピーチの生中継だった。

ポイントと正解 名詞 broadcast を前から修飾できる形容詞 live(生きている、生き生きしている) が正解だ。alive は名詞を後ろから修飾する形容詞である。ex.)the strongest man alive(世の中で一番力の強い人) 正解は (A) live。

語句 □ broadcast　放送、番組　□ convention　総会、会議　□ the high point of　…の見せ場、目玉

0284

訳 研究部門だけがある施設はかなり印象的だ。

ポイントと正解 impressed は感情動詞の分詞形で、主語が人物でなければ使えない。この文は主語が the facility なので誤答となる。正解は (B) impressive。

語句 □ facility　設備、施設　□ occupy　占める、占有する　□ research department　研究部門　□ quite　かなり、なかなか　□ impressive　印象的な、目立つ、優れた

例題 0285

A good manager needs to know how to make a display case -------- to clients.
(A) attracting
(B) attractive

Ⓐ Ⓑ

例題 0286

The port expansion project calls for -------- new positions.
(A) much
(B) several

Ⓐ Ⓑ

例題 0287

The marketing was successful, but -------- people purchased the product.
(A) few
(B) any

Ⓐ Ⓑ

例題 0288

-------- small companies are experiencing difficulty ensuring the supply of inexpensive resources.
(A) Most
(B) Most of

Ⓐ Ⓑ

例題 0289

-------- concrete proposals must be submitted no later than 4 o'clock on Tuesday afternoon.
(A) All
(B) Each

Ⓐ Ⓑ

例題 0290

Having a -------- manner is sure to go over well when meeting prospective business partners.
(A) confided
(B) confidence
(C) confident
(D) confidently

Ⓐ Ⓑ Ⓒ Ⓓ

例題 解き方

• • 0285

訳 優れた管理職として必要なのは、顧客を惹きつける展示の仕方を知っていることだ。

ポイントと正解 「make ＋目的語＋目的補語」の形なので、空所には目的語の性質や状態を述べる補語が入る。したがって、形容詞の attractive が正解となる。attracting は他動詞の分詞なので、前置詞 to とはなじまない。正解は (B) attractive。

語句 □ need to …する必要がある □ how to 不定詞 …する方法 □ display case 展示ケース □ attract 魅了する、引きつける □ attractive 魅力のある

• • 0286

訳 港の拡張工事プロジェクトには、何人かの新しい責任者が必要だ。

ポイントと正解 空所の後の名詞が複数名詞の new positions なので、複数名詞を修飾する形容詞 several が適切である。much の後には不可算名詞が置かれる。正解は (B) several。

語句 □ port 港、港湾 □ expansion 拡大、拡張 □ call for …を要請する、求める □ position 立場、身分、職業

• • 0287

訳 マーケティングはうまくいったが、その商品を買った人がほとんどいない。

ポイントと正解 few（ほとんどない）は否定的な意味を含むので、few people とすると「その商品を買った人がほとんどいない」という文になる。マーケティングの成功と対の意味になり自然である。正解は (A) few。

語句 □ few ほとんど…ない □ purchase 購入（する）

• • 0288

訳 低価格の原材料を確実に供給するのは困難な中小企業がほとんどだ。

ポイントと正解 most（大部分の）は「most ＋複数名詞」または「most of the ＋複数名詞」の形で使われる。後に the がなく直に複数名詞 small companies があるので、正解は (A) Most だ。

語句 □ experience 受ける、経験する □ difficulty ...ing …する困難さ □ supply 供給

• • 0289

訳 提案書は全て具体的な形にして、火曜日午後 4 時までに提出しなければいけない。

ポイントと正解 複数名詞 concrete proposals を修飾できるのは All だ。Each の後には単数名詞が置かれる。正解は (A)All。

語句 □concrete 具体的な、明確な □proposal 提案（書） □submit 提出する □no later than …までに、以内に

• • 0290

訳 見込みのあるビジネスパートナーと商談する時、自信のある態度ならば確実に気に入ってもらえる。

ポイントと正解 空所には、直後の名詞 manner を修飾する形容詞が入る。受動の意味を表わす過去分詞 (A) は意味が通らず、(B) は複合名詞が作れないので誤答である。(D) は副詞なので、名詞を修飾できない。正解は (C) confident。

語句 □ manner 態度、作法 □ be sure to 必ず…する、きっと…する □ go over 好まれる、受け入れられる □ prospective 見込みのある □ confident 自信のある、信用のある

例題 0291

Because of years of development on the surrounding coastline, and the loss of natural groves, little of the resort's -------- grandeur remains.

(A) formal
(B) forming
(C) formation
(D) former

Ⓐ Ⓑ Ⓒ Ⓓ

例題 0292

Mrs. Berry believes the latest business model is -------- because it depends on fewer resources.

(A) successfully
(B) success
(C) successful
(D) succeed

Ⓐ Ⓑ Ⓒ Ⓓ

例題 0293

Allocating significant funds to advertising is a major -------- objective for the launch of the new product line.

(A) strategist
(B) strategically
(C) stratagize
(D) strategic

Ⓐ Ⓑ Ⓒ Ⓓ

例題 0294

Mr. Schiller presented -------- arguments for opening a branch office in a suburban locale.

(A) persuasive
(B) persuasion
(C) persuaded
(D) persuadable

Ⓐ Ⓑ Ⓒ Ⓓ

例題 解き方

・・0291

訳 何年にもわたる海岸線沿いの開発で木立が失われ、そのリゾートのかつての壮大さはほとんどない。

ポイントと正解 所有格の後ろで、直後の名詞 grandeur を修飾できるのは形容詞だ。「以前の」という意味の (D) former が空所に入ると、「リゾートの以前の栄光」という意味になる。(A) formal は「公式の」という意味で、grandeur を修飾するには不適当だ。正解は (D) former。

語句 □ because of …のために、…のせいで □ development 開発 □ coastline 海岸線 □ surrounding 周辺の、周囲の □ grove 木立、林 □ grandeur 偉大さ □ remain …のままである □ formation 形成、構成、構造

・・0292

訳 最新のビジネスモデルは今までより資金が少なくて済むので、Mrs.Berry はそれが成功すると信じている。

ポイントと正解 空所は be 動詞の補語が入る位置で、形容詞の (C) successful が正解である。名詞の (B) success は主語の business model と同格ではないので、補語にはなれない。

語句 □ the latest 最新の □ depend on …に頼る、…に依存する、…次第である □ resource 資金、資源、要員

・・0293

訳 広告に充分な予算を配分することは、新製品の発売という重要な戦略目標だ。

ポイントと正解 空所には、直後の名詞 objective（目的、目標）を修飾する形容詞が入る。(A) は「戦略家」という名詞で、objective とともに複合名詞をつくれない。また、副詞の (B) は名詞を修飾できない。(D) strategic「戦略的な」が正解である。

語句 □ allocate 割り当てる □ significant 大幅な、かなりの、意味のある □ fund 資金 □ advertise 宣伝する、広告する □ major 主要な、重要な □ objective 目的、方針 □ launch 開始、着手 □ strategize 戦略を練る

・・0294

訳 郊外に支社を開くという説得力のある話を、Mr. Schiller は提案した。

ポイントと正解 空所には、動詞 presented の目的語になる名詞 arguments を修飾する形容詞が入る。(A) persuasive は「説得力のある」「説得の上手な」という意味で、人・主張・論旨などに説得力があることを表わす。Schiller さんは説得力があるという意味になる (A) が正解である。(D) persuadable は「説得されうる」という意味だ。正解は (A) persuasive。

語句 □ present 提案する □ argument 議論 □ suburban 郊外の □ locale 場所 □ persuasive 説得力のある □ persuasion 説得、説得力 □ persuadable 説得されうる

例題 0295

To ensure the safety of all patients, hospital staff depend on medical instruments that are entirely -------.

(A) relying
(B) reliant
(C) reliance
(D) reliable

Ⓐ Ⓑ Ⓒ Ⓓ

例題 0296

The convention center is located only ten kilometers -------- from my office building.

(A) remote
(B) aside
(C) away
(D) far

Ⓐ Ⓑ Ⓒ Ⓓ

例題 0297

The company has received a -------- number of complaints about the new appliances.

(A) susceptible
(B) quarterly
(C) various
(D) good

Ⓐ Ⓑ Ⓒ Ⓓ

例題 0298

The buses run -------- five minutes from 6 a.m. until 11 p.m., seven days a week.

(A) every
(B) each
(C) all
(D) some

Ⓐ Ⓑ Ⓒ Ⓓ

例題 0299

The train system is a massive operation with -------- large and small stations across the country.

(A) thousand
(B) thousands
(C) thousand of
(D) thousands of

Ⓐ Ⓑ Ⓒ Ⓓ

例題 解き方

0295

訳　患者全員の安全を確保するため、完全に信頼できる医療機器を病院スタッフは使っている。

ポイントと正解　「be 動詞＋(副詞)＋形容詞」の形なので、空所には形容詞が入る。(B) と (D) が形容詞だが、(B) reliant は「依存する」、(D) reliable は「信頼できる」という意味だ。この文では「信頼できる医療機器」という意味にしなければならないので、reliable が正解だ。reliant は前置詞 on とともに用いられ、「…について信頼する」の意味になる。正解は (D) reliable。

語句　□ ensure　確実にする　□ patient　患者　□ medical instruments　医療機器　□ entirely　完全に、全く

0296

訳　私のオフィスがあるビルからわずか 10 キロの場所に会議場はある。

ポイントと正解　far from と away from の違いは、前に数がくると away from を、数がなければ far from を使う。この文では前に ten kilometers があるので、away が正解となる。(B) aside from は「…を除いて」の意味なので、誤答である。正解は (C) away。

語句　□ be located　位置している　□ remote　遠く離れた　□ aside　外れて、…は別にして

0297

訳　新しい電化製品への苦情を会社はかなり多く受けた。

ポイントと正解　a number of（多くの）は、a lot of 同様に名詞を修飾する形容詞句だ。強調して「とても多くの」の意味にするには、number の前に good, large, great, significant のような形容詞をつける。正解は (D) good。

語句　□ complaint　苦情　□ appliance　電気機器、電化製品　□ be susceptible to　…の影響を受けやすい　□ quarterly　年 4 回の、4 分の一の　□ various　いろいろな

0298

訳　バスは毎日朝 6 時から夜 11 時まで 5 分おきに運行している。

ポイントと正解　原則的に every の後には複数名詞を置けないが、距離・数量・単位などを表わす語彙は後ろに s がついても単数として扱われる。every five minutes（5 分ごとに）という句を作る (A) が正解だ。正解は (A) every。

語句　□ run　運行する　□ seven days a week　毎日

0299

訳　鉄道網は国中に大小数千の駅をはりめぐらせている。

ポイントと正解　「数千の」という意味を表わすときは、thousand に s をつけて thousands of にする。この thousand は名詞として機能する。(A) thousand が答えになるには、a thousand（千）、two thousand（2 千）のように形容詞 thousand の前に数が必要となる。
正解は (D) thousands of。

語句　□ train system　鉄道網、列車運行システム　□ massive　巨大な、大規模な、大量の
□ operation　運営、稼動

例題 0300

There are -------- complications with your layout, but they can be easily solved.

(A) much
(B) little
(C) a few
(D) less

Ⓐ Ⓑ Ⓒ Ⓓ

例題 0301

Every -------- who was interviewed will receive a written response within a week.

(A) application
(B) applicant
(C) applicants
(D) apply

Ⓐ Ⓑ Ⓒ Ⓓ

例題 0302

Recent market research indicates that -------- companies in the commercial sector expect to lay off employees next quarter.

(A) the most
(B) almost
(C) most
(D) most of

Ⓐ Ⓑ Ⓒ Ⓓ

例題 0303

One characteristic of a good team leader is to maximize productivity in the most -------- manner possible.

(A) effect
(B) effected
(C) effective
(D) effectively

Ⓐ Ⓑ Ⓒ Ⓓ

例題 0304

-------- payment must be made on or before November 9, and can be made in person, or sent by mail to VanNostren Industries.

(A) Partial
(B) Parted
(C) Partly
(D) Parting

Ⓐ Ⓑ Ⓒ Ⓓ

例題 解き方

0300

訳 あなたのレイアウトにはいくつか問題はあるが簡単に修正できる。

ポイントと正解 この文は「問題はあるが簡単に解決できる」の意味で、空所には「問題がある」という肯定の意味を成す言葉が入る。(C) a few が正解。複数名詞 complications を修飾できるのも (C) だけだ。

語句 □ complication 厄介な問題、混乱 □ layout 配置、レイアウト、設計 □ be easily solved 簡単に解決できる

0301

訳 面接を受けた全ての応募者は 1 週間以内に文書で返事がもらえる。

ポイントと正解 前に every があるので、空所には単数名詞が入る。インタビューを受ける対象なので、人名詞 applicant が正解となる。正解は (B) applicant。

語句 □ interview 面接 □ written 書かれた、文書の □ response 返事 □ application 申し込み □ applicant 応募者 □ apply 申し込む

0302

訳 民間企業の大部分は次の四半期で社員を解雇する気配だと、最近の市場調査は示している。

ポイントと正解 that 節の主語は companies in the commercial sector なので、空所には複数名詞 companies を修飾する形容詞が入る。「大部分の」という意味の形容詞 (C) most が正解だ。(D) most of が正解になるには、「most of the companies」の形にしなければならない。

語句 □ recent 最近の □ market research 市場調査 □ indicate 示す、表示する □ commercial 商業の、企業の □ sector 部門 □ lay off …を解雇する □ quarter 四半期

0303

訳 良きチームリーダーの特徴の一つは、可能な限り効率的な方法で生産性を高めることである。

ポイントと正解 最上級の形容詞 the most と名詞 manner との間に置ける品詞は形容詞だ。(C) effective が正解である。

語句 □ characteristic 特徴 □ maximize 最大限にする □ productivity 生産性 □ manner 方法、方式 □ effective 効率的な □ effectively 効率的に

0304

訳 支払いの一部は、11 月 9 日までに直接あるいは送金にて VanNostren industries にしなければならない。

ポイントと正解 主語の payment を修飾するために、空所に形容詞の Partial が入る。正解は (A) Partial。

語句 □partial payment 一部支払い、分割払い □in person 直接 □partial 部分的な、一部の □ partly 一部分は、部分的に

UNIT 10 ● 副詞

出題ポイント 1. 副詞の位置と役割

1. 動詞を修飾

(1)「自動詞＋副詞＋前置詞句」

In general, it's a good idea to **dress conservatively for interviews**.
(一般的には面接では控えめな服を着るのが良い。)

(2)「他動詞＋名詞＋副詞」

Please **complete the application form thoroughly** before submitting it to our company.
(弊社に提出する前に申込書は全部ご記入ください。)

(3)「副詞＋他動詞＋名詞」

Your financial statement **fully meets our standards** of acceptability for a $10,000 line of credit.
(貴社の財政諸表は融資限度額 1 万ドルの許可基準を完全に満たしている。)

2. 「副詞＋形容詞＋名詞」

All of the **extremely popular books** in this library must be returned in three days.
(この図書館で非常に人気のある本は全て、3日以内に返却しなければいけません。)

3. 「be/have＋副詞＋過去分詞」

Safety inspections at our plant **are normally conducted** by outside safety officers.
(工場の安全点検は社外の安全管理者が通常行っている。)

Economists **have thoroughly researched** the effects of inflation.
(経済評論家たちはインフレの影響を徹底的に調査してきた。)

4. 「副詞＋前置詞句」

Our newly-installed equipment has been **temporarily out of control** due to system errors.
(新たに設置した機器がシステムエラーのために一時的に制御不能となっている。)

5. 「副詞＋従属節」

Interview schedules will be set **shortly after we review the applications**.
(応募書類を確認したらすぐに面接日程を組みます。)

6. 「副詞＋主語＋動詞」

Actually, the road still remains blocked because of construction delays.
(実は、工事が遅れているために道路はまだ通行止めのままだ。)

語句 □conservatively 保守的に、控えめに □thoroughly 充分に、徹底的に □statement 申告 □standard 標準、基準 □acceptability 容認性、快諾 □line of credit 融資限度額、信用限度額 □ newly-installed 新たに設置された □out of control 制御不能となる □due to …のために、のせい □shortly すぐに、まもなく □application 申込書 □actually 実際、実は □remain …のままでいる □blocked ふさがった □delay 延期、遅延

出題ポイント 2.「頻度」の副詞 frequently と否定頻度副詞

➡ 頻度副詞とは、出来事がどのくらい頻繁に起きるかを表わす副詞である。特に、否定の意味を持つ頻度の副詞（rarely, seldom, hardly）の使い方に注意しよう。

頻度副詞の種類

●必須暗記事項！

sometimes（時々）**, often**（しばしば）**, almost**（ほとんど）**, always**（いつも）**, usually**（通常）**, frequently**（頻繁に）, **rarely/hardly/seldom/scarcely**（ほとんど…ない、めったにない）**never**（決して…ない）

Mr. Lee meets **frequently** with the accounting team of WideAcc Inc.
（Lee氏はWideAcc Inc社の会計チームと頻繁に会っている。）

She **always** takes notes when good ideas come up all of a sudden.
（良いアイディアが突然思い浮かんだ時は彼女はいつもメモを取っている。）

University students **sometimes** stay up all night to finish their projects or reports.
（大学生が研究課題やレポートを仕上げるのに時々徹夜することがある。）

The women have decided to go to Hong Kong, because they had **always** wanted to go shopping there.
（女性たちが香港へ行くことを決めたのは、ずっとそこで買い物をしたいと思っていたからだ。）

➡ always は過去や完了時制とともに使われると「ずっと」という意味になる。

Since Mr. Doupon was promoted to manager of the overseas sales division, he takes frequent business trips and **hardly ever** stays in the office.
（Doupon氏は海外営業部のマネージャーに昇進して以来頻繁に出張に出かけて、事務所にいることはめったにない。）

➡ hardly, rarely, seldom, scarcely, barely は「ほとんど…ない」という否定の意味を持っているので、not などの否定語とともに使われることはない。ever は強調副詞として not, hardly などの否定語とともによく使われる。

語句 □all of (a) sudden 突然、突如として

出題ポイント 3.「時間」の副詞 already, still, yet の区別

➡ 時間副詞 already, still, yet は TOEIC で最もよく出題される副詞である。

	already	still	yet
意味	すでに、もう	まだ、依然	まだ
時制	主に現在完了・過去完了	主に現在・現在進行	主に現在完了
文	肯定文	肯定文・否定文	否定文

1. already：（肯定文）すでに、もう

By the time the attendees arrived, the meeting had **already** been started.
（出席者が到着したころには、会議は既に始まっていた。）

2. still：（肯定文・否定文）まだ、依然

The expressway **still** remains blocked because of construction delays.
（工事が遅れているために高速道路はまだ通行止めのままだ。）

I **still** don't understand the theory.
（私はまだその理論を理解することができない。）

Although new No-Smoking laws were passed a while ago, city officials are finding that it is **still** difficult to enforce them.
（新しい禁煙法案がちょっと前に成立したけれど、法律を遵守させるのはいまだに困難だと市職員たちは感じている。）

➡ still は、TOEIC でよく although, even, though, despite などとともに使われる。

3. yet：（否定文）まだ

The New Jersey branch has already submitted its revenue total, but we haven't finished calculating ours **yet**.
（New Jersey支店は既に収入総額を提出したが、私たちの分はまだ計算が終わっていない。）

Although she spent several years researching, Ms. Sanders **has yet to finish** her work on customer needs.
（数年間の調査にもかかわらず、Ms. Sandersは顧客のニーズ調査をまだ終えていない。）

➡ have yet to do：まだ…していない（否定文）

＊左記以外に、下記の副詞が TOEIC によく出題される。

現在時制でよく出題される副詞	usually, now, each month, daily, monthly, etc
過去時制でよく出題される副詞	ago, yesterday, last Wednesday, etc
未来時制でよく出題される副詞	soon, tomorrow, by the end of next year, etc

➡ usually, each, month, soon は過去時制とともに使うことができる。

The conference rooms are **usually** available on weekday mornings.
（会議室は、通常、平日の午前中は利用できる。）

Revised sales promotion plans are **now** being distributed to all staff.
（修正した営業促進計画をスタッフ全員に現在配布しているところだ。）

The recruitment process begun two months **ago** is expected to continue for another month.
（2ヶ月前に始めた新規社員募集は、あと1ヶ月は続くはずだ。）

Rogers Corporation's upgraded cellular phones will **soon** be on the market.
（Rogers Corporationのアップグレードした携帯電話は、間もなく販売される。）

語句　□revised　修正（改訂）された　□distribute　配布する

出題ポイント 4.「程度」の副詞 very, much, too の修飾構造

➡ 程度副詞は「とても」「非常に」などの意味を表わす副詞で、形容詞や副詞の程度を表わす。

1. very vs. much：とても、非常に

	very	much
形容詞・副詞	原級を修飾する	比較級・最上級を修飾する
動詞	修飾できない	修飾する
現在分詞	形容詞化した現在分詞を修飾する （主に感情・心情を表わす動詞）	修飾できない
過去分詞	形容詞化した過去分詞を修飾する （主に感情・心情を表わす動詞）	修飾する （ただし形容詞化した過去分詞を除く）

（1）形容詞化した過去分詞を修飾
The analyst was **very** pleased with the survey results.
（アナリストはその調査結果に大変満足している。）

（2）副詞の原級を修飾
All of the employees worked **very** hard to complete the project on time.
（予定通りにプロジェクトを終わらせようと社員全員が必死で働いた。）

（3）比較級を修飾
Although the quality of the product wasn't satisfactory, the price offered was **much** higher than we had expected.
（製品の品質は満足のいくものではなかったが、提示価格は予想をはるかに上回るものだった。）

2. too：「（程度が）ひどく」「過度に」、形容詞や副詞を修飾

Sales figures from the Sales Department were **too** complicated to review.
（営業部が出す売上数字は確認するのに複雑すぎた。）

The travel agency's vacation packages are **far too** expensive for the typical vacationer.
（その旅行代理店のツアーは標準的な旅行者には高すぎる。）
➡ too を強調する副詞には much, far, way, even がある。

➡ too much vs. much too
There is **too much** information in the manual.
[too much]＋不可算名詞：多すぎる
（マニュアルは情報が多すぎる。）

The box is **much too** heavy for me to carry.
[much/far/even] too＋形容詞・副詞：あまりにも…だ
（その箱は私が運ぶにはあまりにも重い。）

出題ポイント5. 強調副詞の種類と用法

1. just：ただ、単に、まさに、今しがた、ちょうど

Our monthly subscription fee is **just** $10.00 a month.
（1ヶ月の購読料金は、わずか10ドルである。）

The Mirage Grills & Food has **just** announced the opening of its new branch in San Francisco.
（Mirage Grills & Foodはサンフランシスコにある新店舗の開店をちょうど発表したところだ。）

The newly designed accounting format is more complex but **just** as accurate.
（新たに作った会計フォーマットはさらに複雑だがそれだけ正確だ。）
➡ just as＋形容詞（＋as）：同じように…だ、それだけ…だ

2. even：さらに、…さえ

According to the recent study, **even** moderate exercise can be beneficial to one's health.
（最近の研究によると、軽い運動であっても健康には効果があるはずだ。）

We worked five hours, but **even so**, we couldn't finish the project.
（5時間働いたのに、それでもプロジェクトを終えることが出来なかった。）
➡ even so：それでも

3. quite：かなり、相当、すっかり（形容詞などの前に置かれ、veryの意味）

The newspaper features **quite an interesting** story on the latest science development.
（最新の科学開発に関する大変興味深い記事をその新聞は掲載している。）

The company's prospects are **quite exciting**, though there are many competitive products on the market.
（市場に多くの競争商品があっても、会社の見通しはかなり期待ができる。）

The new cellular phone was recalled **not quite** 3 months after it was first released.
（その新しい携帯電話は、発売後3ヶ月たたないうちに回収された。）
➡ not quite：まだ…にならない

4. only：…だけ、たった…

Only damaged items in stock will be discounted.
（破損品の在庫だけを割引する予定だ。）

Successful partnerships can **only be established** on the basis of responsibility.
（成功を収める協力関係は責任感を基礎にして築き得る。）

5. enough：十分に

（1）enough ＋名詞：形容詞として名詞を修飾するので、名詞の前に置かれる。

The travellers had **enough time** to take the guided tour to the museum.
（ガイドつき博物館ツアーに参加する充分な時間が旅行者にはあった。）

（2）形容詞＋ enough：副詞として形容詞を修飾するもので、形容詞の後に置かれる。

A week is **long enough** to finish surveying the market trends.
（市場動向の調査を終らせるのは1週間で充分だ。）

6. right：ちょうど、間違いなく（beforeやafterの前で強調の意味を表わす）

Right after the company was implicated in corrupt activities, its stock dropped considerably.
（違法行為に会社が関与した途端、その株価はかなり下落した。）

語句
□complex　複雑　□accurate　正確な　□be implicated in　…に関わる、関与する　□corrupt　不正な、不法な　□considerably　著しく

出題ポイント 6. よく出題される一般の副詞

1. heavily：過度に（程度副詞）／大量に（一般副詞）

The economy is **heavily** dependent on coffee exports.
（景気はコーヒーの輸出に過度に依存している。）

It rained **heavily** last night.（昨夜は大雨だった。）

2. well：はるかに、ずいぶん（時間・距離、前置詞句などを強調）

well below the price（価格をはるかに下回って）
well over two hundred（200をはるかに超える）
well ahead of（…よりかなり早く・先に）
well in advance（かなり前から）

➡ 一般副詞　well：よく、上手に、充分に
　形容詞　well：健康だ

The design and construction of the house has been very **well** planned.
（その家の設計と建築は充分に練られてきた。）

3. thoroughly：徹底的に（=very carefully）/とても、十分に（=very much）

The case will be **thoroughly** studied before any decision is made.
（何らかの結論を出す前に、事件を徹底的に調査する予定だ。）

4. extremely：極度に、ひどく（形容詞や副詞を修飾する程度副詞で、動詞を修飾することはできない）

The number of cars has increased **extremely**. （×）
The number of cars has increased **significantly**. （○）
（車の数は著しく増加している。）

We have been **extremely** successful in marketing these products.
（この商品はかなり売れた。）

混同しやすい副詞

●必須暗記事項！

close	近くに、ぴったりと	closely	詳しく、念入りに
hard	一所懸命に、激しく	hardly	ほとんど…ない
high	高く、高額に	highly	大いに、極めて
late	遅く、遅れて	lately	このごろ、最近
near	近くに、密接に	nearly	ほとんど、ほぼ
direct	直接に、まっすぐに	directly	すぐに、直ちに = immediately
wide	幅広く	widely	広範囲に渡って
pretty	かなり、相当に	prettily	きれいに、上品に
just	まさに、ちょうど	justly	正しく、公平に

PART 5 文法問題 例題 UNIT 10 ● 副詞

例題 0305

Bobby Cannaly meets -------- with the heads of each division.
(A) frequently
(B) frequency

Ⓐ Ⓑ

例題 0306

Our company is -------- involved in a deal that will make it the second largest corporation in the city.
(A) presently
(B) present

Ⓐ Ⓑ

例題 0307

Fortuno Enterprises offers legal transcripts -------- free of charge.
(A) completing
(B) completely

Ⓐ Ⓑ

例題 0308

The waiter -------- came back with our corrected order after discussing it with his manager.
(A) final
(B) finally

Ⓐ Ⓑ

例題 0309

According to this morning's news broadcast, -------- 5,000 commuters will be affected by today's train delays.
(A) approximate
(B) approximately

Ⓐ Ⓑ

例題 0310

The division director has requested that all inquiries received by fax be answered -------- .
(A) promptly
(B) prompt

Ⓐ Ⓑ

例題 解き方

0305

訳 Bobby Cannaly は各部門のトップと頻繁に会っている。

ポイントと正解 熟語 meet with(…に会う) の meet を修飾する副詞としては、frequently がふさわしい。frequency は「頻繁に起こること」という意味の名詞で、動詞 meets とは意味が合わない。正解は (A) frequently。

語句 □ meet with …に会う □ head リーダー、代表 □ frequently 頻繁に □ frequency 頻度、頻発

0306

訳 わが社は現在ある取引に関わっていて、その取引によりこの町で 2 番目に大きな会社となるだろう。

ポイントと正解 空所は be 動詞と過去分詞 involved との間にあるので、副詞 presently が入ることがすぐに分る。正解は (A) presently。

語句 □ be involved in …と関係のある □ deal 取引 □ cooperation 企業、会社

0307

訳 Fortuno Enterprises は法律文書を完全に無料で提供している。

ポイントと正解 completely は「完全に」という意味の副詞だ。free of charge は「無料で」という意味で、副詞や形容詞の働きをする。空所には free of charge を修飾し「完全に無料」という意味にする completely が入る。正解は (B) completely。

語句 □ transcript 文書、写し、書類 □ free of charge 無料で

0308

訳 ウェイターは自分の上司と相談し、私達が注文したとおりの料理をようやく持ってきた。

ポイントと正解 主語と動詞との間には、final のような形容詞は置けない。動詞を前から修飾できる副詞 finally が正解である。 正解は (B) finally。

語句 □ corrected 修正済みの □ order 注文 □ discuss 議論する

0309

訳 今朝の最新ニュースによると、およそ 5000 人の通勤客が今日の電車遅延で影響を受けそうだ。

ポイントと正解 approximate（…を概算する・近くなる）は動詞なので、形容詞の役割をしている 5,000 を修飾する位置には置けない。主に数字を修飾する「おおよそ」という意味の副詞 (B) approximately が正解である。

語句 □according to …によると □broadcast 放送、報道 □commuter 通勤客 □be affected 影響を受けている □ delay 遅延

0310

訳 ファックスで受けた問い合わせ全てにすぐに答えるようにと部長は指示した。

ポイントと正解 prompt は動詞または形容詞として使われるが、いずれも動詞 answer の直後には置かれない。副詞の promptly は動詞を後ろから修飾できる。正解は (A) promptly。

語句 □ division director 部門長、部門担当役員 □ request 依頼する、頼む、要請する □ inquiry 問い合わせ、引き合い □ promptly すばやく

例題 0311

The concert is -------- held during lunch hour every Friday in the staff dining lounge.
(A) usually
(B) ever
Ⓐ Ⓑ

例題 0312

To guarantee graduation from the program, participants should -------- arrive in class on time, with assignments completed.
(A) always
(B) so
Ⓐ Ⓑ

例題 0313

We were sorry to hear that by the time the reporter arrived, the interview had -------- ended.
(A) yet
(B) already
Ⓐ Ⓑ

例題 0314

If you have not -------- registered, there is still time to get your application in.
(A) ever
(B) yet
Ⓐ Ⓑ

例題 0315

More fuel-efficient, environmentally friendly automobiles will -------- be on the market.
(A) recently
(B) soon
Ⓐ Ⓑ

例題 解き方

0311

訳 毎週金曜日、ランチの時間帯に、コンサートを社員ラウンジで定期的に開いている。

ポイントと正解 定期的に起きることを表わすには、普通 usually を用いる。ever は肯定文では「(とぎれずに) ずっと」の意味になる。この文はコンサートが定期的に開かれるという意味なので、(A) usually が正解だ。

語句 □ staff　スタッフ、社員　□ be held　開かれている　□ lounge　ラウンジ、休憩所、待合室

0312

訳 確実にプログラムを修了するには、参加者は常に課題をしっかりやり、時間に遅れないで出席する必要がある。

ポイントと正解 so は「このように」「そうして」「ほんとうに」という意味の副詞なので、この文には合わない。卒業するためにいつも守らなければならないこと（授業に遅刻しないこと）を説明している文なので、always が正解だ。with assignments completed の with は「…した状態で」という意味で、「完成した課題を持って」という意味になる。正解は (A) always。

語句 □ guarantee　保証する、約束する　□ graduation　卒業、修了　□ participant　参加者
□ on time　時間通りに　□ assignment　課題、宿題

0313

訳 記者が到着したときは既にインタビューが終っていたとお聞きし、大変申し訳ないと存じます。

ポイントと正解 「記者が着いたときは、すでにインタビューが終わっていて残念だった」という文だ。すでに終わってしまったというニュアンスが必要なので、「すでに」「もう」という意味の already がふさわしい。yet は「まだ」という意味で、否定文や疑問文によく用いられる。正解は (B) already。

語句 □ sorry to hear that　…を聞いて申し訳ないと思う　□ by the time　…する時までに

0314

訳 もしまだ登録していないのなら、申し込みにはまだ時間がある。

ポイントと正解 have not registered（登録していない）と there is still time（まだ時間がある）との意味関係からして、「まだ」という意味の副詞 yet がふさわしい。正解は (B) yet。

語句 □ register　登録する　□ get something in　提出する、届ける、参加する　□ application　申し込み（書）

0315

訳 もっと燃費が良くて環境に優しい自動車をまもなく売り出す予定だ。

ポイントと正解 「市場に間もなく登場するだろう」という文なので、未来時制 will とともに用いられる soon が正解となる。「最近」という意味の recently は、現在分詞とともによく用いられるもので、未来時制の助動詞 will とは合わない。正解は (B) soon。

語句 □ fuel-efficient　燃費が良い　□ environmentally-friendly　環境に配慮した　□ automobile　自動車　□ recently　最近　□ on the market　売りに出されて

例題 0316

Despite the gradually improving economic outlook, the manufacturing company -------- faces many financial difficulties.

(A) still
(B) evenly

Ⓐ Ⓑ

例題 0317

Investments in the shipbuilding industry are down -------- 10 percent compared to a year ago at this time.

(A) nearly
(B) near

Ⓐ Ⓑ

例題 0318

Quite often, buying an old house can end up being -------- as expensive as a brand new one if one considers all the renovations necessary.

(A) very
(B) just

Ⓐ Ⓑ

例題 0319

Meteorologists watched the approaching storm -------- to try to pinpoint its trajectory.

(A) close
(B) closely

Ⓐ Ⓑ

例題 0320

The entire textile industry has become quite -------- as factories move around the world in search of cheaper labor.

(A) competitive
(B) competition

Ⓐ Ⓑ

例題 解き方

0316

訳 景気の局面は徐々に良くなっているにもかかわらず、そのメーカーは相変わらず資金不足に陥っている。

ポイントと正解 「好転する経済の見通し」と相反する意味になるよう、still を使って「相変わらず多くの財政的困難に直面している」とするのが自然だ。evenly は「公平に」「均等に」という意味である。正解は (A) still。

語句 □ despite …にもかかわらず □ gradually 徐々に □ improving 進歩している □ economic outlook 経済情勢 □ face 直面する □ financial difficulty 資金難、財政難

0317

訳 造船業への投資は 1 年前と比べて今のところほぼ 10%近く落ちている。

ポイントと正解 「10 パーセント下落する」を修飾する副詞は nearly（ほとんど・ほぼ）だ。near は「近くに」という意味で用られる。なお、名詞 investment は後に前置詞 in をとり「…に対する投資」という意味になる。よく出題されるので覚えておこう。正解は (A) nearly。

語句 □ investment 投資 □ shipbuilding 造船 □ compared to …と比べて □ at this time 現時点で

0318

訳 中古住宅の購入では、リフォームが全部必要だと新築物件と結局同じくらいの金額になることがよくある。

ポイントと正解 原級比較 (as...as ～) を強調し「ちょうど～と同じくらい…」の意味にする just が正解だ。慣用句 end up ...ing は「結局…することになる」という意味になることを覚えておこう。正解は (B) just。

語句 □ end up...ing 結局…することになる □ as expensive as …と同じくらい高い □ brand new 真新しい □ renovation 改修、リフォーム

0319

訳 近づいてきている嵐の軌道を正確に示そうと、気象学者たちは綿密に観察した。

ポイントと正解 空所は動詞 watch を修飾する副詞の位置で、「綿密に観察する」という意味にするためには closely が入る。正解は (B) closely。

語句 □ meteorologist 気象学者 □ approaching 近づいている □ closely 綿密に、念入りに □ pinpoint 特定する、正確に示す □ trajectory 軌道、軌跡 □ close 近くに、ぴったりと

0320

訳 より安い労働力を求めて海外へ工場を移転するようになり、繊維業界全体は極めて競争が激しくなってきている。

ポイントと正解 空所に動詞 has become の補語として名詞 competition を入れると、「繊維業界＝競争」ということになり、意味が通らない。形容詞 competitive を選ぶと「繊維業界は競争が激しくなった」という自然な文になる。正解は (A) competitive。

語句 □ entire 全体の、全部の □ textile 織物の □ industry 業界、産業 □ competitive 競争の激しい □ move around 移動する □ in search of …を求めて

例題 0321

-------- Muffer Industries will turn exceptional profits this year and increase the budget for next year.

(A) Presumptive
(B) Presumably
(C) Presumptuous
(D) Presuming

Ⓐ Ⓑ Ⓒ Ⓓ

例題 0322

I regret to inform you that we are not -------- able to provide a date of shipment for your purchase, as your credit card security code has not been verified.

(A) hardly
(B) just
(C) now
(D) repeatedly

Ⓐ Ⓑ Ⓒ Ⓓ

例題 0323

Cheavy Motors has -------- recalled its 2,000 trucks because some were found to have defective parts.

(A) voluntarily
(B) volunteered to
(C) voluntary
(D) volunteering

Ⓐ Ⓑ Ⓒ Ⓓ

例題 0324

The new shop promises a full pick-up and delivery laundry service, and they can -------- handle dry cleaning.

(A) ever
(B) either
(C) even
(D) quite

Ⓐ Ⓑ Ⓒ Ⓓ

例題 0325

WonderSled Co. has long been looking to have its products -------- placed in popular television programs.

(A) strategic
(B) strategy
(C) strategically
(D) strategize

Ⓐ Ⓑ Ⓒ Ⓓ

例題 解き方

0321

訳 推定では、Muffer Industries は今年度大幅な利益に転じ、来年度の予算は増えるだろう。

ポイントと正解 presumptive は「推定に基づく」、presumptuous と presuming は「生意気な」「図々しい」の意味で、Muffer Industries を修飾するのは不自然だ。文頭に置かれて「推測するに」の意味になる副詞 Presumably が正解である。正解は (B) Presumably。

語句 □ exceptional 例外的な、並外れた □ profit 利益 □ increase the budget 予算が増える

0322

訳 あなたのクレジットカードは暗証番号の確認が取れないので、大変申し訳ありませんが現在のところ発送日をお知らせすることができません。

ポイントと正解 「クレジットカードの確認がとれず、まだ配送できない」という内容だ。as 以下の理由説明が現在完了になっており、今現在配送できない状態だということが分るので、now が正解である。正解は (C) now。

語句 □ regret to 残念ながら…する □ inform someone that …を人に知らせる □ provide 与える、供給する □ shipment 発送 □ purchase 購入（する） □ security code セキュリティコード、暗証番号 □ verify 確認する、検証する、照合する

0323

訳 部品に不具合が見つかったので、Cheavy Motors はトラック 2000 台のリコールを自ら行った。

ポイントと正解 volunteered to が空所に入るには、直後に動詞の原形が続かなければならない。voluntary（自発的な・任意の）は形容詞なので動詞を修飾できず、volunteering は has と文法的に合わない。完了時制で have と過去分詞との間に置けるのは副詞なので、「自発的に」という意味の副詞 voluntarily が正解である。正解は (A) voluntarily。

語句 □ volunteered to do 自ら進んで…しようと言う □ recall 不良品を回収する、思い出す □ defective 不良品 □ part 部品、部分

0324

訳 その新しいお店はランドリーサービスの完全集配を約束した上で、さらにドライクリーニングも取り扱える。

ポイントと正解 前の文では a full pick-up と delivery laundry service という店の特長を述べており、後の文はさらに特長を付け加えるものなので、空所には「これのみならず…までも」と強調する副詞 even が入る。正解は (C) even。

語句 □ promise 約束する □ delivery service 配送サービス □ handle 取り扱う、何とかする □ dry cleaning ドライクリーニング

0325

訳 WonderSled 社は人気テレビ番組で戦略的に自社製品の CM を流したいとずっと思っている。

ポイントと正解 この文は「have ＋目的語＋過去分詞」の形で、形容詞の働きをする過去分詞 placed を修飾できるのは副詞の strategically だけである。つまり、目的語と過去分詞との間に副詞が入り、過去分詞を修飾する形になる。正解は (C) strategically。

語句 □ Co. 会社、企業、法人（=company） □ look to do …を目指す、期待する、注意を払う □ place 掲載する、広告を出す、設置する、取り付ける □ popular 人気のある □ strategic 戦略的な □ strategy 戦略 □ strategically 戦略的に □ strategize 作戦を練る

PART 5 文法

例題 0326

-------- have the desires of shift workers been more thoroughly ignored than during the latest labor negotiations.

(A) Nearly
(B) So
(C) Seldom
(D) Ever

Ⓐ Ⓑ Ⓒ Ⓓ

例題 0327

Travis Rental Car has announced a special limited time discount which allows customers to rent a car for 24 hours for -------- 24 dollars.

(A) just
(B) little
(C) mere
(D) low

Ⓐ Ⓑ Ⓒ Ⓓ

例題 0328

The City Transit Co. relies -------- on the business of out-of-town commuters.

(A) heavier
(B) heaviness
(C) heavy
(D) heavily

Ⓐ Ⓑ Ⓒ Ⓓ

例題 0329

Tourist industry entrepreneurs must -------- rely on their acute business sense in order to survive in a competitive environment.

(A) often
(B) shortly
(C) soon
(D) hardly

Ⓐ Ⓑ Ⓒ Ⓓ

例題 0330

Although she is the author of several popular short plays, Margaret Levy has -------- to win the prestigious National Writing Award.

(A) yet
(B) already
(C) ever
(D) even

Ⓐ Ⓑ Ⓒ Ⓓ

例題 解き方

0326

訳 交代勤務社員の要求はこの前の交渉では全く受け入れられなかった。

ポイントと正解 否定語を使って、than 以下の内容を最上級の意味にしている倒置構文だ。「要求が前回の労使交渉以上に無視されたことはない」、つまり「前回の交渉で最も無視された」ということを表わせる副詞は「ほとんど…ない」という意味の seldom しかない。否定副詞が文頭に用いられると「助動詞＋主語＋動詞」の形になるので、完了時制を表わす助動詞 have が主語 the desires の前に置かれている。正解は (C) Seldom。

語句 □ desire 要求 □ shift worker 交代勤務社員 □ thoroughly 完全に、充分に □ ignore 無視する □ negotiation 交渉 □ nearly ほとんど、ほぼ

0327

訳 24 時間たったの 24 ドルで顧客が車をレンタルできるという期間限定割引を Travis Rental Car は発表した。

ポイントと正解 24 時間でたったの 24 ドルだということを強調しているので、「ちょうど」「まさに」「たったの」という意味の just が正解である。正解は (A) just。

語句 □ limited time discount 期間限定の割引 □ allow A to B A に B するのを許す □ mere ほんの、全く…にすぎない

0328

訳 郊外からの通勤者向けビジネスに City Transit 社はかなり依存している。

ポイントと正解 「自動詞＋前置詞」句で、自動詞と前置詞句との間に置かれる品詞は副詞しかない。動詞 rely と前置詞 on との間に入るのは (D) heavily である。

語句 □ transit 通行、運輸 □ rely on 当てにする □ heavily 過度に □ out-of-town 市外の、郊外の □ commuter 通勤者、通学者

0329

訳 競争の激しい環境で生き残るために、旅行業界の起業家は自分達のビジネス感覚を常に鋭くしてそれに頼らなければならない。

ポイントと正解 副詞と文脈との関係が理解できるかどうかを問う問題だ。「生き残るために鋭いビジネス感覚に頼らなければならない」という意味なので、このような感覚が常に重要だということを表わす副詞を選べばよい。最もふさわしいのは「たびたび」「よく」という意味の often である。正解は (A) often。

語句 □ entrepreneur 起業家 □ rely on …に頼る □ acute 鋭い、深刻な □ sense 感覚 □ in order to …するために □ survive 生き残る、存続する □ competitive 競争の激しい、競争力のある □ shortly 間もなく、簡潔に □ hardly ほとんど…ない

0330

訳 いくつかの評判がいい寸劇の著者であるにもかかわらず、Margaret Levy は高名な National Writing 賞をまだ受賞していない。

ポイントと正解 譲歩節が肯定的な内容なら、後の主節は否定的な内容になる。慣用表現の have yet to do は「まだ…していない」という否定的な意味を表わす。 正解は (A) yet。

語句 □ author 著者 □ play 演劇 □ prestigious 名声のある、高名な □ award 賞

例題 0331

The health department will -------- be launching a nationwide inspection on the quality of products which have an important bearing on public health.

(A) soon
(B) frequently
(C) sparingly
(D) sometimes

Ⓐ Ⓑ Ⓒ Ⓓ

例題 0332

Jobs have become considerably more dangerous ever since the new owners took over the plant two years --------.

(A) already
(B) ago
(C) soon
(D) only

Ⓐ Ⓑ Ⓒ Ⓓ

例題 0333

Unfortunately, many teachers of young children -------- have time to modify lesson plans to suit the individual needs of each student.

(A) once
(B) ever
(C) never
(D) still

Ⓐ Ⓑ Ⓒ Ⓓ

例題 0334

Although he was dissatisfied with the delivery service, Mr. Greer was -------- pleased with the quality of the products.

(A) too
(B) very
(C) such
(D) far

Ⓐ Ⓑ Ⓒ Ⓓ

例題 0335

In a tropical rain forest area, the climate -------- ever changes throughout the year.

(A) quite
(B) nearly
(C) just
(D) hardly

Ⓐ Ⓑ Ⓒ Ⓓ

例題 解き方

0331

訳 公衆衛生に重要な影響を与える製品の品質検査を、厚生省が全国規模で間もなく実施する予定だ。

ポイントと正解 未来の助動詞 will とともに使える副詞を選ぶ問題だ。「検査を間もなく実施する予定だ」という内容なので、「すぐに」「間もなく」の意味をもつ soon がふさわしい。正解は (A) soon。

語句 □ department 省、部門 □ launch 発売、開始 □ nationwide 全国的に □ have bearing on …に影響する □ frequently 頻繁に □ sparingly 控えめに

0332

訳 新オーナーが 2 年前に工場を継いでからというもの、仕事は以前よりもかなり危険になった。

ポイントと正解 「…年前」と言う場合には、年数の後に ago を付ける。since 節の時制は過去なので、過去を表わす副詞 ago が正解となる。正解は (B) ago。

語句 □ considerably かなり □ ever since …からというもの、…以来 □ take over …を引き継ぐ

0333

訳 低学年児童のニーズに合った授業計画に変更する時間を全然持てない先生が、不幸なことにたくさんいる。

ポイントと正解 出だしが Unfortunately（不幸にも）なので、後続の文は否定的な内容だと判断できる。否定の副詞 never が正解である。正解は (C) never。

語句 □ unfortunately 不幸なことに □ modify 修正する、変更する □ individual 個人(の)

0334

訳 配送サービスに不満足ではあったが、Mr. Greer はその製品の品質には大変満足していた。

ポイントと正解 very は形容詞・副詞の原級や現在分詞を修飾するが、人の感情や心理状態を表わす過去分詞形の形容詞 pleased, tired, excited, interested なども修飾できる。(A) too は否定的な意味の「…すぎる」という意味なので、適当でない。正解は (B) very。

語句 □ although …だけれども □ be dissatisfied with …に不満足な □ be pleased with …に喜んで

0335

訳 熱帯雨林地域では、年間を通してなかなか気候が変化しない。

ポイントと正解 「なかなか気候の変化がない」という意味の文で、後ろに副詞 ever を伴うのは hardly だ。hardly ever は「なかなか～しない」という意味の慣用句として覚えておこう。hardly 以外の否定副詞として、scarcely, seldom なども用いられる。正解は (D) hardly。

語句 □ a tropical rain forest 熱帯雨林 □ climate 気候 □ throughout …を通じて

例題 0336

"Mama's Story", the new comedy filmed -------- entirely over the span of one week, has been shattering box office records.

(A) more
(B) almost
(C) near
(D) over

Ⓐ Ⓑ Ⓒ Ⓓ

例題 0337

The cancellation was announced at the station -------- before the passengers were about to board the train.

(A) right
(B) ever
(C) over
(D) some

Ⓐ Ⓑ Ⓒ Ⓓ

例題 0338

Hillsboro Grocers sells -------- the highest quality fresh meats and produce available in the marketplace.

(A) wholly
(B) only
(C) justly
(D) exceptionally

Ⓐ Ⓑ Ⓒ Ⓓ

例題 0339

Although legal practice requires one to write proficiently and under strict deadlines, oral communication is -------- an important skill for a lawyer.

(A) else
(B) for
(C) unless
(D) also

Ⓐ Ⓑ Ⓒ Ⓓ

例題 0340

The chief editor and the writer of the article responded quite -------- to the question of how the news story should be framed.

(A) differ
(B) difference
(C) different
(D) differently

Ⓐ Ⓑ Ⓒ Ⓓ

例題 解き方

0336

訳 1週間でほとんど撮影してしまった新しいコメディである "Mama's Story" は、興行成績の記録を塗り替えている。

ポイントと正解 1週間にほとんどすべて撮影したという意味の文になる。副詞 entirely を強調し、「ほとんどすべて」の意味を成す (B)almost が正解だ。 near は nearly にすると正解になる。more と over は、「すべて」「全部」という意味の entirely の前にくるのは不自然だ。Mama's Story と the new comedy は同格で、本来の文は the new comedy that was filmed almost ～だが、that was が省略されて filmed が直接 comedy を修飾する文になっている。

語句 □ film　撮影する、映画　□ entirely　まったく　□ span　期間、範囲　□ shatter　打ち砕く、粉々にする □ box office　興行収入、チケット売り場

0337

訳 列車に乗客たちが乗ろうとしたまさにその直前、運行中止が案内された。

ポイントと正解 「乗客たちが乗る直前に運行中止が案内された」という内容なので、「まさに直前」という意味を成す (A) right がふさわしい。ever before は「その前に」の意味で、(C) over や (D) some は接続詞 before を修飾できない。正解は (A) right。

語句 □cancellation　取消、中止　□passenger　乗客　□be about to　まさに…しようとしている　□ board　搭乗する

0338

訳 市場で入手する品質の素晴らしい新鮮な肉と農産物だけを Hillsboro Grocers 社は販売している。

ポイントと正解 空所には、直後の the highest quality を強調する言葉が入る。最上級の前に置かれその意味を「ただ…だけ」と強調するのは only である。正解は (B) only。

語句 □ produce　農産物、生鮮食品　□ available　入手可能な　□ marketplace　市場　□ wholly　全体として　□ justly　公正に　□ exceptionally　例外的に

0339

訳 法律実務に要求されるのは、効率よく文書を作成することと締め切りの厳守であるけれども、口頭での意思疎通能力もまた弁護士にとって重要なスキルである。

ポイントと正解 熟練した作文能力 to write proficiently と締め切りの厳守 under strict deadlines が求められるが、意思疎通能力 (oral communication) も重要だという内容だ。(D) also が最もふさわしい。(A) else（そうでなければ）(B) for（…のために）(C) unless（…でなければ）は文法的に正しくない。正解は (D) also。

語句 □ legal practice　法務　□ require　要求する　□ proficiently　効率的に　□ strict　厳しい　□ deadline　締め切り期限　□ oral communication　口頭での意思疎通

0340

訳 その記事がどのように構成されるべきなのかという質問に対して、編集長と執筆者は違った反応をした。

ポイントと正解 「自動詞＋前置詞句」の自動詞と前置詞句との間に置ける品詞は副詞だ。repond to（…に反応する）の respond と to の間にも副詞が入る。(D) differently が正解だ。

語句 □ article　記事　□ respond　反応する　□ frame　組み立てる、構成する

UNIT 11 ●前置詞

出題ポイント 1. 前置詞の機能

➡ 以下に述べる前置詞の基本機能のうち、特に前置詞の目的語になる名詞相当語句に関連する問題がよく出されている。節は、決して前置詞の目的語にならないことをしっかり覚えておこう。

1. 文中で副詞句・形容詞句・動詞句を作る

The building **at the corner** is my office building.

形容詞句

（角にある建物が私の会社です。）

2. 場所・理由・時間・方法などの意味を表わす

You can purchase tickets **at the box office**.

場所を表わす前置詞句

（その売店でチケットを買うことが出来ます。）

3. 前置詞は目的語として名詞相当語句をとる

The upcoming trade show will be held **in New York**.

前置詞　名詞

（次の貿易博覧会はニューヨークで開かれる。）

4. 前置詞と目的語との間に形容詞が入り、目的語を修飾することができる

I often go to a cafe and enjoy the rich smell **of good coffee**.

前置詞 形容詞 名詞(目的語)

（私は喫茶店によく行って、おいしいコーヒーの贅沢な香りを楽しんでいる。）

5. 節は前置詞の目的語にならない

○ Despite **its age**, the printer is quite efficient.
× Despite **it is old**, the printer is quite efficient.

（旧式であるにもかかわらず、そのプリンターはとても性能がいい。）

6. 前置詞の省略

「last, next, this, that, some, every＋時間名詞」は一種の副詞であり、前置詞を必要としない。

× in **last** year　　○ last year
× on **next** month　　○ next month
× in **this** year　　○ this year
× in **that** year　　○ that year

➡ 具体的な時点や、すでに認識されている時点について述べる場合、前置詞 at はこの時点を強調する役割を果たすので、普通省略されない。

at this moment　この瞬間に　　at this point　この点で
at this time of (the) year　一年のこの時期に　　at this hour　1日のこの時間帯に

出題ポイント 2. 期間を表わす前置詞

1. for＋時間　vs. during＋期間を表わす名詞

for two days　2日間
for the rest of the week　週の残りの期間
for five years　5年間
during the conference　会議の間ずっと
during the performance　上演している間中ずっと

I will be staying at the hotel **for two weeks**.
（私は2週間そのホテルに滞在します。）

Make sure all cellular phones are turned off **during the performance**.
（上演中全ての携帯電話は必ず電源を切ってください。）

2. in＋期間

（1）…の間、…の期間にわたり
Unemployment has risen by over 5% **in the past two years**.
（失業率はこの2年で5%以上上昇している。）

（2）…後に、…が過ぎて（主に未来時制とともに使われる）
The project will be finished **in a few weeks**.
（プロジェクトは2、3週間で完成するだろう。）

（3）…ぶりに（過去時制とともに使われる）
It was the president's first public appearance **in three months**.
（3ヶ月ぶりに大統領が公に姿を現した。）

3. within＋数詞＋期間（距離・範囲）名詞：…以内に

within three years　3年以内に　　**within** a few days　2、3日以内に
within easy reach of the community center　地域センターにすぐ行ける距離にある

○ **until** the end of the year　年末まで（に）
○ **before** the end of the year　年末前（まで）
× **within** the end of the year

➡ within の後には時点を表わす言葉ではなく、期間を表わす言葉が置かれる。

4. over（…の間、…にわたり）vs. throughout（…の間中、ずっと）

over lunch　ランチの間
over the weekend　週末にわたって

throughout the day　1日中ずっと
throughout the year　1年を通して、1年中
throughout the first quarter　第1四半期を通して

Nano-technology will be in use **over the next few decades**.
（ナノテクノロジーは今後数10年にわたって使用されるだろう。）

There are three exhibitions **throughout this week**.
（今週中3つの展示会がある。）

出題ポイント 3. 時間を表わす前置詞と時点を表わす前置詞

1. 時間を表わす前置詞

時間を表わす前置詞としては at, in, on が代表的である。at は明確な時刻、in は期間、on は at と in の中間的概念で曜日や特定の日を表わす言葉につく。

	意味・用法	Examples
at	時刻、時点	**at 9 o'clock**（9時に）, **at noon/night**（正午に / 夜に） **at the end of the month**（月末に）
in	月、年、季節、期間、朝・昼・晩	**in October**（10月に）, **in 2006**（2006年に） **in his absence**（彼の不在中に）, **in the past three years**（過去3年で） **in the morning/afternoon/evening**（午前中、午後、夕方・夜に）
on	日付、曜日、特定日	**on December 14, 2007**（2007年12月14日に） **on Monday**（月曜日に）, **on my birthday**（私の誕生日に）

➡ 日付を付したり、early, middle, late という修飾語が付く場合でも、morning, afternoon, evening の前では in を使う。

in the early morning of Friday June 3rd
（6月3日金曜日の早朝に）

2. 時点を表わす前置詞

（1）by vs. until

Application forms must be submitted **by** March 5th.
…まで（動作の完了）
（申込用紙は3月5日までに必ず提出してください。）

I am going to work for a manufacturing company **until** 2009
…まで（動作の継続）
（2009年まで製造メーカーで働くつもりだ。）

●必須暗記事項！

byとともによく使われる動詞

submit 提出する　**receive** 受け取る　**notify** 通知する
register 登録する　**finish** 終える　**inform** 知らせる
return 帰る、戻る　**reach** 到達する

untilとともによく使われる動詞

continue 続ける　**wait** 待つ
stay とどまる　**remain** …のままでいる

（2）before[prior to]（…の前に）vs. after[following]（…の後に）

We want to finish all the indoor repairs **before** the holidays.
（私たちは休日前に屋内修理を全て終わらせたいと思っている。）

I will call you back right **after** the meeting this afternoon.
（午後の会議の後すぐに私が折り返し電話します。）

＊ thereafter（その後に）

Jameson became sick in May, 2004, and died shortly **thereafter**.
（Jamesonは2004年5月に病気になり、その後間もなく亡くなった。）

（3）from vs. since ＋時点

from	**from A to[until] B** の形で使われる	…から
since	完了時制で使われる	…以来今まで、…以後ずっと

This promotional campaign will run **from** Monday to Friday.
（今度の宣伝キャンペーンは月曜日から金曜日まで行います。）

I have worked for this company **since** 2000.
（私は2000年からこの会社で働いています。）

出題ポイント 4．方向を表わす前置詞の意味と用法

➡ through や out of は単に方向を表わすのみならず、手段（through）や品切れ・消耗（out of）を表わすこともあることを覚えておこう。

	意味・用法	Examples
from	…から（基点・出所）	**She collects postcards from all over the world.** （彼女は世界中のハガキを収集している。）
to	…の方に（方向・到達点）	**They went to the airport.**（彼らは空港に行った。）
for	…に向かって（目的地）	**I'm leaving for Paris next week.** （私は来週パリに出発するつもりです。）
along through across	…に沿って …を通って …を横切って	**We strolled along the beach.**（私たちは海岸沿いを散歩した。） **The train went through the tunnel.** （電車はトンネルを抜けた。） **The office is just across the street.** （会社は通りのちょうど向かいにある。）
out of	…の外に	**I took the equipment out of the van.** （私は小型トラックから器材を取り出した。）

➡ through は手段を表わす前置詞としてよく出題される。
through the use of the Internet（インターネットの使用を通じて）
through arbitration（仲裁を通じて）

➡ out of は「（残っているものが）ない」という意味でも使われる。
out of stock（在庫切れ）, out of print（絶版の）, out of date（旧式の）

➡ 方向を表わす前置詞とともによく使われる動詞

toを伴う動詞：　**come, send, return, hurry**（急ぐ）, **retire**（退く）
forを伴う動詞：　**start, depart, leave, sail, head**（向かって進む）, **make**（突進する）, **be bound**（…行きである）, **be destined**（…行きである）
fromを伴う動詞：**collect, obtain**（得る）**, receive, purchase**

出題ポイント5. 場所・位置を表わす多様な前置詞の特徴

1. 場所・位置を表わす前置詞 I

	意味・用法	Examples
in	空間概念としての位置	**in the office**（会社で), **in Asia**（アジアで） **in the world**（世界で), **in New York**（ニューヨークで）
at	地点概念としての位置 住所、電話番号、e-mail のアドレス	**at the corner**（角に), **at the mall**（モールで） **at the station**（駅で), **at 782-8938**（782-8398 に） **at 492 Spadina St.**（Spadina 通り 492 番地に） **capital@howri.com**（capital at howri.com）
on	（表面に接触して)…の上に	**on the second floor**（2階に), **on the table**（テーブルの上に） **on the list**（リストに), **the chart on page 125**（125 ページに掲載の表）

➡ in,at はともに場所を表わす前置詞だが、場所の内側、すなわち空間を意味する場合には in を使い、場所そのものを表わす場合は at を使う。

2. 場所・位置を表わす前置詞 II

	意味・用法	Examples
beside/next to	…の横に、脇に	**The picnic area is beside/next to the river.** （ピクニック場は川のそばにある。／川の隣にある。）
between/among	**between**（主に2つのものの）間に **among**（主に3つ以上のものの）間に	**The president sat between the two vice presidents at the ceremony.** （社長は式典で 2 人の副社長の間に座った。） **Morale has dramatically improved among those employees.** （従業員たちの間でやる気がとても高まってきた。）
over/above	**over**（…を越えて）上に **above**（漠然と）上に	**There are large bridges over the Han River.** （Han 川に大きな橋がかかっている。） **They posted emergency instructions above the exits.** （彼らは出口の上方に緊急用の指示を掲示しました。）
beneath/under	**beneath**（表面に接触して）下に **under**（真）下に	**It is buried beneath this stone.** （それはこの石の下に埋められている。） **Put your belongings under the seat in front of you.** （前の席の下に持ち物を置いて下さい。）
around	…の周囲に	**They all sat around the dinner table.** （彼らは皆ディナーテーブルの回りに座った。）

➡ TOEIC では、over は「…通じて」「…を媒体として」の意味でよく出題される。

over the phone（電話で=on the phone), over the Internet（インターネットで）

➡ above / over と below/under は、それぞれ「…以上」「…未満」の意味でも使われる。
children aged 8 and **above**（8歳以上の子ども）
over 5,000 customers（5000人を超える客）
below the average price（標準価格を下回って）
children **under** the age of 12（12歳未満の子ども）

under the new management（新しい経営陣のもと), under construction（建設中）
➡ under は本来「…の下に」という意味だが、「（統制・管理・監督）のもとに」「…が進行中の」の意味でよく出題される。

出題ポイント 6. 前置詞 of の主な用法

1. 所有・所属：…が持つ、…の

the property **of** the residents（居住者の財産）
the industrial areas **of** California（カリフォルニアの工業地域）

2. 主語と動詞の関係：ofは、意味の上で主語と動詞の関係にある2つの名詞をつなぐことができる。

the retirement **of** the manager → the manager retires
（部長の辞任） （部長が辞任する）
job performance **of** Karen → Karen performs
（カレンの業務遂行） （カレンが遂行する）

3. 動詞と目的語の関係：ofは、意味の上で動詞と目的語の関係にある2つの名詞をつなぐことができる

the shipment **of** the product → ship the product
（製品の船積み） （製品を船積みする）
the utilization **of** the Internet → use the Internet
（インターネットの利用） （インターネットを使用する）
tour **of** the facilities → tour the facilities
（施設の見学） （施設を見学する）

4. 構成

（1）…で構成される（数量）
consist of （…から成る), be composed of（…で構成される), be made up of（…からなる), be comprised of（…から成る）

The group consists **of** ten male accountants.
（その団体は10人の男性会計士から成る。）

（2）…で作られる（原料・材料）
Insulated concrete forms are made **of** 85% recycled foam plastics.
（断熱コンクリート材は、85%の再利用発砲プラスティックで作られる。）

5. 同格
the idea **of** living abroad
（海外で生活するという考え）

語句 □insulated 断熱された、絶縁された

出題ポイント 7. その他の重要な前置詞の種類と用法

1. その他の前置詞Ⅰ
（1）for
①…のための、…に対する
charges **for** drinks and snacks（飲み物と軽食の料金）

②用途・対象
articles **for** sale（販売商品）, money **for** supplies（物品費用）
safety precautions **for** visitors（訪問者のための安全対策）

③目的
competition **for** the job（就職競争）

（2）on
①…する状態にある、…している最中の
be **on** duty（勤務中で、当番で）, be **on** the rise（上昇中で）
be **on** the wane[decline]（衰退している）, be **on** schedule（予定通りの）

②根拠、理由
on my accountant's advice（会計士の忠告で）
on the recommendation of the supervisor（上司の推薦で）

③…するやいなや、…と同時に
(up)on request[demand] of（申込み・請求あり次第）
(up)on receipt of（…を受けるやいなや）

Last year's sales figures are available **upon** request.
（昨年の売上数字は要求があり次第入手可能です。）
➡ onとuponのいずれを使ってもかまわないが、uponは格式のある表現で、一般にはonを多用する。

（3）beyond：…を越えた、…以上の
beyond expectation（期待以上に= above the expectation）
beyond control（抑えきれない、手に余る), **beyond** ability（能力を超えている）
beyond repair（修理が不可能な）

That issue is **beyond** my ability to solve.
（その問題は私の能力では解決できない。）

2. その他の前置詞Ⅱ

（1）…について
about/on/over/as to/as for/concerning/regarding/with regard to/with respect to

We are flexible **concerning** changes in schedule.
（私たちは、予定変更に関して融通がきく。）

I don't have a clue **as to** what time the train leaves.
（その列車が何時に出発するのかについて情報がない。）

（2）…以外にも
besides/in addition to/apart[aside] from/except

In addition to a cash bonus, all employees will receive a paid vacation.
（現金でのボーナスに加えて、社員は全員有給休暇がもらえます。）

Apart from being an importer and exporter, we are also one of the biggest distributors of tropical fish in Singapore.
（私たちは輸出入商社である以外には、シンガポール最大の熱帯魚販売代理店でもある。）

（3）…にもかかわらず
in spite of/despite/regardless of/with[for, after] all

In spite of such a heavy workload, she doesn't complain at all.
（そのような多くの仕事量にもかかわらず、彼女は全く不平を言わない。）

（4）…のせいで
because of/due to/owing to/on account of

Due to the bad weather conditions, the party has been temporarily postponed.
（悪天候のために、パーティーは一時的に延期された。）

(5) …がなければ
barring/without/but for

Barring any further delays, we should be able to start tomorrow.
(これ以上の遅れがなければ、私たちは明日始められるはずです。)

3. その他の前置詞Ⅲ

	意味・用法	Example
in	所属、分野従事	**advances in medical technology** (医療技術の発達) **experience in the related field** (関連分野での経験)
as	(資格)…として	**We have hired him as an advisor.** (私たちは顧問として彼を雇った。)
at	程度、比率、価格	**at a reasonable price** (お手頃価格で) **at a speed[a rate] of 50 miles an hour** (時速 50 マイルで)
with **without**	…を持って …なしに	**employees with the utmost skill** (一番の技術をもつ社員) **with the vision[aim] of** (…の展望を描いて、…を目指して) **an account with a balance of $200,000** (口座に 20 万ドルある) **without exceptions** (例外なく、残らず) **without any assistance** (一切の援助なしに) **without a doubt** (疑いなく)
by	…により、 …することにより	**I decided to travel to Miami by bus.** (私はバスでマイアミへ旅行することを決めた。) **We succeeded in saving money by reducing travel costs.** (旅行費を削減することでお金の節約に成功した。)
like **unlike**	…のような …とは異なり	**She looks like an actress.** (彼女は女優のように見える。) **Unlike most commercials, this one is educational.** (大部分のコマーシャルと違って、これはためになる。)
against	…に反対して	**They voted against the plan.** (彼らは計画反対の投票をした。)

PART 5 | 文法問題 例題 UNIT 11 ●前置詞

例題 0341

The trial period for club membership is valid -------- two weeks.
(A) for
(B) in

Ⓐ Ⓑ

例題 0342

The city runs several free clinics for the elderly -------- the year.
(A) on
(B) throughout

Ⓐ Ⓑ

例題 0343

Our new products will be on the market -------- a few weeks.
(A) within
(B) at

Ⓐ Ⓑ

例題 0344

Only staff members who are required to work can park in assigned spaces -------- hours when special events are taking place.
(A) towards
(B) during
(C) by

Ⓐ Ⓑ Ⓒ

例題 0345

A graph located in the appendix depicts the growing intensity of hurricanes -------- the last few decades.
(A) under
(B) over

Ⓐ Ⓑ

例題 解き方

0341
訳 クラブ会員権のお試し期間は 2 週間だ。

ポイントと正解 有効期間について述べているので、「2 週間以内に」または「2 週間後に」の意味で使われる in two weeks より、「2 週間の間」の意味の for two weeks がふさわしい。正解は (A) for。

語句 □ trial period　お試し期間　□ be valid for　…の期間有効な

0342
訳 高齢者向けの無料診療所を、市は年間を通して開設している。

ポイントと正解 「1 年間」「1 年の間ずっと」という意味の throughout the year にすればよい。正解は (B) throughout。

語句 □ run　運営する　□ free　無料の　□ clinic　診療所　□ the elderly　高齢者

0343
訳 新製品をあと数週間で発売する予定だ。

ポイントと正解 at は特定の時点を表わす前置詞で、後の目的語には正確な時点を表わす言葉が使われる。ここでは「何週か」という曖昧な期間を表わす a few weeks があるので、within が適切である。正解は (A) within。

語句 □ product　製品　□ be on the market　売りに出す

0344
訳 特別行事が行われる間、仕事を命じられたスタッフに限り指定されたスペースに駐車できる。

ポイントと正解 「特別行事が行われる間」という意味にすればよいので、during が正解である。by（…まで）の後には、時点を表わす言葉が置かれる。hours（時間帯）は期間を表わす。正解は (B) during。

語句 □ staff　スタッフ、社員　□ be required to　…するよう求められる　□ park　駐車する
□ assigned　割り当てられた　□ take place　起きる

0345
訳 別紙記載のグラフが表しているのは、過去数 10 年の間にハリケーンの強さが増したことだ。

ポイントと正解 over〔in, for, during〕the last〔past〕few decades は慣用句で、「過去数 10 年の間に」の意味で用いられる。under は、時間的概念を表わす言葉とともに用いられることは少ない。正解は (B) over。

語句 □ be located in　…に掲載されている　□ appendix　別表、付録　□ depict　描く、描写する
□ intensity　強度、強さ　□ decade　10 年間、10 年

例題 0346

The power outage after the flood -------- did not affect shipment of any of the goods.

(A) last month

(B) in last month

Ⓐ Ⓑ

例題 0347

Make sure that the staff members complete all projects -------- the end of the fiscal year.

(A) before

(B) throughout

Ⓐ Ⓑ

例題 0348

The award ceremony is supposed to be held shortly -------- 10 A.M. tomorrow.

(A) at

(B) after

Ⓐ Ⓑ

例題 0349

Mrs. Bryant invited her client from London to dinner at her home -------- San Francisco.

(A) in

(B) to

Ⓐ Ⓑ

例題 0350

We will inform you of the exact shipment date -------- tomorrow morning.

(A) by

(B) from

Ⓐ Ⓑ

例題 解き方

0346

訳 先月起きた洪水による停電はどの品物の配送にも影響しなかった。

ポイントと正解 last month は名詞ではなく副詞であり、いかなる前置詞もとらないので、in last month は誤答だ。last week や last year なども、それ自体が副詞なので前置詞を伴わない。このような「指示語（last, next, this）＋時間表現の名詞」の前には前置詞 on, in が置かれないことを覚えておこう。正解は (A) last month。

語句 □ power outage　停電　□ flood　洪水　□ affect　影響する　□ shipment　発送、配送、船積み　□ goods　品物、商品

0347

訳 社員は会計年度末前にプロジェクトを全て終らせるようにしておいてください。

ポイントと正解 空所以降は「会計年度末まで」の意味になるので、before が正解だ。throughout は「…の間ずっと」の意味で、the end of the fiscal year のような時点ではなく、期間を表わす名詞とともに用いられる。正解は (A) before。

語句 □ make sure that　…を確認する　□ complete　完成する、終える　□ fiscal year　会計年度

0348

訳 授賞式は、明日の午前 10 時過ぎにすぐ開催されることになっている。

ポイントと正解 shortly は「すぐに」「間もなく」という意味で、after と熟語を成す。shortly after で「直後に」という意味になるので、このまま覚えておこう。「ちょうど 10 時に」は promptly at 10 A.M と言う。正解は (B) after。

語句 □ award ceremony　授賞式　□ be supposed to　…することになっている　□ hold　開催する、開く

0349

訳 ロンドンからのお客様を Mrs. Bryant はサンフランシスコにある自宅でのディナーに招待した。

ポイントと正解 場所に関する前置詞について問う問題。この文では San Francisco へ向かうのではなく、San Francisco にある家を指しているので、(A) in が正解だ。

語句 □ invite　招待する　□ client　顧客

0350

訳 明日の朝までに確実な発送日をお知らせします。

ポイントと正解 「明日の朝まで〜を知らせる」という意味になるように、空所には前置詞 by が入る。from は「…から」という意味なので適切でない。正解は (A) by。

語句 □ inform A of B　A に B を知らせる　□ exact　正確な、確実な　□ shipment　発送、配送、船積み

例題 0351

Amanda Menkin and her associates are scheduled to visit our factory -------- April 9 to temporarily oversee production.
(A) at
(B) on

Ⓐ Ⓑ

例題 0352

We are sorry, but unfortunately, the design you chose is -------- stock in the color you requested.
(A) upon
(B) out of

Ⓐ Ⓑ

例題 0353

Temporary employees are typically hired -------- a professional staffing agency.
(A) to
(B) through

Ⓐ Ⓑ

例題 0354

A local guide will meet you outside the bus station -------- the corner of Main and Central Street.
(A) in
(B) at

Ⓐ Ⓑ

例題 0355

The post office is located -------- the fifth floor.
(A) in
(B) on

Ⓐ Ⓑ

例題 0356

Bi-weekly departmental brainstorming sessions have served to alleviate the rift -------- labor and management.
(A) between
(B) among

Ⓐ Ⓑ

例題 解き方

・・0351

訳 臨時に生産ラインを見るため、Amanda Menkin の一行は 4 月 9 日に我々の工場に来る予定だ。

ポイントと正解 前置詞の後に 4 月 9 日という日付を表わす言葉があるので、on が正解だ。時間を表わす言葉の前には at が、月を表わす言葉の前には in が使われることを覚えておこう。正解は (B) on。

語句 □ associate　同僚、仲間　□ be scheduled to do　…する予定だ　□ temporarily　臨時に、一時的に　□ oversee　監督する、監視する　□ production　生産

・・0352

訳 大変申し訳ありませんが、お選びになられたデザインでご要望の色のものはあいにく切らしております。

ポイントと正解 out of stock は「在庫切れ」という慣用句で、対語は in stock だ。sorry や unfortunately という表現から、空所には out of が入ると考えられる。正解は (B) out of。

語句 □ stock　在庫　□ request　要求する

・・0353

訳 通常は人材派遣会社を通じて派遣社員は雇用される。

ポイントと正解 「…に雇用される」ではなく「…を通じて雇用される」という意味にすればよいので、「…を通じて」という意味の前置詞 through が正解となる。正解は (B) through。

語句 □ temporary　一時的に、仮に　□ typically　典型的に、通常は　□ hire　雇う　□ staffing agency　人材派遣会社

・・0354

訳 Main 通りと Central 通りの交差点角にあるバス停で、地元ガイドがあなたを出迎えます。

ポイントと正解 道路の角を表わす corner は、at the corner of の形で用いられる。corner が「角」ではなく「隅」という意味で用いられるときは、in the corner の形になる。正解は (B) at。

語句 □ local　地元の、地域の　□ at the corner of　…の角に

・・0355

訳 郵便局は 5 階にある。

ポイントと正解 階を表わす前置詞は on だ。空間的概念として、in は「…の中に」、on は「…の上に」という意味だ。正解は (B) on。

語句 □ be located on　…に位置している、ある

・・0356

訳 隔週ごとの部門別ブレインストーミング会議は、労使間の溝を埋めるのに役立ってきた。

ポイントと正解 後に and があるので、空所には物と物との「間に」という意味の前置詞が入る。among は 3 つ以上の物の間にという意味で、and を伴うことはないので、between だとわかる。between A and B の形で用いられるので正解は (A) between。

語句 □ departmental brainstorming　部門別ブレインストーミング　□ session　会議、会合、会期　□ serve to　…するのに役立つ　□ alleviate　和らげる、緩和する　□ rift　溝、亀裂

例題 0357

Passengers are advised that airport personnel are not responsible for personal items left -------- the waiting room.

(A) in
(B) on

Ⓐ Ⓑ

例題 0358

Signs hanging -------- the monitors give the location of the emergency exits.

(A) above
(B) toward
(C) within

Ⓐ Ⓑ Ⓒ

例題 0359

The expansion -------- the research facilities will help increase the speed at which experiments are conducted.

(A) to
(B) of

Ⓐ Ⓑ

例題 0360

The speed of your refund process was way -------- my expectations.

(A) beyond
(B) on

Ⓐ Ⓑ

例題 0361

The project manager was pleased to announce that the shipment would be -------- schedule.

(A) on
(B) in

Ⓐ Ⓑ

例題 解き方

・・0357

訳 待合室に置き忘れた個人の品物は空港職員は責任を負えませんので、乗客の皆様はご了解ください。

ポイントと正解 場所を表わす前置詞を選ぶ問題だ。「部屋で」「家の中で」のような空間を表わすときは、普通 in が用いられる。この文では、空所の後の前置詞の目的語が the waiting room なので、in がふさわしい。正解は (A) in。

語句 □ personnel　職員、人材　□ be responsible for　…に責任がある　□ personal item　個人の品物

・・0358

訳 非常用出口の場所は、モニター上方に表示が出ています。

ポイントと正解 toward（…に向かって）や within（…の中に）は、the monitors との意味関係が不自然だ。この文は「モニターの上に掛かっている表示」と解釈するのが自然なので、正解は (A) above である。

語句 □ monitor　モニター、ディスプレイ　□ emergency　緊急事態、緊急の場合

・・0359

訳 研究施設を拡張したことにより、実験の実施スピードが改善するだろう。

ポイントと正解 空所の前後の名詞句は、意味的には「研究施設を拡張する」という述語と目的語の関係だ。名詞どうしをこのような関係で結び付け、「…の」という意味にする of を用いればよい。正解は (B) of。

語句 □expansion　拡張　□research facility　研究施設　□help　促進する、役立つ　□experiment　実験　□ conduct　実行する、実施する

・・0360

訳 返金手続きは私の思っていた以上に速かった。

ポイントと正解 「期待以上に」という意味にすればよいので、beyond（…を超えて、…以上に）が正解となる。正解は (A) beyond。

語句 □ refund　返金、払い戻し　□ process　処理　□ expectation　期待　□ way　全部、全く　□ beyond one's expectations　期待以上に

・・0361

訳 出荷はスケジュール通りだとプロジェクトマネージャーは発表した。

ポイントと正解 「スケジュールに合った」「スケジュール通り」は on schedule と言う。慣用句として覚えておこう。正解は (A) on。

語句 □ announce　知らせる、発表する、告げる　□ shipment　船積み、出荷、積荷　□ on schedule　スケジュール通り

例題 0362

The police officer -------- duty at the time filed a report detailing the accident at the intersection.

(A) with
(B) on
(C) for

Ⓐ Ⓑ Ⓒ

例題 0363

Some of the most important advances -------- aeronautics over the past years have inspired the work that we are doing here.

(A) in
(B) on

Ⓐ Ⓑ

例題 0364

If you find any item we stock in another retail store selling -------- a lower price, we will beat that price, and pay for shipping costs.

(A) in
(B) at

Ⓐ Ⓑ

例題 0365

If you have any questions -------- the tax guidelines, please call Mr. Campbell in the accounting department.

(A) regarding
(B) regarded

Ⓐ Ⓑ

例題 0366

The labor union agreed to halt strikes -------- negotiations.

(A) during
(B) to
(C) at
(D) within

Ⓐ Ⓑ Ⓒ Ⓓ

例題 解き方

• • 0362

訳 当時勤務していた警察官が、交差点で起きた交通事故の詳細を報告書にして提出した。

ポイントと正解 「勤務中」という意味の慣用句 on duty を問う問題だ。正解は (B) on。

語句 □ at the time　当時の　□ file a report　報告書を提出する　□ intersection　交差点

• • 0363

訳 過去数年間にわたる航空分野の進歩のおかげで、ここで働いている私達の仕事は活気づいてきた。

ポイントと正解 advance（進歩）の分野を表わす場合、in を用いて advance in（…における進歩）と言う。正解は (A) in。

語句 □ advance　進歩　□ aeronautic　航空の　□ inspire　活気を与える

• • 0364

訳 私達の在庫の品物より、他の店で価格が安いものがありましたら、私達は送料込みでもっと安く売ります。

ポイントと正解 値段・速度・程度・費用を表わすときは、前置詞 at を用いる。この文では at a lower price（より低い値段で）となる。at no cost（無料で）もよく出題される慣用句だ。正解は (B) at。

語句 □ item　品物　□ stock　在庫品　□ retail store　小売店　□ beat the price　値切る
□ shipping cost　送料

• • 0365

訳 税務規定に質問がある場合は、会計部門の Mr.Campbell にお電話ください。

ポイントと正解 後にある名詞 the guidelines を見ただけで、これを修飾する過去分詞 regarded をうっかり選んでしまわないように注意しよう。この問題では「…に関して質問がある」という意味なので、前置詞 regarding（…に関して）が正解だ。正解は (A) regarding。

語句 □ question regarding[concerning]　…に関する質問　□ tax guideline　税の指針、ガイドライン
□ accounting department　会計部門

• • 0366

訳 交渉の間はストを中断することに労働組合は同意した。

ポイントと正解 「交渉の間はストを中断する」という文になるので、「…の間」という意味の前置詞 during が正解となる。ちなみに、halt は「中止する」「止める」という意味で、come to a halt, make a halt, grind to a halt のような形で使われる。正解は (A) during。

語句 □ labor union　労働組合　□ agree to do　…するのを同意する　□ halt　止める
□ negotiation　交渉

例題 0367

The company expects to close the deal with the advertising firm -------- the end of the month.

(A) on
(B) within
(C) during
(D) by

Ⓐ Ⓑ Ⓒ Ⓓ

例題 0368

Employees have -------- the end of the month to submit their forms for travel expenses.

(A) ahead
(B) until
(C) during
(D) before

Ⓐ Ⓑ Ⓒ Ⓓ

例題 0369

Using your own web site to conduct business allows you to run specials as often as you want -------- having to incur extra costs.

(A) yet
(B) beyond
(C) nor
(D) without

Ⓐ Ⓑ Ⓒ Ⓓ

例題 0370

The Cornerstone Complex consists -------- 46 floors, 6 elevators, and 2 magnificent observation decks for visitors.

(A) by
(B) of
(C) at
(D) on

Ⓐ Ⓑ Ⓒ Ⓓ

例題 0371

If payment is not received -------- 7 days of ordering, the item will be returned to stock.

(A) within
(B) toward
(C) beyond
(D) among

Ⓐ Ⓑ Ⓒ Ⓓ

例題 解き方

• • **0367**

訳 会社は月末までに広告会社と契約を締結するつもりだ。

ポイントと正解 「月末までに契約を締結する」という意味を成す前置詞が空所に入る。(D) by は「(特定期間）まで」という意味なので、by the end of the month で「月末までに」となる。正解は (D) by。

語句 □ close the deal　契約をまとめる　□ advertising firm　広告会社

• • **0368**

訳 社員は月末までに旅費交通費の書類を提出しなければならない。

ポイントと正解 「have until ＋時間＋ to do」は「…までに～しなければならない」という慣用句だ。「have before ＋時間＋ to do」という表現はない。正解は (B) until。

語句 □ submit　提出する　□ form　書式　□ travel expense　旅費

• • **0369**

訳 ビジネスを遂行するのに自分のウェブサイトを利用すると、追加費用無しで、したいと思ったものは大抵できる。

ポイントと正解 動名詞 having を目的語にとるのは前置詞 (B) beyond と (D) without だが、ここでは「追加費用なしに」という意味にするのが適切なので、(D) without が正解となる。

語句 □ own　自分自身の、自分の　□ conduct　実施する、管理する　□ allow A to do　A が…するのを許す　□ as often as　…するたびごとに　□ incur　（費用を）負担する　□ extra cost　追加費用

• • **0370**

訳 Cornerstone Complex は、46 階で 6 つのエレベーターと 2 つの立派な展望台からなっている。

ポイントと正解 動詞とともに用いられる前置詞を選ぶ問題。consist は「…から構成される」という意味で、前置詞 of をとる。A consist of B で「A は B から構成される」という意味になる。正解は (B) of。

語句 □ complex　総合ビル、複合体　□ consist of　…から構成される、…からなる　□ magnificent　立派な、堂々たる　□ observation deck　展望台

• • **0371**

訳 7 日以内に注文のお支払いがない場合、品物は在庫に戻します。

ポイントと正解 空所の直後に 7days という期間を表わす言葉があるので、期間・距離・範囲を目的語とし「…以内に」という意味にする前置詞 (A) within が正解である。

語句 □ payment　支払い　□ ordering　注文すること　□ be returned to　…に戻される　□ stock　在庫、貯蔵、ストック

例題 0372

-------- conference sessions and workshops, attendees will have the opportunity to personally meet with program managers.

(A) Barring
(B) In addition to
(C) Because
(D) Owing

Ⓐ Ⓑ Ⓒ Ⓓ

例題 0373

The instructors -------- our club have nationally recognized accredited certifications and years of experience with the equipment.

(A) in
(B) to
(C) on
(D) toward

Ⓐ Ⓑ Ⓒ Ⓓ

例題 0374

The campaign manager can see you anytime -------- one o'clock onwards, but only on Tuesday.

(A) between
(B) at
(C) during
(D) from

Ⓐ Ⓑ Ⓒ Ⓓ

例題 0375

Mr. Stuart will join our firm as an associate -------- May 1, so please join me in welcoming him to our company.

(A) in
(B) at
(C) on
(D) for

Ⓐ Ⓑ Ⓒ Ⓓ

例題 0376

After 40 years of service, Mr. Harrington is retiring -------- senior editor of the local newspaper.

(A) for
(B) to
(C) as
(D) in

Ⓐ Ⓑ Ⓒ Ⓓ

例題 解き方

• • • 0372

訳 会議とワークショップだけではなく、参加者は直接プログラムマネージャーと会う機会があるでしょう。

ポイントと正解 主語 attendees があるので、「conference sessions and workshops」の空所には前置詞が入って副詞句になる。「会議とワークショップのみならず、～する機会を持つ」という意味にする必要があるので、(B)In addition to（…に加えて）が正解だ。(A) Barring は「…を除き」「…でなければ（仮定）」という意味の前置詞で、(D) owing は owing to「…のおかげで」「…のために」の形で用いられる。

語句 □ session　会議、会合　□ attendee　出席者　□ have the opportunity to　…する機会がある　□ personally　個人的に、直接

• • 0373

訳 私たちのクラブの指導者は国が認める公的資格を持ち、機材を長年使用したという経験を持っている。

ポイントと正解 the instructors ～ club が「私たちのクラブの指導者」という主語にふさわしい意味になるためには、所属・職業・活動範囲を表わす in が空所に入る。正解は (A) in。

語句 □ instructor　講師、指導者、教師　□ nationally　全国的に　□ recognize　認識する、評価する　□ accredited　公認の、公式認可を得た　□ certification　証明(書)　□ experience with　…の経験　□ equipment　装置、道具、機器、機材

• • 0374

訳 販売促進部長は火曜日の 1 時以降なら、いつでもあなたに会うことができます。

ポイントと正解 正確な時間表現 one o'clock があるので、まず (B) at が正解と思うかもしれない。しかし、後に副詞 onwards（…から先）があり、特定の時点ではなくある時点から先の時間を表わしていることがわかるので、ここでは from を用いて from one o'clock onwards とすると「1 時以降」という意味になる。正解は (D) from。

語句 □ campaign manager　販売促進部長、宣伝部長　□ onwards　…から先

• • 0375

訳 Mr. Stuart は 5 月 1 日に入社するので、一緒に彼を温かく迎えましょう。

ポイントと正解 前置詞の目的語に曜日がくる場合は on を、月がくる場合は in を、時間がくる場合は at を用いる。この文のように、月とともに日付を表わすときには on を用いるので、(C) on が正解だ。

語句 □ associate　仲間、同僚　□ join me in ...ing　…を一緒にする　□ welcome　歓迎する、温かく迎える

• • 0376

訳 40 年間勤めあげたら、Mr. Harrington は地元新聞の編集長職から退く。

ポイントと正解 空所の後に職位 senior editor が置かれ、述語は is retiring なので、「編集長としての職から退く」の意味になることがわかる。資格を表わす前置詞 (C) as が正解である。

語句 □ retire　退く、退職する　□ senior editor　編集長　□ local　地元の、地域の

PART 5 文法

例題 0377

The express train to Manchester leaves at 12:05, and a complimentary lunch will be served shortly -------.

(A) later
(B) thereafter
(C) soon
(D) promptly

Ⓐ Ⓑ Ⓒ Ⓓ

例題 0378

When leaving the airport, you should follow the signs -------- the Mystic Bridge to get to the hotel.

(A) within
(B) since
(C) during
(D) to

Ⓐ Ⓑ Ⓒ Ⓓ

例題 0379

Rod Higgins is going to be out -------- the office for a few days because of his upcoming dental surgery.

(A) of
(B) for
(C) like
(D) during

Ⓐ Ⓑ Ⓒ Ⓓ

例題 0380

-------- the current guidelines, vacation time must be scheduled with an immediate supervisor and notice must be given at least a month in advance.

(A) Aside
(B) Behind
(C) Against
(D) Under

Ⓐ Ⓑ Ⓒ Ⓓ

例題 0381

-------- large businesses, which pay huge sums of money to advertising agencies, small companies don't have the tremendous overhead that their bigger competitors have.

(A) Unlike
(B) Besides
(C) However
(D) Because

Ⓐ Ⓑ Ⓒ Ⓓ

例題 解き方

0377

訳 マンチェスター行きの快速列車は12時5分に出発し、そのすぐ後に昼食が無料で配られる。

ポイントと正解 副詞 shortly（すぐ、間もなく）が空所の前にあるので、shortly は「すぐ後に」「直後に」という意味になることがわかるが、later（後で）は shortly とともには用いられず、shortly soon も意味が重複する。thereafter（その後、それ以降）が入り、shortly thereafter になると「すぐその後に」の意味になる。正解は (B) thereafter。

語句 □ complimentary 無料の、招待の、サービスの □ shortly すぐ、間もなく

0378

訳 空港を出たら、ホテルへ行くには Mystic 橋への標識に従って進めばよい。

ポイントと正解 「ミスティック橋への標識」という意味にするのが適当である。ここでは sign が指し示す方向 (the Mystic Bridge) を表わす前置詞が使われるので、to が正解である。正解は (D) to。

語句 □ leave 出る、出発する □ follow 従う、ついて行く □ get to …に到着する

0379

訳 Rod Higgins は近々歯の手術のため、2，3日事務所を留守にする予定だ。

ポイントと正解 be out of the office は「事務室を空ける」という意味の慣用句だ。暗記して、実際のテストではすぐに答えが選べるようにしておこう。正解は (A) of。

語句 □ for a few days 数日間 □ because of …のために、…のせいで □ upcoming 来るべき □ dental surgery 歯の手術

0380

訳 現行制度では、休暇を取るには直属の上司と相談の上、遅くとも1ヶ月前には知らせなければならない。

ポイントと正解 主節の notice must be given at least a month in advance（1ヶ月前には知らせなければならない）という内容とつなげるためには、空所と直後の名詞 the current guidelines で「現行指針に基づいて」という意味にする必要があるので、正解は (D) Under である。under は「（支配・統制・管理・法規など）の元で」「（ある状況）の影響下で」という意味を表わす。

語句 □ current 現在の □ immediate supervisor 直属の上司 □ notice 通知する、知らせる □ at least 少なくとも □ in advance 前もって

0381

訳 広告代理店向けに多くの費用をかけられる大企業とは違い、中小企業はライバルの大企業が使っているほどの経費は持ち合わせていない。

ポイントと正解 空所の直後に名詞 large businesses があるので、節の頭に置かれる複合関係副詞 However や接続詞 Because は誤答だ。この文は large businesses と small companies とを比較対照しているので、「…以外に」という意味の Besides よりも Unlike（…とは違って）が適切である。正解は (A) Unlike。

語句 □ huge sum of 莫大な、巨大な □ tremendous 多大な、著しい □ overhead 運営費、諸経費 □ competitor 競争相手、ライバル

例題 0382

Skis can be rented for the day for trips down the expert trails or the gentler slopes -------- the lake.

(A) among
(B) along
(C) into
(D) under

Ⓐ Ⓑ Ⓒ Ⓓ

例題 0383

The latest engine prototype is far -------- existing production capabilities.

(A) beyond
(B) between
(C) toward
(D) against

Ⓐ Ⓑ Ⓒ Ⓓ

例題 0384

This area -------- the community, known as the Art District, is the home of same artist studios and exhibition spaces.

(A) on
(B) between
(C) among
(D) of

Ⓐ Ⓑ Ⓒ Ⓓ

例題 0385

Everyone is excited about what the future holds -------- this innovative design company.

(A) out
(B) off
(C) on
(D) for

Ⓐ Ⓑ Ⓒ Ⓓ

例題 解き方

0382

訳 湖に沿った山道となだらかな斜面をたどる旅では、その日スキーを借りることができる。

ポイントと正解 the lake は「山道となだらかな斜面」を修飾するので、空所に along を入れて「湖に沿った」という意味にするのが適切である。ちなみに along the shore（海岸沿いに）もよく出題される。正解は (B) along。

語句 □ rent　借りる　□ expert　専門家、ベテラン　□ trail　小道、跡　□ gentler　なだらかな　□ slope　斜面

0383

訳 最新エンジンの試作品は、現在の生産能力をはるかに超えている。

ポイントと正解 「現在の生産能力を超えた」という意味を成す言葉が空所に入るので、能力・予想・限界などを超えることを表わす beyond が正解だ。far は程度を強調する副詞で、形容詞・副詞・前置詞句を修飾して「ずっと」「はるかに」という意味を表わす。正解は (A) beyond。

語句 □ the latest　最新の　□ prototype　試作品　□ existing　現存する、現在の　□ capability　能力、才能

0384

訳 芸術地区として知られているこの地域は、同じような芸術家のアトリエや展示スペースの本拠地だ。

ポイントと正解 「地域社会の一部であるこの区域」のように、大きなものの部分を表わすには A of B の形が使われる。ここでも of を使い this area of the community となる。正解は (D) of。

語句 □ community　地域　□ known as　…として知られている　□ district　地区　□ exhibition　展示

0385

訳 この斬新なデザイン会社の将来性については、皆ワクワクしている。

ポイントと正解 「この会社について」という意味なので、対象を表わす前置詞 for がふさわしい。what the future holds for は直訳すると「～について未来が何を握っているのか」という意味だ。正解は (D) for。

語句 □ be excited about　…に心躍る、ワクワクする　□ innovative　斬新な、革新的な、進取の気性に富む

UNIT 12 ● 接続詞

出題ポイント 1. 副詞節に用いられる接続詞

➡ 副詞節は、文中で時間や条件、譲歩、理由などを表わす副詞の役割を果たす修飾句である。それぞれの副詞節をつくる接続詞をしっかり覚えよう。

①副詞節が存在するためには、必ず主節が存在する
②文の前半部・後半部のいずれにも位置することができる。
③主語・動詞を伴う完全な文を従える。
④同一の主語を省略し、動詞を分詞の形で使うことができる。(UNIT 05 分詞参照)

1. 時間の副詞節を導く接続詞

種類	意味
when (at the time that)	とき(…と同じ時)
before	…の前
as soon as	…するや否や
whenever	(…するときは)どんなときでも
until	…まで
while	…の間
after	…の後
since	…以来
once	かつて、いったん
as	…する時、…しながら、…する間

I took some messages **while** you were out of the office.
(あなたがオフィスにいない間、私は電話の伝言をいくつか取った。)

We have to review the proposal **before** we submit it to the board.
(取締役会に提出する前に提案を再確認する必要があります。)

The details regarding the banquet will be posted on the bulletin board **as soon as** the information **becomes** available.
(宴会に関する詳細は、情報を入手次第掲示板に載せる予定だ。)
➡ 時間を表わす副詞節では現在時制で未来を表わす。

He called me **when** (he was) passing my office building.
（彼は私のオフィスのそばを通った時、私に電話をしてきた。）
➡ 主節の主語（代名詞）と従属節の主語が同じで動詞が進行形の場合には、〔主語＋be動詞〕が省略されて分詞構文の形になることが多い。

2. 原因・理由の節を導く接続詞

種類	意味
because, as, since	なぜなら、…だから
seeing (that)	…であるから、…である点から見ると
now that	…からには、…である以上は
on the ground that	…の理由で、…を口実に

Passengers must board before 4:40 **because** the cruise ship will leave at 5:00.
（遊覧船は5時に出るので、乗客は4時40分までに搭乗しなければならない。）

You should enclose a check with your order **as** we don't accept payment upon delivery.
（代金引換はできないので、注文書に小切手を同封してください。）

Now that we are doing business over the Internet, our computers need to be updated.
（インターネットを使ってビジネスをしている以上は、コンピュータを最新のものにしておく必要がある。）

3. 条件節を導く接続詞

種類	意味
if	もし、…であるなら
in case (that)	…の場合
provided (that)	…という条件で、もし…とすれば
unless (= if not)	もし…でなければ、…でない限り
on condition that	…という条件のもとに、仮に…とすれば
as long as (=only if)	…する限りは、…しさえすれば

People can not enter the facility **unless** they present their identification card at the gate.
（身分証明書を入口で提示しない限り、施設に入ることは出来ない。）

In case anyone has a question regarding the new equipment, Mr. Hanson from technical support will be available to assist you.
（新しい設備に関して何か質問がある場合は、技術サポートのHanson氏が対応します。）

4. 目的・結果節を導く接続詞

●必須暗記事項！

目的の接続詞（主語が…するために）
so that (in order that) ＋主語＋**may (can)**
in order that＋主語＋**may (can)**（＝**in order to**不定詞, **so as to**不定詞）

Factory workers decided to work overtime **so that** they can meet the deadline.
(= **in order that**)
= Factory workers decided to work overtime in order to meet the deadline.
（工場勤務の社員たちは、納期に間に合うように残業することを決めた。）

●必須暗記事項！

結果の接続詞（非常に…なので～だ）
so＋形容詞/副詞＋**that**
such＋（**a/an**）＋形容詞＋名詞＋**that**
such＋（形容詞）＋複数名詞/不可算名詞＋**that**

The price of gas is **so high that** many people use their car less now than at this time last year.
（ガソリン代があまりにも高いので、昨年同時期よりも車を使わない人が多い。）

The annual award ceremony is **such a popular event that** a larger place is needed.
（年次授賞式は非常に人気のある行事なので、もっと広い場所が必要だ。）

5. 譲歩節を従える接続詞

種類	意味
although, though	…だけれども、…であるにもかかわらず
even if, even though	たとえ…でも（だとしても）、…であるのに（ではあるが）
however	どんなに…でも、いかに…であろうとも
while	…なのに
whether A or B	A であるにせよ B であるにせよ

＊ whether A or B が譲歩節として使われる場合には、or を省くことはできない。

Although we sent the documents by express mail, they haven't arrived yet.
（速達で書類を送ったにもかかわらず、まだ届いていない。）

Even if the sales figures for the next five months are strong, we still expect to see a decline in profit.
（たとえ今後5ヶ月の売上が好調だとしても、なお収益悪化を予測している。）

I'd like to know **whether** it would be possible to meet with one of your consultants when I visit.
（訪問したらコンサルタントの一人と会えるかどうか知りたい。）

➡ 同じ意味の前置詞と接続詞の比較

意味	接続詞	前置詞
もし…でなければ、…がなければ	**unless**	**barring**
…のせいで、…なので	**because, as, since**	**because of, due to, owing to, on account of**
たとえ…でも、…ではあるが	**although, even though**	**despite, in spite of**
…の場合には	**in the event that**	**in the event of**
…の場合に備えて	**in case (that)**	**in case of**
…を除けば	**except that**	**except (for)**
…する間に	**while**	**during**
…した後に	**after**	**after, following**
…する前に	**before**	**before, prior to**

➡ 接続詞の後には節（主語＋動詞）が置かれ、前置詞の後には名詞（句）が置かれる。

× The flight for Chicago has been delayed an hour **because bad weather**.
接続詞の後には節（主語＋動詞）が置かれる

○ The flight for Chicago has been delayed an hour **because the weather is bad**.
接続詞＋節

○ The flight for Chicago has been delayed an hour **because of bad weather**.
前置詞＋名詞句
（シカゴ行きのフライトは悪天候のために1時間遅れています。）

語句
□enclose　同封する、封入する　□upon (on) delivery　配達時に　□sales figures　売上数、販売実績数　□decline　衰え、下り、傾斜　□consultant　顧問、コンサルタント　□flight　飛行便　□delay　遅れて、遅延して

出題ポイント 2. 名詞節を導く接続詞の種類

➡ 名詞節は、文中で主語・目的語・補語の役割をする。that, if, whether、疑問詞などが導く文の構造をしっかり把握しよう。

1. that節

That it took only two hours to finish typing the documents **is** unbelievable.
動詞 is の主語の役割
（書類をタイプするのにたった2時間しかかからなかったことは信じられない。）

The supplier **expects that** all accounts be paid in full before the end of the month.
動詞 expects の目的語の役割
（その業者は、すべての請求が月末前に全額支払われることを期待している。）

➡ that 節を補語とする形容詞
（1）人を主語とする形容詞

aware（気づいて）, **sure**（確かな）, **glad**（うれしい）, **assured**（確信した）, **confident**（確信している）, **afraid**（恐れる）, **happy**（うれしい）, **convinced**（確信をもった）, **optimistic**（楽天的な）, **pleased**（満足な）, **concerned**（心配している）, **sorry**（すまないと思う）

We are **confident that** there will be enough new work opportunities by next quarter.
（来四半期には就職口が充分にあると確信している。）

You have to be **assured that** customers' account numbers are kept completely confidential.
（お客様の口座番号は完全に機密となっているので安心してください。）

（2）仮主語 It を主語とする形容詞

certain（確かな）, **uncertain**（不確かな）, **likely**（ありそうな）, **unlikely**（ありそうもない）, **sure**（確実な）, **easy**（容易な）, **hard**（困難な）, **tough**（厳しい）, **difficult**（難しい）, **impossible**（不可能な）, **dangerous**（危険な）, **unpleasant**（不愉快な）, **worth**（価値のある）, **strange**（奇妙な）, **regrettable**（悔やまれる）, **surprising**（驚くべき）, **evident**（明白な）

It is **likely that** our company and other competitors will be conflicted over the issue.
（我が社と他の競合社との間にはその問題に関して意見衝突があるようだ。）

(3) that 節との同格を表わす名詞

fact（事実), **truth**（真実), **rumor**（うわさ), **statement**（発言), **report**（報告), **opinion**（意見), **news**（ニュース）

We have to face **the fact that** the business is losing money.
（事業が損失を出しているという事実を直視しなければならない。）

2. 「if/whether＋主語＋動詞」：…かどうか

I'll check [**if / whether** they have extra tickets for the show].
動詞checkの目的語の役割
（彼らに余分の公演チケットがあるかどうか確認してみます。）

The real issue is [**if / whether** we pass the next year's budget plan.]
動詞isの補語の役割
（現実の問題は来年度予算案を認めるかどうかです。）

➡ whether ＋ to 不定詞 /whether or not ＋節
We haven't decided **whether to** accept the proposal.
（提案を受諾するかどうか決められなかった。）

Please check to see **whether or not** he will attend the seminar.
（彼がセミナーに必ず参加するか確認してください。）

➡ if 節を目的語とする動詞

ask someone if（…かどうか人に尋ねる）
see if（…かどうか見る）
doubt if（…かどうか疑わしい）
be not sure if（…かどうか確信がない）
wonder if（…かしらと思う）
know if（…かどうか知る）
tell someone if（ …かどうか人に言う）
decide if（…かどうかを決める）

3. 疑問詞（what, which, who, when, where, how)＋主語＋動詞／疑問詞＋ to do

The immediate concern is **where people will park during construction**.
動詞isの補語の役割
（当面の懸念は工事中どこに駐車してもらうかだ。）

All department managers have been given specific instructions **on what to do in case of an emergency**.
前置詞onの目的語の役割
（緊急時に備えて何をするかについて、全ての部門長は明確な指示を受けた。）
➡ 前置詞 on の目的語になる what to do は、what（they should）do のいわば縮約形で、the thing which they should do と同じ意味と考えられる。

➡ 関係代名詞 what ＋不完全節

Team managers should know **what the executive staff are trying to accomplish** with
動詞knowの目的語の役割：accomplishの目的語がない不完全節
their new plan.
（役員が新しい計画で成し遂げようとしているのは何かを、チームマネージャーは知っておくべきだ。）

4. 複合関係代名詞＋主語＋動詞

We are allowed to do **whatever we like**, as long as we follow the safety regulations.
（安全基準を守っている限り、やりたいことを何でもしてよい。）

語句 □immediate　早速の、現在の　□concern　関心事、懸念　□department manager　部長　□specific　明確な　□in case of an emergency　非常事態に備えて　□the executive staff　役員　□accomplish　成し遂げる、完成する　□the safety regulations　安全規則

出題ポイント 3. 接続副詞の文構造とパターン

➡ 接続副詞は副詞ではあるが、2つの文をつなぐときに使う。前の文の最後に「；」を打つこともある。

1. 接続副詞の種類

however（しかしながら）	**nevertheless**（それにもかかわらず）	**therefore**（その結果、従って）
then（その時、その頃）	**otherwise**（さもなければ）	**moreover**（なお、さらに）
thus（このように）	**in fact**（実際）	**later**（後で）
afterwards（あとで、その後）	**furthermore**（さらに）	**likewise**（同様に）

2. 接続副詞の用法

節； **nevertheless,** 節	節**. Nevertheless,** 節
節； **however,** 節	節**. However,** 節
節； **otherwise,** 節	節**. Otherwise,** 節

（1） **however**

The company cut the budget for next year's plans; **however**, it will still spend the same on marketing.
= The company cut the budget for next year's plans. However, it will still spend the same on marketing.
（会社は来年の予算を削減したが、マーケティングに関してはこれまでと同様だろう。）

（2） **otherwise**

I hope the weather improves. **Otherwise**, we will have to cancel the picnic.

〔**接続副詞：そうでなければ**〕

（天気が良くなればいいと思っています。そうでなければ、ピクニックを中止しなければなりません。）

We are supposed to wait here unless we are told **otherwise**.

〔**副詞：それとは異なり**〕

（何も言われない限り、ここで待つことになっている。）

➡ otherwise は前で述べた内容を受けて「それとは異なり」という意味で使われる副詞である。ここでの otherwise は「not to wait here（ここで待たないこと）」という意味になる。

➡ 複合関係副詞 however（どんなに…しようとも）
複合関係副詞 however は「いかに…であっても」という意味で、「However ＋形容詞 / 副詞＋（名詞）＋主語＋動詞 , 主節（主語＋動詞）」の形で使われる。

However high the cost may be, it will eventually be profitable to expand the production facilities.
（いかにコストがかかっても、生産設備を拡張することが結局は利益になるだろう。）

➡ **semicolon**（；）

・等位接続詞の役割をする。

The PlayHouse was closed down ten years ago; the building has remained vacant ever since.
= The PlayHouse was closed down ten years ago, **and** the building has remained vacant ever since.
（プレイハウスは10年前に閉館され、建物はそれ以来空家のままである。）

・直後に接続副詞を置くこともできる。

Today's Special at Jim's is affordable**; in addition,** it comes with a salad.
（Jim'sの今日の特別メニューは、お手頃価格に加えてサラダがつきます。）

語句
□profitable 有利な、もうかる

出題ポイント 4. 相関接続詞とその構文

➡ 相関接続詞の問題は毎回のテストに必ず出題される。しっかり覚えてテストに望み、テスト会場では要領よくすばやく解けるようにしよう。

種類	意味	数の一致
both A and B	A も B も	複数扱い
neither A nor B	A でもなく B でもない（両否定）	動詞に近い主語と一致（大部分の場合 B と一致）
either A or B	A でなければ B（2 者択一）	
not only A but also B	A だけでなく B も （文頭では倒置される）	
A as well as B	B だけでなく A も	A と一致

Both natural beauty (A) **and** attractive architecture (B) **make** (複数動詞（複数扱い）) the place one of the most renowned parks in the country
（美しい自然景観とすてきな建築物によって全国で一番有名な公園の一つになった。）

Neither insufficient marketing (A) **nor** a lack of effort (B) **was** (単数動詞（数はBと一致）) decreasing sales.
（売上が減少しているのは不十分なマーケティングでもなければ努力の欠如でもない。）

Either tablets (A) **or** therapy (B) **is** (単数動詞（数はBと一致）) suitable for the treatment of arthritis.
（錠剤か理学療法のどちらかが関節炎の治療法に適している。）

Not only people (A) **but** (**also**) the company (B) **is** (単数動詞（数はBと一致）) finding ways to reuse secondhand materials.
（人だけでなく会社も中古材料の使い道を模索している。）

語句　□arthritis　関節炎　□secondhand　中古の

出題ポイント 5. 文脈に合う等位接続詞の選択

➡ 情報を列挙したり、順番に述べるときは and を、相反する内容を列挙するときには but または yet を、選択事項を述べるときには or を使う。

1. 等位接続詞の特徴

(1) 文頭には置かれない。

○ I went to New York last week **and** I attended a seminar.

× **And** I went to New York last week, I attended a seminar.

(私は先週ニューヨークへ行き、セミナーに参加しました。)

(2) 同じ文の要素をつなぎ、並列構造を作る。

This book is useful **and** interesting. (この本は役に立つし面白い。)
（useful = 形容詞、interesting = 形容詞）

(3) 2 つの節の主語が一致する場合には、等位接続詞の後の主語は省略できる。

Michelle read the report **and** (**she**) gave her opinion on it.
（read the report = 動詞句、gave her opinion = 動詞句）

(Michelleは報告書を読んでそれについて意見をくれた。)

2. 等位接続詞の種類

(1) and : 内容が対等な言葉をつなぐ。

You make a copy of the agenda **and** I will clean up these files.

(あなたが予定表をコピーしてくれたら、私がこのファイルを片付けます。)

➡ 命令文+ and :「…せよ、そうすれば…になるだろう」

Go to the employee lounge **and** you will see him.

= If you go to the employee lounge, you will see him.

(社員休憩室に行けば彼に会えます。)

➡ よく出題される and の用法

both A and B (A も B も)

Algongquin National Park has **both** natural beauty **and** attractive architecture.
（natural beauty = A、attractive architecture = B）

(Algongquim National Parkには、美しい自然景観とすてきな建物があります。)

between A and B (Aと Bの間に)

negotiation **between** laborers **and** management. (労働者と経営陣の間の交渉)
（laborers = A、management = B）

➡ A and B alike　AもBも同様に
Good management benefits employees **and** employers **alike**.
A　B
(上手に経営すれば社員にも雇用主にも同様に利益になる)

(2) but/yet：互いに対照的な文をつなぐ
Our stock of the product is sold out, **but** we will receive a new supply soon.
(在庫の製品は売り切れたが、間もなく新入荷品が入ってくる。)

The novel is composed of two books, **yet** it reads more quickly than many shorter books.
(その長編小説は2冊から成るが、それでも多くの短編よりも速く読める。)

➡ not A but B/B but not A：AではなくBである
He is **not** a real estate agent, **but** an accountant.
A　B
(彼は不動産業者ではなく会計士である。)

(3) or：選択肢・種類などを羅列する
The studio prohibits taking photographs **or** making video recordings.
(そのスタジオは写真撮影やビデオ録画を撮ることを禁止している。)

➡ 命令文＋or ...：「〜せよ、そうしなければ…になるだろう」(if you 〜 not)
Hurry up, **or** you will miss the flight.
= **If** you don'**t** hurry up, you will miss the flight.
(急がないと、飛行機に乗り遅れますよ。)

➡ for と because の違い
for：節の後ろに置かれて「…である。その理由は」という意味になる。はっきりした理由を述べるよりは、根拠を述べたり推論を述べるときに使う。

because：主節の後に置かれて「なぜなら…であるためだ」という意味になる。

There must be something wrong, **for** he looks pale.
(どこか具合悪いにちがいない。というのは彼は青ざめているから。)

He looks pale, **because** something is wrong.
(彼は青ざめている、なぜならどこか具合が悪いから。)

➡ the same as：…と同じ、such as：…のような

A one-bedroom apartment in Seoul costs almost **the same as** a five-bedroom house in Bangkok.
(ソウルにある寝室が一つのアパートは、バンコクにある寝室が5つある家とほぼ同じ費用がかかる。)

Large buildings **such as** this one often take years to complete.
(このような大きな建築物は完成までに数年かかることがよくある。)

➡ ... , not＋句（～）：～ではなく…

Our business is run for the pleasure of our customers, **not** for the convenience of the staff.
(当社は社員の便宜ではなくお客様に満足してもらうために働きます。)

語句 □supply　供給品　□be composed of　…から構成される　□prohibit ...ing　…することを禁止する　□cost　費用がかかる　□run　運営する、経営する

PART 5 文法問題 例題 UNIT 12 ●接続詞

例題 0386

We had to cancel the flight -------- some technical problems with the engine.
(A) because
(B) because of

Ⓐ Ⓑ

例題 0387

-------- the bridge was being repaired, the roads in many parts of the city were congested.
(A) As
(B) For

Ⓐ Ⓑ

例題 0388

The car has been under repair -------- it had an accident last week.
(A) since
(B) before

Ⓐ Ⓑ

例題 0389

Simpson Men's Wear sincerely apologizes for any inconveniences that occur -------- we renovate our building.
(A) whoever
(B) while

Ⓐ Ⓑ

例題 0390

Both our present customer base and our future target market must be thought of when -------- our company image.
(A) update
(B) we update

Ⓐ Ⓑ

例題 解き方

0386

訳 エンジンに技術的な問題がいくつかあったので、そのフライトをキャンセルしなければならなかった。

ポイントと正解 接続詞 because の後には「主語＋動詞」が置かれる。後の名詞句 technical problems とうまくつなげるためには、前置詞 because of を選ばなければならない。正解は (B) because of。

語句 □ cancel 取り消す □ flight フライト、航空便 □ technical 技術上の □ problem 問題

0387

訳 橋が改修中だったので、市の多くの道路は混雑していた。

ポイントと正解 接続詞 for（…なので）は文中で用いられるもので、文頭には置かれない。as は節を従えて副詞節を作ることができ、ここでは「…のせいで」「…のために」の意味になる。正解は (A) As。

語句 □ repair 修理する □ congested 混雑した

0388

訳 事故を起こした先週以来、車は修理中だ。

ポイントと正解 文の時制は現在完了で、先週の事故から現在まで修理中ということなので、「（事故が起きて）以降」という意味を表わす since がふさわしい。事故以前の時間を表わす before は誤答である。正解は (A) since。

語句 □ under repair 修理中で □ accident 事故

0389

訳 Simpson Men's Wear 社は、ビルの改修中に起きる不便に対して心から謝罪している。

ポイントと正解 後に節を従え「ビルを修理する間」という意味にできるのは while である。複合関係代名詞 whoever は文の主語が示されていない場合に用いられるもので、ここでは主語 we があるので誤答である。正解は (B) while。

語句 □ sincerely 心から □ apologize for …に対して謝罪する □ inconvenience 不便
□ occur 起こる □ renovate 改修する、リフォームする

0390

訳 会社のイメージを新しくする時は、現在の顧客層と共にこれから対象とする市場も考えなければいけない。

ポイントと正解 when 以下の副詞節には「主語＋動詞」のような完全な文か、省略形の分詞が置かれる。動詞 update は接続詞の後で単独では使えないので、(B) we update が正解だ。

語句 □ present 現在（の） □ customer base 顧客を基本にした □ both A and B A も B も
□ target 対象の □ update 最新のものにする

例題 0391

------- the company increases the working time to 10 hours a day, most employees will quit.
(A) If
(B) That

Ⓐ Ⓑ

例題 0392

There was -------- a shortage of parking spaces at the conference center that all the attendees had to use the shuttle bus service.
(A) such
(B) much

Ⓐ Ⓑ

例題 0393

-------- a generally weak economy, there has been an increase in manpower demand in the construction industry.
(A) Although
(B) Despite

Ⓐ Ⓑ

例題 0394

-------- the company does some product assembly in the U.S., it relies primarily on manufacturers overseas.
(A) Even
(B) Although

Ⓐ Ⓑ

例題 0395

Alarms on watches or cell-phones should be turned off -------- the concert is in progress.
(A) while
(B) meantime

Ⓐ Ⓑ

例題 0396

We will be able to design your flyer more accurately if we know exactly -------- type of audience you are trying to reach.
(A) that
(B) what

Ⓐ Ⓑ

例題 解き方

0391

訳 勤務時間をもし1日10時間にすると、ほとんどの社員が辞めてしまうだろう。

ポイントと正解 空所にはIfが入り、「勤務時間を延ばすと」という条件副詞節を作る。Thatは名詞節を従えて、文中で主語や補語、目的語になる。正解は(A) If。

語句 □ increase 増やす、増える □ working time 労働時間 □ quit 辞める

0392

訳 会議場の駐車スペースが不足していたので、参加者は皆シャトルバスサービスを利用しなければいけなかった。

ポイントと正解 この文は、「とても…なので～する」という意味の「such ＋ (a/an) ＋形容詞＋名詞＋that 節」構文だ。ちなみにsoは「so ＋形容詞・副詞＋ that 節」の形で同じような意味を表わす。正解は(A) such。

語句 □ shortage of …が不足している □ parking space 駐車スペース □ attendee 出席者

0393

訳 世間では不況であるにもかかわらず、建設業界では人材の需要が高まってきている。

ポイントと正解 直後に文ではなく名詞が続いているので、空所には前置詞が入る。although は despite と同じ意味だが、後ろに「主語＋動詞」が必要だ。正解は(B) Despite。

語句 □ weak economy 弱い経済、不況 □ manpower demand 人材の需要
□ construction industry 建設業界

0394

訳 会社はアメリカでいくつかの製品を組み立てているが、主として海外メーカーに頼っている。

ポイントと正解 Even は単独では節を従える接続詞になれないので、「…だが」の意味をもつ Although が正解。Even は、Even though の形になれば空所の位置に入れる。正解は(B) Although。

語句 □ assembly 組み立て □ rely on …に頼る □ primarily 主として □ manufacturer 製造メーカー □ overseas 海外の

0395

訳 コンサートの間は、時計や携帯の音は切ってください。

ポイントと正解 meantime は in the meantime（その間に）のようにほとんど名詞として使われ、時々「その間」という意味の副詞になる。ここでは空所の後に「主語＋動詞」があるので、接続詞 while が入って「コンサートが行われている間」という意味になる。正解は(A) while。

語句 □ cell-phone 携帯電話 □ turn off 電源を切る □ be in progress 進行中である

0396

訳 どのような観客に向けたものかわかれば、もっとしっかりとしたチラシがデザインできる。

ポイントと正解 空所以下は「どのようなタイプの消費者たちに伝えようとするのか」という意味になるので、what が空所に入る。正解は(B) what。

語句 □ flyer チラシ □ accurately 正しく、きちんと □ what type of どんなタイプの…
□ audience 観客、聴衆 □ try to do …しようとする □ reach 届く、近づく

例題 0397

The district manager was convinced -------- we should handle problems in our department ourselves.
(A) that
(B) of
(C) what

Ⓐ Ⓑ Ⓒ

例題 0398

We were afraid -------- missing the flight scheduled to leave at 3 p.m.
(A) that
(B) of

Ⓐ Ⓑ

例題 0399

Homebuilders often have trouble deciding whether -------- an industry model or to design their new home on their own.
(A) using
(B) to use

Ⓐ Ⓑ

例題 0400

Mr. Wang has -------- compassion for others that he always helps his neighbors.
(A) so
(B) such

Ⓐ Ⓑ

例題 0401

The players were -------- excited that they couldn't sleep.
(A) so
(B) such

Ⓐ Ⓑ

例題 0402

You should bring -------- a raincoat or an umbrella to the company outing.
(A) either
(B) both

Ⓐ Ⓑ

例題 解き方

0397

訳 私たちの部署で問題をなんとかできると、その地域マネージャーは確信していた。

ポイントと正解 2つの節をつなげる問題。後の文は主語・動詞・目的語が揃っている完全な文なので、what は不可能である。正解は (A) that。

語句 □ district　地域、地区　□ be convinced that　…であることを確信している　□ handle　なんとかやる、扱う

0398

訳 3時に出発予定のフライトに乗り遅れるのを、私達は大変心配していた。

ポイントと正解 空所以下が句なのか節なのかがわかれば、簡単に解ける問題だ。that は節を導き、of は句を導くが、この文では句が続いているので of が正解だ。scheduled は動詞ではなく過去分詞で、the flight that was scheduled to leave の that was が省略されたと考えればよい。正解は (B) of。

語句 □ be afraid of　…を心配している　□ miss　…しそこなう、…がいなくて淋しいと思う　□ scheduled to do　…する予定である　□ leave　出発する

0399

訳 自分で家を作る人たちは、住宅モデルの利用であろうと、新たなデザインであろうと、それを決めるのにいつも苦労する。

ポイントと正解 whether A or B の構文で、A と B は同じ形式でなければならない。B が to design なので、A も to use となる。正解は (B) to use。

語句 □ homebuilder　住宅建築業者、自分で家を作る人　□ have trouble ...ing　…するのに苦労する　□ whether A or B　A であろうと B であろうと

0400

訳 Mr. Wang は他人を思いやる気持が強いので、いつも仲間を助けている。

ポイントと正解 compassion が名詞なので直前の空所には such が入り、「とても…なので～する」の構文になる。so の後には形容詞か副詞が置かれる。正解は (B) such。

語句 □ compassion　思いやり、同情

0401

訳 選手達はとても興奮していたので、眠ることができなかった。

ポイントと正解 excited が形容詞なので、so ... that の形の結果構文となる。正解は (A)so。

0402

訳 会社のピクニックには、レインコートか傘を持っていったほうがいい。

ポイントと正解 either A or B（A と B のうちどちらか一つ）の構文なのか、both A and B（A、B いずれも）の構文なのかを見分ける問題だ。後に or があるので、(A) either が正解である。

語句 □ bring 持ってくる　□ either A or B　A と B のうちどちらか一つ　□ raincoat　レインコート　□ outing　遠足、ピクニック

例題 0403

A large portion of our budget was spent on the advertising; -------- it did not yield the desired effect.

(A) otherwise

(B) however

Ⓐ Ⓑ

例題 0404

The article stimulated debate about the relationship -------- the economic and social needs of the people and how they are realized in certain systems.

(A) between

(B) besides

Ⓐ Ⓑ

例題 0405

Many senior citizens must work to supplement their retirement income, -------- they might have a difficult time making ends meet each month.

(A) otherwise

(B) moreover

Ⓐ Ⓑ

例題 0406

We regret to inform you that neither your flight -------- your hotel reservation has been confirmed.

(A) and

(B) nor

Ⓐ Ⓑ

例題 0407

If you need to add an item to your order, click on Edit Item and -------- delete the old quantity and enter the new one.

(A) then

(B) far

(C) for

Ⓐ Ⓑ Ⓒ

例題 解き方

0403

訳 予算のうち多くは広告代に注がれた。しかし、望む効果は得られなかった。

ポイントと正解 前後の文が相反する内容なので、空所には「しかし」という意味の接続副詞 however が入る。otherwise は「そうでなければ」という意味なので、この文脈には合わない。正解は (B) however。

語句 □ portion 部分、取り分 □ budget 予算 □ advertising 広告、宣伝 □ yield 生む、もたらす □ desired 望んだ □ effect 効果

0404

訳 その記事が元になって議論になったのは、人々の経済的社会的なニーズと一定のシステムの中でそれらをいかに実現させるかとの関係についてだった。

ポイントと正解 relationship between A and B（A と B の間の関係）の構文を知っていれば、簡単に解ける問題だ。besides は「その上」という意味の副詞なので、空所には入らない。正解は (A) between。

語句 □article 記事 □stimulate 刺激する □debate 論争 □economic 経済上の □social 社会上の □needs ニーズ、要望 □realize 実現する □certain ある種の

0405

訳 多くの高齢者は年金収入を補うために働かなければならない。そうでなければ、毎月何とかやっていくのに苦労することになるかもしれない。

ポイントと正解 前文と後文は「前のことがらが実行されなければ、後のことがらが実行されるだろう」というつながりだ。このような文どうしをつなげる接続詞は (A)otherwise である。

語句 □senior citizen 高齢者 □supplement 補う、足しにする □retirement 退職 □income 収入 □have a difficult time ...ing …するのに苦労する □make ends meet なんとか収入の範囲でやっていく

0406

訳 大変申し訳ありませんが、フライトもホテルもまだ確認が取れておりませんことお知らせいたします。

ポイントと正解 相関接続詞の neither A nor B（A でも B でもない）構文だ。正解は (B) nor。

語句 □ regret to do …して残念だ □ inform A that A に…であることを知らせる □ neither A nor B A でも B でもない □ reservation 予約 □ confirm 確認する

0407

訳 注文を追加する必要がある場合は、Edit item をクリックして以前の注文の数を削除し、新しい注文を入れてください。

ポイントと正解 空所の単語がなくても文が成り立つので、空所の中には副詞が入る。far は「遥かに」「ずっと」という意味の副詞だが、空所の位置では文脈に合わない。for は副詞ではないので誤答である。then は副詞で「それから」という意味なので、文脈にぴったりだ。and then を熟語として覚えておこう。正解は (A) then。

語句 □ add 追加する □ delete 削除する □ quantity 数量、分量 □ enter 入力する

例題 0408

You can buy tickets at the gate, -------- they will be significantly more expensive.
(A) but
(B) or

Ⓐ Ⓑ

例題 0409

The director has suggested that all senior staff be given a bonus for their diligence -------- loyalty to the company.
(A) as
(B) and

Ⓐ Ⓑ

例題 0410

The price list does not include long distance -------- messaging fees.
(A) or
(B) yet

Ⓐ Ⓑ

例題 0411

For almost 50 years, the Waldorf Hotel has been the capital's premier guest house for tourists and visiting dignitaries -------- .
(A) alike
(B) both

Ⓐ Ⓑ

例題 0412

Joseph applied for the job -------- received a call immediately.
(A) and
(B) when

Ⓐ Ⓑ

例題 解き方

・・**0408**

訳　入場口でチケットは買えますが、かなり高くなるでしょう。

ポイントと正解　2 つの文の関係を把握する問題。「チケットは買えるが高い」という意味になる (A) but が正解である。

語句　□ at the gate　入口で、入場口で、門で　□ significantly　かなり、相当

・・**0409**

訳　主任スタッフ全員の勤勉さと会社への忠誠心に対して、ボーナスを支給しようと取締役は提案した。

ポイントと正解　2 つの名詞 diligence と loyalty をつなぐのは and である。正解は (B) and。

語句　□ suggest　提案する　□ senior　上位の、上級の　□ diligence　勤勉、努力　□ loyalty　忠誠心

・・**0410**

訳　価格リストに長距離料金やメッセージ料金は記載していません。

ポイントと正解　2 つの目的語 long distance と messaging fees をつなぐのは、「A や B」の意味の or である。正解は (A) or。

語句　□ price list　価格表　□ fee　料金

・・**0411**

訳　50 年もの間、Waldorf ホテルは観光客や要人用として、首都では一番の宿泊施設でした。

ポイントと正解　完全な文で接続詞は必要ないので、副詞を選ぶことになる。alike は「同様に」という意味で、文末で副詞の働きをする。A and B alike（A も B も同様に）の構文を覚えておこう。正解は (A) alike。

語句　□ capital　首都、主要な　□ premier　首位の　□ guest house　宿泊施設　□ dignitary　政府高官、要人

・・**0412**

訳　Joseph は求人に応募し、すぐに連絡を受けた。

ポイントと正解　接続詞に導かれる副詞節の主語は省略できない。仮に when の後に主語 he が置かれたとしても、連絡を受けることと応募することは同時に起こりえないので、when は誤答である。and の後では既出の主語は省略でき、応募した後に連絡を受けるという順序を表わせるので、(A)and が正解となる。

語句　□ apply for　…に応募する

例題 0413

Your application cannot be processed -------- the requested documentation is completed and returned to our office.

(A) until
(B) between
(C) once
(D) during

Ⓐ Ⓑ Ⓒ Ⓓ

例題 0414

In most major cities, the cost of parking is -------- high that many people living there do not own cars.

(A) too
(B) such
(C) very
(D) so

Ⓐ Ⓑ Ⓒ Ⓓ

例題 0415

Please be aware -------- international orders are subject to additional shipping charges.

(A) concerning
(B) about
(C) why
(D) that

Ⓐ Ⓑ Ⓒ Ⓓ

例題 0416

You will be covered under the medical plan -------- you work more than 20 hours a week.

(A) as long as
(B) in case
(C) whereas
(D) besides

Ⓐ Ⓑ Ⓒ Ⓓ

例題 0417

The employer neither requires employees to take part in the program --------- penalizes them for not participating.

(A) yet
(B) neither
(C) nor
(D) or

Ⓐ Ⓑ Ⓒ Ⓓ

例題 解き方

0413

訳 必要な書類を作成し事務所へ提出するまでは、申し込み手続きはされません。

ポイントと正解 後に節が続いているので、空所には接続詞が入る。(B)(D) は前置詞で、後に名詞句がなければならないので誤答。「作成し提出するまでは処理できない」という意味になる (A) until が正解である。

語句 □application　申し込み（書）　□process　処理する　□requested　依頼された、求められた　□complete　完成する

0414

訳 多くの主要都市では、駐車場の料金が高いので自分の車を持っていない人が多い。

ポイントと正解 この文は「so ＋形容詞＋ that 節」（非常に…なので～する）構文なので、正解は (D) so である。

語句 □major　主要な　□cost of parking　駐車場の料金　□own　所有する

0415

訳 海外からのご注文は別途配達料金がかかることをご了承ください。

ポイントと正解 文中に be aware があり、空所の後に international orders are subject という節があるので、空所には接続詞が入ることが分かる。「be aware that 節」は「…を認識する」という意味だ。後に名詞が続く場合には前置詞 of とともに用いられることも覚えておこう。正解は (D) that。

語句 □be aware that　…ことを確かめる、了解する　□order　注文　□be subject to　…を条件として　□additional　追加の　□charge　料金

0416

訳 週 20 時間以上働いている限り、医療保険が適用される。

ポイントと正解 「as ＋形容詞＋ as」の使い方を問う問題。「あなたが週 20 時間働くことになると」の意味にしなければならないので、条件を表わす (A) as long as（…する限り）が正解だ。(B) in case も条件を表わすが「…の場合に備えて」という意味で、後に否定的な内容や不確実な事実が述べられる。

語句 □cover　カバーする、適用する　□medical plan　医療保険　□more than　…以上　□whereas　ところが…、一方では…　□besides　…に加えて、さらにまた

0417

訳 雇用主は、社員がプログラムに参加するのを求めないし、参加しないからといってペナルティーを与えるわけでもない。

ポイントと正解 相関接続詞を選ぶ問題で、前に neither があるので、これと対になる nor が空所に入る。ちなみに、either は or、both は and とともに用いられることを覚えておこう。正解は (C) nor。

語句 □employer　雇用主　□neither A nor B　A でもなく B でもない　□require　求める、要望する　□take part in　…に参加する　□penalize　ペナルティーを科す、不利にする　□participate　参加する

例題 0418

--------- a project is completed, an assessment can be made of what worked well and where improvements are needed for future projects.

(A) Nevertheless
(B) Otherwise
(C) Once
(D) Still

Ⓐ Ⓑ Ⓒ Ⓓ

例題 0419

We will store your medical records in our files -------- only release them if we have your permission.

(A) because
(B) so
(C) however
(D) and

Ⓐ Ⓑ Ⓒ Ⓓ

例題 0420

All staff members look forward to hearing the announcement on -------- there will be a big bonus.

(A) that
(B) so
(C) how
(D) whether

Ⓐ Ⓑ Ⓒ Ⓓ

例題 0421

-------- the production capacity of our plant has been expanded, we will be hiring 100 new shift-workers before the end of the year.

(A) Whether
(B) Although
(C) In order that
(D) Now that

Ⓐ Ⓑ Ⓒ Ⓓ

例題 0422

The overland trip across the desert was dusty and uncomfortable, -------- the stunning scenery made it all worthwhile.

(A) for
(B) yet
(C) not
(D) and

Ⓐ Ⓑ Ⓒ Ⓓ

例題 解き方

• • 0418

訳 プロジェクトがひとたび完成したら、何がうまくいっているか、将来のプロジェクトに必要な改善点はどこかというのが評価の対象である。

ポイントと正解 文意に合う接続詞を選ぶ問題。(D) は接続詞ではなく、(A)(B) もそれぞれ「それにもかかわらず」「さもなければ」という意味の接続副詞なので、誤答である。「ひとたび…すると」という意味の (C) Once が正解である。

語句 □ complete　完成する　□ assessment　評価、査定　□ be made of　…で出来ている　□ improvement　改善、進歩

• • 0419

訳 あなたの健康記録をファイルに保存し、あなたの許可があったときのみに公開します。

ポイントと正解 空所の前と後の内容は、逆接や因果関係ではない。「記録を保存する」と「許可されたときにのみ公開する」という 2 つの対等な内容をつなげる (D) and が正解である。

語句 □ medical record　健康記録、医療上の記録　□ release　公開する　□ permission　許可

• • 0420

訳 大型ボーナスがあるかどうかの発表を、全社員は楽しみに待っている。

ポイントと正解 空所の後の節全体が前置詞 on の目的語になるような接続詞を選ぶ問題。社員たちが大型ボーナスをもらえるかどうかの発表を待っているという内容で、この意味を表わしつつ目的節を従えるのは (D) whether である。that 節の前には、前置詞は置かれない。また、(B)(C) は意味的に合わない。正解は (D) whether。

語句 □ look forward to ...ing　…を楽しみしている　□ announcement　発表

• • 0421

訳 工場の生産能力が拡大したので、年末までに交替勤務社員を新しく 100 人雇用します。

ポイントと正解 空所には原因を表わす接続詞が入る。(A) Whether は副詞節ではなく名詞節を従える接続詞なので誤答。(B) は「…にもかかわらず」という意味で文脈に合わず、(C) は「…するために」と目的を表わす熟語である。正解は (D) Now that で、「…ので」と原因を表わす。

語句 □ production　生産　□ capacity　生産量、生産能力　□ plant　工場、プラント　□ expand　拡大する、拡張する　□ hire　雇用する　□ shift-worker　交代勤務社員

• • 0422

訳 砂漠を横断する陸路の旅はほこりっぽく不快だったが、すばらしい景観のおかげで価値のあるものになった。

ポイントと正解 前文は「旅行は不愉快だった」という内容、後文は「景観がすばらしい」という内容で、相反する関係にある。(B) の反意接続詞 yet が正解だ。

語句 □ overland　陸路の　□ desert　砂漠　□ dusty　ほこりっぽい　□ uncomfortable　快適でない、不快な　□ stunning　素晴らしい　□ scenery　景色、景観　□ worthwhile　価値のある

例題 0423

The members of the organization opposed the proposal, -------- because it lacked a provision for environmental regulations but also because of the impact on the forest.

(A) both
(B) not only
(C) either
(D) whether

Ⓐ Ⓑ Ⓒ Ⓓ

例題 0424

Be sure to carefully explain the issue behind the petition before -------- any citizen's signature.

(A) obtaining
(B) obtained
(C) to obtain
(D) will obtain

Ⓐ Ⓑ Ⓒ Ⓓ

例題 0425

Passes must be stamped at the ticket window -------- the museum ticket is purchased.

(A) that
(B) when
(C) since
(D) so that

Ⓐ Ⓑ Ⓒ Ⓓ

例題 0426

A constant threat facing the industry is -------- its profitability is purely dependent on unstable government subsidies.

(A) the fact that
(B) coming from
(C) rather than
(D) the point at which

Ⓐ Ⓑ Ⓒ Ⓓ

例題 0427

Ms. Janus agreed with the panel's recommendations, -------- she is concerned that the budget cuts could increase employee stress levels.

(A) but
(B) even
(C) whether
(D) until

Ⓐ Ⓑ Ⓒ Ⓓ

例題 解き方

0423

訳 団体メンバーがその提案に反対したのは、環境規制への対策が欠けていただけではなく、森林への影響があることもその理由だった。

ポイントと正解 この文は not only A but also B（A だけでなく B も）という形の相関接続詞構文なので、空所には not only が入る。正解は (B) not only。

語句 □ organization　組織、団体　□ oppose　反対する　□ proposal　提案　□ lack　欠けている　□ provision　対策、条件　□ environmental regulation　環境規制　□ because of　…という理由で　□ impact　影響　□ forest　森、森林

0424

訳 市民から署名をもらう前に、その陳情の背後にある問題点をしっかり説明してください。

ポイントと正解 接続詞 before の後には節「主語＋動詞」が続くが、重複する主語や誰にでも分かる主語は省略できる。この文では、before you obtain any ～の主語 you が省略されて動詞が現在分詞 obtaining になり、分詞構文の before obtaining になっている。before を前置詞と見て、後に動名詞 obtaining が続くものと考えてもかまわない。正解は (A) obtaining。

語句 □ be sure to do　必ず…する、…するのは確かだ　□ explain　説明する　□ issue　問題　□ petition　請願、陳情　□ obtain　得る、獲得する　□ citizen　市民　□ signature　署名

0425

訳 美術館の入場券を購入したら、チケットの窓口でスタンプを押さなければいけない。

ポイントと正解 前文と後文の時制が同じなので、同時に起きたことがらを表わす接続詞 when が最もふさわしい。so that は「…するために」という目的を表わす。正解は (B) when。

語句 □ be stamped　スタンプが押されて　□ purchase　購入する

0426

訳 業界に常に不安を与えているのは、政府からの不安定な補助金に全面的に頼っているという事実だ。

ポイントと正解 「…という事実」という意味の名詞節を作るのは the fact that だ。(B)(C) は名詞節を作れず、(D) は文脈に合わない。正解は (A) the fact that。

語句 □ constant　不変の、休みなく　□ threat　脅威、恐れ　□ face　直面する　□ profitability　利益　□ purely　純粋に　□ dependent on　…に頼っている　□ unstable　不安定な　□ subsidy　（政府からの）補助金

0427

訳 Ms. Janus は委員会の勧告に同意したが、予算カットによって社員のストレスが高まる可能性を心配した。

ポイントと正解 空所は節の冒頭に当たるので、接続詞でない (B) はこの位置に入らない。「委員会の勧告に同意した」と「社員のストレスが増えることを心配した」は相反する内容なので、(D) も誤答。正解は (A) but。

語句 □ agree　同意する　□ panel　委員会　□ recommendation　勧告　□ be concerned that...　…について心配している　□ budget cut　予算のカット　□ level　程度、段階

例題 0428

Please maintain a reserve supply of water for each member of the household -------- there is an emergency.

(A) therefore
(B) even if
(C) in case
(D) despite

Ⓐ Ⓑ Ⓒ Ⓓ

例題 0429

-------- the department store is closed for the holiday, the main office will remain open all day.

(A) Even though
(B) In summary
(C) As if
(D) Accordingly

Ⓐ Ⓑ Ⓒ Ⓓ

例題 0430

-------- it took only one week to complete the project was astonishing to the program director.

(A) What
(B) Although
(C) That
(D) So

Ⓐ Ⓑ Ⓒ Ⓓ

例題 0431

Either we reduce operating costs soon -------- we will have no other choice but to shut down the factory.

(A) but
(B) or
(C) and
(D) for

Ⓐ Ⓑ Ⓒ Ⓓ

例題 0432

This document may be reproduced free of charge -------- the source and copyright status of the material is made evident to users.

(A) so as
(B) provided that
(C) depending on
(D) rather than

Ⓐ Ⓑ Ⓒ Ⓓ

例題 解き方

0428

訳 緊急事態が発生した場合に備えて、家族全員の水を備蓄しておいてください。

ポイントと正解 未来の不確実なことがらを表わす接続詞 in case が空所に入り、「緊急事態が発生したら」という意味になる。even if は「たとえ…だとしても」の意味なので文脈に合わず、despite は後に主語・動詞を取らないので誤答となる。 therefore は接続副詞であって接続詞ではない。正解は (C) in case。

語句 □maintain 維持する､養う □reserve supply 予備のために取っておく物資 □household 世帯、家族 □emergency 非常事態、緊急事態

0429

訳 デパートは休日は閉店しますが、本店は一日中開けます。

ポイントと正解 2 つの文が列挙されているので、空所には接続詞が入る。(B)(D) は副詞なので誤答。内容的に相反する文をつなぐ接続詞が必要だが、(C) は「まるで…のように」という意味なので不適切だ。(A) Even though（…にもかかわらず）が正解となる。

語句 □department store デパート □remain open 開いたままである

0430

訳 たった 1 週間でプロジェクトが完成したので、そのプログラムディレクターは驚いた。

ポイントと正解 "it ～ project" は文の述語 was astonishing の主語になるので、空所には (A) や (C) を入れて名詞節を作らなければならない。(A) は後続の文に目的語や主語がないときに用いるものだが、この文は何も省略されていない完全な文なので、(C) That が正解となる。「That ＋主語＋動詞＋目的語＋動詞」の形を覚えておこう。

語句 □complete 完成させる、終える □astonishing びっくりさせるような、驚くばかりの

0431

訳 運営経費をすぐ削減するか、工場を閉めざるを得ないかどちらかしかない。

ポイントと正解 文頭に either があり、2 つのうちどちらかを選ぶしかないという内容なので、either A or B の形になる。正解は (B)or。

語句 □either A or B A か B のどちらか □reduce 削減する □operating cost 運営費 □have no choice but to do …せざるを得ない □shut down 閉める □factory 工場

0432

訳 ユーザーに対して資料の著作権や出所元が明示されているならば、この文献は無料で複製してもよい。

ポイントと正解 空所の後に「主語＋動詞」の節が置かれているので、接続詞が必要だ。正解は、「もし…ならば」という意味の provided that である。 depending on（…によって）は後に名詞相当語句が必要であり､rather than は比較の接続詞なので文脈に合わない。正解は (B) provided that。

語句 □reproduce 複写する、複製する □free of charge 無料で □source 出所元 □copyright 著作権 □status 状況 □material 資料 □evident 明らかな

UNIT 13 ● 関係詞

出題ポイント 1. 先行詞の種類と関係代名詞の一致

➡ 先行詞が人か物かを確認し、これに合う関係代名詞を選ぶ必要がある。

	人	物	人＋物	物（関係代名詞＋先行詞）
主格	**who (=that)**	**which (=that)**	**that**	**what (=the thing(s) which)**
所有格	**whose**	**whose**	×	×
目的格	**whom (=that)**	**which (=that)**	**that**	**what (=the thing(s) which)**

1. 主格：関係代名詞が、その従属節で主語の役割をする

We need **a construction team**. + **They** can help us renovate our offices.

↓

We need **a construction team who** can help us renovate our offices.

先行詞　主格関係代名詞（人）

（私たちのオフィスをリフォームするのに協力できる建設チームが必要だ。）

The new windows are made of **plastic glass which** is both durable and easy to clean.

先行詞　主格関係代名詞（物）

（プラスチックガラスで出来ている新しい窓は耐久性があり掃除もしやすい。）

➡ those who (＝ those people who)：…する人たち

Those who walk two miles after lunch do not gain weight.

人々　複数形主語なので複数を受ける動詞

（ランチの後に2マイル歩く人は体重が増えない。）

2. 目的格：関係代名詞が、その従属節で目的語の役割をする

This is **the man**. + I mentioned **him** last time.

↓

This is **the man whom** I mentioned last time.

先行詞　目的格関係代名詞

（こちらはこの前私が言っていた男性です。）

3. 所有格：関係代名詞の入る位置の次が名詞の場合は、関係代名詞の所有格が使われる

Priority will be given to **Mr. Pitt**. + **Mr. Pitt's interview** best shows promise.
↓
Priority will be given to **Mr. Pitt** **whose interview** best shows promise.
先行詞　所有格関係代名詞
(面接で将来が有望なところを最も見せたMr. Pittが一番有利だろう。)

Greenpeace is **an organization**. The purpose of **the organization** is to create a clean and peaceful world.
↓
Greenpeace is **an organization**, the purpose of **which** is to create a clean and peaceful world.
(グリーンピースは、公平で平和な世界の創造を目的とした組織です。)

➡ 関係代名詞 which は、前の文の句や文全体を先行詞にすることができる。
We offer a 100% refund, **which** will increase our customer base.
先行詞　前の文全体を先行詞とする
(私たちは100%払い戻しをしており、そのために顧客層が広がることになるだろう。)

語句　□priority 優先権　□promise 有望、可能性

出題ポイント 2. 関係代名詞の特徴

➡ 関係代名詞の独特な機能・用法を理解する必要がある。

1. 目的格関係代名詞は省略できる。

The ceremony is the largest one **that the company** has ever held.
= The ceremony is the largest one **the company** has ever held.
(式典は当社が今まで開催したことがない最大なものだ。)

2.「主格関係代名詞＋一般動詞」は「-ing」分詞句に代えることができる。

The post office requires one form of identification from **anyone who picks up** a package.
= The post office requires one form of identification from **anyone picking up** a package.
(郵便局では、小包を取りにきた人はだれでも身分証明書が一つ必要である。)

3.「主格関係代名詞＋be動詞」は省略できる。

There have been a lot of **rumors which are going** around about a big merger.
= There have been a lot of **rumors going** around about a big merger.
（大型合併があるという多くの噂が広まってきている。）

4. 目的格関係代名詞が従える節には目的語は置かれない。

× This is the book **which** everyone is talking about **the book** these days.
○ This is the book **which** everyone is talking about these days.
（これは、誰もが最近話題にしている本である。）

5. 先行詞が離れている場合

We need **the projector** [**with high resolution**] **that was** used for the business meeting yesterday.

- **the projector**：先行詞
- **with high resolution**：修飾語句
- **that**：関係代名詞：先行詞は **a projector**
- **was**：動詞：先行詞と「数」が一致する

（昨日の商談に使った高性能のプロジェクターが必要だ。）

出題ポイント 3. 関係代名詞と前置詞の用法

➡ 目的格関係代名詞節で動詞が「自動詞＋前置詞」の形であれば、この前置詞は関係代名詞の前に置かれることがあるが、この場合の関係代名詞は省略できない。この構文で、前置詞を問う問題が出される。

Most people take photos of **the places**. + People travel **to places**.
→ Most people take photos of **the places which** they travel **to**.
→ Most people take photos of **the places to which** they travel.
（大部分の人々が、旅行した場所で写真を撮る。）

Early men painted the animals **on which** they **depended** for sustenance.
↑ depend on
（生きるために頼っていた動物たちを初期の人類は描いた。）
➡「前置詞＋関係代名詞」の前置詞は、関係節内の動詞によって決められる。

語句
□sustenance （生計を維持するための）手段、栄養

出題ポイント 4.「数量表現＋関係代名詞」の構文

➡ 数量表現の後には、先行詞の種類によって関係代名詞whom, which, whoseを使い、thatやwhoが使われることはない。「数」の一致を問う問題も出されるので、文脈に合う数量表現を使えるようにしよう。

all, many, both, half, several
some, none, neither, each] + of + (whom/which/whose)

The competition involves teams of **two students**. + **Both of the students** must be under age 16.

↓

The competition involves teams of two students, **both of whom** must be under age 16.
(試合は2人の学生から成るチームが参加でき、2人とも16歳以下でなければならない。)

出題ポイント 5. 関係代名詞 what と that の区別

1. 関係代名詞 what

① what 自体が先行詞なので、what の前に別の先行詞が置かれることはない。
②関係代名詞なので、主語や目的語がない不完全節がくる。
③文中で名詞の役割をする。

We respect **what** they have done for us over the years.
respectの目的語であると同時に have doneの目的語でもある
= We respect **the thing(s) that** they have done for us over the years.
(彼らが長年にわたって私たちのためにしてきてくれたことに敬意を表します。)

What she possesses is the ability to get straight to the core of a problem.
isの主語であると同時に possessesの目的語でもある
(彼女が有しているのは、問題の核心を把握する能力である。)

2. 関係代名詞 that

①関係代名詞 who, whom, which の代わりに使うことができ、必ず先行詞が置かれる。

We need a person **that** can translate this manual into German.
(このマニュアルをドイツ語に翻訳できる人が必要だ。)

②関係代名詞 that の前に前置詞が置かれることはない

× The book **about that** you inquired is out of print.
○ The book **about which** you inquired is out of print.
○ The book **that** you inquired **about** is out of print.
(お問い合わせの本に関しては絶版になっています。)

③制限用法のみ可能で、継続用法は不可能である。

× I need some money, **that** will be used to buy a new car.
○ I need some money, **which** will be used to buy a new car.
○ I need some money **that [which]** will be used to buy a new car.
(私は新しい車を買うためのお金がいくらか必要です。)

➡ 関係代名詞 that vs. 接続詞 that

関係代名詞節は不完全節で、主語や目的語が欠落している。したがって、関係代名詞の that と接続詞の that を区別するには、that の後にくる文が文法的に完全であるかどうかを見ればよい。主語や目的語がなく文が不完全であれば that は関係代名詞であるし、主語・動詞・目的語などが揃った完全な節であれば that は接続詞である。また、関係代名詞の that の前には先行詞があるが、接続詞 that の前に先行詞はない。

Mr. Brown works for a company **that** produces computer software.
先行詞　**主語が欠落している→関係代名詞 that**
(Brown氏はコンピュータソフトウェアを製作している会社に勤めている。)

The chairman mentioned to the board **that** he is resigning sometime next year.
先行詞ではない　**完全な節→接続詞 that**
(来年中に辞任すると議長は委員会に述べた。)

語句
□possess 所有する □get straight to …にまっすぐにたどりつく □core 核、芯
□inquire about …に関して要求する □out of print 絶版

出題ポイント 6. 複合関係代名詞の用法と意味

➡ 関係代名詞に ever の付いた形は、関係代名詞 what のように先行詞と関係代名詞の役割を兼ねることができ、「…でも」「…としても」という意味になる。

1. 複合関係代名詞の種類

種類	意味
whoever ＋動詞	…する人は誰でも **(anyone who)**
whosever ＋名詞＋主語＋動詞	誰の…でも
whomever ＋主語＋動詞	主語が…する人なら誰にでも
whatever ＋主語＋動詞	…するものは何でも **(anything that)**
whichever ＋主語＋動詞	…するものはどれでも

➡ 複合関係代名詞には先行詞がなく、主語や目的語のない不完全節を従える。

2. 複合関係代名詞は名詞節（主語・目的語・補語となる節）を従える

Whoever gets the position **will be** responsible for the annual budget of the department.
主語となる節 **動詞**
（その立場になった誰もが部の年次予算案に対して責任を負うことになる。）

The managers may **employ** **whomever they choose**.
動詞 **目的語となる節**
（マネージャーは、自分が選ぶ人なら誰でも採用してよい。）

3. 複合関係代名詞は副詞節にもなる

Whatever your needs are, we provide you with the best in office computer systems.
副詞節
（必要としているものが何であっても、最高のオフィスコンピュータシステムを提供します。）

出題ポイント 7. 関係副詞 vs. 複合関係副詞

➡ 関係副詞と複合関係副詞が導く節は、主語・目的語の揃った完全な節である。TOEICには、先行詞に適合する関係副詞を選ぶ問題が出される。

1. 関係副詞

This is the office. + Mr. Cox worked in **the office**.
This is the office **which** Mr. Cox worked **in**. ：関係詞＋前置詞
This is the office **in which** Mr. Cox worked. ：前置詞＋関係詞
This is the office **where** Mr. Cox worked. ：関係副詞
（ここは Mr. Cox 氏が働いていた会社です。）

Please let us know **the date when** you are available for an interview.
→時間の関係副詞 when
（あなたが面接できる日をお知らせください。）

We went to **the convention center where** we gave a presentation.
→場所の関係副詞 where
（私たちがプレゼンテーションをする会議場へ行った。）

I don't know (**the reason**) **why** the meeting was canceled.
→理由の関係副詞 why
（私は会議が中止になった理由を知らない。）

We would like to learn **how** this equipment works.
→方法の関係副詞 how : the wayに置き換えられる
（この機器がどのように作動するのか知りたい。）

2. 複合関係副詞

➡ 複合関係副詞は、複合関係代名詞と同様に先行詞がなく、however の場合は、直後に形容詞や副詞が置かれる。

➡ 複合関係副詞の種類

種類	意味
whenever ＋主語＋動詞	いつ…しようとも **(= no matter when)**
wherever ＋主語＋動詞	どこで…しようとも **(= no matter where)**
however ＋形容詞 **/** 副詞＋主語＋動詞	どんなに…しようとも **(= no matter how)**

Whenever there is a question, you can just call me at my office.
= No matter when
（質問があるときはいつでも、事務所にいる私に電話をください。）

Your car may be towed **wherever** you park in this area.
= no matter where
（この付近でどこに駐車しようと、車は持っていかれる。）

However intelligent you are, you can't work alone.
= No matter how
（どんなに頭がよくても、一人で働く事は出来ない。）

➡ 慣用表現：whenever possible（できるものなら）
Whenever possible, please leave your car at the hotel at which you are staying, and use public transportation to get to our office.
（できれば、お客様が滞在しているホテルに車を停め、当社までは公共交通機関をご利用ください。）

PART 5 文法問題 例題 UNIT 13 ●関係詞

例題 0433

Mr. Welch can speak some Chinese, -------- will be an asset in his position as overseas sales manager.

(A) who
(B) which

Ⓐ Ⓑ

例題 0434

The employee -------- name appeared on the finance documents will have to face questioning by the board of directors.

(A) whose
(B) who

Ⓐ Ⓑ

例題 0435

Choosing a lifestyle that -------- sensible eating with regular physical activity is the key to good health.

(A) combine
(B) combines

Ⓐ Ⓑ

例題 0436

An important matter -------- needs to be discussed is the recent disappearance of office materials.

(A) who
(B) that

Ⓐ Ⓑ

例題 0437

Any individual -------- is highly motivated and competent can be promoted to an administrative position.

(A) who
(B) which

Ⓐ Ⓑ

例題 解き方

0433

訳 Mr. Welch は中国語がいくらかできるので、それが海外営業部のマネージャーとしての彼の仕事に役立つだろう。

ポイントと正解 先行詞 some Chinese を「中国人」だと思い、who を選んでしまいやすい問題だ。「Welch さんは中国語ができる」は will be an asset の主語なので、前文全体を先行詞とする (B)which が正解だ。

語句 □ asset 資産、利点 □ overseas 海外の □ sales manager 営業部長

0434

訳 会計書類に名前があがっている社員は、取締役会の尋問を受ける必要があるでしょう。

ポイントと正解 関係代名詞 who は主格代名詞で常に動詞を伴い、関係代名詞 whose は所有格関係代名詞で常に名詞を伴う。この文では空所の直後に名詞 name があるので、2 つの名詞を結びつける所有格関係代名詞 (A) whose が正解である。

語句 □ appear 登場する；…と思われる、…らしい □ finance documents 会計書類、財務書類 □ face 直面する □ questioning 質問、尋問 □ the board of directors 取締役会

0435

訳 食事への注意と日常の運動を併用する生活スタイルを選択することが、健康の秘訣となる。

ポイントと正解 関係代名詞 that が修飾しているのは a lifestyle だ。a lifestyle は単数なので、関係代名詞節の動詞は、be 動詞の場合は is、一般動詞の場合は動詞＋ (e)s の形になる。この文では (B) combines が正解だ。

語句 □ choose 選択する □ combine A with B A と B を併用する □ sensible 常識がある、賢明な □ regular 日常的な、定期的な □ physical activity 運動、身体的活動 □ key 鍵、手がかり、秘訣

0436

訳 議論されなければならない重要問題は、事務所の備品が最近紛失することについてだ。

ポイントと正解 先行詞 an important matter は人物ではないので、関係代名詞 who は誤答である。人・物のいずれも先行詞にできる関係代名詞 (B) that が正解だ。

語句 □ matter 問題 □ discuss 議論する □ disappearance 消失、行方不明 □ material 用具、機材、材料

0437

訳 大変やる気があり能力が高い人は誰でも管理職に昇進し得る。

ポイントと正解 人物を表わす individual を先行詞にできるのは、主格関係代名詞 who である。正解は (A) who。

注意が必要な人を表わす名詞：individual（個人）、 executive（重役、政府高官）、professional（専門家、プロ）、representative（代表、代理人）、relative（親戚）、expert（専門家）、official（公務員、役人）、personnel（職員）、consultant（コンサルタント、相談役、顧問）

語句 □ highly 大変、非常に □ motivated やる気のある □ competent 能力のある □ promote 昇進させる、推進する □ administrative position 管理職

PART 5 文法

例題 0438

For those who don't drive, -------- is happening with gas prices this summer is of little importance.

(A) which
(B) what

Ⓐ Ⓑ

例題 0439

Getting a good night's sleep depends on things -------- appear unrelated to sleep.

(A) what
(B) that

Ⓐ Ⓑ

例題 0440

A team should consist of only three members, all of -------- must be over 15 years old on the day of the event.

(A) whom
(B) them
(C) who

Ⓐ Ⓑ Ⓒ

例題 0441

Logic is the essence of rationality and the foundation of mathematics, -------- in turn the whole of science and technology is based.

(A) which
(B) on which
(C) what

Ⓐ Ⓑ Ⓒ

例題 0442

The best way to influence others is to talk about -------- they want and show them how to get it.

(A) what
(B) whom

Ⓐ Ⓑ

例題 解き方

・・**0438**

訳 運転しない人にとって、今年の夏起きたガソリン価格の問題はほとんど重要ではない。

ポイントと正解 関係代名詞 what はそれ自体に先行詞を含んでいるので、別途先行詞をとらない。この文では空所の前に先行詞になる名詞がないので、(B) what が正解となる。which の前にはものごとを表わす先行詞が置かれる。

語句 □ happen　起こる、発生する　□ gas　ガソリン (=gasoline)
□ of importance　重要な (=important)

・・**0439**

訳 夜良く眠れるのは、睡眠とは関係の無いと思われる事情によって決まる。

ポイントと正解 things という先行詞があるので、それ自体に先行詞を含む関係代名詞 what は誤答である。空所の後の動詞 appear を主語とつなぐ主格関係代名詞 (B) that が正解だ。

語句 □ depend on …次第である、頼る　□ appear　…だと思われる　□ unrelated to　…とは無関係の

・・**0440**

訳 チームは 3 人だけで構成し、全員がイベントの日に 15 歳以上でなければいけない。

ポイントと正解 2 つの文を結びつける関係代名詞で、前置詞 of の目的語になる言葉が空所に入る。members を先行詞としつつ前置詞 of の目的語になる関係代名詞は whom だ。実際のテストでも、them と whom との混同をつく問題が出題される。正解は (A) whom。

語句 □ consist of　…から成る、構成する　□ on the day of the event　イベント当日に

・・**0441**

訳 論理とは合理性の本質で数学の基礎であり、言いかえれば、全ての科学技術の基礎となるものである。

ポイントと正解 文末の is based の後に on がない。is based on で締めくくられる関係代名詞節の末尾の前置詞 on が、関係代名詞 which の前に移動した形になっている。正解は (B) on which。

語句 □ logic　論理、ロジック　□ the essence of　…の本質、核心　□ rationality　合理性、理性があること　□ foundation　基礎、根拠、設立　□ in turn　交代に、言いかえると　□ be based on　…の基礎となる

・・**0442**

訳 人を動かす一番の方法は、人が欲しいものについて言及しそれを手に入れる方法を示すことだ。

ポイントと正解 空所には、動詞 want の目的語であると同時に、前置詞 about の目的語になる関係代名詞が入る。この文では前に先行詞がないので、それ自体に先行詞を含む関係代名詞 (A) what (= the thing which) が正解だ。

語句 □ influence　影響を与える、操る　□ talk about　…について話す　□ what they want　彼らが求めているもの　□ how to　…する方法

例題 0443

This is the book -------- everyone is talking these days.
(A) about which
(B) which

Ⓐ Ⓑ

例題 0444

-------- you are looking for regarding our services is sure to be found in our brochure.
(A) However
(B) Whatever

Ⓐ Ⓑ

例題 0445

A medical team will be able to identify any patients -------- require immediate attention.
(A) whoever
(B) who

Ⓐ Ⓑ

例題 0446

-------- is interested in joining us for the convention in Cancun should apply by the end of the week.
(A) Anyone
(B) Whoever
(C) Who

Ⓐ Ⓑ Ⓒ

例題 0447

Jerry spent the majority of his time at the construction site -------- people were building a barn for cows.
(A) which
(B) where

Ⓐ Ⓑ

例題 解き方

0443

訳 このところみんなが話題にしている本がこれです。

ポイントと正解 talk about（…について話す), talk with（…と話す）のように、talk は前置詞とともに用いられる。この文は「本について話す」という意味なので、talking の後に about が必要だ。空所には先行詞 the book を受ける関係代名詞 which が入るが、the book は talking about の目的語なので、talk とともに用いられる前置詞 about が which の前に置かれる。正解は (A) about which。

0444

訳 お探しの私どものサービスはいずれも、パンフレットでご確認できます。

ポイントと正解 複合関係副詞 however の後には、形容詞や副詞が置かれる。「whatever ＋主語＋動詞」は「…するものは何でも」という意味になる。正解は (B) Whatever。

語句 □ look for …を探す □ regarding …に関して □ be sure to do 必ず…する □ brochure パンフレット、カタログ、冊子

0445

訳 医療チームは、応急措置が必要な患者の見分けができるでしょう。

ポイントと正解 複合関係代名詞の whoever はそれ自体に先行詞を含んでいるので、別途先行詞を必要としない。この文には any patients という先行詞があるので、(B) who が正解である。

語句 □ medical 医学の、医療の □ be able to do …することができる □ identify （本人かどうか）識別する、特定する □ patient 患者 □ require 必要とする、求める □ immediate 急用の、急ぎの □ attention 注意、世話

0446

訳 Cancun の会議に私達と参加するのに興味がある人は、週末までにお申し込みください。

ポイントと正解 空所の前に先行詞がないので、それ自体に先行詞を含む関係代名詞が必要だ。Whoever は先行詞を含む複合関係代名詞なので、正解となる。代名詞 Anyone は接続詞として機能しないので、後の動詞 is interested と should apply を結びつけることができない。ただし、Anyone who (that) ～の形になれば、この位置に入り得る。正解は (B) Whoever。

語句 □ be interested in …に興味がある □ join 参加する □ convention 会議、大会；慣習、慣例 □ apply 申し込む □ by the end of …の終わりまでに

0447

訳 牛小屋を建てている建設現場で、Jerry は多くの時間を過ごした。

ポイントと正解 関係代名詞 which の後には主語や動詞・目的語の欠けた不完全な文が置かれるが、ここでは「主語＋動詞＋目的語」とすべて揃っている。空所の前の先行詞が場所を表わす the construction site で、後に完全な文が続くので、関係副詞 (B) where が正解となる。

語句 □ spend 過ごす、費やす □ the majority of ほとんどの… □ construction site 建設現場、建設場所 □ build 建てる □ barn 物置、倉庫

例題 0448

During our extended dining hours, you may sit wherever you want and with -------- you want.

(A) whomever
(B) whenever

Ⓐ Ⓑ

例題 0449

The human resources department hands out a staff directory to any employee -------- signs up for one.

(A) whom
(B) who
(C) whoever
(D) whose

Ⓐ Ⓑ Ⓒ Ⓓ

例題 0450

Any contributor -------- research paper is referenced in a widely-distributed journal will receive an honorable mention.

(A) that
(B) which
(C) who
(D) whose

Ⓐ Ⓑ Ⓒ Ⓓ

例題 0451

------- who wish to be informed of the hiring decision as soon as it is made should leave their email addresses and phone numbers, along with their resumes.

(A) This
(B) That
(C) These
(D) Those

Ⓐ Ⓑ Ⓒ Ⓓ

例題 0452

Vedrin Seminico's presentation on real estate accumulation, -------- attracted investors, will be given again due to popular demand.

(A) which
(B) who
(C) that
(D) whose

Ⓐ Ⓑ Ⓒ Ⓓ

例題 解き方

0448

訳 食事時間の延長の間は、誰とでもどこに座ってもよい。

ポイントと正解 「一緒に座りたい誰とでも座れる」という意味にする必要があるので、you may sit with anyone whom you want の anyone whom を複合関係代名詞 whomever にすると正解の文になる。with whomever で「誰とでも…」という意味になる。正解は (A) whomever。

語句 □ extended　延長した　□ dining　食事

0449

訳 社員名簿を申し込んだ社員には、人事部から配布します。

ポイントと正解 空所の直後に動詞 signs があって主語がないので、主格関係代名詞の who が入る。(A) whom は目的格なので誤答。(C) whoever の前に先行詞は必要なく、(D) whose の直後には名詞が置かれる。正解は (B) who。

語句 □ human resources department　人事部　□ hand out　配る　□ staff directory　社員名簿
□ sign up for …に申し込む、契約する

0450

訳 広く配布されている機関紙で参考文献とされた研究論文の執筆者は皆、特別表彰を受ける予定だ。

ポイントと正解 文の主語は Any contributor、動詞は will receive なので、空所には関係詞が入る。後に名詞 research paper があるが、contributor's research paper という所有関係が成り立つので、所有格関係代名詞の (D) whose が正解となる。

語句 □ contributor　寄稿者　□ research paper　研究論文　□ reference　参照する
□ widely-distributed　広く配布されている　□ receive[win] an honorable mention　特別表彰を受ける　□ mention 言及（する）、表彰

0451

訳 採用が決まり次第すぐ連絡が欲しい方は、履歴書にメールアドレスと電話番号を書いておいてください。

ポイントと正解 代名詞 those は関係代名詞 who の修飾を受け「…する人たち」という意味になる。「those ＋名詞＋ who」の形になることもある。（参考）Those trainers who wish to do（…することを望むトレーナーたち）。正解は (D) Those。

語句 □ be informed of　…について知らされる　□ as soon as　…するやいなや　□ along with　…と共に　□ resume　履歴書

0452

訳 Vedrin Seminico の不動産投資に関する発表は投資家の興味を引き、多くの人が要望したのでもう一度講演することになります。

ポイントと正解 先行詞が presentation なので、人を先行詞にとる関係代名詞 (B)who は誤答である。(C) that は継続用法では用いられず、(D) whose の後には名詞が必要である。事物を先行詞にとる主格関係代名詞 (A) which が正解となる。

語句 □ real estate　不動産　□ accumulation　蓄積、利殖　□ attract　引き付ける、魅了する
□ due to　…のおかげで、…の理由から　□ demand　要求する、要望する

例題 0453

Ms. Taylor is responsible for interpreting the information -------- on the order form and retrieving the supplies from the warehouse.

(A) had given
(B) gave
(C) which given
(D) given

Ⓐ Ⓑ Ⓒ Ⓓ

例題 0454

The woman that I spoke -------- this morning told me that I didn't need an appointment to see the doctor.

(A) to her
(B) her
(C) to
(D) for

Ⓐ Ⓑ Ⓒ Ⓓ

例題 0455

The man -------- I ordered the new jacket earlier today is returning for a fitting at 3:30 p.m.

(A) whose
(B) which
(C) for whom
(D) who

Ⓐ Ⓑ Ⓒ Ⓓ

例題 0456

Mick Walberg attributes his success as a sales representative to his keen ability to know -------- buyers are going to need.

(A) that
(B) what
(C) how
(D) whether

Ⓐ Ⓑ Ⓒ Ⓓ

例題 0457

Cirrus Design Co. is comprised of four main designers, all of -------- are seasoned veterans in the industry.

(A) what
(B) this
(C) their
(D) whom

Ⓐ Ⓑ Ⓒ Ⓓ

例題 解き方

0453

訳 Ms. Taylor の責任範囲は、注文書の内容を把握し倉庫から商品を取り出してくることです。

ポイントと正解 空所に入る語句の本来の形は which was given だが、「主格関係代名詞＋ be 動詞」が省略されて given になる。(A)(B) が入ると、文中に動詞が 2 つあるのに関係詞のない不完全な文になってしまう。正解は (D) given。

語句 □ be responsible for …に責任を持つ □ interpret 解明する、通訳する □ retrieve 回収する、取り出す □ warehouse 倉庫

0454

訳 今朝話しかけた女性が私に言ったのは、診察予約をしなくてよいということだ。

ポイントと正解 本来の文は The woman that I spoke to (the woman) で、この that は目的格関係代名詞である。speak to で「…に話す」の意味になる。(A) to her を選ぶと、関係代名詞節が完全な文になってしまう。正解は (C) to。

語句 □ appointment 約束 □ see a doctor 医者に診てもらう

0455

訳 先ほど私が新しいジャケットを注文してあげた男性は、試着のため 3 時半に戻ってきます。

ポイントと正解 The man と I order the new jacket の意味関係を考えると、I order the new jacket for the man となる。この the man は前置詞 for の目的語なので、人に対して用いる関係代名詞 whom を用い、前置詞 for が関係代名詞の前に移動する。正解は (C) for whom。

語句 □ order 注文する □ return 戻る、帰る □ fitting 試着、調整

0456

訳 Mick Walberg が営業マンとして成功したのは、買い手は何を必要としているのかがわかる鋭い能力のおかげである。

ポイントと正解 空所には関係詞が必要だが、(A) が関係代名詞として用いられた場合、文末には need の目的語が置かれなければならない。前に先行詞もなく need の目的語もないので、不完全節を従える関係代名詞 (B) what が正解となる。(C)(D) は意味的に合わない。

語句 □ attribute A to B A を B のせいにする □ sales representative セールスマン □ keen 熱心な □ ability to do …する能力

0457

訳 Cirrus Design 社は 4 人の主要デザイナーがいて、全員が業界では経験豊かなベテランだ。

ポイントと正解 先行詞が main designers で人であり、空所は前置詞 of の目的語が入る位置なので、目的格の whom が正解である。正解は (D) whom。

語句 □ be comprised of …からなっている (= be composed of) □ seasoned 経験豊かな □ veteran 経験豊かな人

例題 0458

Marxwell Insurance has reported difficulty finding people willing to take positions -------- require them to sell items door-to-door.

(A) that
(B) they
(C) whose
(D) those

Ⓐ Ⓑ Ⓒ Ⓓ

例題 0459

He worked the whole time -------- he lived there.

(A) during which
(B) at which
(C) that
(D) whom

Ⓐ Ⓑ Ⓒ Ⓓ

例題 0460

Our company has embarked on -------- we feel is the most challenging project we've ever taken on.

(A) that
(B) whether
(C) what
(D) which

Ⓐ Ⓑ Ⓒ Ⓓ

例題 0461

No matter -------- dry a desert may be, it is not necessarily worthless.

(A) what
(B) how
(C) which
(D) where

Ⓐ Ⓑ Ⓒ Ⓓ

例題 0462

-------- Dan Biggins in production may have suggested, the latest models will not be rolled out before the holidays.

(A) Whichever
(B) Whenever
(C) Whatever
(D) However

Ⓐ Ⓑ Ⓒ Ⓓ

例題 解き方

0458

訳 Marxwell 保険は、戸別訪問で販売する仕事を進んでやる人を探すのは困難だと報告した。

ポイントと正解 空所以下の require them に主語が必要で、この部分を結びつけてくれる接続詞も必要だ。したがって、空所に入るのは主語と接続詞の働きを兼ねることのできる関係代名詞である。先行詞 positions が物なので (A) that が正解である。

語句 □ insurance　保険　□ report　報告する　□ difficulty -ing　…するのが難しい　□ be willing to do　進んで…する　□ take a position　立場を取る　□ require　必要とする、求める　□ item　項目、品物　□ door-to-door　個別に、宅配の

0459

訳 彼はそこに住んでいる間ずっと働いていた。

ポイントと正解 「彼がそこに住んでいる間」という意味になるので、期間を表わす前置詞 during と、time を先行詞とする関係代名詞 which が空所に入る。正解は (A) during which。

語句 □ the whole time　ずっと

0460

訳 今まで引き受けた中で最も困難なプロジェクトに私達の会社は着手した。

ポイントと正解 それ自体に先行詞を含む関係代名詞 what について問う問題である。we feel は「私たちが感じるところ」という挿入句なのでこれを無視すると、what が is の主語になっていることがわかる。what の代わりに the thing which を代入してみれば、理解しやすいだろう。正解は (C) what。

語句 □ embark on　…に着手する　□ challenging　やりがいのある、困難な　□ take on　引き受ける、雇う

0461

訳 どんなに砂漠が乾燥しているとしても、必ずしも価値が無いというわけではない。

ポイントと正解 形容詞 dry を修飾できるのは、選択肢の中で副詞 how しかない。no matter how は「どんなに…しても」という意味で、however と入れ替えることができる。正解は (B) how。

語句 □ dry　雨の降らない、乾燥した　□ desert　砂漠　□ necessarily　(否定文で)必ずしも…でない　□ worthless　役に立たない

0462

訳 たとえ生産部門の Dan Biggins が何を提案したとしても、最新モデルは休日前には発売しません。

ポイントと正解 複合関係副詞の (B)(D) は完全な文を従えるが、この文では suggested の目的語がないので、正解にはなり得ない。(A) whichever は、対象が具体的に決まっている必要がある。例えば、Whichever team wins the game ～という文では、競技をする team が具体的に決まっているから whichever が使えるのであって、問題の文では提案が具体的に示されているのではなく無限にあり得るので、正解にはならない。正解は (C) Whatever。

語句 □ production　生産　□ suggest　提案する　□ latest　最新の　□ roll out　発行する、展開する

例題 0463

Returned items can be brought directly to the Service Department -------- a representative will kindly help you with your transaction.

(A) where
(B) what
(C) which
(D) who

Ⓐ Ⓑ Ⓒ Ⓓ

例題 0464

Your voicemail system will answer your calls and transfer them to you -------- you may be.

(A) whenever
(B) whatever
(C) whomever
(D) wherever

Ⓐ Ⓑ Ⓒ Ⓓ

例題 0465

-------- often customers experience poor treatment from the service, they continue to use it because of the amount of money they can save.

(A) Whenever
(B) However
(C) Whatever
(D) Whoever

Ⓐ Ⓑ Ⓒ Ⓓ

例題 0466

-------- team wins tonight will go to the championship game in Colorado.

(A) Which
(B) Whichever
(C) When
(D) Whenever

Ⓐ Ⓑ Ⓒ Ⓓ

例題 解き方

0463

訳 担当者が取り扱いのお手伝いをするサービス部門へ直接、返品の品物は持ってきてください。

ポイントと正解 空所以下の文が「主語＋動詞＋目的語」の完全な節なので、場所を表わす Service Department を先行詞とする関係副詞が空所に入る。正解は (A) where。

語句 □ returned item　返品　□ bring　持って来る　□ directly　直接　□ representative　担当者、代理人、代表者　□ kindly　心から、親切に、どうか…　□ transaction　取引

0464

訳 音声メールシステムはあなた宛の電話に応えて、どこにいても転送してくれます。

ポイントと正解 動詞 transfer（伝える）の意味からして、空所には場所を表わす複合関係副詞 wherever が入る。wherever you may be は「あなたがどこにいたとしても」という意味だ。正解は (D) wherever。

語句 □ voicemail system　音声メール転送システム　□ answer one's call　電話に応える　□ transfer A to B　A を B に転送する

0465

訳 どれほど頻繁にぞんざいなサービスを受けても、節約できる金額が大きいので使い続ける。

ポイントと正解 この問題のカギは often にある。選択肢の中で、直後に形容詞・副詞が続く複合関係詞は however だけだ。however often ... は「どれほど頻繁に…しても」という意味だ。正解は (B) However。

語句 □ experience　経験する　□ poor　貧しい、質が悪い　□ treatment　扱い　□ continue to do　…し続ける　□ because of　…のために　□ the amount of　…の量　□ save　節約する、貯める、取っておく

0466

訳 どのチームが勝っても、コロラドでの優勝決定戦には出ます。

ポイントと正解 「どのチームが勝っても～」という譲歩的な意味なので、空所には複合関係代名詞が入る。主語 team の前に冠詞がないことから、この名詞を直接修飾・限定できる単語が答えになるとわかるので、関係副詞 Whenever は誤答になる。(A) Which は先行詞が必要だ。正解は (B) Whichever。

語句 □ go to the championship　決勝戦に出る

UNIT 14 ●仮定法

出題ポイント 1. 仮定法の基本パターン

1. 仮定法現在（条件文）

➡ 現在・未来に関する単純な仮定、または不確実な事実の推測を表わす。

> ① If ＋主語＋現在動詞, 主語＋助動詞＋動詞原形（もし…ならば、～するだろう）
> ② If ＋主語＋現在動詞, 動詞原形（もし…ならば、～しなさい）

If you **visit** our factory this summer, **I will show** you around.
（もし今年の夏に私たちの工場を訪問するなら、ご案内します。）

If you **have** any problems with our product, **take** it to our service center with the original receipt.（当社製品に何か問題がありましたら、領収書原本と一緒に当社サービスセンターへお持ちください。）

➡ 条件文（仮定法現在）は TOEIC で最もよく出題される仮定法である。

●必須暗記事項！

条件節に取って代わる語句
if only たとえ…だけでも、せめて…ならよいのだが　**provided[providing] (that)** 万が一…なら
granted[granting] (that) 仮に…としても　**suppose[supposing] (that)** もし…なら、…だと言っても
in case (that) 万一…の場合には、…の場合に備えて
so long as (=as long as) …する限りは、…しさえすれば

2. 仮定法過去

➡ 成し遂げられないことや、現状と相反する状況を仮定する話法である。現在の事実を扱うものだが、動詞は過去形を使う。

> If ＋主語＋（助）動詞の過去形, 主語＋助動詞の過去形＋動詞原形
> （もし…ならば、～するのに）

If I **were** in your situation, I **would ask** to speak with the manager.
（もし私があなたの立場だったら、マネージャーとの面談を頼みます。）
➡ be 動詞の場合、人称や数に関係なく were を使う。

Mr. Genko **would get** a big bonus if his presentation **were** successful.
（プレゼンテーションが成功すれば、Genko氏は報酬がたくさんもらえるだろうに。）

3. 仮定法過去完了

➡ 過去のことを逆に仮定し残念であると表現する話法で、意味は過去である

> If ＋主語＋ had ＋過去分詞, 主語＋助動詞過去形＋ have ＋過去分詞
> （もし…していれば、～しただろうに）

If the plane **had left** before noon, we **could have arrived** in London by now.
(もし飛行機が正午前に出発していれば、今ごろロンドンに到着していたのに。)

The result **might have been** different if you **had used** the right data.
(あなたが正しいデータを使っていれば、結果は違っていたかもしれないのに。)

4. 仮定法未来

➡ 現在や未来の事実を強く疑い、仮定する話法である。

① If ＋主語＋ should ＋動詞原形 , 主語＋助動詞＋動詞原形
(万一) ～なら、～するだろう
② If ＋主語＋ should ＋動詞原形 , 動詞原形
(万一) ～なら、～なさい

➡ 主語の人称に関係なく should を使う。

If the temperature **should** drop below zero, it **will** automatically **shut down**.
(もしも気温が零下を下回れば、それは自動的に作動中止になるだろう。)

If you **should** have any questions, please **call** me.
(もし何か質問があれば、私に電話を下さい。)

出題ポイント 2. 仮定法の倒置構文

➡ 仮定法の文で、条件節の If を省略すると、(助)動詞が文頭に異動して主語と倒置する。
仮定法過去完了と仮定法未来で、Had や Should を選ばせる問題がよく出される。

仮定法過去完了：Had ＋主語＋過去分詞～ , 主語＋助動詞過去形＋ have ＋過去分詞

If you had overhauled your system, you **would have found out** why it was down for so long.
= **Had you** overhauled your system, you **would have found out** why it was down for so long.
(あなたがシステムを徹底的に調査していれば、こんなに長い間ダウンした原因を把握することができたはずです。)

仮定法未来：Should ＋主語＋動詞 , 動詞原形

If you should have any questions, do not **hesitate** to consult your doctor.
= **Should you** have any questions, do not **hesitate** to consult your doctor.
(何か質問があったら、遠慮なく医者に相談しなさい。)

PART 5 文法

出題ポイント 3. 条件節（if 節）と主節の時制に注意する仮定法

If ＋主語＋ had ＋過去分詞 , 主語＋ would/should/might ＋動詞原形
…したら（仮定法過去完了）　（今）～だろうに（仮定法過去）

If I **had followed** your advice then, I **would be** happier now.
（もしあの時あなたの忠告に従っていれば、今ごろもっと幸せだったのに。）

If he **had worked** hard in his youth, he **would be** rich now.
（もし彼が若いときに必死で働いていれば、今ごろお金持ちになっていたでしょうに。）

出題ポイント 4. should を省略する仮定法に関連する動詞・形容詞

➡ 提案・主張・忠告・命令・要求・催促などの動詞や、理性的・感情的判断を表わす形容詞の後に置かれる that 節の中の動詞は、原形になる。

1.「忠告・提案・主張・命令などの動詞＋that＋主語＋（should）動詞原形」

必須暗記事項！

忠告・提案・主張・命令などの動詞の例
insist（主張する), **suggest**（示唆する), **recommend**（薦める), **order**（命じる), **decide**（決める), **ask**（頼む), **request**（頼む), **require**（要求する), **demand**（要求する）

The security officer **insisted** that some form of identification **be given** to him before entering the plant.
（警備員は、工場に入る前に身分証を提示するよう求めた。）

The landlord **demanded** that we **pay** the rent by tomorrow.
（大家は明日までに賃貸料を支払うよう請求した。）

He **insisted** that he **was** polite during the conversation with the client.
（彼は顧客と丁寧に会話したことを力説した。）
➡ that 節の内容が仮定ではなくすでに起きたことである場合には、その通りの時制を使う。

2. 「It is＋理性的判断や必要性を表わす形容詞＋that＋主語＋（should）動詞原形」

●必須暗記事項！

imperative（避けられない、必須の）, **important**（重要な）, **necessary**（必要な）, **essential**（本質の、肝要な）, **advisable**（勧めてよい、適切な）, **urgent**（緊急の）

It is **imperative** that each employee **be** at their desk promptly at 9:00 A.M. every morning.
（毎朝、午前9時きっかりに各社員は席につくことが必須である。）

It is **important** that every employee **check** for viruses before opening email.
（社員は全て電子メールを開く前にウィルスをチェックすることが重要だ。）

PART 5 文法

出題ポイント 5. 仮定法の重要構文

1. as if仮定法（あたかも…のように）

as if ＋仮定法過去：主節の時制と as if 節の時制が同じである。
as if ＋仮定法過去完了：主節より as if 節の内容が先に起きる。

He is talking **as if he were** a doctor.
（彼は、あたかも彼が医者であるように話している。）

He is talking **as if he had been** a doctor.
（彼は、あたかも彼が医者だったように話している。）

It looks **as if** it is going to snow. （今にも雪が降りそうである。）
➡ as if の後は、いつも仮定法とは限らない。

2. …がなければ

If it were not for ＋名詞 , 主語＋動詞：…がなければ（仮定法過去）
If it had not been for ＋名詞 , 主語＋動詞：…がなかったら（仮定法過去完了）

The restaurant would be excellent **if it were not for** the problems with reservations.
= were it not for[if not for, without]
（予約上の問題がなければ、そのレストランは一流なのに。）

If it had not been for your help, I would have failed.
= Had it not been for[If not for, Without]
（もしあなたの助けがなかったら、私は失敗していたでしょう。）

語句
□overhaul　徹底的に見直す　□find out　見破る、発見する　□hesitate to do　遠慮なく…する　□check for　…の点検を行う

PART 5 | 文法問題 例題 UNIT 14 ●仮定法

例題 0467

If I -------- you, I would bring the computer to a professional rather than try to fix it myself.
(A) am
(B) were

Ⓐ Ⓑ

例題 0468

If he -------- that the meeting would be over early, he would not have cancelled his appointment.
(A) had known
(B) knew

Ⓐ Ⓑ

例題 0469

If people commuted by rail rather than car pool, there -------- even less traffic on the highways in the morning.
(A) will be
(B) would be

Ⓐ Ⓑ

例題 0470

If the train had left on schedule, the sales team members -------- in Tokyo.
(A) have arrived
(B) would have arrived

Ⓐ Ⓑ

例題 0471

If the prototype medicine -------- the international standards, access to the Asian market will be given.
(A) had met
(B) meets

Ⓐ Ⓑ

例題 解き方

・・0467

訳 私があなたなら、コンピューターを修理するのに自分でやらないで専門家のところに持っていくのに。

ポイントと正解 後に助動詞 would があるので、仮定法過去であることがわかる。仮定法過去は現在の事実と逆のことや残念な気持ち、願望などを表わす言い方である。「If ＋主語＋動詞の過去形 , 主語＋助動詞の過去形＋動詞原形」が基本形式なので、過去形の (B) were が正解となる。

語句 □ bring　持って行く　□ professional　専門家、プロ　□ rather than　…よりはむしろ　□ try to do　…しようと試みる　□ fix　修理する、決める、解決する

・・0468

訳 会議が早く終るとわかっていたら、彼は約束を取り消さなかったのに。

ポイントと正解 「If ＋主語＋ had ＋過去分詞 , 主語＋助動詞の過去形＋ have ＋過去分詞」は仮定法過去完了である。仮定法過去完了は、過去の事実について逆のことを仮定し、後悔や残念な気持ち、推測・確信を表現する。主節の動詞の形が would not have cancelled なので、条件節の動詞は had ＋過去分詞の形である had known になる。正解は (A) had known。

語句 □ be over　終る　□ cancel　取り消す　□ appointment　約束

・・0469

訳 もし通勤時に車の相乗りではなく列車にすれば、朝の幹線道路はもっと交通量が少なくなるのに。

ポイントと正解 If 節の動詞が過去時制 commuted になっており仮定法過去の文なので、主節は「助動詞過去形＋動詞原形」の形になる。正解は (B) would be。

語句 □commute　通勤する、通学する　□by rail　電車で、列車で　□traffic　交通 (量)　□highway　幹線道路、主要道路

・・0470

訳 列車が時間通りに出発していたら、販売チームのメンバーは東京に着いていたのに。

ポイントと正解 if 節の動詞が「had ＋過去分詞」になっており仮定法過去完了の文なので、主節は would have 過去分詞の形になる。正解は (B) would have arrived。

語句 □ leave　出発する　□ on schedule　時間通りに　□ arrive　到着する

・・0471

訳 試作の薬が国際基準を満たしていたら、アジア市場への道が開けるだろう。

ポイントと正解 主節の動詞が will be given という未来時制なので、if 節は単純条件節となる。正解は (B) meets。

語句 □ prototype　試作品、原型　□ meet　(条件などを)満たす、満足させる (=satisfy)　□ international standards　国際標準、国際基準　□ access to　…に近づく機会、…を入手する機会

例題 0472

Before using any standard office-issue whiteout product, it is important that it -------- first.

(A) to shake

(B) be shaken

Ⓐ Ⓑ

例題 0473

If their analysis -------- more detailed, the work would have been done more efficiently.

(A) has been

(B) had been

Ⓐ Ⓑ

例題 0474

Without your assistance, I -------- never get all this work done on time.

(A) would

(B) can

Ⓐ Ⓑ

例題 0475

The hotel management requests that all guests staying in luxury suites -------- certain that all appliances are turned off before checking out.

(A) to make

(B) make

Ⓐ Ⓑ

例題 0476

Scarlet would go to the musical if she -------- to make an advance reservation.

(A) had been able

(B) were being able

Ⓐ Ⓑ

例題 0477

If you -------- any discomfort after taking your prescription, first consult your doctor.

(A) experience

(B) had experienced

(C) experiencing

(D) were experienced

Ⓐ Ⓑ Ⓒ Ⓓ

例題 解き方

0472

訳 会社の標準的な修正液を使う前には、まず振ることが大切だ。

ポイントと正解 提案・忠告を表わす動詞 insist, suggest, request, demand や、理性的な判断や必要性を表わす形容詞 imperative, important, essential などを従える that 節では、まだ成り立っていない仮定のことがらを表わすのに、主語の人称や時制に関係なく動詞の原形を用いる。この文でも形容詞 important があり、that 以下では人称や時制に関係なく動詞の原形を用いることになるので、(B) be shaken が正解だ。

語句 □ standard 標準 □ office-issue 会社支給の □ whiteout 白の修正液 □ shake 振る

0473

訳 もし彼らの分析がもっと詳しかったら、仕事がもっと効率よくできたのに。

ポイントと正解 主節の動詞が would have been なので、仮定法過去完了の文であることがわかる。したがって、if 節の動詞は過去完了 had been となる。正解は (B) had been。

語句 □ analysis 分析 □ detailed 詳細な、詳しい □ efficiently 効率的に

0474

訳 あなたの協力がなければ、この仕事をすべて期限通りに仕上げることはできないだろう。

ポイントと正解 仮定法の重要構文「without ＋名詞 , 主語＋助動詞過去形＋動詞原形」は、「…がなければ～だろう」という意味を表わす。この文は「手助けがなければ、仕事を終えることができないだろう」という意味になるので、(A) would が正解だ。can を用いる場合は、過去形 could にする。

語句 □ assistance 協力、手助け □ get A done A を終わらせる □ on time 予定通りに

0475

訳 チェックアウトの際には電化製品の電源を切っていただくことを、特別スウィートルームにお泊りの全てのお客様にホテル支配人からお願いしております。

ポイントと正解 提案・忠告・主張・要求を表わす動詞の一つである request の従える that 節では、主語・時制に関係なく動詞の原形を用いるので、(B) make が正解となる。

語句 □ make certain 確認する □ appliances 電化製品 □ turn off （電気などが）止まる

0476

訳 先行予約をすることができていたら、Scarlet はミュージカルにいけるだろうに。

ポイントと正解 「…をしていたなら～するだろうに」という文で、主節は仮定法過去、if 節は仮定法過去完了を用いた「時制に注意する仮定法」なので、(A) の had been able が正解。

語句 □ make an advance reservation 先行予約をする

0477

訳 処方された薬を飲んだ後不快な症状が出たら、まず医者に見せなさい。

ポイントと正解 「…なら～しなさい」という仮定法現在である。(C) は文の動詞にはなれないので誤答だ。(B) が正解なら仮定法過去完了で、主節の動詞は would have consulted になる。(D) は時制が一致せず、後に目的語 any discomfort があるので受動形は当てはまらない。正解は (A) experience。

語句 □ experience 経験する □ discomfort 不快感 □ prescription 処方薬 □ consult 相談する

例題 0478

-------- you need confirmation of any of the scheduled meetings with the advisory board, do not hesitate to phone the downtown branch office.

(A) Perhaps
(B) Whether
(C) May
(D) Should

Ⓐ Ⓑ Ⓒ Ⓓ

例題 0479

Mr. Frehley -------- never have succeeded as a litigator without having attended such a prominent law school.

(A) can
(B) would
(C) must
(D) need

Ⓐ Ⓑ Ⓒ Ⓓ

例題 0480

Had we -------- that the demand for foreign textiles was facing a downturn, we would not have invested quite so much capital.

(A) know
(B) been known
(C) known
(D) knew

Ⓐ Ⓑ Ⓒ Ⓓ

例題 0481

If the management increases the monthly quota to one hundred units, the whole production department -------- work overtime.

(A) will go
(B) have gone
(C) went
(D) goes

Ⓐ Ⓑ Ⓒ Ⓓ

例題 0482

-------- you receive notices of business advancement workshops available to the public, please pass them on to your co-workers.

(A) If
(B) Though
(C) Whether
(D) While

Ⓐ Ⓑ Ⓒ Ⓓ

例題 解き方

0478

訳 予定されている委員会との面談を確認されるなら、気兼ねなく市内の支社にお電話ください。

ポイントと正解 if 節で if が省略され、主語と助動詞が倒置した形だ。本来の文は If you should であるが、倒置形の「Should you ...」のほうがより丁寧な表現だ。if 節に should を用いると「もしも…するなら」という意味になる。文に need, do not hesitate という 2 つの動詞があるので、接続詞でない (A)(C) は誤答で、(B) は意味が通らない。正解は (D) Should。

語句 □ confirmation 確認 □ advisory board 諮問委員会 □ hesitate to do 気兼ねなく…する □ downtown 市内の、繁華街 □ branch 支社、支店

0479

訳 このような優れたロースクールに通わなかったら、Mr. Frehley は法曹として成功しなかっただろう。

ポイントと正解 without が入ると仮定法にできるが、この場合主節の動詞は「助動詞の過去形＋動詞の原形」や「助動詞の過去形＋ have ＋過去分詞」の形をとることになる。have succeeded があるのでこの文は仮定法過去完了であり、助動詞の過去形 (B) would が正解となる。

語句 □ succeed 成功する □ litigator 訴訟当事者 □ attend 通う □ prominent 優れた

0480

訳 外国産繊維の需要が減退するのを知っていたなら、私たちはそんなにも多くの資本を投資しなかっただろうに。

ポイントと正解 主語の前に助動詞 had があり、主節は「助動詞の過去形 would ＋ have ＋過去分詞」の形になっているので、仮定法過去完了の if 節が倒置された文であることがわかる。したがって、know の過去分詞形 (C) known が正解だ。本来の形は If we had known である。

語句 □ the demand for …に対する需要 □ foreign textiles 外国産繊維 □ face 直面する □ downturn （経済等の）下降、悪化、低下 □ invest 投資する □ capital 資本

0481

訳 会社が月のノルマを 100 セットに増やせば、全生産部門は残業することになるだろう。

ポイントと正解 この文は「If ＋主語＋動詞現在形 , 主語＋ will ＋動詞原形」の形で、主節の動詞は未来時制の will go となる。正解は (A) will go。

語句 □ increase 増やす □ monthly quota 月のノルマ・割当量 □ unit 一式、単位 □ work overtime 残業する

0482

訳 ビジネス推進セミナーの公開について知らせを受けたら、同僚へその旨お伝えください。

ポイントと正解 「知らせを受けたら（伝えてください）」という仮定の条件節を作る (A)If が正解だ。(B) は「…にもかかわらず」、(C) は「…かどうか」、(D) は「…する間」という意味なので、空所には当てはまらない。

語句 □ notice お知らせ □ business advancement ビジネスの推進 □ workshop セミナー □ available 利用可能な □ pass on to …に伝える □ co-worker 同僚

例題 0483

If measures had been taken to safeguard the network from potential viruses, any threat of a network security breach and data loss would probably -------.

(A) eliminate
(B) be eliminating
(C) have been eliminated
(D) had been eliminated

Ⓐ Ⓑ Ⓒ Ⓓ

例題 0484

Bob Sacarello in accounting insists that the current protocol for handling audits -------- redesigned before the next tax deadline.

(A) be
(B) are
(C) have
(D) has

Ⓐ Ⓑ Ⓒ Ⓓ

例題 0485

-------- for your timely warning, the whole village would have been swept away by the tornado.

(A) Yet
(B) But
(C) Nor
(D) Without

Ⓐ Ⓑ Ⓒ Ⓓ

例題 0486

If the IT department had not developed its own tracking program, we -------- software created by a competitor.

(A) use
(B) used
(C) would use
(D) will use

Ⓐ Ⓑ Ⓒ Ⓓ

例題 0487

For the invoices to be updated in time for the next shipping date, it is imperative that Janice Swanson in New York -------- the sender at the corporate office.

(A) contacted
(B) is contacting
(C) will contact
(D) contact

Ⓐ Ⓑ Ⓒ Ⓓ

例題 解き方

• • 0483

訳 ウィルス感染からネットワークを守るための対策をしていたら、セキュリティが破られてデータが損失する危険はおそらく取り除かれていただろうに。

ポイントと正解 選択肢の動詞 eliminate は他動詞なので、空所に (A)(B) が入る場合には後に目的語が必要だ。If 節の動詞が過去完了 had been なので、主節は仮定法過去完了の would have ＋過去分詞となり、後に目的語がないので受動態であることがわかる。このすべての条件を満足させられるのは (C) である。正解は (C) have been eliminated。

語句 □measures 対策 □safeguard 保護する □potential 起こり得る □threat 脅威、危険 □breach 欠陥 □data loss データの損失 □eliminate 除去する

• • 0484

訳 会計監査の最新手順を次の納税日前に更新しておくべきだと、会計部門の Bob Sacarello は主張している。

ポイントと正解 主張を表わす「insist that ＋主語＋ (should) ＋動詞原形」についての問題だ。(B) と (C) は単数形の主語 the current protocol と数が一致しない。正解は (A) be。

語句 □insist 主張する □current 現在の □protocol 手順、慣習 □handle 処理する □audit 会計監査 □redesign 再設計する □deadline 期日、締め切り

• • 0485

訳 あなたの時機を得た警告がなかったら、村全体が竜巻で吹き飛ばされていただろう。

ポイントと正解 特殊仮定法「But for ＋名詞 , 主語＋助動詞の過去形＋ have ＋過去分詞（仮定法過去完了）」の形で、「…がなかったら〜しただろう」という意味を表わす。正解は (B) But。

語句 □timely 時機を得た □warning 警告 □whole 全体の □be swept away 流される

• • 0486

訳 IT部門が自前の追跡プログラムを開発しなかったなら、私たちは競合他社が作ったソフトを利用しているだろう。

ポイントと正解 「If ＋主語＋ had ＋過去分詞，主語＋ would have ＋過去分詞」の形の単純な仮定法過去完了ではない。選択肢に would have used がないので、if 節と主節の時制に注意しなければならない。内容的にif節は過去を表わし、主節は現在を表わしているので、if節は「had ＋過去分詞（過去完了）」に、主節は「助動詞過去形 would/could/should ＋動詞原形」になる。正解は (C) would use。

語句 □develop 開発する □tracking 追跡の □create 作る □competitor 競合他社

• • 0487

訳 次の出荷日に間に合うように請求書を更新するには、ニューヨークの Janice Swanson が発送元の企業に連絡をするのは不可欠だ。

ポイントと正解 advisable, essential, important, necessary, imperative など理性的な判断や必要性を表わす形容詞は「It is ＋形容詞＋ (that) ＋主語＋ (should) 動詞原形」の形をとる。空所には (should) contact が入る。正解は (D) contact。

語句 □invoice 請求書 □update 更新する □in time 予定通りに □shipping date 出荷日 □imperative 不可欠な □contact 連絡する □sender 送り主 □corporate 法人の

例題 0488

We would not have been able to complete the project -------- the hard work of our team members.

(A) so as
(B) without
(C) in that
(D) as to

Ⓐ Ⓑ Ⓒ Ⓓ

例題 0489

The attorney from Brown Brothers has requested that all merchandise borrowed for promotional reasons -------- by Monday, or legal action will be taken.

(A) be returned
(B) to return
(C) returns
(D) returning

Ⓐ Ⓑ Ⓒ Ⓓ

例題 0490

As reflected in the warranty, repairs on malfunctioning products are covered, -------- there are no signs of tampering.

(A) so as
(B) provided that
(C) depending on
(D) rather than

Ⓐ Ⓑ Ⓒ Ⓓ

例題 0491

Had we known that the delegation of investors from Europe would bring family members, we -------- more suitable accommodations for them.

(A) arrange
(B) could arrange
(C) will arranged
(D) could have arranged

Ⓐ Ⓑ Ⓒ Ⓓ

例題 解き方

0488

訳 チームのメンバーが一所懸命働かなかったら、私たちはこのプロジェクトを完遂できなかっただろう。

ポイントと正解 文中に would not have been able to があるので、仮定法過去完了の文であることがわかる。仮定法過去完了は過去の事実と逆のことを仮定するので、条件を表わす空所以下は「チームのメンバーたちが一所懸命働かなかったら」という意味になる。前置詞 (B) without が正解である。

語句 □ complete　終える、完成させる　□ hard work　困難な仕事、懸命に働くこと

0489

訳 販売促進で借りた品物全部を月曜日までに返却しないと訴訟を起こすと、Brown Brothers の弁護士は求めてきた。

ポイントと正解 request, suggest, recommend, insist, order, require, demand のような提案・主張・忠告・命令・要求などを表わす動詞の that 目的節では、必ず動詞の原形を用いる。この文は商品が返却されるという受動の意味なので、(A) be returned が正解だ。

語句 □ attorney　弁護士　□ request　求める　□ merchandise　商品　□ borrow　借りる　□ promotional　販売促進用の　□ return　戻す、返す　□ legal　法的な

0490

訳 わざと壊したという跡がなければ、保証書にあるように不良品の修理は補償します。

ポイントと正解 「わざと壊したという跡がなければ」という条件節を従えるのは、if と同じ意味の provided that である。depending on は後に名詞が続き「…にしたがって」「…によって」という意味になり、rather than は「…よりもむしろ」という意味になる。正解は (B) provided that。

語句 □as reflected …と示されたように　□warranty　保証書　□repair　修理　□malfunctioning　不良品、欠陥品　□ cover　覆う、カバーする　□ a sign of　…の印、跡　□ tamper　（不法に）変更する、壊す

0491

訳 ヨーロッパからの投資家一行が家族も連れてくるとわかっていたなら、その人たちにもっとふさわしい宿泊施設を準備できたのに。

ポイントと正解 文頭の Had we known ～からこの文は仮定法の倒置構文で、仮定法過去完了であることがわかる。本来の文は If we had known that ～で、主節の動詞は could have arranged の形になる。正解は (D) could have arranged。

語句 □ delegation　代表団、派遣団　□ investor　投資家　□ bring　連れてくる　□ suitable　適切な、合った　□ accommodation　宿泊施設

UNIT 15 ● 比較・最上級 ●

出題ポイント 1. 原級は「as ... as ～」構文を使って比較文にする

➡ 比較する２つの対象が対等であることを述べる原級比較文は「～と同様に…だ」という意味を表わす。as の入る部分が空所になって出題されたり、as ～ as の間に形容詞・副詞のいずれが入るかを問う問題などが出される。

1. 原級比較の基本形

as ＋形容詞原級＋（名詞）＋ as ～：～と同じくらい…だ
as ＋副詞原級＋ as ～：～と同じくらい…

I guarantee this machine will be **as good as** new.
（この機械は新品と同じくらい性能がいいと保証します。）
➡ be 動詞の補語なので形容詞

We are running our operation **as efficiently as** we can.
（我々の可能な範囲で効率的に事業を運営しています。）
➡ 動詞（are running）を修飾するので副詞

Small businesses today have just **as much power as** larger businesses.
（現在の中小企業は大企業と同じくらいの力がある。）
➡ as ＋形容詞＋名詞＋ as

2. 注意すべき原級比較構文

倍数＋ as ＋形容詞＋（名詞）＋ as：～より数倍…だ
the same（＋名詞）＋ as：～と同じ…

Housing is **twice as expensive as** it was three years ago.
（住宅は3年前に比べて2倍高い。）

This building is exactly **the same as** it was 10 years ago.
（この建物は10年前とまったく同じである。）

She gave **the same** answer **as** he did before.
（彼が以前したのと同じ返事を彼女はした。）

3. 熟語として覚えておくべき原級比較構文

（1）可能な限り早く（副詞句の役割）

Workers hope the new equipment will be installed **as soon as** possible.
（出来るだけ早く新しい設備が設置されるのを作業者は望んでいる。）

（2）…しさえすれば（接続詞の役割）

We will refund your money **as long as** you return the product within a week.
（1週間以内の返品に限り、返金いたします。）

（3）…であるだけでなく（接続詞の役割）

This discount store is cheap **as well as** (it is) conveniently located.
（このディスカウントストアは便利な場所にあるだけでなく価格も安い。）

出題ポイント 2. 比較級の基本形と強調副詞などの構文

1. 比較級の基本形

形容詞（副詞）の比較級＋ than ＋比較対象（主語＋動詞）：…（比較対象）より～だ

Taking the bus to LA is **more economical** than taking the train.
（ロサンゼルスへ行くのにバスに乗ることは、電車を利用するより経済的である。）

2. 比較級強調副詞

much[even, still, far, by far, a lot] ずっと、a little 少し、significantly よほど、著しく

➡ very, so, too は、形容詞・副詞の原級を強調することはできるが、比較級を強調することはできない。

My new Internet service is **much** faster than my last one.
（新しいインターネットサービスは以前のよりずっと速い。）

Mr. McNight's recent analysis of market trends was **significantly** more positive than his previous one.
（McNight氏による最近の市場傾向に対する分析は以前よりもかなり肯定的だった。）

3. ラテン語起源形容詞の比較

➡ 以下のラテン語が起源の形容詞は、比較対象の前に than ではなく to を使う。

必須暗記事項！

superior to …より優秀な、**prior to** …以前に (=earlier than, before)、**prefer A to B** Bより Aが好きである、**senior to** …より目上の、**inferior to** …より劣っている

Sammy Electronics' latest cellular phone is reported to be **superior to** its previous one.
（Sammy Electronics社の最新の携帯電話は以前のより優れていると報道されている。）

Don't forget to wear safety gear **prior to** entering the workplace.
（職場へ入る前に安全服を着用することを忘れないでください。）

4. 注意すべき比較構文

the ＋比較級＋主語＋動詞、the ＋比較級＋主語＋動詞：…であるほど～だ

The greater the pressure difference is, **the stronger** the wind is.
（気圧の差が大きいほど、風は強くなる。）

➡ of the two ＋複数名詞 ..., the 比較級
Of the two candidates, Mr. Karmen seems to be **the more qualified** for the position.
（2人の候補者のうちKarmen氏の方が、その仕事により適しているようだ。）

出題ポイント 3. 最上級

比較される対象が3つ以上の場合は、比較級ではなく最上級を使う。TOEIC では、いつも「…のうちで最高」というように比較対象の範囲が明示され、また定冠詞 the が正解のヒントとなる問題が多い。

1. 最上級の基本形

（1）the ＋最上級＋（名詞）＋主語＋ have ＋過去分詞
The performances have been **the best** that we have ever seen.
（私たちがこれまで見たなかで最高の公演だった。）

（2）the ＋最上級＋名詞＋ of（all）＋複数名詞
He receives **the highest** salary of all the employees.
（彼は全社員の中で最高額の給料をもらっている。）

（3）the ＋最上級＋名詞＋ in（of, on）＋単数名詞（場所・範囲）
The Hotel San Francisco is **the most** professionally operated hotel on the East Coast.
（サンフランシスコホテルはアメリカ東部沿岸で最も一流のホテルだ。）

2. 原級・比較級による最上級表現

（1）as ... as possible[one can]：可能な限り…に
Please respond to our request **as quickly as you can**.(=**as quickly as possible**)
（出来るだけ早く我々の要求に対応して下さい。）

（2）Nothing ＋比較級＋ than ...：…よりも～なものはない、…が最も～だ
Nothing is **more** important **than** human relations.
（人間関係より大切なものはない。）

（3）比較級＋ than any other ＋単数名詞：他のいかなる…より～だ
The book has been **better than any other** book in marketing the new products.
（新製品をマーケティングするのに、その本は他のどんな本よりも良い。）

3. 最上級を強調する副詞

very, much, far, by far, evenなどは形容詞や副詞の最上級を強調する。この場合、最上級の直前ではなく定冠詞 theの前に置かれる。

They are **by far** **the most promising** network company of the century.
強調 **最上級**
（彼らは断然今世紀の最も有望なネットワーク会社である。）

PART 5 文法

4. theのない最上級

（1）最上級が所有格とともに使われる場合

Rogers is **our best** client. （Rogersは我が社一番のお得意様だ。）

（2）副詞の最上級の場合

Of all other employees, he seems to learn **fastest**.
（全従業員のなかで、彼は一番速く習得するようだ。）

（3）叙述的用法の場合

Although Mr. London travels extensively, he is **happiest** at home with his family.
（London氏はあちらこちら旅行するが、自宅で家族と一緒にいるのが一番幸せだ。）

（4）most が「大部分」を表わす形容詞の場合

Most other areas of the country were hit by heavy rain.
（他の大部分の地域が豪雨に見舞われた。）

出題ポイント 4. 比較・最上級関連の慣用表現

➡ 比較・最上級関連の慣用表現はよく出題されるので、しっかり覚えておこう。

1. as always as necessary：必要ならいつでも
as often as necessary：必要なだけ頻繁に

An important announcement should be repeated **as often as necessary**.
（重要な発表は必要なら何度でも繰り返すべきである。）

2. no later than＋日時：遅くとも…まで（＝by＋日時＋at the latest）

The accounting department must receive all invoices **no later than** the fifth of the month.
= The accounting department must receive all invoices **by** the fifth of the month **at the latest**.
（遅くとも毎月5日までに、経理部は請求書を全て受け取ることが必要だ。）

3. the single＋最上級：唯一最高の（最上級を強調）

Insurance is **the single largest** overhead expense in the company.
（保険は企業における最大の経費である。）

4. more than＋形容詞・副詞・動詞：…してあまりある、はるかに越える

In the past three years, the number of cars on the roads has **more than** doubled.
（過去3年間で、自動車数は2倍以上になった。）

5. the序数＋最上級：（数）番目に最も…だ

Osaka is **the second largest** city in Japan, with a population of 2.7 million.
（大阪は270万人の人口を持つ日本で2番目に大きい都市である。）

語句
□safety gear　安全用具、安全服　□be qualified for　…に適任である、相応しい
□professionally operated　プロとして運営されている　□extensively　広大に、手広く
□double　2倍になる

PART 5 文法問題 例題 UNIT 15 ●比較・最上級

例題 0492

See the shipping page for -------- information about shipping rates and schedules.
(A) a lot
(B) more

Ⓐ Ⓑ

例題 0493

The manager is considering hiring temporary workers on a regular basis, which she thinks costs -------- .
(A) less
(B) lesser

Ⓐ Ⓑ

例題 0494

The information you provide enables us to respond to your inquiry as -------- as possible.
(A) efficient
(B) efficiently

Ⓐ Ⓑ

例題 0495

Infectious diseases were spread -------- in the past than today, due to society's lack of medical knowledge.
(A) more easily
(B) easily

Ⓐ Ⓑ

例題 0496

The inspector informed us that the heating unit is outdated, but just -------- efficient as a newer system.
(A) more
(B) as

Ⓐ Ⓑ

例題 解き方

• • 0492

訳 発送料金と発送スケジュールのより詳しい情報は、「配送ページ」をご覧下さい。

ポイントと正解 a lot（たくさん）が名詞 information を修飾するには、a lot of または lots of という形になる。「より多くの情報」という意味になる (B) more が正解。

語句 □ shipping rate　発送代金、輸送料

• • 0493

訳 マネージャーである彼女は派遣社員を定期的に雇おうかと検討中で、その方が経費が少なくなると思っている。

ポイントと正解 little の比較級が less（より少ない）で、最高級は least となる。lesser は、数量ではなく程度や価値の少なさを表わす言葉で、後に必ず名詞を必要とする。正解は (A) less。

語句 □ temporary worker　派遣社員　□ on a regular basis　定期的に　□ cost　（お金が）かかる

• • 0494

訳 いただいた情報のおかげで、質問にもできるだけ効率よくお答えできます。

ポイントと正解 原級比較の as ... as の形で、空所に形容詞・副詞のいずれが入るのかを問う問題だ。空所が動詞を修飾する場合は副詞が、be 動詞などの補語となる場合は形容詞が入る。ここでは動詞respondを修飾するので、副詞のefficientlyが当てはまる。正解は(B) efficiently。

語句 □ provide　与える、供給する　□ enable A to do A が…できるようにする　□ respond to　…に応える　□ inquiry　質問、問い合わせ　□ efficient　効率の良い、有能な　□ efficiently　効果的に、能率よく

• • 0495

訳 医療知識が社会的に不足していたため、伝染病は現在より昔の方が拡がりやすかった。

ポイントと正解 空所の後に比較の対象を表わす than があるので、前にある形容詞や副詞が比較級の形をとることになる。正解は (A) more easily。

語句 □ infectious　伝染性の　□ disease　病気　□ spread　拡がる、拡大する　□ due to　…が原因で、…の理由から　□ lack of　…が不足している、欠けている　□ medical　医療の

• • 0496

訳 暖房設備は旧式だと検査員が知らせてきたが、新しいシステムと全く同じくらい効果がある。

ポイントと正解 「新しいシステムと同じくらい効果がある」という原級比較の文なので、空所には as が入る。正解は (B) as。

語句 □ inspector　検査員、監視員　□ heating unit　暖房設備　□ outdated　旧式の、無効の　□ efficient　効果がある、効率的に　□ just as ～ as ...　…と全く同じくらい～

例題 0497

All application forms must be submitted no -------- than 4 o'clock on Thursday afternoon.
(A) later
(B) less
(C) after

Ⓐ Ⓑ Ⓒ

例題 0498

The Xpress 9.0 version is the -------- affordable editing software Advent Corp. has ever brought to market.
(A) most
(B) well

Ⓐ Ⓑ

例題 0499

Those interested in that position should submit their applications by September 3rd -------- the latest.
(A) in
(B) at

Ⓐ Ⓑ

例題 0500

Ms. Blackwell was the only female applicant for the position and was the -------- qualified.
(A) more
(B) most

Ⓐ Ⓑ

例題 0501

Production costs constitute the -------- largest expense in creating and selling the book.
(A) single
(B) first

Ⓐ Ⓑ

例題 解き方

0497

訳 応募書類は遅くとも木曜日午後 4 時までに提出しなければならない。

ポイントと正解 「no later than ＋日時」（遅くとも…までに）という表現を覚えておこう。no less than は as much as と同じ「…ほども」という意味であり、no more than は「わずか」「せいぜい」という意味だ。正解は (A) later。

語句 □ application form　申込書、応募書類　□ submit　提出する

0498

訳 Xpress バージョン 9.0 は、Advent 社が今まで発売した中で最も手ごろな価格の編集用ソフトウェアだ。

ポイントと正解 空所の前に定冠詞 the があり、後に「Advent 社が発売したうちの」という表現があるので、最上級が当てはまる。well は副詞で、比較級は better、最上級は best となる。affordable は 3 音節以上なので、最上級には most がつく。正解は (A) most。

語句 □ affordable　手ごろな値段の　□ edit　編集する　□ bring A to market　A を売り出す

0499

訳 あの仕事に興味がある人は、遅くとも 9 月 3 日までに応募書類を提出してください。

ポイントと正解 「日時＋ at the latest」は「no later than ＋日時」と同じ「遅くとも…」の意味である。正解は (B) at。

語句 □ be interested in　…に興味がある　□ position　地位、仕事　□ at the latest　遅くとも

0500

訳 Ms. Blackwell はこの仕事に応募してきた唯一の女性であるが、彼女が最も適任だった。

ポイントと正解 応募者の中で唯一の女性ということは、比較の対象が 3 人以上だということである。したがって、比較級ではなく、3 者以上を比較する最上級を用いる。正解は (B) most。

語句 □ female　女性　□ applicant　応募者、申込者　□ qualified　適任の、適した

0501

訳 書籍を作り売る費用の中で、単一のものとして最も多くかかるのが制作費だ。

ポイントと正解 largest には第一という意味も含まれるので、空所に first が入ると意味が重複することになるが、the second largest（2 番目に最も大きい）であれば自然な表現である。ここでは single largest expense で「単一の費用として最も多くかかる」という意味になる。正解は (A) single。

語句 □ production cost　制作費　□ constitute　構成する　□ expense　費用、経費　□ create　作る、世に送り出す

例題 0502

Reimbursements for travel expenses will be paid as -------- as possible once all the necessary forms are submitted.

(A) quick
(B) quickly

Ⓐ Ⓑ

例題 0503

-------- interference from managerial restraints may result in more creative ideas from individuals and teams.

(A) Least
(B) Fewer
(C) Less
(D) A few

Ⓐ Ⓑ Ⓒ Ⓓ

例題 0504

For many people, a treasured keepsake with an emotional connection has -------- value as an antique collectible item.

(A) a lot
(B) as much
(C) also
(D) so many

Ⓐ Ⓑ Ⓒ Ⓓ

例題 0505

Of the two associates, Ms. Huntington is the -------- qualified to handle customer service calls and resolve customer problems.

(A) well
(B) much
(C) too
(D) better

Ⓐ Ⓑ Ⓒ Ⓓ

例題 0506

A well-insulated toaster oven is recommended for cooking large quantities of food because it uses energy -------- than a conventional oven.

(A) efficient
(B) efficiently
(C) more efficiently
(D) most efficiently

Ⓐ Ⓑ Ⓒ Ⓓ

例題 解き方

0502

訳 必要な書類を全部提出すれば、交通費はできるだけ早く払い戻します。

ポイントと正解 空所が動詞 will be paid を修飾しているので、副詞 (B) quickly が入る。

語句 □ reimbursement 払い戻し □ travel expenses 交通費 □ pay 支払う
□ as ... as possible できるだけ… □ necessary 必要な □ form 書式、書類、用紙

0503

訳 管理職からの抑えつけという干渉が少ないほうが、個人やチームからより創意的なアイデアが産まれる。

ポイントと正解 「より少ない干渉がより創意的なアイデアを産む」という文なので、空所には less が入る。空所の後の interference は不可算名詞なので、可算名詞のみを修飾する (B)(D) は誤答だ。(A) は最上級なので、定冠詞 the を必要とする。little の比較級 less と最上級の least は、必ず覚えておこう。正解は (C) Less。

語句 □ interference 干渉、妨害、邪魔 □ managerial 管理者の、経営者の □ restraint 制限、抑制 □ result in …という結果に終る □ creative 独創的な □ individual 個人

0504

訳 大切にしまっていた思い出の品で感情と結びついているものは、多くの人にとって骨董品と同じくらい価値がある。

ポイントと正解 (A) が名詞を修飾するには a lot of の形にならねばならず、副詞の (C) also の直後に名詞 value は置かれない。(D) の後には可算名詞の複数形がくる。空所の後の as を含め as much value as（…と同じくらいの価値）となる。正解は (B) as much。

語句 □treasure 保管する、保存する、大切にする □keepsake 思い出の品、記念品 □emotional 感情的な、感情を持つ □ connection つながり、関連 □ value 価値、意義 □ antique 古風な、骨董品の □ collectible 収集価値のある

0505

訳 同僚 2 人のうち、顧客サービスの電話を受け問題を解決するのは Ms. Huntington のほうが適している。

ポイントと正解 前に Of the two associates があるので、比較の対象は 2 つである。この場合、比較級を用いる。正解は (D) better。必須暗記事項：本来比較級には the が付かないが、the が付く場合が 2 つある。一つは「the ＋比較級 , the ＋比較級」構文。2 つめは、比較の対象を強調する of the two という語句が含まれる場合だ。

語句 □ associate 仲間、同僚 □ qualified 適している □ handle 処理する、取り扱う
□ resolve 解決する

0506

訳 従来のものよりエネルギー効率がいいので、食事をたくさん作るには断熱性の高いオーブントースターをお勧めします。

ポイントと正解 後に比較の対象を表わす接続詞 than があるので、その前には比較級が必要である。正解は (C) more efficiently。

語句 □ well-insulated 断熱性の高い □be recommended for …には勧められて □quantity 量
□ efficient 効率のいい □ efficiently 効率的に □ conventional 従来の、伝統の

例題 0507

The United States Supreme Court is -------- to any other court in the nation.
(A) superior
(B) exceptional
(C) improved
(D) formal

Ⓐ Ⓑ Ⓒ Ⓓ

例題 0508

The more energy and resources you save, the -------- the marginal cost curve.
(A) steep
(B) steeping
(C) steeper
(D) more steeply

Ⓐ Ⓑ Ⓒ Ⓓ

例題 0509

Members may edit their personal information at any time and as -------- as necessary by logging on to the website.
(A) almost
(B) often
(C) well
(D) more

Ⓐ Ⓑ Ⓒ Ⓓ

例題 0510

The Valley Nursing Home received the -------- performance record for the past two years, according to recent state inspection reports.
(A) poor
(B) poorer
(C) poorest
(D) poorly

Ⓐ Ⓑ Ⓒ Ⓓ

例題 0511

B&D's proposal has been regarded as the -------- solution for improving the company's network performance.
(A) feasibly
(B) most feasible
(C) more feasible
(D) feasible

Ⓐ Ⓑ Ⓒ Ⓓ

例題 解き方

・・0507

訳 国内にある他のどの裁判所よりも連邦最高裁判所が優越している。

ポイントと正解 空所の後に any other という比較の対象があるので、空所には比較級でありながら前置詞 to を用いるラテン系語源である形容詞の比較級 (A) superior が入る。

語句 □ United States Supreme Court　連邦最高裁判所

・・0508

訳 エネルギーと資源を節約すればするほど、限界費用曲線は急勾配になる。

ポイントと正解 「the 比較級 , the 比較級」（…であるほど～だ）の構文である。冒頭に the more という比較級があるので、空所には steep の比較級 steeper が入る。the marginal cost curve is steeper の is が省略され、steeper が the steeper となって主語の前に移動した形だ。curve が動詞なら (D) も正解となり得るが、その場合は cost が単数なので curves になる。正解は (C) steeper。

語句 □ resources　資源　□ save　節約する　□ steep　険しい、急な、急勾配の　□ marginal cost curve 限界費用曲線

・・0509

訳 会員は必要な時はいつでもウェブサイトにログオンし個人情報を編集してもよい。

ポイントと正解 個人情報をどのように修正できるかを述べた文だが、空所に (B) が入って as often as necessary（必要であればいつでも）とするのが適切である。正解は (B) often。

語句 □ edit　編集する　□ personal　個人の　□ at any time　いつでも　□ log on to　…にログオンする

・・0510

訳 最近の公式検査報告書によると、Valley 老人養護施設は過去 2 年間で最も低い評価を受けた。

ポイントと正解 空所の前に定冠詞 the があるので、最上級 (C) が入って「過去 2 年間で最も低い評価を受けた」という意味になる。(A) poor が空所に入るには、冠詞は the ではなく a になる。正解は (C) poorest。

語句 □ performance　評価、業績　□ according to　…によると　□ state　公式の　□ inspection report　検査報告書

・・0511

訳 会社のネットワーク性能を向上させる解決策の中で最も実現可能なのは、B&D 社の提案だとされてきた。

ポイントと正解 空所の前に定冠詞 the があり、比較対象がはっきりと示されていないものの「いくつかの解決策の中で最も…な」という意味と考えられるので、最上級を用いる。正解は (B) most feasible。

語句 □ proposal　提案　□ be regarded as　…とみなされる、…とされている　□ solution　解決策　□ improve　改善する、向上させる　□ feasible　実現可能な、実行可能な

例題 0512

In response to the need for more activities and services, the Community Center staff has more than -------- since 1991.

(A) tripled
(B) three
(C) a third
(D) three times

Ⓐ Ⓑ Ⓒ Ⓓ

例題 0513

The newly paved highway is designed to carry the -------- traffic both in terms of the total number of vehicles and the extreme weight of multi-axle vehicles.

(A) heavy
(B) heavily
(C) heavier
(D) heaviest

Ⓐ Ⓑ Ⓒ Ⓓ

例題 0514

We believe -------- is more important than the health and safety of our employees.

(A) everything
(B) anything
(C) nothing
(D) something

Ⓐ Ⓑ Ⓒ Ⓓ

例題 0515

Gator Construction Company can begin the work sooner than Mapleton Contractors and their estimate is -------- as reasonable.

(A) just
(B) as well
(C) while
(D) very

Ⓐ Ⓑ Ⓒ Ⓓ

例題 0516

The first product seems to be the -------- of the two that we tested for safety.

(A) well
(B) better
(C) best
(D) great

Ⓐ Ⓑ Ⓒ Ⓓ

例題 解き方

0512

訳 もっと多くの取り組みとサービスへが必要との声で、コミュニティセンターのスタッフを 1991 年以来 3 倍以上増やした。

ポイントと正解 「has more than 過去分詞」の構文で、副詞 more than が比較を表わしている。空所は動詞の過去分詞が入る位置で、「3 倍増えた」という意味の (A)tripled が入る。(D) は「3 回」の意味で文脈に合わず、(C)「3 回目」も誤答である。正解は (A) tripled。

語句 □ in response to …に応えて □ need for …への要望、必要性 □ more than …以上 □ triple 3 倍になる、3 倍増える

0513

訳 交通量と大重量の多軸車という 2 つの観点から、新たに舗装した幹線道路は最も重い車を支えられるように設計されている。

ポイントと正解 (B) は副詞で名詞 traffic を修飾できない。また、of the two ... のように比較の対象が限定されていない限り、定冠詞 the の後に (C) のような比較級が置かれることはない。「最も重い」という意味の最上級 (D) が入ると、自然な文になる。(A) heavy を用いるときは、the は必要ない。正解は (D) heaviest。

語句 □ newly paved 新たに舗装された □ be designed to do …するよう設計されて □ carry 支える、運ぶ □ in terms of …の点から見て □ vehicle 乗り物、自動車 □ extreme 極端な、極度の □ weight 重量、重さ □ multi-axle 多軸車

0514

訳 社員の健康と安全より大切なものは無いと信じています。

ポイントと正解 「nothing is more ... than ～」（～より…なものはない）という、比較級を用いた最上級表現である。正解は (C) nothing。

0515

訳 Gator Construction 社は、Mapleton Contractors 社より早く仕事を始められ、見積り額は同じくらい手頃だ。

ポイントと正解 同等比較の変形構文「just as ＋形容詞（＋ as)」(同様に…だ、同じぐらい…だ）についての問題である。一般的に 2 つめの as は省略される。正解は (A) just。

語句 □ sooner than …より早く、…よりはむしろ □ estimate 見積り額 □ reasonable 手ごろな、安い

0516

訳 安全性のテストをした製品 2 つのうちで、最初のものの方が良さそうだ。

ポイントと正解 比較の対象が 2 つ (of the two) なので、比較級を用いる。正解は (B) better。

例題 0517

Since it was overhauled, this printer has worked -------- than it did when it was new.

(A) well
(B) the best
(C) best
(D) even better

Ⓐ Ⓑ Ⓒ Ⓓ

例題 0518

Hinduism has grown to become the world's -------- largest religion, after Christianity and Islam.

(A) three
(B) thirdly
(C) third
(D) of third

Ⓐ Ⓑ Ⓒ Ⓓ

例題 0519

Tests confirmed that the inexpensive printer is as -------- as most top-ranking models on the market.

(A) reliant
(B) reliable
(C) reliably
(D) reliability

Ⓐ Ⓑ Ⓒ Ⓓ

例題 解き方

0517

訳 プリンターは総点検したので、新品の時よりよっぽど良く作動する。

ポイントと正解 後に比較を表わす接続詞 than があるので、空所には比較級が入る。ここでの even は、比較級を強調する副詞である。正解は (D) even better。

語句 □ since …なので □ overhaul 総点検する、整備する

0518

訳 キリスト教・イスラム教に続き、ヒンドゥー教は世界で 3 番目に大きな宗教になった。

ポイントと正解 「…番目に最も～な」と言うときは「the ＋序数＋最上級」を使う。正解は (C) third。

語句 □ Hinduism ヒンドゥー教（徒、世界） □ grow 育つ、大きくなる □ religion 宗教 □ Christianity キリスト教 □ Islam イスラム教

0519

訳 検証テストが確認したところによると、市場で一番のモデルと同じくらいその安価なプリンターも信頼できる。

ポイントと正解 原級比較「as...as」の間に入る形容詞・副詞を選ぶ問題では、前にある動詞を確認しよう。「as...as」の直前に is という be 動詞があるので、空所には形容詞が入る。形容詞 (A)(B) のうち、(A) は「依存する」という意味で、(B) は「信頼できる」「頼もしい」という意味なので、(B) が当てはまる。正解は (B) reliable。

語句 □ confirm 確認する □ inexpensive 安価な、高くない □ top-ranking 一番の、トップの

UNIT 16 ●省略・倒置●

出題ポイント 1.「主語＋ be 動詞」が省略された副詞節

➡ 主節と従属節の主語が同じ場合、接続詞 when, while, as（…のとおり）, if, unless, although, after, once の次の「主語＋ be 動詞」は省略されることがある。

while/when (you are) driving	運転中、運転時
as (it was) directed	指図通りに
as (it was) scheduled	予定通りに
as (it is) indicated	表示通りに
if (it is) possible	もし出来れば、可能ならば
unless (they are) accompanied by their parents	父母同行でない限り
although (it is) badly damaged	ひどく損害を受けるが
once (it was) introduced	ひとたび紹介されたら

➡ 時間・理由を表わす as、because の後の「主語＋ be 動詞」は省略できない。

出題ポイント 2.「主格関係代名詞＋ be 動詞」が省略され、分詞が先行詞を修飾する形

「主格関係代名詞＋be動詞」の省略

先行詞＋主格関係代名詞＋ be 動詞＋現在分詞→先行詞＋現在分詞
先行詞＋主格関係代名詞＋ be 動詞＋過去分詞→先行詞＋過去分詞

Members **who are returning** to active status will be responsible for paying the $20 renewal fee.
→Members **returning** to active status will be responsible for paying the $20 renewal fee.
（資格を有効に戻す会員は、20ドルの再開料金を支払わなければならない。）

Ms. Taylor is responsible for interpreting the information **which was given** on the order form and retrieving the supplies from the warehouse.
→Ms. Taylor is responsible for interpreting the information **given** on the order form and retrieving the supplies from the warehouse.
（Ms. Taylorは注文書の情報を把握し必要なものを倉庫から取ってくる担当だ。）

出題ポイント 3. if 節のない主節のみの仮定法構文

➡ would, could が含まれる文は単純な過去形なのか仮定法なのかを見分けなければならない。文脈上で仮定条件が示される場合には if 節なしに主節のみで表現したり、他の語句が if 節に取って代わる場合もある。このような文はふつう謙遜・推測を表わす。

We **would have arranged** for a limousine to pick up the delegates from the airport, but they never informed us of their arrival time.
(空港で派遣団を迎えるリムジンを準備するはずだったが、到着時間を知らせて来なかった。)
➡ would have arranged は仮定法過去完了の主節の形である。「教えてくれれば準備をしたはず」という仮定法の文で、if 節の代わりに but 以下を述べたものである。

Door-to-door selling **would not be** effective for expensive goods.
(高額商品を訪問販売するのは効率的ではないだろう。)
➡ 訪問販売は行っていないが、もし行っても効率的ではないかもしれないという意味。

We **would be honored** to work with you and share our knowledge.
(私たちはあなたと一緒に働き知識を共有できたら光栄です。)
➡ 文頭の If allowed が省略されたものと見ることができる。

Under another reconstruction plan, the majority of business assets **could be** sold.
(もう一方の建設計画ならば、事業資産の大多数を販売することも出来たでしょう。)
➡ Under another reconstruction plan が条件を表わす。

出題ポイント 4. 主語の長い倒置文

A pamphlet regarding how to buy a vacuum cleaner from a dealer is **enclosed**.
主語

Enclosed is a pamphlet regarding how to buy a vacuum cleaner from a dealer.
(販売店で掃除機を購入する方法についての案内書を同封いたします。)

➡ be 動詞以外の一般動詞は、主語と助動詞の位置が入れ替わる。また、場所を表す副詞句が倒置されて文頭にくる場合は、主語と助動詞ではなく主語と動詞の位置が入れ替わる。

He did not say a word. → Not a word **did he** say.(彼は何も言わなかった。)

On the grass **sat** a group of female **workers**.(芝生に女性社員たちが座っていた。)

出題ポイント 5. 文の特定部分を強調する語句を文頭に置く倒置文

The storage must be left unlocked **under no circumstances**.
→ **Under no circumstances** must the storage be left unlocked.
(いかなる場合であっても、倉庫に鍵をかけないままにしておいてはいけない。)

An exhibit from Paris is **currently on display at the museum**.
→ **Currently on display at the museum** is an exhibit from Paris.
(現在博物館に展示しているのはパリからの出品物である。)

出題ポイント 6. 否定副詞を文頭に置く倒置文

否定副詞の種類：**hardly**（ほとんど…ない）、**scarcely**（ほとんど…ない）、**rarely**（めったに…ない）、**not only**（…だけでなく）、**nowhere**（どこにも…ない）

He had no sooner seen me than he ran away.
→ **No sooner** **had** **he** **seen** me than he ran away.
否定副詞　助動詞　主語　本動詞
（彼は私を見るやいなや逃げた。）

出題ポイント 7. 仮定法の条件節で if が省略された倒置文

If we had departed a few minutes earlier, we **would** not **be** stuck in traffic now.
→ **Had we departed** a few minutes earlier, we **would** not **be** stuck in traffic now.
（あと2，3分早く出発していたら、今ごろ交通渋滞に巻き込まれていないだろうに。）

出題ポイント 8. 比較構文の倒置と省略

【その機械は以前のものよりはるかに安い。】

1. The machine costs much less than the old one.
➡ 比較構文で共通の成分を省略できる。

2. The machine costs much less than the old one does.
➡ 一般動詞の場合、代動詞 do[does, did] を使うことができる。

3. The machine costs much less than does the old one.
➡ than 以下の主語と動詞は入れ替わることがある。

4. × The machine costs much less than does it.
➡ than 以下の主語が代名詞の場合、倒置はできない。

Women were not as prevalent in managerial positions as were men.
（管理職の立場にいる女性は男性ほど一般的でなかった。）
➡ 原級比較を表わす「as ... as ～」構文でもよく倒置が起きる。

出題ポイント 9. neither do I/so do I

1. 否定文反復

and neither do A ＝ and A do not either：A も（…でないのは）同じだ

Employees have little control over the day-to-day operations of a company, **and neither do** investors.
（会社の日常業務を社員はほとんど管理していないし、投資家たちもまた同じである。）

2. 肯定文反復

and so do A ＝ and A do too：A も同じだ

Patterns of working vary from one person to another, **and so do the desired outcomes**.
（勤務形態が人それぞれ異なるのと同じで、望む成果もさまざまである。）

3. 「... nor＋助動詞＋主語」：また…でもない

I am **not** the president **nor do** I wish to be.
（私は社長でもないし、なりたいとも望まない。）

出題ポイント 10. 様態を表わす接続詞 as 節の倒置

➡ as が「…するように」「…のごとく」の意味で使われる場合、as の後では慣用的に主語と動詞の位置を入れ替えて「as ＋ is[does, has] ＋主語」になる。

Cusack is a great athlete, **as was his father** before him.
（Cusackは、彼の父が以前そうであったように、すばらしいアスリートである。）

語句
□active status　有効資格　□be responsible for　…する責任がある　□renewal fee　更新料　□interpret　解釈する、判断する　□order form 注文書　□retrieve　回収する、取り出す　□arrange for　…を手配する　□delegate　派遣団員、代表者　□informed A of B　A に B を通知する　□door-to-door selling　訪問販売　□effective　有効な　□the majority of　大多数の　□asset　資産、財産　□prevalent　一般に行われているもの　□managerial　管理者の

PART 5 文法

PART 5 文法問題 例題 UNIT 16 ● 省略・倒置

例題 0520

The phone numbers of clients listed in my appointment book are more recent than --------.
(A) the telephone book
(B) in the telephone book

Ⓐ Ⓑ

例題 0521

They analyze a sentence when -------- grammar.
(A) are studying
(B) studying

Ⓐ Ⓑ

例題 0522

Unless -------- by their parents, individuals under the age of 18 cannot rent a campsite.
(A) they accompanied
(B) accompanied

Ⓐ Ⓑ

例題 0523

Mr. Lyang resigned from his position because -------- .
(A) sick
(B) he was sick

Ⓐ Ⓑ

例題 0524

Every employee is required to take the physical examination as -------- .
(A) schedule
(B) scheduled

Ⓐ Ⓑ

例題 解き方

・・0520

訳 私の手帳にある取引先の電話番号は電話帳にあるものより新しい。

ポイントと正解 比較を表わす文で、than 以下の句は前にある in my appointment book と同じ句構造になるので、重複する前置詞 in は省略される。正解は (A) the telephone book。

語句 □ client　顧客、取引先、得意先　□ listed　掲載されて　□ appointment book　スケジュール表　□ recent　最近の

・・0521

訳 彼らは文法を勉強する時、文章を分析する。

ポイントと正解 主節と従属節の主語が同じで接続詞が when の場合、後の「主語＋ be 動詞」が省略されることもある。when they are studying grammar から、主語と be 動詞が省略されて when studying となっている。正解は (B) studying。

語句 □ analyze　分析する　□ sentence　文；判決　□ grammar　文法

・・0522

訳 両親の付き添いがなければ、18 歳以下の人はキャンプ場を借りられない。

ポイントと正解 空所の後に受動態を表わす前置詞 by があるので、従属節の主語は動作の対象であることがわかる。この節は、本来受動文である Unless they are accompanied から主語と be 動詞が省略されて、Unless accompaniedとなったものである。正解は(B) accompanied。

語句 □ unless　もし…でなければ、…でない限り　□ accompany　同行する、付き添う　□ individual　個人　□ under the age of　…歳以下　□ rent　借りる　□ campsite　キャンプ場

・・0523

訳 Mr. Lyang は病気のため仕事を辞めた。

ポイントと正解 時間や理由を表わす as, because の後では、「主語＋ be 動詞」は省略できない。正解は (B) he was sick。

語句 □ resign from　…を辞職する　□ position　地位、立場、身分、職業

・・0524

訳 全ての社員は予定通り健康診断を受けてください。

ポイントと正解 as と scheduled の間の it is が省略された副詞節構文である。as scheduled のまま慣用句として覚えておこう。この他にも as directed（指示どおりに）, as indicated（表示のとおりに）が TOEIC によく出題される。正解は (B) scheduled。
必須暗記事項：every, each などに修飾された主語の後では、単数形動詞を用いることも覚えておこう。

語句 □ be required to do　…するよう義務付けられている　□ physical examination　健康診断　□ as scheduled　予定通りに

例題 0525

The government estimates a half-million people -------- their personal information stolen last year.

(A) could have had
(B) can have

Ⓐ Ⓑ

例題 0526

-------- asked whether she will attend the workshop, Ms. Wang said that she had to go to a conference.

(A) When
(B) Because

Ⓐ Ⓑ

例題 0527

Our customer service department will offer you free repairs on the items you have purchased, -------- applicable.

(A) if
(B) as

Ⓐ Ⓑ

例題 0528

Never -------- with his ability to lead the company with a positive plan.

(A) did his illness interfered
(B) did his illness interfere

Ⓐ Ⓑ

例題 0529

In the eastern part of New Jersey -------- the city of Elizabeth.

(A) lie
(B) lies

Ⓐ Ⓑ

例題 解き方

0525

訳 去年50万人が自分の個人情報を盗まれたようだと、政府は予想している。

ポイントと正解 文中に if 節がなくても would, could があれば、if 節の代わりに他の語句が仮定文を作ることがある。このような文は一般に丁寧さや推測を表わす。この文でも The government estimates が「政府は予想する」という推測の意味を表わしており、空所には仮定の could have had が入る。正解は (A) could have had。

語句 □ estimate 予想する、見積もる □ half-million 50万 □ personal 個人の □ steal 盗む、盗用する

0526

訳 Ms. Wang はワークショップに参加するかと質問されたとき、会議に行かなければいけないと言った。

ポイントと正解 時間や理由を表わす接続詞 as, because の後の「主語＋ be 動詞」は省略できない。「ワークショップに参加するかと質問されたとき」という意味になるので、空所には (A) When が入る。

語句 □ whether …かどうか □ attend 出席する □ conference 会議

0527

訳 私ども顧客サービス部門は、可能ならばあなた様が購入された品物の修理は無料にいたします。

ポイントと正解 as ＋過去分詞形の慣用句と同様に、if applicable も if と applicable との間の it is が省略されたものである。if applicable で「可能なら」という意味になる。正解は (A) if。

語句 □ offer 用意をする、申し出る □ free repair 無料修理 □ item 事項、項目、品目 □ purchase 購入する □ applicable 適用できる、応用できる

0528

訳 前向きな計画で会社を引っ張っていく彼の能力は、彼が病気になっても駄目にならない。

ポイントと正解 否定語句が文頭にくると倒置が起きて「否定語＋助動詞＋主語」の形になるが、助動詞 did があるので動詞は原形の interfere となる。正解は (B) did his illness interfere。

語句 □ interfere with …を妨げる、妨害する、口出しする □ ability to do …する能力 □ lead 指導する、導く □ positive plan 前向きな計画、はっきりした計画

0529

訳 ニュージャージー州の東部にエリザベス市はある。

ポイントと正解 強調のために副詞（句）が文頭にくるときも倒置が起きるが、この文は The city of Elizabeth lies in the eastern part of New Jersey が倒置したものだ。この問題では、主語が the city であれ part であれ3人称単数動詞の lies が正解となるが、倒置構文についてしっかり理解しておこう。正解は (B) lies。

語句 □ eastern 東部の □ lie 位置する、…のままである；横たわる

例題 0530

Among the company's problems -------- the lack of manpower.

(A) is

(B) are

Ⓐ Ⓑ

例題 0531

-------- do most smokers know the danger of smoking, but they are also aware of the addictive nature of nicotine.

(A) Neither

(B) Not only

Ⓐ Ⓑ

例題 0532

-------- have gas prices been higher than they are now.

(A) Never

(B) None

Ⓐ Ⓑ

例題 0533

Nowhere -------- ever seen a book like yours.

(A) I have

(B) have I

Ⓐ Ⓑ

例題 0534

-------- have automobile sales been stronger than they were last quarter.

(A) Never

(B) Anytime

(C) None

(D) Quite

Ⓐ Ⓑ Ⓒ Ⓓ

例題 解き方

0530

訳 マンパワー不足が会社の問題点としてある。

ポイントと正解 problems を主語と思い are を選ぶと、まんまと落とし穴にはまってしまう。この文では強調のために副詞句全体が文頭に移動しており、主語は the lack of manpower なので、動詞は単数形の is になる。正解は (A) is。

語句 □ lack of …不足、…を欠いている □ manpower 人材、人員、マンパワー

0531

訳 喫煙者のほとんどは、喫煙の危険性のみならずニコチンの中毒性にも気づいている。

ポイントと正解 not only A but also B（A だけでなく B もまた）構文の not only が文頭に出たので、主語 most smokers の前に助動詞が置かれている。後の they are が現在時制なので、助動詞も現在形の do になっている。正解は (B) Not only。

語句 □danger 危険性 □be aware of …に気づいている □addictive nature of nicotine ニコチンの中毒性

0532

訳 ガソリン価格は、現在の価格より決して高かったことはない。

ポイントと正解 Gas prices have never been higher than they are now の never が前に移動した文で、主語と動詞の位置も代わっている。正解は (A) Never。

語句 □ higher than …より高い

0533

訳 あなたの持っているような本はこれまでどんなところでも見かけたことはない。

ポイントと正解 hardly, scarcely, rarely, not only, nowhere のような否定副詞が文頭にくるときは、主語と助動詞が入れ替わる。正解は (B) have I。

語句 □ ever 今まで、これまでに

0534

訳 自動車の販売台数は、前四半期より決して良くなかった。

ポイントと正解 倒置が起きるためには文頭に否定副詞がこなければならないので、否定語でない (B) Anytime や (D) Quite、副詞でない代名詞の (C) None は誤答である。本来の文 Automobile sales have never been ～の否定副詞 Never が文頭に移動し、助動詞と主語が倒置して Never have automobile sales been ～の形になったものである。正解は (A) Never。

語句 □ automobile 自動車 □ sales 売上 □ quarter 四半期

例題 0535

Not only did the shipping company -------- my order, but they didn't refund the items.
(A) cancel
(B) cancels
(C) canceled
(D) canceling

Ⓐ Ⓑ Ⓒ Ⓓ

例題 0536

-------- recently has our company realized the importance of online marketing.
(A) Unless
(B) Only
(C) Whether
(D) Even

Ⓐ Ⓑ Ⓒ Ⓓ

例題 0537

Not only have I -------- my mind, but I have decided to join the project as a core member.
(A) change
(B) changed
(C) changes
(D) changing

Ⓐ Ⓑ Ⓒ Ⓓ

例題 0538

-------- had I finished the work than I was given a new assignment.
(A) Greatly
(B) Rapidly
(C) Hardly
(D) Briefly

Ⓐ Ⓑ Ⓒ Ⓓ

例題 0539

------- had our vacation started than it began to pour rain.
(A) Sooner
(B) The sooner
(C) Any sooner
(D) No sooner

Ⓐ Ⓑ Ⓒ Ⓓ

例題 解き方

0535

訳 運送会社は私の注文を取り消しただけでなく、返品にも応じなかった。

ポイントと正解 Not only の後で主語 the shipping company と助動詞 did が倒置されている。助動詞 did があるので、空所の本動詞は原形の (A) cancel となる。but 節の述語が過去時制の didn't refund なので、主節の助動詞も過去形の did になっている。正解は (A) cancel。

語句 □ not only A but (also) B　A のみならず B も　□ shipping company　輸送会社、運送会社　□ order　注文（する）　□ refund　払い戻す

0536

訳 最近になってやっと私たちの会社はオンラインマーケッティングの重要性に気がついた。

ポイントと正解 この文は単文なので、2 つの節をつなぐ接続詞 (A) Unless は正解になり得ない。倒置構文の一つに副詞（句）を文頭に置いて強調するものがあるが、選択肢のうち副詞は (B) Only と (D)Even で、このうち空所に入って「最近になってやっと～」という意味になるのは (B) Only である。

語句 □ recently　最近　□ realize　分る、気がつく　□ the importance of　…の重要性

0537

訳 私は考えが変わっただけではなく、プロジェクトの中心メーバーとして参加することも決めた。

ポイントと正解 否定語句の Not only が文頭にあり、主語と動詞が倒置された文である。本来の文は I have not only changed ～なので、(B) changed が正解だ。

語句 □ change one's mind　考えが変わる　□ decide to do　…することを決める　□ join　参加する　□ core　主要な、中心の

0538

訳 仕事が終るやいなや、新しい仕事が割り当てられた。

ポイントと正解 否定副詞 hardly が文頭にきて主語と動詞が倒置された文だ。hardly (scarcely)...when (than) ～（…するやいなや～する）という慣用表現を覚えておこう。正解は (C) Hardly。

語句 □ finish　終える　□ assignment　職務、課題

0539

訳 休暇が始まるやいなや、土砂降りの雨になった。

ポイントと正解 休みが始まったのが先なので過去完了形 had started が使われているが、had が倒置されているので、「…するやいなや～する」という意味の No sooner...than ～構文であることがわかる。正解は (D) No sooner。

語句 □ no sooner ... than　…するや否や　□ vacation　休暇　□ pour　雨が激しく降る；注ぐ、液体をつぐ

例題 0540

At no time -------- personal risk when he was called upon to give assistance to others.
(A) did he consider
(B) he considered
(C) he did consider
(D) he would consider

Ⓐ Ⓑ Ⓒ Ⓓ

例題 0541

When a company plans the marketing strategy for a brand new cellular phone model, it must take into -------- a number of factors related to consumer trends.
(A) consider
(B) considered
(C) considering
(D) consideration

Ⓐ Ⓑ Ⓒ Ⓓ

例題 0542

Enclosed -------- the information requested by programmers to help them choose the best product to install on company computers.
(A) if
(B) that
(C) from
(D) is

Ⓐ Ⓑ Ⓒ Ⓓ

例題 0543

Under -------- circumstances must you reveal your password to anyone.
(A) favorable
(B) many
(C) no
(D) present

Ⓐ Ⓑ Ⓒ Ⓓ

例題 0544

These tickets will not be refundable, -------- will they be accepted beyond their expiry date.
(A) but
(B) though
(C) only
(D) nor

Ⓐ Ⓑ Ⓒ Ⓓ

例題 解き方

0540

訳 彼は他人の世話を頼まれた時、決して自分の危険を顧みなかった。

ポイントと正解 「決して…しない」という意味の否定語句 at no time が文頭にきているので、主語と動詞が倒置された (A) did he consider が正解だ。when 副詞節の時制が was called upon と過去なので、助動詞も過去の did になっている。

語句 □ at no time 決して…しない □ personal 個人的な、個人の □ risk 危険、リスク □ call (up)on …に頼む、求める、要求する □ give assistance to …の力になる、世話をする

0541

訳 携帯電話の新作モデルを会社が戦略的にマーケティングする時は、消費動向に関連した多くの要素を考慮に入れなければならない。

ポイントと正解 take A into consideration は「A を考慮に入れる」という意味で、(D) consideration が正解となる。この文では「A」が a number of ～ trends と長いので、take into consideration A のように倒置されている。

語句 □ strategy 戦略 □ brand new 新作モデル □ a number of 何回も、多くの… □ factor 要因、要素 □ related to …に関する □ consumer 消費者 □ trend 動向、傾向

0542

訳 プログラマーからのお願いで、会社のコンピューターにインストールする製品を彼らが選ぶのに役立つ情報を同封いたします。

ポイントと正解 主語が長かったり補語を強調するときには、主語と動詞が倒置される。この文は主語が「the information ～ computers」と非常に長いので、enclosed が文頭にきて動詞 is が後に続いている。正解は (D) is。

語句 □ enclosed 同封した □ requested by …に依頼されて □ install インストールする

0543

訳 どんなことがあっても、自分の暗証番号を誰にも明らかにしてはいけない。

ポイントと正解 本来の文は You must reveal password to anyone under no circumstances であるが、副詞句を強調するために文頭に置き、主語と動詞が倒置している。under〔in〕no circumstances は「どんなことがあっても決して…しない」という意味である。正解は (C) no。

語句 □ reveal 明らかにする、暴露する □ favorable 好意的な、有利な、見込みのある □ present 提示する

0544

訳 これらのチケットは払い戻しもできず、有効期間が過ぎていて使用することもできないだろう。

ポイントと正解 「not ～ , nor ＋助動詞＋主語～」という倒置構文についての問題だ。「払い戻しもできず、使用することもできない」という意味なので、(D) nor が当てはまる。正解は (D) nor。

語句 □ refundable 払い戻しできる □ accept 受け入れる、容認する □ expiry date 失効日、有効期限、賞味期限

例題 0545

------- they not compiled their original guide book, much of the history of Logtown would have been lost.

(A) Had
(B) Have
(C) Has
(D) Having

Ⓐ Ⓑ Ⓒ Ⓓ

例題 0546

Ms. Ryu's colleagues were well aware of her duties, -------- her commanding officers.

(A) were
(B) as
(C) as were
(D) as they were

Ⓐ Ⓑ Ⓒ Ⓓ

例題 0547

Only then -------- come to realize that there were greater potential rewards ahead of her than she had expected.

(A) has she
(B) she did
(C) she has
(D) did she

Ⓐ Ⓑ Ⓒ Ⓓ

例題 0548

I -------- ahead and drawn up a presentation schedule for the buyer's meeting, but I never received the list of presenters.

(A) went
(B) can have gone
(C) have gone
(D) could have gone

Ⓐ Ⓑ Ⓒ Ⓓ

0545

訳 彼らが独自のガイドブックを編集しなかったなら、Logtownの歴史の大部分は失われていただろう。

ポイントと正解 仮定法の条件節でifが省略されると、倒置が起きる。主節の動詞がwould have beenであることから、この文は仮定法過去完了であることがわかる。正解は(A) Had。

語句 □compile 編集する、集める □original 独自の □guidebook ガイドブック □lose 失う

0546

訳 Ms. Ryuの指揮官のように、同僚は彼女の職務をよく知っていた。

ポイントと正解 asが「…のとおりに」「…のように」という意味で用いられる場合、主語と動詞の位置が慣用的に入れ替わり「as + is〔does、has〕+主語」の形になる。主節の動詞がwereなので、時制の一致によりas倒置節の動詞もwereとなる。正解は(C) as were。

語句 □colleague 同僚 □be aware of …を知っている、気づいている □duty 職務、任務 □commanding officer 部隊長、指揮監督者

0547

訳 彼女はその時になって、期待以上の見返りがあることがわかるようになった。

ポイントと正解 強調のために副詞（句）が文頭にくることがあるが、このとき主語と動詞は倒置される。この文ではonly then（その時になって）を強調するための構文になっているが、only thenは過去の時点を意味しているので、現在完了形の(A) has sheは当てはまらない。正解は(D) did she。

語句 □realize 分る、気づく □great 多くの、偉大な □potential 可能性、将来性、潜在性 □reward 報酬、謝礼 □ahead of …より先に、進歩して □expect 期待する

0548

訳 私が先に行ってバイヤー会議用のプレゼンテーション日程を決めることもできただろうに。しかし、発表者の名簿すら受け取っていなかった。

ポイントと正解 仮定条件を表わす文には、if節がなく主節だけのものや、他の語句がif節に取って代わるものがある。この文も、but以下がif節に取って代わっている。主節が「プレゼンテーションの日程を決めることもできただろう」という仮定法過去完了なので、空所には(D) could have goneが入る。

語句 □go ahead 先に行く、先に進む □draw up 作成する、練る □the list of …のリスト、名簿 □presenter 発表者

Chapter 2 Part 5 文法問題に慣れるための実践問題

1. 実践問題を解こう。

本番形式の 40 問（設問 101 ～ 140）を時間厳守（15 分）で解いてみよう。

2. 復習しよう。

(1) あやふやな問題や間違えた問題は、「解き方」を熟読し、時には「文法のポイント」に戻ることも必要だ。

(2) 文章を何度も音読して、文法知識を英文で覚えよう。

● 実践問題　P.333　☞ 解き方 P.338

実践問題 制限時間 15 分 ☞解き方 P.338

☞解き方 P.338

101 The research proves that people who drive further distances to work, spend less time with ------- families.

(A) they
(B) them
(C) their
(D) theirs

Ⓐ Ⓑ Ⓒ Ⓓ

102 Management will be ------- demands on employees next quarter in order to meet export quotas.

(A) increase
(B) increases
(C) increasing
(D) increasingly

Ⓐ Ⓑ Ⓒ Ⓓ

103 According to the newspaper, neither Mr. Vinetti ------- Mr. Sansu were present at the investors' meeting concerning the new building.

(A) except
(B) so
(C) nor
(D) besides

Ⓐ Ⓑ Ⓒ Ⓓ

104 If you can't agree among ------- on what you want, one of our representatives can help you.

(A) you
(B) your
(C) yours
(D) yourselves

Ⓐ Ⓑ Ⓒ Ⓓ

105 The new customer database will be uploaded ------- the next two weeks.

(A) by
(B) with
(C) from
(D) in

Ⓐ Ⓑ Ⓒ Ⓓ

106 It ------- three years since these two rivals last competed in the United States in 2004.

(A) was
(B) would be
(C) has been
(D) was being

Ⓐ Ⓑ Ⓒ Ⓓ

107 Anyone ------- with the employee appreciation banquet should meet in the board room at 3:00 p.m.

(A) involve
(B) involved
(C) involving
(D) involves

Ⓐ Ⓑ Ⓒ Ⓓ

108 Many retail stores offer discounted prices when purchasing in bulk to make appliances less ------- .

(A) cost
(B) costed
(C) costing
(D) costly

Ⓐ Ⓑ Ⓒ Ⓓ

実践問題

109 The accountant finished ------- our tax forms yesterday and recommended that we file for a special status business loss exemption.

(A) review
(B) reviews
(C) reviewing
(D) reviewed

Ⓐ Ⓑ Ⓒ Ⓓ

110 QD Cosmetics has been increasing profits and has become the market's ------- company.

(A) strongly
(B) strength
(C) stronger
(D) strongest

Ⓐ Ⓑ Ⓒ Ⓓ

111 It ------- to my attention that retaining loyal customers is more important than attracting new ones.

(A) brings
(B) brought
(C) has brought
(D) has been brought

Ⓐ Ⓑ Ⓒ Ⓓ

112 ProTech electronic dictionaries have all the same features as their competitors ------- voice recognition capabilities.

(A) plus
(B) together
(C) both
(D) though

Ⓐ Ⓑ Ⓒ Ⓓ

113 Cards are valid for eight years from the date of ------- .

(A) issue
(B) issues
(C) issuing
(D) issued

Ⓐ Ⓑ Ⓒ Ⓓ

114 ------- promising it may seem, any investment offers some degree of risk, and should be considered carefully.

(A) Almost
(B) Nevertheless
(C) Seldom
(D) However

Ⓐ Ⓑ Ⓒ Ⓓ

115 ------- our departments work together quite often, it is important that we stay focused on our individual goals for the company.

(A) Although
(B) Unlikely
(C) Meanwhile
(D) Already

Ⓐ Ⓑ Ⓒ Ⓓ

116 It is ------- that Mr. Mack will be chosen as the new sales team leader.

(A) like
(B) likely
(C) likened
(D) likelihood

Ⓐ Ⓑ Ⓒ Ⓓ

117 While many individuals find Jane O' Brian's movies to be ------- , I have never enjoyed her work.

(A) fascinate
(B) fascinates
(C) fascinating
(D) fascinated

Ⓐ Ⓑ Ⓒ Ⓓ

118 Please fill out the enclosed form and send it to us by April 24 in order to become eligible ------- the grand prize.

(A) win
(B) wins
(C) to win
(D) winning

Ⓐ Ⓑ Ⓒ Ⓓ

119 After introducing a new product line in Europe, our profits ------- doubled.

(A) ever
(B) much more
(C) more than
(D) even more

Ⓐ Ⓑ Ⓒ Ⓓ

120 We are interested in learning ------- you might be available to work full-time this year.

(A) while
(B) whether
(C) how
(D) what

Ⓐ Ⓑ Ⓒ Ⓓ

121 We are very sorry ------- the misinformation you were given concerning your car repairs.

(A) to
(B) for
(C) from
(D) around

Ⓐ Ⓑ Ⓒ Ⓓ

122 ------- of the parking spaces were reserved for company officials.

(A) Each
(B) Every
(C) Several
(D) The most

Ⓐ Ⓑ Ⓒ Ⓓ

123 The more interviews you have, the ------- you can prepare for them.

(A) confident
(B) confidently
(C) more confidently
(D) more confident

Ⓐ Ⓑ Ⓒ Ⓓ

124 Hiring more people to work on the assembly line will greatly enhance Crompton Motor Company's ------- .

(A) produced
(B) producing
(C) productive
(D) productivity

Ⓐ Ⓑ Ⓒ Ⓓ

実践問題

125 The research department has ------- not supplied the office branches with the new survey results.

(A) once
(B) soon
(C) almost
(D) still

Ⓐ Ⓑ Ⓒ Ⓓ

126 ------- of the employees involved in developing this advertising campaign thought it would become so popular.

(A) Not
(B) None
(C) Whoever
(D) Something

Ⓐ Ⓑ Ⓒ Ⓓ

127 Along with great restaurants and historical museums, Charlestowne also offers ------- tours for sightseers.

(A) numerous
(B) numerousing
(C) numerously
(D) number

Ⓐ Ⓑ Ⓒ Ⓓ

128 Reese Caughman, director of accounting, will inform you ------- the exact payment date by this afternoon.

(A) of
(B) along
(C) over
(D) through

Ⓐ Ⓑ Ⓒ Ⓓ

129 Ashley Marx, a scientist ------- discoveries have had a major impact on medical science, has just published her latest book.

(A) that
(B) who
(C) which
(D) whose

Ⓐ Ⓑ Ⓒ Ⓓ

130 Mark and I could not get a table at the restaurant because we were not ------- dressed.

(A) suitable
(B) suitably
(C) suitability
(D) suitableness

Ⓐ Ⓑ Ⓒ Ⓓ

131 In the previous five years, a record number of home buyers had their houses ------- rather than buying existing houses.

(A) build
(B) built
(C) building
(D) to build

Ⓐ Ⓑ Ⓒ Ⓓ

132 The hiring committee feels that Donna is the most ------- accountant currently on staff.

(A) depend
(B) dependable
(C) dependent
(D) depending

Ⓐ Ⓑ Ⓒ Ⓓ

133 After Ms. Nguyen ------- her proposal to the mayor, she will make another proposal to build a new highway.

(A) presents
(B) presented
(C) will present
(D) is presenting

Ⓐ Ⓑ Ⓒ Ⓓ

134 According to the ad, creativity is the most desirable ------- for the new advertising executive.

(A) characteristic
(B) characterize
(C) characterizing
(D) characteristically

Ⓐ Ⓑ Ⓒ Ⓓ

135 ------- to the email is a malicious file which if opened can compromise the security of your computer.

(A) Attaching
(B) Attached
(C) Attaches
(D) Attach

Ⓐ Ⓑ Ⓒ Ⓓ

136 Discount ------- for the baseball game this weekend are available in the human resources department.

(A) ticket
(B) tickets
(C) ticketers
(D) ticketed

Ⓐ Ⓑ Ⓒ Ⓓ

137 The Chairman of the Board of Fighting for Children would like to show his appreciation to the volunteers for their hard work ------- dedication.

(A) as
(B) and
(C) but
(D) yet

Ⓐ Ⓑ Ⓒ Ⓓ

138 Included is a copy of the Market Monthly, a newsletter published by the marketing division, ------- to keep you updated on competitors, trends, and events.

(A) design
(B) designs
(C) designed
(D) designing

Ⓐ Ⓑ Ⓒ Ⓓ

139 Any information that you would like ------- is not available on-line can be obtained by contacting Ms. Raastad at our Customer Service Department.

(A) that
(B) there
(C) who
(D) whether

Ⓐ Ⓑ Ⓒ Ⓓ

140 The local government is anxious to modernize the infrastructure in its important industrial regions, which have fallen behind ------- in the last decade.

(A) economy
(B) economic
(C) economics
(D) economically

Ⓐ Ⓑ Ⓒ Ⓓ

実践問題　解き方

101

The research proves that people who drive further distances to work, spend less time with -------- families.

(A) they
(B) them
(C) their
(D) theirs

Ⓐ Ⓑ Ⓒ Ⓓ

102

Management will be -------- demands on employees next quarter in order to meet export quotas.

(A) increase
(B) increases
(C) increasing
(D) increasingly

Ⓐ Ⓑ Ⓒ Ⓓ

103

According to the newspaper, neither Mr. Vinetti -------- Mr. Sansu were present at the investors' meeting concerning the new building.

(A) except
(B) so
(C) nor
(D) besides

Ⓐ Ⓑ Ⓒ Ⓓ

104

If you can't agree among -------- on what you want, one of our representatives can help you.

(A) you
(B) your
(C) yours
(D) yourselves

Ⓐ Ⓑ Ⓒ Ⓓ

105

The new customer database will be uploaded -------- the next two weeks.

(A) by
(B) with
(C) from
(D) in

Ⓐ Ⓑ Ⓒ Ⓓ

101

訳　調査からわかるのは、仕事に行くのに遠距離運転になるほど、家族と過ごす時間もより少なくなるということだ。

ポイントと正解　空所には、名詞 families を修飾する言葉が入る。主格 they、目的格 them、所有代名詞 theirs はいずれも名詞を修飾できないので、所有格 (C) their が正解となる。

語句　□ prove　…であることがわかる　□ further　なお一層、さらなる　□ distance　距離、遠距離

102

訳　次の四半期の輸出ノルマを達成するために、社員に対する会社の要求が高まることになるでしょう。

ポイントと正解　be 動詞がすでにあるので、(A) increase と (B) increases は誤答だ。空所の直後に名詞 demands があるので、副詞 (D) increasingly も誤答。目的語 demands をとり進行形を作る (C) increasing が正解である。

語句　□ management　経営(陣)、経営者　□ demand　要求、要望　□ quota　割当額、ノルマ、定数

103

訳　新聞によると、Mr. Vinetti も Mr. Sansu も新ビルに関する投資家ミーティングに出席していなかった。

ポイントと正解　「AでもBでもない」は、相関接続詞構文 neither A nor B で表わされる。正解は (C) nor。

語句　□ neither A nor B　A でも B でもない　□ present　存在している、出席している　□ investor　投資家

104

訳　何をして欲しいのか皆で意見がまとまらないなら、私たち担当者の一人がお手伝いできます。

ポイントと正解　自分たちの中で意見がまとまらないという意味なので、(D) yourselves が正解だ。ちなみに、among yourselves は「内輪で」という意味の慣用句である。

語句　□ agree　同意する　□ representative　担当者、代表者

105

訳　顧客データは 2 週間以内に更新されます。

ポイントと正解　前置詞 in はよく within（…以内に）と同じ意味で用いられる。この文でも「次の 2 週間の内に」という意味になるよう in を用いる。正解は (D) in。

語句　□ customer　顧客　□ database　データベース　□ upload　アップロードする、更新する

実践問題　解き方

106

It -------- three years since these two rivals last competed in the United States in 2004.

(A) was
(B) would be
(C) has been
(D) was being

Ⓐ Ⓑ Ⓒ Ⓓ

107

Anyone -------- with the employee appreciation banquet should meet in the board room at 3:00 p.m.

(A) involve
(B) involved
(C) involving
(D) involves

Ⓐ Ⓑ Ⓒ Ⓓ

108

Many retail stores offer discounted prices when purchasing in bulk to make appliances less -------- .

(A) cost
(B) costed
(C) costing
(D) costly

Ⓐ Ⓑ Ⓒ Ⓓ

109

The accountant finished -------- our tax forms yesterday and recommended that we file for a special status business loss exemption.

(A) review
(B) reviews
(C) reviewing
(D) reviewed

Ⓐ Ⓑ Ⓒ Ⓓ

110

QD Cosmetics has been increasing profits and has become the market's -------- company.

(A) strongly
(B) strength
(C) stronger
(D) strongest

Ⓐ Ⓑ Ⓒ Ⓓ

106

訳 2人のライバルが2004年にアメリカで競い合ってから3年が経った。

ポイントと正解 2人のライバルが競い合って以降の3年間を表現できる動詞が必要なので、過去から現在までの時間を表わす現在完了形 (C) has been が正解である。「主語＋現在完了＋ since ＋主語 + 動詞の過去形」の用法を覚えておこう。

語句 □ since …以来 □ rival ライバル □ compete 競う

107

訳 社員謝恩パーティーに関係している人は全員3時に本部に集まって下さい。

ポイントと正解 主語の代名詞 anyone を修飾しつつ、副詞句 with the employee appreciation banquet を従える分詞が空所に入る。involve は「関与させる」という他動詞だが、この文は「…に関係している人は誰でも」という意味の受動形なので、(A) は誤答だ。正解は過去分詞 (B) involved で、本来の文は Anyone who is involved である。

語句 □ appreciation 感謝、正しく評価すること □ banquet 宴会、祝宴

108

訳 費用がからないように電化製品をまとめて購入すると、値引きしてくれる小売店が多い。

ポイントと正解 「make ＋目的語＋形容詞」構文だ。make が「…に～させる」という使役動詞の意味になると、「make ＋目的語＋動詞原形」の形をとることも覚えておこう。costly は副詞のように見えるが、名詞に-ly がついた形容詞である。正解は (D) costly。

必須暗記事項： -ly の形の形容詞

friendly（親切な、友好的な）、monthly（毎月の、月刊の）、timely（時機を得た、時機がよい）、likely（あり得る、…しそうな）、lovely（かわいらしい）

語句 □ retail 小売店 □ offer 申し出る、提供する、売り出す □ discounted 割引された □ purchase 購入する □ in bulk 大口で、まとめて □ appliance 電化製品、電気器具 □ costly 費用のかかる、高価な

109

訳 会計士は昨日我々の税務申告書を精査し終え、特別損失控除を申告するように勧めた。

ポイントと正解 動詞 finish は動名詞を目的語にとるので、(C) reviewing が正解だ。動名詞を目的語にとる代表的な動詞には consider, stop, begin などがある。

語句 □ accountant 会計士、経理担当者 □ review 精査する、見直す、概観する □ recommend 勧める、推奨する □ file for …を申告する、提出する □ status 状態、状況 □ loss 損失 □ exemption 免税、控除

110

訳 QD Cosmetics 社は利益を増やし、市場で一番好調な会社になった。

ポイントと正解 空所は名詞 company を修飾する形容詞の位置で、動詞 become の次に the market's という所有格があるので、形容詞の最上級 (D) strongest が入り「市場の中で最も～だ」という意味になる。最上級の表現には、the の位置に所有格を使うこともあることを覚えておこう。正解は (D) strongest。

語句 □ cosmetic 化粧品 □ profit 利益、収益

実践問題　解き方

111

It -------- to my attention that retaining loyal customers is more important than attracting new ones.
(A) brings
(B) brought
(C) has brought
(D) has been brought
Ⓐ Ⓑ Ⓒ Ⓓ

112

ProTech electronic dictionaries have all the same features as their competitors -------- voice recognition capabilities.
(A) plus
(B) together
(C) both
(D) though
Ⓐ Ⓑ Ⓒ Ⓓ

113

Cards are valid for eight years from the date of -------- .
(A) issue
(B) issues
(C) issuing
(D) issued
Ⓐ Ⓑ Ⓒ Ⓓ

114

-------- promising it may seem, any investment offers some degree of risk, and should be considered carefully.
(A) Almost
(B) Nevertheless
(C) Seldom
(D) However
Ⓐ Ⓑ Ⓒ Ⓓ

115

-------- our departments work together quite often, it is important that we stay focused on our individual goals for the company.
(A) Although
(B) Unlikely
(C) Meanwhile
(D) Already
Ⓐ Ⓑ Ⓒ Ⓓ

111

訳 新たな顧客を引きつけるより、今までのお得意を大事にすることが私の関心事になった。

ポイントと正解 It が仮主語で、that 以下の節が真主語になる構文だ。空所は動詞が入る位置で、that 以下の事実が自分の関心事になったということなので、bring（…をもたらす）が受動態になれば意味が通じる。受動態の (D) has been brought が正解となる。

語句 □ bring　もたらす　□ attention　注意、関心　□ retain　保つ、保持する　□ attract　魅了する、引きつける

112

訳 Protech 社の電子辞書には、音声認識能力に加えて競合他社が持つ機能は全てある。

ポイントと正解 空所に入る言葉は後ろに名詞 (voice recognition capabilities) を従え、「競合製品と同じ機能以外に」という意味になるので、「…以外に」「…に加えて」という意味の (A) plus が当てはまる。(B) は副詞なので名詞を修飾できず、(C) は後ろに and が必要である。(D) は接続詞なので、後ろに「主語＋動詞」が必要である。正解は (A) plus。

語句 □ feature　特徴、特性　□ competitor　競争相手　□ recognition　認識　□ capability　能力

113

訳 カードは発行日から 8 年間有効です。

ポイントと正解 名詞と名詞をつなぐ前置詞 of とともに用いられ、「発行日」「発売日」を表わすのは (A) issue である。この他にも the date of purchase（購買日）, the date of delivery（配送日）のような類似表現も覚えておこう。正解は (A) issue。

語句 □ be valid for　…の間有効である　□ the date of issue　発行日、発売日

114

訳 いくら将来性が見込めるからといっても、投資にはある程度のリスクはつきもなので注意して検討しなければならない。

ポイントと正解 複合関係副詞 however は「いくら…でも」の意味で、「However ＋形容詞 / 副詞＋（名詞）＋主語＋動詞 , 主節」の形で用いられる。空所の後に形容詞 promising があるので、(D) However が正解だ。(B) は接続副詞なので、節の頭には置かれない。

語句 □ promising　見込みのある、有望な　□ investment　投資　□ degree　程度、度合い　□ nevertheless　それにもかかわらず、それでもなお

115

訳 私たちの部門はしょっちゅう協力して仕事をしているけれども、会社のために個人としての目標に焦点を合わせ続けることも重要だ。

ポイントと正解 副詞節と主節の関係が逆接なので、空所には「…だが」という意味の接続詞 (A) Although が入る。(B)(C)(D) は接続詞ではない。

語句 □ department　部門、省、局　□ individual　個人

実践問題　解き方

116

It is -------- that Mr. Mack will be chosen as the new sales team leader.
(A) like
(B) likely
(C) likened
(D) likelihood

Ⓐ Ⓑ Ⓒ Ⓓ

117

While many individuals find Jane O' Brian's movies to be -------- , I have never enjoyed her work.
(A) fascinate
(B) fascinates
(C) fascinating
(D) fascinated

Ⓐ Ⓑ Ⓒ Ⓓ

118

Please fill out the enclosed form and send it to us by April 24 in order to become eligible -------- the grand prize.
(A) win
(B) wins
(C) to win
(D) winning

Ⓐ Ⓑ Ⓒ Ⓓ

119

After introducing a new product line in Europe, our profits -------- doubled.
(A) ever
(B) much more
(C) more than
(D) even more

Ⓐ Ⓑ Ⓒ Ⓓ

120

We are interested in learning -------- you might be available to work full-time this year.
(A) while
(B) whether
(C) how
(D) what

Ⓐ Ⓑ Ⓒ Ⓓ

116

訳 Mr. Mack が新しい営業のチームリーダーに選ばれるようだ。

ポイントと正解 直前に be 動詞があるので、空所には名詞や形容詞が入る。「チームリーダーになりそうだ」という文意になるので、(B) likely が正解だ。likely は副詞ではなく形容詞だということをしっかり覚えておこう。be likely to do（…するようだ）の形でもよく出題される。正解は (B) likely。

語句 □ likely …しそうな、…らしい □ sales team 営業チーム

117

訳 Jane O'Brian の映画は多くの人々を魅了しているが、私は彼女の作品は決して楽しめなかった。

ポイントと正解 to be ... は、find の目的語 Jane O' Brian's movies を叙述する部分で、Jane O'Brian's movies は「魅了させられる」のではなく、「人々を魅了する」「魅力的な」という能動的な主体なので、現在分詞形の形容詞 (C) fascinating が当てはまる。

語句 □ while …ではあるものの □ fascinate 魅惑する □ fascinating 魅力的な

118

訳 グランプリを受賞する資格を得るために、同封した申し込み用紙にご記入の上、4 月 24 日までにお送りください。

ポイントと正解 「be ＋ eligible ＋ to 不定詞」(…する資格がある) を知っていれば簡単に解ける問題だ。空所に to win が入り、「グランプリを受賞する資格のある…」という意味になる。「be eligible for ＋名詞」の形も覚えておこう。正解は (C)to win。

語句 □ fill out 記入する □ enclosed 同封した □ eligible 資格がある □ the grand prize 大賞、グランプリ

119

訳 ヨーロッパに新製品群を発表した後、我々の利益は 2 倍以上になった。

ポイントと正解 more than double は「2 倍以上になる」という表現だ。more than は「…以上」という意味の副詞で、動詞・形容詞を修飾する。double は自動詞・他動詞のいずれも可能だが、自動詞は「2 倍になる」という意味だ。(A) は意味が合わない。(B)(D) は同じ意味の表現である。正解は (C) more than。

語句 □ introduce 紹介する、(新製品などを)発表する □ profit 利益、収益 □ more than …以上 □ double 倍になる

120

訳 あなたが今年フルタイムで仕事ができるかどうか、私どもとしても関心を持っています。

ポイントと正解 「仕事ができるかどうか」という文意にする単語が必要だ。「…かどうか」という意味の (B) whether が正解である。

語句 □be interested in …に興味を持っている □learn 知る、わかる □available 利用できる、入手できる、手が空いている

実践問題　解き方

121

We are very sorry -------- the misinformation you were given concerning your car repairs.
(A) to
(B) for
(C) from
(D) around

Ⓐ Ⓑ Ⓒ Ⓓ

122

-------- of the parking spaces were reserved for company officials.
(A) Each
(B) Every
(C) Several
(D) The most

Ⓐ Ⓑ Ⓒ Ⓓ

123

The more interviews you have, the -------- you can prepare for them.
(A) confident
(B) confidently
(C) more confidently
(D) more confident

Ⓐ Ⓑ Ⓒ Ⓓ

124

Hiring more people to work on the assembly line will greatly enhance Crompton Motor Company's -------- .
(A) produced
(B) producing
(C) productive
(D) productivity

Ⓐ Ⓑ Ⓒ Ⓓ

125

The research department has -------- not supplied the office branches with the new survey results.
(A) once
(B) soon
(C) almost
(D) still

Ⓐ Ⓑ Ⓒ Ⓓ

121

訳　車の修理についてあなたにお伝えした情報が間違っていたことをお詫びいたします。

ポイントと正解　be sorry の後に名詞が続く場合は前置詞 for を、節が続く場合は that を用いる。この文では名詞 the misinformation が続いているので、(B) for が正解だ。この for は「…について」という意味である。

語句　□ misinformation　誤報、虚報　□ concerning　…に関して、…について

122

訳　駐車場スペースのいくつかは、会社役員のために確保してあった。

ポイントと正解　動詞が複数の were なので、単数を表わす (A) Each と (B) Every は誤答だ。文脈から「いくつかの…」という意味の単語が当てはまるので、(C) Several が正解だ。(D) は最上級で「最も…な」という意味なので、後に形容詞が必要である。形容詞として用いられる「several ＋複数名詞」の形もしっかり覚えておこう。

語句　□ parking space　駐車する場所　□ reserve　予約する、取っておく　□ official　職員、役人

123

訳　面接を受ければ受けるほど、自信を持ってその準備をすることができる。

ポイントと正解　「the 比較級 S ＋ V, the 比較級 S ＋ V」（…すればするほどさらに～）の構文である。比較級でない (A) confident (B) confidently は誤答。空所には後の動詞 prepare を修飾できる副詞が入るので、(C) more confidently が正解だ。

語句　□ prepare for　…の準備をする　□ confident　自信のある　□ confidently　自信を持って

124

訳　組み立てラインにもっと人を雇って投入することにより、Crompton Motor 社の生産性は飛躍的に高まるだろう。

ポイントと正解　所有格に修飾される空所には名詞が入るので、(A) produced (C) productive は誤答だ。目的語を必要とする動名詞も当てはまらないので、(D) productivity が正解となる。

語句　□ hire　雇う　□ assembly line　組み立てライン　□ greatly　大いに、非常に　□ enhance　いっそうよくする、高める　□ productivity　生産性、生産力

125

訳　調査部は支社にまだ新しい調査結果を渡していなかった。

ポイントと正解　空所の後に not があり「いまだに…ない」という意味にすると自然な文になるので、「まだ」「依然として」という意味の (D)still が正解だ。

語句　□ soon　すぐに　□ almost　ほとんど　□ stil　まだ…、依然として　□ supply　提供する、供給する　□ branch　支店、支社　□ survey　調査

実践問題　解き方

126

-------- of the employees involved in developing this advertising campaign thought it would become so popular.
(A) Not
(B) None
(C) Whoever
(D) Something

Ⓐ Ⓑ Ⓒ Ⓓ

127

Along with great restaurants and historical museums, Charlestowne also offers -------- tours for sightseers.
(A) numerous
(B) numerousing
(C) numerously
(D) number

Ⓐ Ⓑ Ⓒ Ⓓ

128

Reese Caughman, director of accounting, will inform you -------- the exact payment date by this afternoon.
(A) of
(B) along
(C) over
(D) through

Ⓐ Ⓑ Ⓒ Ⓓ

129

Ashley Marx, a scientist -------- discoveries have had a major impact on medical science, has just published her latest book.
(A) that
(B) who
(C) which
(D) whose

Ⓐ Ⓑ Ⓒ Ⓓ

130

Mark and I could not get a table at the restaurant because we were not -------- dressed.
(A) suitable
(B) suitably
(C) suitability
(D) suitableness

Ⓐ Ⓑ Ⓒ Ⓓ

・・126

訳 この販促キャンペーンの展開に携わっている社員の誰もが、こんなに好評になるとは思わなかった。

ポイントと正解 「誰も…とは思わなかった」という文になると自然なので、none of の形で「…のうちの何も (誰も・一つも) …ない」という意味になる (B) None が正解だ。副詞の (A) Not は of 前置詞句に修飾されないので誤答。(C) Whoever も後に動詞が必要なので誤答である。

語句 □ involved in　…に関係している　□ advertising　広告(に関する)、広告(の)

・・127

訳 立派なレストランや歴史的な博物館に加えて、Charlestowne は観光客のために数多くのツアーも用意している。

ポイントと正解 名詞を修飾できるのは形容詞なので、(C) numerously と (D) number は誤答。(B) numerousing のように形容詞に-ing がつくことはない。正解は (A) numerous。
必須暗記事項：同じ意味の形容詞と分詞形がある場合は、形容詞を用いること。

語句 □ along with　…と同様に、一緒に　□ historical　歴史的な　□ sightseer　観光客
□ numerous　多数の

・・128

訳 経理部長の Reese Caughman は今日の午後までに正確な支払日をあなたに知らせるつもりだ。

ポイントと正解 「inform A of B」（A に B を知らせる）の構文を知っていれば簡単に解ける問題だ。正解は (A) of。

語句 □ director　部長、取締役　□ inform A of B　A に B を知らせる　□ exact　正確な、精密な
□ payment　支払い

・・129

訳 医学に大きな影響を与えた発見をした科学者である Ashley Marx は、ちょうど最新の本を出版したばかりだ。

ポイントと正解 関係代名詞 that は主格・目的格に用いられ、who は人の主格、which はものごとの主格・目的格として用いられる。名詞と名詞の間に入る関係代名詞は所有格なので、この文でも名詞 a scientist を受けながら後の名詞 discoveries につながる関係代名詞は、所有格の (D) whose である。コンマの後に (A) that は使えない。正解は (D)whose。

語句 □ discovery　発見　□ have an impact on　…に影響を及ぼす　□ publish　出版する

・・130

訳 Mark と私は相応の服装をしていなかったので、レストランで食事ができなかった。

ポイントと正解 品詞を選ぶ問題である。be 動詞と過去分詞との間に置ける品詞は副詞なので、(B) suitably が正解だ。

語句 □ dressed　服装をしている　□ suitable　適した　□ suitably　ふさわしく、適切に

実践問題　解き方

131

In the previous five years, a record number of home buyers had their houses -------- rather than buying existing houses.

(A) build
(B) built
(C) building
(D) to build

Ⓐ Ⓑ Ⓒ Ⓓ

132

The hiring committee feels that Donna is the most -------- accountant currently on staff.

(A) depend
(B) dependable
(C) dependent
(D) depending

Ⓐ Ⓑ Ⓒ Ⓓ

133

After Ms. Nguyen -------- her proposal to the mayor, she will make another proposal to build a new highway.

(A) presents
(B) presented
(C) will present
(D) is presenting

Ⓐ Ⓑ Ⓒ Ⓓ

134

According to the ad, creativity is the most desirable -------- for the new advertising executive.

(A) characteristic
(B) characterize
(C) characterizing
(D) characteristically

Ⓐ Ⓑ Ⓒ Ⓓ

135

-------- to the email is a malicious file which if opened can compromise the security of your computer.

(A) Attaching
(B) Attached
(C) Attaches
(D) Attach

Ⓐ Ⓑ Ⓒ Ⓓ

• • **131**

訳 この 5 年間で、中古住宅を買うより、新築住宅にする購入者が過去最多になった。

ポイントと正解 「使役動詞 have ＋目的語＋目的補語」の構文だ。目的語と目的補語との関係を考えると、their houses は自ら建てるのではなく誰かによって建てられるので、過去分詞の (B) built が正解となる。

語句 □ previous　以前の、前回の、前の　□ a record number of　史上最多の…
□ rather than　…よりむしろ　□ existing　現存する、存在する

• • **132**

訳 人事担当は、現スタッフで一番信頼できる会計係は Donna だと感じている。

ポイントと正解 前後に最上級 the most と名詞 accountant があり、空所には形容詞が入るので、(A) depend は誤答だ。意味的にも「信頼できる」という形容詞が必要なので、(B) dependable が正解となる。(C) dependent は「(他人に) 頼る」という意味の形容詞なので、この文にはなじまない。

語句 □ committee　委員会　□ dependable　信頼できる　□ currently　現在　□ be dependent on　…に頼っている、依存している

• • **133**

訳 Ms. Nguyen は市長への提案を説明した後、新しい幹線道路の建設という別の提案をするつもりだ。

ポイントと正解 when, after, if などの時間・条件の副詞節では、未来のことを現在形で表現する。この文でも Nguyen さんが市長に提案するのは未来だが、現在形の presents を用いる。正解は (A) presents。

語句 □ proposal　提案　□ mayor　市長　□ highway　幹線道路、主要道路　□ present　提出する、提起する

• • **134**

訳 広告によると、新しい宣伝担当役員に最も要求される能力は創造性である。

ポイントと正解 前に形容詞 the most desirable があるので、空所には名詞が入る。
正解は (A) characteristic。

語句 □ according to　…によると　□ creativity　創造性　□ characteristic　特性、持ち味
□ desirable　望ましい、好ましい　□ advertising　広告の　□ executive　重役、役員

• • **135**

訳 開くとコンピュータのセキュリティに危険を及ぼす悪意のあるファイルが、メールに添付されている。

ポイントと正解 本来の文は a malicious file ～ of your computer が主語で、is attached to the email が述語だが、添付されたことを強調するために attached to the email を is の前に移し、長い主語を後ろに置いた倒置構文になっている。正解は (B) Attached。

語句 □ be attached to　…に付いている、…に添付の　□ malicious　悪意のある　□ if opened　開くと　□ compromise　妥協する、傷つける、危険にさらす

実践問題　解き方

136

Discount -------- for the baseball game this weekend are available in the human resources department.

(A) ticket
(B) tickets
(C) ticketers
(D) ticketed

Ⓐ Ⓑ Ⓒ Ⓓ

137

The Chairman of the Board of Fighting for Children would like to show his appreciation to the volunteers for their hard work -------- dedication.

(A) as
(B) and
(C) but
(D) yet

Ⓐ Ⓑ Ⓒ Ⓓ

138

Included is a copy of the Market Monthly, a newsletter published by the marketing division, -------- to keep you updated on competitors, trends, and events.

(A) design
(B) designs
(C) designed
(D) designing

Ⓐ Ⓑ Ⓒ Ⓓ

139

Any information that you would like -------- is not available on-line can be obtained by contacting Ms. Raastad at our Customer Service Department.

(A) that
(B) there
(C) who
(D) whether

Ⓐ Ⓑ Ⓒ Ⓓ

140

The local government is anxious to modernize the infrastructure in its important industrial regions, which have fallen behind -------- in the last decade.

(A) economy
(B) economic
(C) economics
(D) economically

Ⓐ Ⓑ Ⓒ Ⓓ

136

訳　今週末にある野球の割引チケットは、人事部で入手できる。

ポイントと正解　空所の前の discount は、名詞「割引き」とも形容詞「安売りの」とも考えられる。いずれの場合も後に名詞が置かれるので、(D) ticketed は誤答だ。冠詞 a がなく、それを受ける be 動詞が are なので、複数名詞 (B) tickets が正解となる。

語句　□ discount　割引の　□ available　入手できる　□ human resources department　人事部

137

訳　ボランティアの人たちが一生懸命活動し熱心になっていることに対し、「子どもの権利財団」の代表者が感謝の意を表明させていただきます。

ポイントと正解　名詞 hard work と名詞 dedication をつなげる接続詞が必要なので、(B) and が正解である。(A) as は「…として」という資格を表わす前置詞で、(C) but と (D) yet は相反する内容をつなぐ接続詞だ。正解は (B) and。

語句　□ chairman　議長　□ appreciation　感謝　□ dedication　熱心さ、献身

138

訳　同封したのは市場調査部が発刊している「月刊 Market」で、競合他社や市場動向、イベントについて最新情報をお伝えするものです。

ポイントと正解　コンマ以下はすべて Market Monthly を修飾している。雑誌は自ら企画するのではなく、誰かによって企画されるものなので、過去分詞 (C) designed が正解になる。本来の形は which is designed だ。

語句　□ newsletter　広報、社報　□ publish　出版する　□ design　設計する、考案する　□ keep A updated on　A に…の報告をする　□ competitor　競争相手　□ trend　傾向

139

訳　オンライン上で入手したくてもできない情報は、カスタマーサービスの Ms. Raastad に連絡を取れば手に入れることができる。

ポイントと正解　Any information that you would like の that you would like は挿入句である。Any information ... is not available の形だと考えると、空所には Any information を先行詞としながら is の主語になる主格関係代名詞 that が入ることがわかる。つまり、2 つの that 関係詞節が Any information を修飾していることになる。(B) は節の頭に位置できないため誤答で、(C) は事物名詞の Any information を受けることができない。また、(D) は意味が通らない。正解は (A) that。

語句　□ obtain　得る、獲得する

140

訳　地方自治体は、この 10 年で経済的に立ち遅れてしまった重要工業地域のインフラを近代化したいと強く思っている。

ポイントと正解　副詞は動詞・形容詞や他の副詞を修飾する。この文でも動詞 have fallen behind（立ちおくれた・取り残された）を修飾する副詞が必要なので、(D) economically が正解となる。

語句　□ local government　地方自治体　□ be anxious to do　…することを熱望している　□ modernize　近代化する　□ infrastructure　社会基盤、インフラ　□ region　地域

PART 5 語彙問題

Chapter 1 語彙 CHECK

UNIT 01　主要動詞 TOP 100

UNIT 02　注意を要する動詞

UNIT 03　主要名詞 TOP 80

UNIT 04　注意を要する名詞

UNIT 05　複合名詞

UNIT 06　物を表わす名詞 vs 人を表わす名詞

UNIT 07　主要形容詞 TOP 80

UNIT 08　注意を要する形容詞

PLUS+　「形容詞＋名詞」慣用表現

PLUS++　「意味の似ている形容詞」

UNIT 09　主要副詞 TOP 80

UNIT 10　前置詞を使った副詞句

UNIT 11　混同しやすい単語

PART 5 語彙問題の手引き

1. Vocabulary 問題の構成と特徴

語彙問題は、どれだけ多くの単語を知っているか、またこれらを適切に使えるかを評価するためのものである。TOEIC では PART 5 と 6 で語彙問題が文法問題に混ざって出題され、その重要性や出題比率が次第に高まる傾向にある。

	PART 5
問題番号	101 ～ 140
構成および形式	計 40 問（文法問題含む）
語彙問題の出題比率	平均 14 問
語彙問題の特徴	4 者択一型で、動詞・名詞・形容詞・副詞、その他熟語および前置詞を空所に入れる問題
問題を解く時間	全体：15 分以内　1 問：約 23 秒

2. Vocabulary 問題の詳細

1. 問題の形式

PART 5では一つの文が示され、それぞれに空所がある。設問を読んで選択肢の中から空所に最も適切な言葉を選ぶ。

The applicant must ------- proper identification in order to prove membership.
(A) locate　(B) submit　(C) dispatch　(D) cross

2. 問題のパターン

語彙問題は、文意を理解し単語を選択する単純な問題ばかりではない。大きく以下の4つのパターンに分けることができる。
①文を理解した後、意味が最もよく通じる単語を選ぶ「純粋語彙問題」
②単語と関連する前置詞を選んだり、前置詞を見て単語を選ぶ「前置詞問題」
③とにかく覚えるしかない「熟語、その他の表現の問題」
④単語の意味だけでなく語法を理解しないと答えられない「語法問題」

以下に、各々のパターンごとの問題の解き方を説明する。

3. パターン別の解き方

【純粋語彙問題】一品詞の性格がわかれば答えが見えてくるー

動詞を選ぶ問題では、目的語や主語が最も大きなヒントになる。また、名詞は動詞や他の名詞を、形容詞は修飾する名詞を、副詞は修飾する動詞やほかの副詞をヒントに答えを見つけるようにする。このようなヒントになる単語は、必ず空所の近くにある。

> The safety investigator ------- the inspection before any workers could begin working in the new factory.
> (A) examined (B) expelled (C) conducted (D) produced

➡ 動詞を選ぶ問題なので、まず名詞の the inspection を目的語にできる動詞を探す。the inspection は、状態が完全かどうか、きちんと機能するのかを調べる「点検」「調査」などの意味なので、「実施する」という意味の動詞 (C)conducted が正解になる。examine はもともと「検査する」という意味なので、the inspection と意味が重複する。訳「工場勤務者が新工場で働き始める前に、安全調査官が点検を実施した。」

【前置詞問題】一前置詞の理解度を問うー

空所の前後に置かれた前置詞を見て答えを探す問題と、特定の単語につく前置詞を選んで入れる問題の2種類がある。

> Only a part of the order we placed is ------- for delivery this Friday.
> (A) appointed (B) convinced (C) scheduled (D) represented

➡ 4つの選択肢がすべて別の単語なので、一つ一つを代入してみて適切なものを選ぶこともできるが、それぞれの動詞がどの前置詞とともに使われるのかを知っていれば、問題を解く時間を節約できる。ここでは for とともに使われる(C) scheduled を選べばよい。訳「注文の一部だけが今週金曜日に配送される予定だ。」

(A) appoint：任命する 「appoint＋人＋as/so＋職位」
(B) convince：説得する 「convince＋人＋of＋話題」
(C) schedule：日程を押さえる、予定する 「schedule＋A＋for＋B」「A be schedule for B」
(D) represent：表わす、象徴する

【熟語、その他の表現の問題】ー熟語・慣用表現はひたすら覚えるー

たとえば、make sureという表現でなぜsureを使うのかに関しては、理屈はない。make sureという言葉が作られた起源や変遷過程などを知ろうと無駄な努力をするより、このような熟語・慣用表現はそのまま「make sure＝確実にする」と覚えるのがコツだ。

> To take ------- of the software-upgrade, customers should purchase an item at an authorized stores.
> (A) service (B) advantage (C) merit (D) improvement

➡ この問題を最も早く解く方法は、下線部分を一目見て選択肢の中の（B）advantageをすぐに選ぶことである。後半部分は見る必要もない。このような解き方は、take advantage of（…を利用する）という熟語を知っていて初めて可能になるものだ。熟語・慣用表現をがむしゃらに覚える努力が必要である。訳「ソフトのアップグレードを利用するには、お客様は正規のお店でご購入ください。」

【語法問題】ー単語の意味だけでなく用法を知ることが大切だー

単語はそれぞれ独自の規則を持っており、これを単語の語法（usage）と呼ぶ。例えば動詞の語法といえば、まず目的語をとるかどうかに始まり、目的語をとるとすれば名詞をとるのかto不定詞をとるのかthat節をとるのか、また目的語は一つとるか2つとるかなどがある。このような用法を理解してこそ、答えられる問題も出題される。

> The project team will ------- us of any progress they make.
> (A) speak (B) mention (C) express (D) inform

➡「プロジェクトチームが彼らの進行状況を私たちに知らせてくれるだろう」という意味で、選択肢の単語は４つとも「知らせる」の意味で使えるように見える。しかし、人を目的語にし、前置詞をとり、「人に…を知らせる」という用法で使われる動詞は（D）inform だけである。

4. 解き方のコツと学習方法

①コツ

●解釈する

語彙問題は文法問題とは異なり、微視的には空所の前後にある単語や語句をもとに、巨視的には全体の文脈を理解して答えを選ばなければならないので、基本的に文章の正確な読み取り能力が要求される。

●代入してみる

文を読んで正解がぱっと目に入ればよいが、ほとんどの場合は選択肢の単語を一つ一つ入れてみて文脈に最もよく合うものを選ぶようなので、手際よく空所に単語を入れて読み取る能力が求められる。

●すべてのノウハウを動員する

上の方法でも解けない問題は、単語の機能的側面を問う語法問題である可能性が高い。この場合は文意の読み取りをやめて、単語の語法に関する知識を総動員して解かなければならない。

②語彙学習の方法

- 単語の意味さえ理解できればその単語のすべてがわかると思ったら大間違いだ。普段辞書を引くときから単語の意味だけでなく、どの前置詞と一緒に使われるのか、どのような用法があるのかを、例文を通して確認しておこう。

- その単語に関連する慣用表現も知っておく必要がある。例えばconvenienceを辞書で調べたときに「便宜」「便利さ」という語義だけを読むのではなく、その下に出ているat one's convenience（…が都合のよいときに）も覚えておくようにしよう。

- 単語は一度に覚えようとせずに、何回も繰り返して身につけるようにしよう。また、単語をばらばらに覚えないで、関連する表現や語句などといっしょに覚えるのがよい。

UNIT 01 ● 主要動詞 TOP100 ●

ここでは、TOEICの問題文はもちろん、語彙問題として出題される動詞のうち、最も出題頻度の高い必須単語のみを集めた。意味だけでなく、一緒に使われる単語や語法までも示し、辞書を引かなくてもその単語のすべてが理解できるようにした。これらの動詞だけでも完璧に覚えれば、TOEIC受験の基本体制は整ったことになる。

1 accept

①他 人がくれる物を受け取る　accept a(n) award（賞）[order / application（申し込み）/ credit card]
②他 提案・招待・意見・謝罪などを受け入れる　accept a(n) apology（謝罪）[offer / invitation / proposal]

用例 **accept** the enclosed coupon book（同封のクーポン冊子を受け取る）
accept an application form（申込書を受理する）
They do not **accept** payment upon delivery.（彼らは代金引換は受け付けない。）
Personal checks are not **accepted**.（個人用小切手は使用できない。）

名 **acceptance**　受け取り、受納、受諾、承諾
用例 **acceptance** of the offer（申し出の受諾）

2 accommodate

他 （必要なものを）…に供給する、宿泊させる、人員を収容する　accommodate participants（参加者）[a group of people]

用例 **accommodate** a swimming pool（スイミングプールを備えている）
This stadium can **accommodate** more than 20,000 people.
（このスタジアムは20000人以上を収容できる。）

名 **accommodation**　宿泊、施設、適応
用例 **accommodation** for two nights（2泊の宿泊）

3 accomplish

①他 努力してきたことをやり遂げる、成す
accomplish a job [task/duty（職務）]
②他 目標・目的を遂げる、達成する
accomplish a(n) goal [purpose/objective]

用例 **accomplish** complex tasks（複雑な仕事を成し遂げる）
Our company has helped hundreds of people **accomplish** their financial goals.
（我が社は、何百人もの人々が経済的に自立するのを援助してきた。）

名 **accomplishment**　業績、成果、腕前
用例 recognize employees' **accomplishments**（社員の業績を認める）

4 acquire

①他 お金で買ったり人からもらう、所有権を持つ　acquire a house [the land（土地）/ properties（財産）]
②他 努力や経験を通して得る
acquire knowledge [reputation（評判）]

用例 **acquire** 20 new retail outlets （20の新しい小売店を獲得する）
On Tuesday Harper's Publishing announced its plans to **acquire** several publishing companies.
（火曜日、Harper's Publishingはいくつかの出版社を買収する計画を発表した。）

名 **acquisition**　獲得、取得、買収
用例 Merger & **Acquisition** = M&A（合併・吸収）

5 affect

他 人・物・環境・結果などに影響を与える　affect every employee [the author（著者）/ the outcome（結果、成果）]

用例 **affect** the company's plan for expansion（会社の拡大計画に影響する）
affect much of the region（地域の大部分に影響する）
The government regulations will **affect** the overall real estate market.
（政府規制は不動産市場全体に影響するだろう。）

名 **affection**　愛情、好意、献身
用例 feel a great **affection** for the old man （高齢者に大変優しい気持ちを持つ）

6 agree

①自 同意する、賛成する 「agree with ＋人」、「agree to ＋事実・意見」
②他 意見が一致する、…することに合意する 「agree to do」、「agree ＋ that ＋主語＋動詞」

用例 cannot **agree to** such a proposal（そのような申し出に賛成できない）
agree with him on that matter（その問題で彼に同意する）
A majority of students will **agree to** this change.
（生徒の大半がこの変更に賛成するだろう。）
The managing directors **agree that** the merger will be beneficial for the company.
（取締役は合併が会社に有益になるという意見に賛成している。）

名 **agreement**　同意、承諾
用例 the trade **agreement** between Canada and the United States
（カナダとアメリカ合衆国間の貿易協定）

7 allocate

他 土地・資金・責任などを割り当てる、配当する
「allocate ＋名詞＋ to [for] ＋名詞」

用例 **allocate** funds **for** recruiting（資金を新人採用に割り当てる）
The surplus revenue would be **allocated to** childcare facilities.
（剰余収益は保育施設に割り当てられるだろう。）

名 **allocation** 割り当て、分配、配置

用例 the difficulty of resource **allocation**（資源配分の困難さ）

8 allow

①他 …することを許す「allow ＋人＋ to do」、「be allowed to do」
（…できる、してもよい）
②自 （資金などが）許す

用例 **allow** all staff **to** take a 30-minute break（社員全員に30分の休憩を許可する）
as the budget **allows**（予算が許す限り）
The Internet **allows** us **to** place orders at any time of the day.
（インターネットによって何時いかなる時でも注文できる。）
Developments in medical technology **allowed** doctors to diagnose illness more easily.
（医療技術の発達により、医者が病気を診断することがより容易になった。）

名 **allowance** 一定の割当量

用例 give him an **allowance** of $1,000 a year（彼に年間1000ドルの手当を出す）

9 analyze

他 …の構成要素を分析する、分析して調査する

用例 **analyze** the sample[the market/the investment information]
（試作品[市場、投資情報]を分析する）
Our experts thoroughly **analyze** every competitor.
（専門家が徹底的にあらゆる競合相手を分析する。）

名 **analysis** 分析

用例 a detailed **analysis** of the week's news（週のニュースの詳細な分析）

10 anticipate

他 …が起きるだろうと期待（予想）する
「anticipate -ing」

用例 **anticipate** significant revenue increases （かなりの歳入増を予想する）

worse than originally **anticipated**（もともとの予想よりも悪い）
We **anticipate** a 30% increase in sales next year.
（来年の販売実績は30%増を予想している。）
The company **anticipated** winning the award for the project.
（会社はそのプロジェクトで賞を勝ち取ることを期待した。）

㊔ **anticipation** 予想、予期
用例 filled with nervous **anticipation**（不安な予感でいっぱいになった）

例題

□空所に当てはまる動詞を選択肢から選びなさい。

allow accomplish anticipate accommodate allocate agree analyze

0549 最近の経済発展の動向について分析する
_________ the recent economic development trends

0550 会社に遅く着くものと予想する
_________ arriving late to work

0551 百万ドルをいくつかの機関に分けられるように割り当てる
_________ $ 1 million to be distributed to various organizations

0552 今年の販売目標を達成する
_________ our sales goal for this year

0553 多くの人々を収容する
_________ a large group of people

0554 An investment company has (agreed, affected) to donate one million dollars.

0555 Additional applications will not be (accepted, admired).

0556 Members are (regarded, allowed) to attend the seminar at no cost.

0557 This seminar is designed for those who wish to (convene, acquire) negotiation skills.

0558 Wallpaper and lighting fixtures will (affect, encounter) the look of the room.

正解

0549 analyze　0550 anticipate　0551 allocate　0552 accomplish
0553 accommodate
0554 agreed　訳 投資会社は100万ドルの寄付を同意した。
語句 □donate　寄付する

0555 accepted　訳 追加申し込みは受け付けません。
語句 □additonal　追加の　□application　申し込み、応募　□admire　称賛する

0556 allowed　訳 会員のセミナー参加は無料です。
語句 □at no cost　無料で　□regard　みなす

0557 acquire　訳 このセミナーは、交渉技術を身につけたい人が対象だ。
語句 □negotiation　交渉　□convene　開催する

0558 affect　訳 壁紙と照明器具は部屋の見映えに影響を与える。
語句 □lighting fixture　照明器具　□look　見え方　□encounter　遭遇する

11 apply

①自 …に志願する、申請する 「apply for」
②他 AをBに適用する 「apply A to B」

用例 **apply for** a position at the hospital（病院の求人に応募する）
apply for transfer to branch offices（支社への転勤を志願する）
fees that are **applied to** the transactions（契約手数料）
Mr. Hart **applied for** an interest-free loan.（Hart氏は無利子の貸付に申し込んだ。）
No charges would be **applied to** my account.（私の口座には手数料は全然かからない。）

名 **application**　申込、申込書、応募
用例 review hundreds of job **application**（何百もの就職志願書を精査する）

12 appreciate

①他 …に感謝する、ありがたく思う
thank A for B　AにBのことで感謝する、礼を言う
appreciate the invitation [assistance / support]
②他 理解する、認める（＝understand）

用例 **appreciate** the hospitality（おもてなしに感謝する）
We **appreciate** your interest in joining our program.
（我々のプログラムへの参加に関心を持っていただきありがとうございます。）
Management began to **appreciate** the difficulties our company had faced.
（経営陣は会社が直面した困難を理解し始めた。）
The Princeton Group would like to **thank** every employee **for** their loyalty.

(Princeton Groupは、社員の忠誠心に感謝の意を伝えたいと思っている。)

㊔ **appreciation** 感謝、正しく評価すること

用例 show our **appreciation** for all your hard work(賢明な努力すべてに感謝の意を示す)

13 approve

①他 (公認機関などで)…を承認する、賛成する
②自 承認する、支持する 「approve of +(動)名詞」

用例 **approve** the construction plans(建設計画を承認する)
A supervisor needs to **approve** some orders for office supplies on time.
(管理職は事務用品の注文を適時に許可する必要がある。)
I do not **approve** of the decisions made by the new president.
(私は新社長の下した決定に賛成しない。)

㊔ **approval (for)** (…に対する)承認、是認

用例 give his **approval for** a salary increase for all employees
(社員全員の賃上げに関して彼の承認を与える)

14 arrange

他 備える、配列する、整頓する

用例 **arrange** a meeting[transportation](会議[輸送]を手配する)
arrange the shipment(船積みを手配する)
Please **arrange** the merchandise in order according to size and price.
(サイズと価格によって商品を陳列してください。)

㊔ **arrangement (for)** 準備、手配、整頓

用例 **arrangement for** marriage 結婚準備

15 assign

他 業務を割り当てる、仕事を任せる
「assign +仕事・物+ to +人」→(受動態)「人+ be assigned to +仕事」
「assign +人+ to do」→(受動態)「人+ be assigned to do」

用例 be **assigned to** the Legal Department(法務部に配属される)
Sarah has been **assigned to** overseas marketing.
(Sarahは海外マーケティングを任されてきた。)
Mr. Kluger has been **assigned to** check collected information.
(Kluger氏は収集した情報の確認を任されている。)

㊔ **assignment** 課題、宿題、割当て、割当量

用例 a history **assignment**（歴史の宿題）

16 assume

①他 責任を負う
②他 （事実如何を離れて）当然…と考える、仮定する 「assume that ＋主語＋動詞」→（受動態）「It is assumed that ＋主語＋動詞」

用例 **assume** responsibility for any inconvenience（不便に対する責任を負う）
Existing marketing managers have to **assume** full responsibility.
（現マーケティングマネージャーが一切の責任を負う必要がある。）
It is assumed that expertise is needed for the inspection.
（検査には高度の専門知識が必要であると想定される。）

名 **assumption** 仮定、前提、引き受け
用例 based on a completely false **assumption**（完全に誤った仮定をもとにして）

17 assure

他 人に…を確信させる、保障する、確実に…だと言う
「assure ＋（人）＋ that ＋主語＋動詞」
→（受動態）「人＋ be assured that ＋主語＋動詞」

用例 We **assure** you that any further orders will be handled promptly.
（どんな追加注文も必ず速やかに対応いたします。）
Please be **assured** that we are doing our utmost to answer your questions as soon as possible.
（出来るだけ早く質問に答えるために最善を尽くしているのでご安心下さい。）

名 **assurance** 保証、確信、自信
用例 in a tone of quiet **assurance**（内に秘めた自信ある口調で）

18 attract

他 人・注意・興味などを引きつける
attract people [one's attention]

用例 be expected to **attract** young professionals
（若い専門家を引きつけることが見込まれる）
Every year, the Cannes film festival **attracts** a lot of tourists to the city.
（毎年、カンヌ国際映画祭は多くの旅行者をその街に引きつけている。）

名 **attraction** 魅力、呼び物
用例 Chicago's most popular **attraction**（シカゴの最も有名な名所）

19 award

他 賞・報償・金銭などを授与する、与える 「award ＋報償・金銭＋ to ＋人」
→（受動態）「報償・金銭＋ be awarded to ＋人」
「award ＋人＋報償・金銭」→（受動態）「人＋ be awarded ＋報償・金銭」

用例 be **awarded to** nonprofit institutions（非営利団体に授与される）
Trainees will be **awarded** a certificate.（訓練生たちに証明書が与えられるだろう。）
The prize was **awarded to** an unknown author.（賞は無名の作家に授与された。）

名 **award** 賞、商品、栄誉

用例 receive the award if they reach the sales goals
（売上目標を達成したら彼らは賞を受ける）

20 authorize

①**他** …を正式に認可する、公式に許可する
②**他** 人に権限を与える
「authorize ＋人＋ to do」→（受動態）「人＋ is authorized to do」

用例 be **authorized** to fly business class（ビジネスクラスの利用を許可される）
The director must **authorize** the revision on the plan.
（取締役は計画の改訂を許可しなければならない。）
You are not **authorized** to view this page.（このページを閲覧する権限がありません。）

名 **authorization** 権限を与えること、授権、認定、公認

用例 need written **authorization** to visit the research center
（研究センターを訪問するには書面による許可書を必要とする）

例題

□空所に当てはまる動詞を選択肢から選びなさい。

assume attract authorize assure arrange award apply approve

0559 損害に対し責任を取る
_________ responsibility for any damage

0560 管理職に志願する
_________ for the management position

0561 来年の予算案を承認するだろう
will _________ a budget proposal for next year

0562 数千人の海外顧客を誘致する
_________ thousands of overseas clients

0563 法人クレジットカードのいかなる使用に関しても許可する
_________ any use of the company credit card

0564 I will (arrange, award) the transportation for the clients.

0565 Jane and I had a wonderful time and we (assure, appreciate) your hospitality.

0566 I was (assigned, assured) that the problem would be fixed by the next day.

0567 Special discounts will be (awarded, attached) to our employees.

0568 The guard was (assigned, assembled) to check the surveillance camera every 10 minutes.

正解

0559 assume **0560** apply **0561** approve **0562** attract **0563** authorize

0564 arrange 訳 お客様用にお車の用意をします。
語句 □ transportation 交通手段、移動手段

0565 appreciate
訳 Jane と私は素晴らしい時を過ごすことができ、おもてなしに感謝します。
語句 □ hospitality おもてなし、歓待

0566 assured 訳 問題点は明日までに解決するということで安心した。
語句 □ fix 解決する、整える

0567 awarded 訳 特別割引を社員に与える予定だ。

0568 assingned 訳 10 分おきに監視カメラを確認するように警備員は言われている。
語句 □ surveillance camera 監視カメラ

21 benefit

① 他 …に利する
② 自 …から利得を得る、恩恵を受ける「benefit from」

用例 **benefit from** advanced mobile communications technology
(進歩した移動通信技術から恩恵を受ける)
Small businesses may **benefit from** tax cuts.
(中小企業は減税の恩恵を受けるかもしれない。)

㊔ **benefit** 利益、給付

用例 for the **benefit** of disabled children（障害を持った子供たちのために）

22 bill

㊎ …に料金を請求する、請求書を送る「bill ＋人＋ for」

用例 **billing** address [statement / period]（請求先住所[明細書/期間]）
bill them **for** medical insurance（医療保険の請求書を彼らに送る）
Residents living in company housing will be **billed** monthly.
（社宅居住者には毎月請求する予定です。）

㊔ **bill** 請求書

用例 pay the **bill** on time　期日どおりに請求額を支払う

23 borrow

㊎ 人から金銭や物を借りる
「borrow ＋物・金銭＋ from ＋人・組織」

用例 **borrow** money **from** foreign governments（外国政府からお金を借り入れる）
Students from other universities are entitled to **borrow** books **from** the library.
（他大学の学生も図書館から本を借りる資格がある。）

参考 **lend**　貸す、貸与する　The bank lent him $20,000.（銀行は彼に2万ドルを貸した。）

24 broaden

㊎ …を広げる、拡大する

用例 **broaden** the customer base around the world（世界中に顧客層を拡大する）
broaden consumer awareness of the service（消費者へのサービス意識を広げる）
Our company wishes to **broaden** the market by offering unique products.
（我が社は独自の製品を提供することで市場を拡大させたい。）

25 charge

㊎ …にお金を負担させる、…に料金を賦課する
「charge ＋人＋金額」→（受動態）「人＋ is charged ＋金額」
「charge ＋金額＋ for ＋物」

用例 be **charged for** each transaction（取引ごとに請求される）
UPS will **charge** extra rates **for** larger items.
（UPS は大型荷物には別料金を請求する。）

㊔ **charge** 費用、請求金額

PART 5 語彙

用例 pay the overdue **charge**（延滞料金を支払う）
free of charge, at no **charge**（無料）
in **charge** of（…を預かっている、担当している、係の）
take **charge** of the overseas office（海外事務所を担当する）

26 concentrate

①他 …に集中する、…を集める
②自 集中する、終結する 「concentrate on ＋ものごと」

用例 **concentrate on** improving the organization's performance
（組織の業績改善に専念する）
You should **concentrate** your efforts **on** paying off the debts.
（あなたは借金の返済に努めるべきだ。）
Mr. Shaw quit his job in order to **concentrate on** writing novels.
（Shaw氏は小説を書くことに専念するために仕事を辞めた。）

名 **concentration** 集中、密集
用例 require strong powers of **concentration**（強い集中力を要する）

27 cooperate

自 …と協力する、共同する
「cooperate with ＋人・会社・組織」

用例 **cooperate** closely **with** the government（政府と密接に協力する）
Insurance companies **cooperate with** financial institutions.
（保険会社は金融機関と協力している。）

名 **cooperation** 協力、協同
用例 strengthen the **cooperation** programs between industries and universities
（産業界と大学との間で協同計画を強化する）

28 commute

自 通勤する 「commute to/from ＋場所」

用例 during **commuting** hours（通勤時間中）
Almost 70 percent of the employees **commute to** work by bus.
（従業員のほぼ70%がバスで職場に通う。）

名 **commuter** 通勤者
用例 encourage **commuters** to travel by public transportation
（通勤者に公共輸送機関で通うよう奨励する）

29 compare

他 似た点や差を比較する
「compare A with B」A を B と比較する

用例 **compare** a product **with** another（他社の製品と比較する）
By **comparing** prices from different stores, you can get the best for your money.
（違う店で値段を比較すれば、同じお金でいい買い物ができる。）

名 **comparison** 比較

用例 in **comparison** with almost all major world currencies
（世界のほとんどすべての主な国際通貨と比較すると）

30 compensate

他 人に…について補償する
「compensate ＋人＋ for ＋物」

用例 **compensate** passengers who missed a flight due to overbooking
（オーバーブッキングで搭乗できなかった乗客に補償する）
British Airlines had to **compensate** the passengers **for** long delays and cancellations.
（英国航空は長時間の遅れや欠航便の件で乗客に補償しなければならなかった。）

名 **compensation** 償い、賠償、報酬

用例 receive full **compensation** for overtime work（超過勤務手当てをもらう）
a lavish **compensation** package（申し分ない給与体系・待遇）

PART 5 語彙

例題

□空所に当てはまる動詞を選択肢から選びなさい。

broaden borrow compare cooperate bill compensate commute

0569 保険会社に直に請求する
_________ the insurance company directly

0570 国家の発展のために協力する
_________ in the development of the country

0571 契約条件に違反した場合には補償しないこともある
may not _________ for any breach of the terms and conditions

0572 インターネット事業の市場シェアを伸ばす

_________ the market share of Internet business

0573 自分の事業を始めようと銀行からお金を借りる
_________ money from a bank to start up one's own business

0574 Students enrolled in the MBA program will be (judged, charged) tuition of $9,000.

0575 Consumers will (compare, comply) the quality of our products with those of our competitors.

0576 It is increasingly stressful to (commute, simplify) to work by car.

0577 We will (expose, concentrate) on improving customer services.

0578 Regardless of the amount, your donation will (benefit, decide) the community.

正解

0569 bill **0570** cooperate **0571** compensate **0572** broaden
0573 borrow
0574 charged 訳 MBA プログラムに登録した学生は、授業料 9000 ドルがかかる。
語句 □enroll in 登録する □tuition 授業料 □judge 裁く

0575 compare 訳 消費者はわが社の製品の品質と競合他社の製品の品質を比べるだろう。
語句 □competitor ライバル、競争相手

0576 commute 訳 自動車通勤はますますストレスが多いものになっている。
語句 □increasingly ますます、次第に □stressful ストレスの多い □simplify 簡単にする、単純にする

0577 concentrate 訳 我々は顧客サービスの改善に集中するつもりだ。
語句 □improve 改善する、改良する

0578 benefit 訳 金額の多寡に関わらず、あなたの寄付は地域への貢献になります。
語句 □regardless of …にもかかわらず □amount 量、合計 □donation 寄付 □community 地域社会

31 complete

他 足りないものを埋め合わせて完成する、完全にする、仕上げる

用例 **complete** the evaluation form（評価書式を仕上げる）
The new recruits have **completed** their on-the-job training.

（新入社員は、実地訓練を終えた。）

㊢ **complete** 完全な、完成した

用例 The new products are **complete** and ready to come out.
（新製品は完成し、発売間近だ。）

32 conduct

他 業務などを遂行する、調査などを実施する

用例 **conduct** a (n) survey [research / investigation]（調査［研究 / 取調べ］を行う）
conduct thorough market research（完全な市場調査を行う）
conduct a wide range of courses in product design
（製品設計において幅広い方向で実施する）
Interviews will be **conducted** all day long.（インタビューは一日中行われるでしょう。）

㊔ **conduct** 行い、行為

用例 unprofessional **conduct**（プロとしてふさわしくない行為）
a code of **conduct**（行動規範）

33 confirm

他 …が真実であることを立証する、…が明らかに行われたことを確認する 「confirm that 主語＋動詞」

用例 **confirm** a reservation（予約を確認する）
confirm the receipt of notice（通知の受領を確認する）
The final sales figures have not yet been **confirmed**.
（最終売上額はまだ確認していない。）

㊔ **confirmation** 確認

用例 wait for **confirmation** from them about my visit
（私が訪問するのに彼らから確認を待つ）

34 consider

他 …なのかどうか（…するかどうか）考える、…を考慮する 「consider -ing」「consider A as B」A を B とみなす

用例 **consider** a new offer（新しい提案を考える）
be **considered** for the position（立場を考慮される）
The management is **considering** promoting her.
（経営陣は彼女の昇進を検討している。）
European Bank is **considering** Hong Kong as possible site for its regional office.
（欧州銀行は香港を地域支店の候補地として検討中である。）

PART 5 語彙

㊎ **considerable** かなりの、考慮すべき

用例 a **considerable** effect（かなりの効果）

35 contact

他 …に連絡をとる 「contact＋人」

用例 **contact** Ms. Johanson in the public relations office
（広報部のJohanson氏に連絡する）
Please **contact** Hiller in Personnel if you have questions about hiring procedures.
（採用手続きについての質問がありましたら、人事部のHillerにご連絡ください。）

㊔ **contact** 接触、連絡

用例 little **contact** between two people（2人にはほとんど接触がない）

36 contain

他 …を器や場所に入れる、…を部分や構成要素として含める、…が入っている

用例 **contain** information（情報を含む）
contain color graphics as well as photographs（写真だけでなくカラー図形を含む）
The guidebook **contains** all restaurants and accommodations in the area.
（ガイドブックにはその地域のレストランや宿泊施設が全て載っている。）
The building would **contain** too much unusable space.
（その建物にはあまりにも無駄なスペースがありすぎる。）

㊔ **content** 中身、内容

用例 empty out the **contents** of his pokets（彼のポケットの中身を空にする）

37 criticize

他 人が…したことについて批評する
「criticize＋人＋for＋行動・結果物」

用例 **criticize** the book（本を批評する）
The Press Reviewer **criticized** one local newspaper **for** having reported wrong information.（Press Reviewer社は誤った情報を報道している地元紙の1社を批判した。）

㊔ **criticism** 批評、批判

用例 literary **criticism**（文芸批評）

38 demonstrate

他 証明してみせる、…をしてみせる「demonstrate that 主語＋動詞」

用例 **demonstrate** flawless technique（完璧な技術を披露する）
Candidates must **demonstrate** a high level of proficiency in both German and English.（応募者はドイツ語と英語両方の高度な語学力を証明しなければならない。）
Mr. Pollack has **demonstrated** that he excels when faced with a challenge.
（困難に直面したときに他人より秀でているのをPollack氏は証明した。）

名 **demonstration** 示威運動、証明、実演
用例 a **demonstration** against the war（戦争反対のデモ）

39 deposit

他 お金を銀行に預ける、金銭を預ける「deposit ＋金銭・保証金＋ on/in ＋場所」

用例 have your salary automatically **deposited** into your bank account
（給料が自動的に自分の口座へ振り込まれるようにする）
All money **deposited** after 2 o'clock is credited to the account on the following day.（2時以降に預金されたお金は全て、その翌日に口座へ振り込まれる。）

名 **deposit** 預金、保証金
用例 A $20 **deposit** is required when reserving a room.
（部屋の予約時に20ドルの保証金が必要だ。）

40 describe

他 説明する、描写する「describe ＋人・物＋ as」

用例 **describe** the problem in writing（文書で問題を説明する）
describe complex operations（複雑な操作を記述する）
describe him **as** cautious in dealing with buyers
（彼は買い手とのやりとりに慎重であると言える）
The director of Engineering **described** the technical aspects of the program.
（技術部長がそのプログラムの技術的な側面を説明した。）

名 **description** 記述、描写、説明
用例 beyond **description**（言葉では表現できない）
job **description**（職務明細書、職務説明書）

例題

□空所に当てはまる動詞を選択肢から選びなさい。

conducted contain criticized deposit describe demonstrate considered

0579 R&D 部署で実施した最近の調査結果
the results of the recent survey ________ by the R&D department

0580 職責にふさわしい候補者と思われる
be ________ as a possible candidate for the position

0581 銀行に百万ドルを入金する
________ one million dollars in the bank

0582 チームの一員として仕事できる能力を見せる
________ the ability to work as part of a team

0583 適切な措置がとれなかったことに厳しい非難を受ける
be severly ________ for not taking proper action

0584 She is (described, accommodated) as a very innovative and creative teacher.

0585 The attached document (contains, respects) confidential data about the products.

0586 All supply orders should be (relied, completed) and delivered to Mr. Farrel.

0587 Our inspection (allowed, confirmed) that the computer monitor was damaged in shipping.

0588 If you need access to your databases through the Internet, please (contact, hold) the technical team.

正解

0579 conducted 0580 considered 0581 deposit 0582 demonstrate
0583 criticized
0584 described 訳 彼女は大変革新的で創造性のある先生と評されている。
語句 □innovative 革新的な、刷新な

0585 contains 訳 添付の書類には製品の秘密データが含まれている。
語句 □attached 添付された □confidential 秘密の

0586 completed

訳 補充注文を全てそろえて Mr. Farrel に配達してください。

0587 confirmed 訳 パソコンのモニターは配送中に壊れたことを検査で確認した。

語句 □ inspection 検査 □ damaged 壊れた、故障した □ shipping 発送

0588 contact 訳 インターネットでデータベースにアクセスする必要があれば、技術チームに連絡してください。

語句 □ access to …を入手する権利 □ through 通じて、通して

41 deserve

他 …する（…をもらう）資格がある、…して当然だ
「deserve ＋名詞」「deserve to do」

用例 **deserve** recognition for dedication（貢献に対し正当な評価をするに値する）
Hard workers **deserve to** have a long vacation.
（熱心に働いた人は長期休暇を取る資格がある。）
He **deserves** the speeding ticket.（彼がスピード違反を問われるのは当然である。）

42 determine

他 …を決心する、決定する
「determine to do」「determine that ＋主語＋動詞」
「determine whether[how/who/what] ＋主語＋動詞」

用例 **determine** the price of gold（金の価格を決める）
The city council **determined** that they would invest two million dollars to build a new medical facility.
（新しい医療施設を建てるために、市議会は200万ドルの出費を決めた。）

名 **determination** 決定、決心

用例 **determination** of government policy（政府方針の決定）

43 divide

自他 小さな部分に分ける、分配する
「divide ＋物・領域＋ into」「divide ＋物・財産＋ among/between」

用例 **divide** his property **among** his three children（3人の子どもで彼の財産を分配する）
We should **divide into** smaller groups for discussion.
（討論するのにより小さなグループに分けるべきだ。）

名 **division** 分割、分配、部(門)

用例 the **division** between public and private life（公私の生活の区別）

44 donate

他 寄付する、寄贈する 「donate＋物・お金・時間＋to＋人・団体」

用例 **donate** used computers **to** schools（学校へ中古のコンピュータを寄贈する）
Dry cleaners **donate** clothes **to** homeless people.
（クリーニング業界は路上生活者に衣服を寄付している。）

名 **donation** 寄付

用例 promise a **donation** of $24 million toward the disaster fund
（災害基金に2千4百万ドルの寄付を約束する）

45 enable

他 人・物に…する機会や能力を与える、可能にさせる
「enable＋人・物＋to do」

用例 **enable** users **to** conduct more effective searches
（ユーザーがもっと効率的に検索できるようにする）
enable you **to** receive up-to-date account balances
（あなたが最新の口座残高を受け取ることができるようにする）
The expansion has **enabled** us **to** offer private rooms for celebrities.
（拡張して有名人用のプライベートルームを提供できるようになった。）

46 encourage

他 人が…するよう勇気を与える、奨励する
「encourage＋人＋to do」
→（受動態）「人＋is encouraged to do」

用例 **encourage** students **to** attend evening courses
（夕方の講座に参加するよう学生に勧める）
Employees **are** strongly **encouraged to** attend the training session.
（社員は研修に必ず参加するようお願い致します。）
Customers **are encouraged to** compare prices before making a purchase.
（お客様は購入前に価格を比較するようお願いします。）

47 ensure

他 確実に…する、…を補償する
「ensure that 主語＋動詞」

用例 **ensure** that fire equipment operates properly
（きちんと消防設備が作動できるようにする）
We must **ensure** that all steps have been carried out appropriately.
（全ての段階を適切に実行できるようにしなければならない。）

48 establish

① 他 …の基盤を確立する、建物・事業体・機構などを設立する
establish a school [company / business]
② 他 規則・制度・法律などを作る、設ける
establish procedures [rules]

用例 **establish** new management objectives（新しい経営目標を打ち立てる）
establish a cooperative relationship（協力関係を確立する）
Special regulations should be **established** to protect the intellectual property.
（知的財産権を保護するために特別な規制を用意しなければならない。）

名 **establishment** 設立
用例 since the **establishment** of the club three years ago.（3年前のクラブ設立以来）

49 estimate

他 計算して見積もりを出す、…と推定する
「estimate that 主語＋動詞」

用例 **estimate** the cost accurately（正確に費用を見積もる）
It is **estimated** that about 10,000 new jobs would be created.
（雇用が約1万件創出されると推定している。）

名 **estimate** 評価、見積もり
用例 Fax me an **estimate** by the end of the day.
（今日中に見積もりを私にファックスして下さい。）
the original cost **estimate**（原価見積もり）

50 evaluate

他 価値や重要性・資質などを評価する、判断する

用例 **evaluate** the employee's performance（社員の業績評価をする）
In order to **evaluate** Ms. Brown as a candidate, we asked her to submit her resume.（応募者のBrownさんを評価するのに、彼女に経歴書の提出をお願いした。）

名 **evaluation** 評価
用例 credit **evaluation**（信用評価）
complete the **evaluation** form（評価書を仕上げる）

例題

□空所に当てはまる動詞を選択肢から選びなさい。

ensure donate establish determine divide evaluate follow

0589 本をスポーツ・歴史・芸術のようなグループ別に分ける
________ books into categories such as sports, history, art, etc.

0590 アメリカ赤十字に十万ドルを寄付する
________ $100,000 to the American Red Cross

0591 世界的な流通網を確保する
________ a worldwide distribution network

0592 合理的な服装規則を決める
________ reasonable dress code regulations

0593 ローン申込者の財務状況を評価する
________ loan applicants' financial status

0594 An auditor will (determine, deposit) whether the company is in compliance with the regulations.

0595 We (estimate, reserve) that 20% of our shipment has been lost.

0596 On the basis of his ten years of loyalty to this company, he (follows, deserves) three weeks vacation.

0597 The new plan will (encourage, approach) the use of more economical light bulbs.

0598 The Internet has (attached, enabled) people to find necessary information easily.

正解

0589 divide 0590 donate 0591 ensure 0592 establish 0593 evaluate

0594 determine 訳 監査役はその会社が規則を守っているか決定を下すつもりだ。
語句 □auditor 監査役 □in compliance with …に従って □regulations 規則

0595 estimate 訳 私たちが船積みした20%は紛失してしまったと推定している。
語句 □shipment 船積み □lost なくなる

0596 deserves

訳 彼がこの会社に10年も貢献してきたことを基本に考えれば､3週間の休暇を取るのは当然だ。

語句 □ on the basis of …を基本にして □ loyalty 忠誠、貢献

0597 encourage 訳 新しい計画により、一層省エネ電球の使用が進むだろう。

語句 □ economical 節約になる、経済的な □ light bulb 電球

0598 enabled

訳 インターネットによって簡単に知りたい情報を見つけることができるようになった。

51 exceed

他 数や量を超過する、度が過ぎる

用例 **exceed** the limit [expectations]（限度を超えた［期待を上回る］）
exceed the current salary by more than $1,000（現在の給料を千ドル以上、上回る）
Sales of cars **exceeded** the minimum required for this quarter.
（自動車の販売数はこの4半期の最小目標を上回った。）

副 **exceedingly** 非常に、きわめて、すばらしく

用例 an **exceedingly** rare event（きわめてまれな出来事）

52 expand

他 自 サイズや規模を増やす、拡張する

用例 **expand** its business in Southeast Asia（事業を東南アジアで拡大する）
The City Group decided to **expand** its advertising budget.
（シティグループ社は、その広告予算を拡大すると決めた。）

名 **expansion** 拡張、拡大

用例 undergo a period of rapid **expansion**（急速な拡大の時期を経る）

53 expect

他 …することを予想する、期待する、つもりだ
「expect ＋ to do」「expect that 主語＋動詞」
「expect ＋人・物＋ to do」→（受動態）「人・物＋ is expected to do」

用例 **expect** a large turnout（多数の参加者を期待する）
expect many university graduates to join the work force
（大卒学生の多くが社会人になると予想する）

expect to finish the project（プロジェクトを終えるつもりだ）
The new science museum **is expected to** attract many visitors to the city.
（新しい自然科学博物館はこの都市に来る訪問者の多くを引きつけるはずだ。）

㊔ **expectation** 期待、予期
用例 exceed the **expectations**（期待を上回る）

54 fill

他 空いているものを満たす、隙・穴を埋める
fill the gap（補完する）[the crack（隙間を埋める）/position（人員を満たす）]

用例 **fill** the vacant position（欠員を補充する）
The library was **filled** to capacity.（図書館は満員だった。）
熟語 fill out 記入する
Please make sure that all sections of the form are **filled out** completely.
（必ず書式の全てをご記入ください。）
熟語 **be filled with** …でいっぱいになる
was filled with neat piles of shirts（きちんと重ねられたシャツでいっぱいになった）

55 focus

自 …に集中する、…に重点を置く「focus on」

用例 **focus on** developing cosmetic products（化粧品の開発を重視する）
Our research must **focus on** results rather than the process.
（我々の研究は過程よりもむしろ結果に焦点を合わせなければならない。）

㊔ **focus** 焦点、中心
用例 the **focus** of attention（注目の的、注意の焦点）

56 function

自 作動する、機能する

用例 in order to **function** properly [correctly / normally]
（きちんと［正しく / 通常どおり］機能するために）
After repairs, both the local television and radio stations began to **function** again.
（修復後、地元のテレビとラジオ局は再び機能し始めた。）

形 **functional** 機能上の、職務上の、機能を果たせる、作動できる
用例 The online registration system will be completely **functional** by the end of March.
（オンライン登録システムは、3月末までに完全に機能を果たします。）

57 generate　　他 なかったものを生じさせる、創出する

用例 **generate** profits[income/revenue]（利益を生む、[収入/歳入]を生じる）
generate much interest from the attendees（参加者から多くの関心を引き起こす）
This mechanism uses the sun's heat and light to **generate** energy.
（エネルギーを発生させるのに、この機械は太陽の熱と光を使う。）

名 **generation**　同世代の人々、世代
用例 the **generation** gap（世代間ギャップ、世代の断絶）

58 grant　　他 公式な手続きを通じて与える「grant＋人＋賞・金銭・時間・機会」

用例 **grant** them an extension for the repair work（彼らに修理作業の延長を許可する）
grant him a leave of absence（彼に休暇を承諾する）
Access to the European Market will be **granted**.
（ヨーロッパ市場への参入は承諾されるだろう。）
参考 **grant** [granting,granted] that（仮に…だとしても）
granted that you are right（あなたの言う通りだとしても）

59 implement　　他 するべきことをする、計画・政策などを実施する implement plans [procedures（手続き、手順）/ campaigns / repairs]

用例 **implement** the economic reforms（経済改革を実行する）
plan to **implement** business strategies（企業戦略を実行するための計画）
A tracking system will be **implemented** to check the location of the shipment.
（追跡システムは輸送貨物の位置を確認するのに使う予定だ。）
The new dress code will be **implemented** in September.
（新しい服装規定は9月に実施されます。）

60 improve　　他 改善する、より良くする improve conditions [efficiency / the quality]

用例 **improve** energy efficiency（エネルギー効率を向上させる）
improve domestic revenues（国内歳入を増加させる）
The company has allocated funds for **improving** training procedures.
（会社は研修方法を改善するための資金を用意した。）
熟語 **improve on** [upon]　…に改良を加える、…より良いものを作る

PART 5 語彙

improve on Tom's score（トムの得点をもっとよくする）

㊔ **improvement** 改善、向上

用例 an **improvement** in the children's behavior（子どもたちのふるまいの改善）

例題

□空所に当てはまる動詞を選択肢から選びなさい。

fill expand focus implement grant generate function

0599 水資源の保護計画を実施する
________ the water conservation plan

600 悪条件の中でも正常に作動する
________ normally under unfavorable conditions

0601 求職申請書を作成する
________ out applications for the job

0602 顧客たちから受けた苦情に注意を払う
________ on the complaints we receive from customers

0603 研究開発投資を増やす
________ research & development investments

0604 We (expect, compact) to resume the scheduled flight.

0605 The software development team was (granted, repaired) an award.

0606 The new training program (approved, generated) a lot of interest among employees.

0607 A new survey indicates vacations (announce, improve) staff productivity.

0608 Sales of digital cameras (handled, exceeded) sales of film cameras for the first time in 2003.

正解

0599 implement 0600 function 0601 fill 0602 focus 0603 expand

0604 expect 訳 フライトが予定通りになるのを期待している。
語句 □ scheduled 予定の □ flight フライト □ resume 再開する、復旧させる

0605 granted
訳 ソフトウェア開発チームは表彰された。
語句 □ award 賞

0606 generated 訳 新しいトレーニングプログラムは社員の間で大いに関心が集まった。

0607 improve
訳 休暇によって社員の生産性が高まると、最新の世論調査が示している。
語句 □ survey 調査 □ indicate 示す □ staff productivity 社員の生産性

0608 exceeded
訳 デジタルカメラの売上高が、フィルムカメラの売上を2003年に初めて上回った。
語句 □ for the first time 初めて

61 increase

自他 数・量・程度が増える、増加させる
increase in value [price / importance]
increase the number of sales [imports]

用例 **increase** overall productivity（生産力全体を増やす）
increase the risk（危険性を増す）
increase the possibility（可能性が増す）
The demand for housing has **increased**.（住宅に対する需要が高まってきた。）

名 **increase** 増加
用例 substantial **increase**（大幅な増加）
a significant **increase** in the number of people without health insurance
（健康保険に入っていない人の数の深刻な増加）

62 indicate

他 現象や存在を現わす、表示する
「indicate that 主語＋動詞」

用例 **indicate** a high level of satisfaction（高い満足を表す）
The enclosed letter **indicates** that you received the invoice three days ago.
（同封の手紙にはあなたが3日前に請求明細書を受け取ったと書いてある。）
This month's sales figures **indicate** an encouraging trend.
（今月の売上額によると期待できる傾向が表れている。）

名 **indication** 指示、兆候
用例 give an **indication** of his own feelings（彼自身の感情を表す）

63 inform

他 知らせる、情報を与える
「inform ＋人＋ of ＋情報」「inform ＋人＋ that 主語＋動詞」

用例 **inform** you **of** the exact shipping date（正確な船積み日を通知する）
The signs **inform** guests that pets are not permitted in the area.
（この場所のペット入場はお断りとお客様に表示でお知らせしている。）

名 **information** 情報
用例 provide you with **information** about the area（地域情報を提供する）

64 inspect

他 間違いがあるかどうか調査する、点検する

用例 **inspect** a building [equipment]（建物[設備]を点検する）
You are advised to **inspect** the vehicle closely for any scratches or stains.
（車両にキズや汚れがないかしっかり点検するようにしてください。）

名 **inspection** 検査、点検、監査
用例 conduct an **inspection**（視察を行う）
safety **inspections** at our factory（工場の安全点検）

65 install

他 装置や器具などを設置する、装着する

用例 **install** equipment [software]（設備［ソフトウェア］を設置［インストール］する）
Productivity has been increased since the surveillance cameras were **installed**.
（監視カメラが設置されて以来、生産高は増加している。）

66 intend

他 …するつもりだ「intend to do」

用例 **intend to** place an order（注文をするつもりである）
intend to apply for the managerial position（管理職に志願しようと思う）
You need to make reservations at least one month before you **intend to** travel.
（旅行をしようと思う1ヶ月前までには予約をしなければなりません。）

名 **intention** 意思、意向
用例 have no **intention** of helping him（彼を助ける意思はない）

67 involve　　他 参加させる、関連付ける「be involved in」

用例 people (who are) **involved in** developing this software
（このソフトウェア開発に関わった人々）
An individual (who is) **involved in** a legal case is advised to consult a lawyer.
（法的な問題に巻き込まれた人は弁護士に相談するようにしてください。）

名 **involvement**　巻き込むこと、迷惑、連座
用例 defend US **involvement** in Haiti's domestic affairs.
（ハイチに内政干渉する米国を擁護する）

68 locate　　①他 Aを…に位置づける 「locate A on/at/in ＋場所」 →（受動態）「A is located ＋ on/at/in ＋場所」 ②他 探す、見つける（＝find）

用例 be **located on** the 9th floor of the hotel（ホテルの9階にある）
A variety of restaurants are conveniently **located on** Main Street.
（さまざまなレストランが大通りの便利な場所にある。）
All available devices were used in an effort to **locate** the missing aircraft.
（失踪した飛行機を見つけようとして、すべての機器を利用した。）

名 **location**　場所、位置
用例 a fine **location** for the new factory（新しい工場に申し分ない場所）

69 issue　　他 発行する、発給する、公式に伝える

用例 **issue** a visa[ID card]（査証［身分証］を発行する）
issue a new report（最新報告書を発行する）
issue a typhoon warning（台風警報を発令する）
We are ready to recall the defective products and **issue** refunds to customers.
（お客様には不良品の回収と払い戻しをする用意が出来ています。）

名 **issue**　発行物、発行数、発行；問題、課題
用例 decide not to make an **issue** of it（その件を問題にしないことに決める）
the current **issue**（最新号、今月号）

70 maintain　他 そのまま続ける、きちんと維持する

用例 **maintain** a firm position（確固たる地位を維持する）
maintain stocks for the sale（販売用在庫を持ち続ける）
Various organizations restore and **maintain** national historic sites.
（様々な機関が国の歴史的な跡地を復旧し保全している。）

名 **maintenance**　維持、整備
用例 suffer from high **maintenance** costs（高額の維持費用で苦しむ）

例題

□空所に当てはまる動詞を選択肢から選びなさい。

inform　involved　indicate　issue　inspect　maintain　located

0609 研究センターは市内に位置している。
The research center is ________ in the downtown area of the city.

0610 効率的なネットワークセキュリティーを維持する
________ effective network security

0611 受賞者を発表する
________ an announcement of the award winners

0612 いろいろなプロジェクトに関与したスタッフ
staff ________ in multiple projects

0613 みんなに会議の時間と場所を知らせる
________ everyone of a time and place for the meeting

0614 Sales have (attacked, increased) substantially since he began managing the store.

0615 This letter is (anticipated, intended) to inform you of our recent findings.

0616 All fire equipment should be (inspected, involved) every week.

0617 The survey (conducts, indicates) that the unemployment rate is increasing.

0618 The new light fixtures will be (installed, escorted) tomorrow morning.

正解

0609 located 0610 maintain 0611 issue 0612 involved 0613 inform

0614 increased 訳 彼が店を切り盛りして以来、売上高はかなり増えた。
語句 □ substantially かなり □ manage 経営する

0615 intended 訳 最新の研究成果をお知らせするのがこの手紙の目的です。
語句 □ inform ... of ～ …に～を知らせる □ finding 結果、研究成果、結論

0616 inspected 訳 消火器は必ず毎週点検してください。
語句 □ equipment 機器、器具

0617 indicates 訳 失業率が高くなりつつあることが調査でわかる。
語句 □ unemployment rate 失業率

0618 installed 訳 新しい照明設備を明日の朝取り付けます。
語句 □ fixture （部屋に取り付ける）付属品

71 notify

他 知らせる、通報する
「notify＋人（＋of＋知らせる内容）」

用例 **notify** the client **of** any changes in this agreement
（この契約の変更点はすべて顧客に通知する）
notify the immediate supervisors in writing（書面で直属の上司に報告する）
notify someone by telephone（電話で誰かに知らせる）
The store manager will **notify** the client when the ordered supplies arrive.
（注文品が到着したら店長がお客様にお知らせします。）

名 **notice** 通知、警告
用例 put up a **notice** about the meeting（会議の通知を掲示する）

72 occur

自 （出来事が）起きる、生じる、発生する

用例 when an accounting error **occurs**（計算ミスが生じた時）
Our assembly line stops automatically when even a minor problem **occurs**.
（工場の組立ラインは、小さな不具合が生じた時にも自動的に停止する。）

名 **occurrence** 出来事、事件、発生
用例 an unexpected **occurrence**（思いがけない出来事）

PART 5 語彙

73 offer

他 提供する、与える、提示する
「offer＋物・サービス＋to＋人」「offer＋人＋物・サービス」

用例 **offer** free Chinese classes **to** adults（成人向け無料中国語講座を提供する）
offer you assistance with your move to Bangkok
（バンコクへの引っ越しの手伝いを申し出る）
The post office **offers** a fixed rate of interest.（郵便局は固定利率を提示している。）

名 **offer** 提供、申込、試み

用例 enjoy our special **offer**（特別なおもてなしをお楽しみください）
make an **offer**（提議する、申し出る）
job **offer**（求人）、**offer** of employment（就職口）

74 organize

他 体系やシステムを備える、…を組織する

用例 because of his success in **organizing** the departmental merger
（彼が部門を統合して組織を作り上げることに成功したので）
conduct **organized** activities（組織活動を行う）
Workers of Bayer Metal Company are attempting to **organize** a labor union.
（Bayer Metal社の社員は労働組合を結成しようとしている。）

名 **organization** 組織、編成

用例 make valuable contribution to the **organization**
（組織にとって価値のある貢献をする）

75 outline

他 輪郭を描く、概要を作成する

用例 in addition to accomplishments **outlined** in my resume
（経歴書であらましを述べた業績に加えて）
the terms **outlined** in this loan agreement（この貸付契約で示した条件）
The planning department is scheduled to **outline** its strategic growth plans.
（戦略的な事業計画の概要を企画部は示すことになっている。）

名 **outline** 外形、輪郭、概論

用例 turn in an **outline** for the speech（スピーチの概略を提出する）

76 permit

他 許諾する、許す、入場させる 「permit＋人＋to go」

用例 **permit** dogs or other big pets in the apartment
（アパートでは犬や他の大きなペットを許可している）
Overnight camping is no longer **permitted**.（夜間のキャンプはもう許可されない。）
They would **permit** Ms. Albert to tour their manufacturing facilities.
（彼らはAlbert氏に工場施設の見学を許可するだろう。）
Unauthorized persons will not be **permitted**.（許可されていない人は入場できません。）

名 **permit** 許可（証）、証明書
用例 refuse to issue an export **permit**（輸出許可書の発行を拒否する）
Keep a duplicate of this **permit** in case of emergency.
（非常事態に備えてこの証明書のコピーを保管してください。）

77 persuade

他 …するように人を説得する 「persuade＋人＋to do」

用例 **persuade** the manager to change her mind
（心を入れ替えるようマネージャーを説得する）
persuade him that it was not his fault（それは彼の過失ではなかったと彼を納得させる）
Her friend tried to **persuade** Sally to make another investment in the fund.
（ファンドに追加投資をするよう、友人はSallyを説得しようとした。）

78 plan

他 …する計画だ、…する予定だ「plan to do」

用例 **plan to** expand the number of branch offices（支社数を拡大する計画だ）
plan to boost production（増産する予定だ）
The field coordinator is **planning to** visit the new construction site.
（現場責任者は新しい建設現場を訪問する予定だ。）

名 **plan** 計画、手順
名 **planning** 計画、立案、企画立案
用例 Due to the airline strike, Mr. Han had to postpone his **plans** to travel to Rome.
（航空会社のストライキで、Han氏はローマ旅行の計画を延期しなければならなかった。）
The **planning** session will be held shortly after the annual luncheon.
（企画立案会議は年次昼食会の後すぐに開催します。）

79 prefer

他 …を選り好む、…より～を好む
「prefer A to[rather than] B」B より A を好む
「prefer to do」「prefer -ing」

用例 **prefer to** drive to work（車で職場に行くのを好む）
I **prefer to** maintain a reliable old car rather than purchase a new model.
（新車を買うよりも、信頼できる中古車を手入れして持つほうがいいです。）
We **prefer** taking a more modern management approach.
（もっと現代的な経営アプローチをとりたい。）

形 **preferred** 推奨の、優先の、好ましい

用例 select BT Techpology as the **preferred** supplier
（供給元として好ましいBTテクノロジーを選ぶ）
Credit cards are not the **preferred** means of payment in most stores.
（大部分の店ではクレジットカードは好まれない支払方法です。）

80 present

他 提出する、見せる
「present＋人＋with＋物」「present＋物＋to＋人」

用例 **present** one form of identification（身分証の一つを提示する）
present their problems to management（彼らの問題を経営者に示す）
Most manufacturers are **presenting** consumers **with** sample products.
（メーカーのほとんどは試供品を消費者に進呈している。）
Mr. Innauer first **presented** the product specifications to the group.
（Innauer氏は先ず商品の仕様をみんなに提示した。）

形 **present** 出席している、現在の

用例 the **present** situation（現在の状況）
among those (who are) **present** at the event（イベントに出席している人の中で）

例題

□空所に当てはまる動詞を選択肢から選びなさい。

occurred produce offer persuade presented refer proceed organize

0619 理事たちを説得しようと試みる try to ________ the board of directors

0620 最も資格を備えた志願者に職を提供する
________ the job to the best-qualified applicant

0621 午後10時ごろに停電が起きた。
The power outage ________ at about 10 p.m.

0622 新入会員のために特別行事を準備する
________ a special event for new members

0623 チケットは守衛に提示されなければならない。
The ticket should be ________ to the usher.

0624 Policy holders will be (notified, licensed) of the change in the terms of agreement.

0625 The basic requirements for admission are (substituted, outlined) on the back of the page.

0626 Sonmicro Technologies is now (planning, suggesting) to expand the new market for personal computers.

0627 Many young employees say they would (skip, prefer) more vacation time to a pay raise.

0628 We will (permit, rectify) visitors to see how the production line functions.

正解

0619 persuade 0620 offer 0621 occurred 0622 organize
0623 presented
0624 notified 訳 保険契約者には、契約条件の変更をお知らせします。
語句 □policy holder 保険契約者 □change in …の変更 □terms of agreement 契約条件 □license 使用を許諾する

0625 outlined 訳 基本的な入学条件は、ページ裏の概要に説明してあります。
語句 □requirement 条件 □admission 入場、入学 □substitute 代わりに用いる

0626 planning
訳 Sonmicro Technologiesは個人向けパソコンという新市場への展開を現在計画している。
語句 □expand 広げる、展開する □suggest 提案する

0627 prefer 訳 昇給より、もっと休暇がほしいと若い社員の多くは言っている。
語句 □pay raise 昇給 □skip 省略する、抜かす

0628 permit 訳 生産ラインがどのように動いているのか訪問客が見ることを許可します。
語句 □production line 生産ライン □function 機能する □rectify 改正する

81 proceed　　自　していたことを続ける、進む

用例　**proceed** directly to the destination non-stop（目的地まで途中停車せずに直行する）
Negotiations on the revision of the agreement are **proceeding** very well.
（同意書の改訂に関する交渉はとても順調に進んでいる。）

名 **procedure**　進行、手順、手続き
用例　regarding refund **procedures**（払い戻し手続きに関して）
review quality-control **procedures**（品質管理手順を再確認する）

82 produce　　他　商品・結果・公演・食品などを生産する、製造する

用例　**produce** innovative products（画期的な商品を生産する）
The talks failed to **produce** results.（話し合いは何の結果ももたらさなかった）
The printer **produces** vivid color graphics.
（プリンターで鮮やかなカラーグラフィックが出ます。）

名 **produce**　生産額（高）、農産物
名 **production**　製造、生産
用例　the freshness of the **produce**（農産物の鮮度）
cause significant delays in **production**（生産の大幅な遅れが起こる）

83 promote　　①他　広報する、販売促進する　②他　昇進させる「promote＋人＋to＋地位」

用例　**promote** new products（新製品を広報する）
The Chamber of Commerce helps local businesses **promote** tourism in the area.
（商工会議所は地元企業による地域観光業振興のお手伝いをします。）
Because of his dedication to the company for 30 years, Mr. Ricardo was **promoted to** vice president.
（会社に30年間貢献した結果として、Ricardo氏は副社長に昇格した。）

名 **promotion**　昇級、促進
用例　a winter sales **promotion**（冬の販売促進）

84 raise

①他 数・額などを増やす
②他 問題を起こす

用例 **raise** a question[objection]（質問をする[異議を唱える]）
raise the rent（家賃を上げる）
raise the concern among its shareholders（株主の間で懸念が高まる）
We will need to **raise** next year's production by fifteen percent.
（来年の生産量を15%引き上げる必要がある。）
The central bank has been under pressure to **raise** the interest rate.
（中央銀行は金利を上げるように圧力をかけられてきた。）

名 **raise** 増加、賃上げ、値上げ
用例 pay **raise**（昇給する）
raise interest rates（金利が上がる）

85 reach

①他 （場所）に到着する
②他 （結論・合意・結果など）に到達する
reach a decision [agreement（合意）/ result]

用例 **reach** their hotel（ホテルに到着する）
reach a consensus（合意に至る）
You can always **reach** me at this phone number.
（この番号はいつでも私につながります。）
The legal firm is hoping to **reach** a final settlement in the case.
（その事件で最終合意に至るのを法律事務所は望んでいる。）

熟語 **reach out** 手を貸す、手を伸ばす
reach out a hand 救いの手を差し伸べる

86 recognize

他 認識する、人を見知る、認証する
「recognize that 主語＋動詞」

用例 **recognize** employees' accomplishments publicly（社員の成果を正式に認める）
Kuzo Enterprise was recently **recognized** for its support of community programs.
（Kuzo Enterprise社は地域社会プログラムへの支援に対する功績を近ごろ認められた。）

形 **recognizable** 識別できる、認知できる
用例 A corporate logo should be memorable and instantly **recognizable**.
（企業ロゴは覚えやすくて即座に判別できるものにするべきだ。）

87 reduce

他 減らす、削減する
「reduce A to B」A を B に減らす
「reduce ＋名詞＋ by half/percent」…を半分に減らす

用例 **reduce** cost [deficit rates]（経費[赤字額]を削減する）
The initiative suggested by the Ministry of Tourism to **reduce** unnecessary fees at the airport will be very well received.
（空港の不要な料金を廃止するという観光省の発案は、非常に歓迎されるだろう。）

名 **reduction** 減少、削減
用例 a slight **reduction** in the price of oil（原油価格のわずかな下落）

88 refer

①自 参照する、参考にする、照会する 「refer to ＋名詞」
②他 …に送られる 「be referred to」

用例 **refer to** our brochure（当社カタログを参照する）
Employees on each shift should **refer to** the safety checklist.
（交替勤務の社員はそれぞれ安全チェックリストを参考にしてください。）
The patient was **referred to** a specialist for treatment.
（その患者は治療の専門家に搬送された。）

名 **reference** 参照、参考、言及、関連
用例 direct **reference to** her own childhood in the novel
（小説で彼女自身の幼少時代を直接言及すること）
熟語 **with reference to** …に関連して、…を参照して
Post any question **with reference to** the assigned presentation.
（指定したプレゼンに関してどんな質問でも出してください。）

89 regard

他 …と感じる、みなす 「regard A as B」（A を B とみなす）

用例 **be regarded as** one of the best writers（最高の作家の一人として見なされる）
We **regard** each member of our team **as** a valuable asset.
（私たちは仲間のそれぞれを、価値ある財産と見なす。）
If you have any suggestions **regarding** the next meeting, please call our office before Friday.
（次のミーティングに関してなにかご提案があれば、金曜日までに事務所に電話してください。）

熟語 **with** [in] **regard to** (＝regarding) …に関して
with regard to refund procedures （払い戻し手続きに関して）
熟語 **with kind** [best / warm] **regards** さようなら、よろしく（手紙の挨拶）

熟語 **regardless of** …にもかかわらず
regardless of race [religion / sex] （人種［宗教 / 性別］に関係なく）

90 register

自 他 名前を書いて…に登録する、入学・参加登録をする
「register for ＋名詞」

用例 need to **register** in advance（事前登録を必要とする）
All members should **register for** the annual conference by September 15.
（会員は全員、9月15日までに年次会議の登録をしてください。）
Members of the sports club **registered for** the ski trip.
（スポーツクラブの会員はスキー旅行に参加登録した。）

名 **registration** 登録、登記、記録
用例 **registration** process（登録手続き）

例題

□空所に当てはまる動詞を選択肢から選びなさい。

reduce promoted reached recognize proceed raised refer

0629 より高い地位に昇進する be ________ to a higher position

0630 同封のプログラム日程のコピーをご参照ください
Please ________ to the enclosed copy of the program schedule.

0631 費用を減らすために大量に文具を買う
buy stationery in bulk quantities to ________ expenses

0632 昨夜ついに合意に達した
An agreement was finally ________ last night.

0633 当初の計画通り進める
________ as initially planned

0634 Mr. Carlson has been widely (gathered, recognized) for his outstanding business and management skills.

0635 Overuse of antibiotics has (asked, raised) questions about the future effectiveness of the drugs.

PART 5 語彙

0636 Mr. Tyler is (regarded, connected) as an innovator and expert in the M&A field.

0637 More than 500 people (utilized, registered) for the afternoon seminar.

0638 General Motors will build a modern plant where cars will be (inspired, produced) by high technology robots.

正解

0629 promoted 0630 refer 0631 reduce 0632 reached 0633 proceed
0634 recognized

訳 Mr. Carlson は卓越したビジネスと経営能力で広く知られている。
語句 □widely 広く □outstanding 目立った、未払いの □management 経営 □gather 集まる

0635 raised

訳 抗生物質の使いすぎにより、将来の薬の効果について問題点が出てきている。
語句 □overuse 使いすぎ □antibiotics 抗生物質 □effectiveness 効果

0636 regarded

訳 企業買収の分野では、Mr. Tyler は創造性に富んだ専門家と見なされている。
語句 □innovator 革新 □expert 専門家 □M&A 企業買収 □field 分野 □connect 結合する、関係させる

0637 registered 訳 500 人以上の人が午後のセミナーに登録した。
語句 □more than …以上 □utilize 利用する、活用する

0638 produced

訳 General Motors は、最先端技術ロボットが車を生産する現代的な工場を建設するつもりだ。
語句 □plant 工場 □high technology 最先端技術、ハイテク

91 reimburse

他 弁償する、費用を返す、払い戻す
「reimburse ＋人＋ for ＋物・費用」

用例 **reimburse** you **for** any expenses（あなたに全ての費用を払い戻す。）
Airlines are forced to **reimburse** passengers **for** damaged luggage.
（航空会社は損傷を受けた手荷物に対して、乗客に賠償することを余儀なくされた。）

名 **reimbursement** 返済、弁償、賠償、払戻し
用例 **reimbursement** for medical expenses（医療費の払戻し）

92 release

他 公開する、発表する、(映画などを) 封切る、市場に出す

用例 **release** medical records（医療記録を公開する）
release the new car model（新型車を発表する）
The survey results will be **released** to the public.（調査結果を公表します。）

名 **release** 解放、公開、放出

用例 the band's latest **release**（バンドの最新リリース）

93 remain

① 自 依然…の状態だ、…の状態でいる 「remain ＋形容詞」
② 自 …が残っている 「There remain (s) ＋名詞」

用例 **remain** competitive（競争し続ける）
remain operational（稼動したままでいる）
The conference room door must **remain** locked at all times.
（会議室のドアは、いつでも鍵をかけておかなければならない。）
There still **remain** a couple of problems to be solved.
（依然、解決しなければならない2、3の問題が残っています。）

形 **remaining** 残りの

用例 the **remaining** issues（未解決の問題）

94 remind

他 思い起こさせる、思い出させる
「remind ＋人＋ to do」「remind ＋人＋ that 主語＋動詞」
「reimind ＋人＋ of ＋物」

用例 be **reminded to** securely fasten a safety belt
（しっかりと安全ベルトを締めるよう念を押す）
Ventura County residents are **reminded that** this year's property taxes are due on Friday.
（Ventura郡の住民の皆様は、今年の資産税の支払い期日が金曜日なのでご了承ください）

名 **reminder** 思い出させるもの(人)、合図、メモ

用例 a **reminder** of the dangers of drinking and driving
（飲酒運転の危険に対する警告）

95 renew　　他 …を新しくする、再契約する

用例 **renew** a multi-year marketing contract（取引を複数年契約で更新する）
renew a driver's license（運転免許証を更新する）
We will automatically **renew** your membership unless you choose to cancel.
（あなたが取消しを選択しない限り、会員契約は自動的に更新されます。）

名 **renewal**　一新、更新、再開
用例 A major step in urban **renewal** in Brazil began in 2004.
（ブラジルの都市再開における大きな進歩は、2004年に始まった。）

96 require　　他 …するように要請する、要求する「require＋人・対象＋to do」→（受動態）「人・対象＋be required to do」

用例 **require** a more highly trained workforce（もっと専門的で経験のある人を求める）
require effective communication skills（通用するコミュニケーション能力が条件である）
All applications are **required to** submit a letter of recommendation.
（応募者は全員、推薦状の提出が必要です。）
We **require** all supervisors **to** submit proposals for their individual departments.
（管理職は、自分の部署に関する提案を提出して下さい。）

名 **requirement**　要求、必需品、必要条件、資格
用例 in accordance with the company's personnel recruitment **requirements**
（会社の採用条件に従って）

97 reserve　　①他 予約する、保存する、指定する「reserve＋物＋for＋人」②他 権利・利益などを保有する、確保する

用例 **reserve** a banquet hall at the Millennium Hotel
（Millenniumホテルの宴会場を予約する）
the **reserved** parking area（指定された駐車場）
reserve the right to do（…する権利を留保する）
If you would like to **reserve** a conference room you must first fill out this form.
（会議室を予約したいのであれば、先にこの用紙に記入してください。）

名 **reservation**　予約
用例 make a seat **reservation** in advance（事前に席を予約する）

98 respond

㊐ …に答える、応答する、反応を見せる
「respond to ＋名詞」

用例 **respond to** inquiries（問い合わせに答える）
in order to be able to **respond** promptly（即座に応答できるように）
The personnel office is unable to **respond to** every candidate who applies for this position.
（人事部は、このポジションへの応募者一人ひとりに返事をすることはできない。）

㊔ **response** 応答、返答
用例 receive an immediate **response**（すぐ返事を受け取る）
熟語 **in response to** …に応じて、答えて
in respone to this virus-related problems（ウィルス関連の問題に応えて）

99 submit

㊀ 提出する、物・書類などを出す
submit receipts [document / application]

用例 **submit** their forms to the Technology Board Association
（申込書を技術委員会に提出する）
submit copies of all receipts with the appropriate document
（過不足の無い書類と一緒に受領書全てのコピーを提出する）
Five energy companies **submitted** proposals for renewable-energy projects.
（5つのエネルギー関連会社が再生可能エネルギープロジェクトに対する提案書を提出した。）

㊔ **submission** 提出、服従
用例 the deadline for the **submission** of proposals（提案書の提出期限）

100 verify

㊀ 検証する、確認する

用例 **verify** the sales figures（売上実績を確認する）
verify the information（情報を確認する）
This letter is intended to **verify** that a client has a savings account at Swiss Savings Bank.
（お客様がスイス貯蓄銀行に預金口座を保有していること確認するため、このお手紙を出しています。）

PART 5 語彙

例題

□空所に当てはまる動詞を選択肢から選びなさい。

renew released reserve verify submit remain respond

0639 会報の購読を更新する
________ a subscription to the newsletter

0640 2007 年 8 月 31 日まで有効だろう
will ________ in effect until August 31, 2007

0641 2006 年の第 1 四半期の財政報告書を最近公開した
have recently ________ a financial report for the first quarter of 2006

0642 変更に関する問い合わせに答える
________ to any concerns about the changes

0643 会員加入申請を拒否する権利を持つ
________ the right to refuse applications for membership

0644 All bidders must (submit, attribute) entire proposals in a sealed envelope.

0645 Please (remind, redeem) all of your employees that the parking lot will be resurfaced over the weekend.

0646 Safety inspectors will (perform, verify) the site's compliance with safety regulations.

0647 Several months of work are (required, compared) to design and develop medical equipment.

0648 Travel expenses will be (reimbursed, communicated) only if receipts are submitted.

正解

0639 renew **0640** remain **0641** released **0642** respond **0643** reserve
0644 submit

訳 入札者は皆、見積を封をした封筒に入れて提出しなければならない。

語句 □ bidder 入札者 □ proposal 提案書、企画案 □ attribute …のせいにする、おかげである

0645 remind

訳 週末にかけて駐車場の再舗装を行いますこと、社員の方にはお知らせしてください。

語句 □ parking lot　駐車場　□ resurface　再舗装する　□ over the weekend　週末にかけて　□ redeem　（名誉などを）回復する、（ローンを）完済する

0646 verify

訳 安全検査官は、サイトが規則を遵守しているか確かめるつもりだ。

語句 □ inspector　検査官　□ compliance　遵守、服従　□ safety regulations　安全規則　□ perform　実演する

0647 required　訳 医療機器の設計と開発には、数ヶ月の作業が必要だ。

語句 □ medical　医療の　□ equipment　機器、機材

0648 reimbursed　訳 領収書の提出があった時だけ、交通費を払い戻します。

語句 □ travel expence　交通費　□ submit　提出する

UNIT 02 ● 注意を要する動詞 ●

動詞は、特定の前置詞・副詞・名詞とともに多様に使われる。この際、動詞の固有の意味が保たれることもあれば、前置詞や副詞と合わさって全く別の意味になることもある。

❶動詞の意味がそのまま保たれる場合

自動詞・他動詞の別なく、動詞ごとによく組み合わされる前置詞がある。たとえば、benefit は「利益を得る」という自動詞だが、利益の源を表す必要がある場合には前置詞 from を使う。今後は、動詞 benefit だけを単独で覚えるのではなく、benefit from の形で覚えるようにしよう。

- □**accommodate to** …に適応する、順応する
- □**account for**
  ①…の説明をする **(=explain)**
  ②…から成り立っている **(=make up)**
- □**apply for** …を申し込む
- □**attribute A to B** AをBのせいにする
- □**benefit from** …から恩恵を受ける、収益を得る
- □**bring in** 利益などをもたらす、提出する
- □**call back** かけなおす
  (=return a phone call)
- □**check A for B** BのためにAを調べる
- □**compare A with B** AをBと比較する
- □**compensate A for B** AにBを補償する
- □**compete for** …を争う
- □**complain (to A) about B** Bについての不満を（Aに）言う
- □**concentrate on** …に集中する
- □**consist of** …から成る
  (=be composed of)
- □**consult A about B** BについてAに相談する
- □**contribute to** …に貢献する
- □**cope with** …と争う、処理する
- □**count on** …を頼りにする、あてにする
- □**deal with** …を取り扱う
- □**depend on** …による（依存する）
- □**differ in** …の点で異なって
- □**direct [conduct / lead] A to B** AをBに向ける（導く）
- □**distribute A between [among] B** AをBとの間で分配する
- □**engage in** …に没頭する
- □**experiment with** …を試みる、…で実験する
- □**favor A over B** BよりもAを支持する（好む）
- □**focus on** …に焦点を当てる
- □**graduate from** …を卒業する
- □**hear from** …から聞く
- □**incorporate A into B** AをBに取り込む、組み入れる
- □**interfere with** …を妨げる
- □**invest A in B** AをBに投じる、投資する
- □**laugh at** …を笑う
- □**lead to** …につながる
- □**leave out** …を除外する、省略する
- □**leave [start / head] for** …に向けて出発する
- □**lie in** …にある
- □**object to ...ing** …することに反対する
- □**point out** 指摘する
- □**preside over** …を管理する、主宰する
- □**provide for** …を提供する、…に備える
- □**refer to** …に言及する
- □**rely on** …に頼る
- □**remind A of B** AにBを思い出させる
- □**resign from** …を辞める
- □**result from** …に起因する、…が原因で起こる
- □**result in** …に帰着する、…という結果になる
- □**reward A with B** Aに対してBで報いる

□**schedule A for B**　BのためにAを予定する、組み込む
□**search A for B**　Bを求めてAをさがす
□**send out**　送信する、取りに行かせる
□**spend on ...ing**　…することに費やす
□**stick to**　…に専念する、…にくっつく
□**substitute A for B**　AをBの代わりにする
□**succeed in**　…に成功する
□**thank A for B**　AにBを感謝する
□**think over**　よく考える
□**transfer A to B**　AをBへ移す
□**turn A into B**　AをBに変える **(=transform / convert)**

例題

□次の空所に入る前置詞または副詞を答えなさい。

0649 彼の仕事をじゃまする interfere ________ his work

0650 困難を克服する cope ________ difficulties

0651 賞をもらうために競争する compete ________ the prize

0652 果物を野菜の代用にする substitute fruits ________ vegetables

0653 グループ活動に寄与する contribute ________ the group activity

0654 成功の栄誉を彼女のリーダーシップのお陰とする
attribute the success ________ her leadership

0655 ガイドブックを参照する refer ________ the guidebook

0656 株式に投資する invest ________ stocks

0657 品質管理に関与する engage ________ quality management

0658 販売責任者の職から退く
resign ________ his position as a sales manager

0659 改善された交通システムの恩恵を受ける
benefit ________ an improved transportation system

□空所に当てはまる動詞や前置詞を選びなさい。

0660 Many local communities and governments have (doubted, experimented) with new strategies for local economic development.

0661 Mr. Roadman will be (transferred, provided) to the branch office in Delaware.

0662 Veritas Inc. provides software to check your laptop (from, for) defective memory.

0663 Failing to follow safety procedures in the plant could (lead, donate) to serious incidents or injuries.

0664 Part of the reason for their difficulties lies (in, through) the complete lack of government funding.

正解

0649 with **0650** with **0651** for **0652** for **0653** to **0654** to **0655** to
0656 in **0657** in **0658** from **0659** from

0660 experimented

訳 地域社会や地方自治体の多くが地域経済の発展を求めて新しい戦略を試してきた。

語句 □ experiment with …を試す、試みる □ local 地方の □ strategy 戦略、方策 □ local economic development 地方経済の発展(開発) □ doubt 疑う

0661 transferred

訳 Roadman 氏は Delaware 支店に転勤になる。

語句 □ transfer A to B AをBに移す(＝ A be tranferred to B) □ branch office 支店 □ provide 提供する、供給する

0662 for

訳 ノートパソコンのメモリーの不具合を調べるため、Veritas 社はソフトを提供している。

語句 □ check A for B Bのために A を調べる □ laptop ノートパソコン □ defective 不良品

0663 lead

訳 工場の安全基準を守らないと、結果として重大な事故や怪我が発生しかねない。

語句 □ lead to 結局…となる □ fail to do …しそこなう □ safety procedure 安全手順 □ incident (偶然)の出来事 □ injury 怪我、損害

0664 in

訳 彼らが困難に陥っている理由の一つに、政府の全体的な財源不足が挙げられます。

語句 □ lie in (原因などが)…にある □ complete 完全な、全くの □ lack of …の不足 □ funding 財源、資金調達

❷動詞の意味が変わる場合（1）

以下は、前置詞・副詞と合わさることで動詞の意味が変わるものである。たとえば、turnは「転換する」という意味だが、副詞 down と合わさると「拒絶する」という意味になる。また、副詞 out とともに使われると「…であることがわかる」という意味になる。このように、動詞ごとに前置詞・副詞との組み合わせが決まっており、意味が様々に変わるので、一つ一つについてしっかり覚えるようにしよう。

□**add up to (=equal)**　合計…になる
□**allow for (=consider)**　…を考慮する
□**back down (=give in, step back)**　後退する、譲歩する
□**be made up of (=consist of)**　…から成っている
□**blow up (=explode)**　爆発する
□**break down (=stop working, become out of order)**　故障する
□**break into (=invade)**　侵入する
□**break out (=happen / occur)**　発生する
□**break [cut] in (=interrupt)**　口出しする、割り込む
□**bring down (=make unhappy)**　…を失望させる
□**call off (=cancel)**　取り消す
□**care for (=like)**　望む、好む
□**carry on (=continue)**　続ける
□**carry out (=perform / conduct)**　…を成し遂げる、成就する
□**catch up with (=get to the same point as someone else)**　…に追いつく
□**check in (=arrive and register at a hotel or airport)**　宿泊、搭乗の手続きをする
□**check out (=leave a hotel)**　ホテルでチェックアウトする
□**clean up (=clean)**　掃除する
□**clock out**　退勤時間を記録する
□**come across (=find [meet] unexpectedly)**　…に（偶然）出くわす、見つける
□**come apart (＝separate)**　割れる、ばらばらになる
□**come up with (=think of)**　思いつく、考え出す
□**cut back on (=consume less)**　（費用、手当てを）減らす、削減する
□**draw on (=make use of)**　…を活用する
□**end up (=eventually [reach / do / decide])**　結局…になる
□**figure out (=understand / find the answer)**　理解する、…の答えを出す
□**fill out [in] (=write information in blanks)**　記入する、…を完成させる
□**find out (=discover)**　解決する、見つけ出す
□**get along [on] (=like each other)**　うまくやる、折り合いをつける
□**get back (=receive something you had before)**　…を返してもらう
□**give back (=return a borrowed item)**　…を返す
□**give up (=stop trying)**　あきらめる
□**go ahead (=start / proceed)**　進む、出発する
□**hand in (=submit)**　…を提出する
□**hand over(=pass)**　…を渡す、譲渡する
□**keep up with (=continue at the same rate)**　遅れずについて行く
□**lay off (=fire)**　首にする、解雇する
□**look down on (=think less of / consider inferior)**　…を見下す、…を軽蔑する
□**look for (=try to find)**　…を捜す
□**look into (=investigate)**　…を研究する、調べる
□ **make out (=understand)**　理解する
□ **put together (=assemble)**　集めてま

PART 5 語彙

とめる

□**put up with (=tolerate)**　耐える

□**run into (=meet unexpectedly)**　偶然に出会う

□**run out of (=have none left)**　使い果たす、切らす

□**see off**　見送る、送る

□**send back (=return usually by mail)**　返送する

□**set up (=arrange / organize)**　調整する、据え付ける

□**show off**　誇示する、見せびらかす

□**show up (=appear)**　あらわれる、登場する

□**sign out for**　…に署名する

□**stand for (=symbolize)**　象徴する

□**step down**　① **(=resign)** 引退（辞職）する　② **(=get off)** 車から降りる

□**take off**　① **(=start to fly)**（飛行機などが）離陸する ② **(=remove something)** 外す、脱ぐ

□**take back (=return an item)**　返品する

□**try on (=sample clothing)**　試着してみる

□**turn down (=refuse)**　（提案、要求などを）断わる

□**turn off (=switch off)** 消す

□**turn on (=start the energy, switch on)**　つける、電源を入れる

□**warm up (=prepare body for exercise)** 準備運動する

□**wear off (=fade away)**　すり減らす、磨り減る

□**work out**　① **(=be successful)** 達成する、苦心して成就する　② **(=exercise)** 運動する、練習する

例題

□次の空所に共通に入る前置詞または副詞を答えなさい。

0665 より良いアイデアを出す
come ________ ________ a better idea (= think of)

0666 競争相手に追いつく
catch ________ ________ competitors (= get to the same point as someone else)

0667 過重な業務量に耐える
put ________ ________ heavy workload (= tolerate)

0668 工場の労働者を数千人解雇する
lay ________ thousands of plant workers (= fire)

0669 靴を脱ぐ
take ________ your shoes (= remove something)

0670 客を見送る
see our guests ________ (= say goodbye to)

0671 原料価格を調べる
look ________ the price of raw materials (=investigate)

0672 旧友に出くわす
run ________ one of my old friends (= meet unexpectedly)

0673 管理費を削減する
cut back ________ the overhead expenses (= consume less)

0674 自らの経験を活用する
draw ________ one's experience (= make use of)

0675 計画を施行する
carry ________ a plan (= perform, conduct)

0676 問題の原因を調べる
figure ________ the cause of the problem (= find the answer)

0677 申請書を作成する
fill ________ the application form (= write information in blanks)

□空所に当てはまる動詞や前置詞を選びなさい。

0678 Our boss has (set, put) up a meeting with the president of the company.

0679 Mr. Tyson turned the job offer (down, up) because he didn't want to move.

0680 The only problem was the lack of skilled and experienced people, but everything worked (for, out) fine in the end.

0681 Your purchases add (up, of) to $205.32.

0682 Jason (called, rang) off the weekly sales meeting because many of the key staff members were out of town.

正解

0665 up with 0666 up with 0667 up with 0668 off 0669 off 0670 off
0671 into 0672 into 0673 on 0674 on 0675 out 0676 out
0677 out
0678 set
訳 上司は会社の社長との会議を設定した。
語句 □ set up …を設定する、準備する

PART 5 語彙

0679 down

訳 Mr. Tyson は引越しをしたくなかったので、採用をお断りした。

語句 □turn down　断る、辞退する　□job offer　仕事の口、採用通知　□move　移(異)動する、引っ越す

0680 out

訳 唯一の問題は熟練の経験者が不足していることだったが、結局は全てうまくいった。

語句 □work out　解決する、うまくいく　□lack of　…が不足して　□skilled　技術のある　□in the end　結局は

0681 up

訳 お買い上げは205ドル32セントとなります。

語句 □add up to　合計が…になる　□purchase　購入(する)

0682 called

訳 主要スタッフの多くが出張で郊外にいたので、Jason は週に一度の営業会議を中止した。

語句 □call off　…を中止する　□key staff　主要スタッフ
□out of town on business　出張で郊外に

❷動詞の意味が変わる場合（2）

□**back up (=support)**　…を支持する、支援する
□**call up (=phone)**　…に電話する
□**calm down (=relax after being angry)**　落ち着く、静まる
□**check out (=investigate)**　よく調べる、検査する
□**come up to (=get near to)**　…に至る、達する
□**cut in (=interrupt)**　割り込む、邪魔する
□**cut off (=stop providing)**　切り離す、供給を中断する
□**do away with (=discard)**　処分する、排除する
□**do over (=do again)**　やり直す、改装する
□**draw up (=write)**　文書を正式に作成する
□**dress up (=wear nice clothing)**　着飾る、正装させる
□**drop in [by / over] (=come without an appointment)**　ちょっと立ち寄る
□**drop out (=quit a class [school])**　やめる、抜ける
□**eat out (=eat at a restaurant)**　外食する
□**fill up (=fill to the top)**　満たす、満ぱいにする
□**get back from (=return from)**　…から戻る、帰ってくる
□**get on (=step onto a vehicle)**　…に乗る
□**get over (=recover from an illness [loss / difficulty])**　…を乗り越える
□**get through**　① **(finish)** 終える　② **(experience)** 経験する
□**get together (=meet usually for**

social reasons) 集まる、会合を開く

□give in (=reluctantly stop fighting or arguing) 降参する、屈服する

□give off (光、におい、煙、雰囲気、熱など) を発する

□give away (=give something to someone for free) 無料であげる、寄贈する

□go out with (=date) 出かける、デートする

□go over (=review) …を検査する

□go through (=undergo / experience) (苦難・経験など) を経る、(検査など) を受ける

□grow up (=become an adult) 大人になる、育つ

□hand out (=distribute to a group of people) 配る

□hang up (=end a phone call) 電話を切る

□hold back (=prevent from doing [going]) 阻害する、自制する

□keep on -ing (=continue doing) …し続ける

□knock off (=give a discount) 割引する

□let down (=fail to support or help / disappoint) …を失望させる

□look forward to (=be excited about the future) 期待する

□look over (=check / examine) 調べる、点検する

□look up to (=have a lot of respect for) …を尊敬する

□make up for (=complement) 取り返す、埋め合わせる

□narrow down (=reduce the number or the range of a thing) 狭める

□pass out (=give the same thing to many people) 配布する

□pay back (=return owed money) 払い戻す、返金する

□pick up (=choose) (品物を) 取り上げる、車に乗せる

□point out (=indicate with your finger) 指し示す、指示する

□pull down …を引き降ろす、取り壊す

□put in for (=request / apply for) …を申込む

□put down (=put what you are holding on a surface or floor) 下ろす

□put off (=postpone) 延期する、遅らせる

□put out (=extinguish) (火・明かりを) 消す

□run away (=leave unexpectedly) 逃げ出す

□run over (=drive a vehicle over a person or thing) 車で轢く

□shop around (=compare prices) (よい買い物をしようと) いくつかの店を (値段を) 見て回る

□sign up for …に入会する、署名して加わる

□sort out (=organize) 分類する、整える、秩序だてる

□speed up (=accelerate) 速度を上げる

□stick to (=continue doing something) …を固守する

□take apart (=purposely break into pieces) ばらばらにする、分解する

□think over (=consider) よく考える、熟考する

□throw away (=dispose of) …を捨てる、処分する

□touch down (=land) 着陸する

□turn in (=submit) 提出する

□turn out to be (=be discovered to be) …と判明する、明らかになる

□turn to (=rely on) …に頼る

□use up (=finish the supply) 使い切る、(果たす、尽くす)

例題

□次の空所に共通に入る前置詞または副詞を答えなさい。

0683 リストを作成する
draw ________ a list(= write)

0684 彼に電話をかける
call ________ him (=phone)

0685 彼らの要求に屈服する
give ________ to their demand(=reluctantly stop fighting or arguing)

0686 必要な書類を提出する
turn ________ the required documents (=submit)

0687 困難を克服する
get ________ difficulties (=recover from an illness, loss, difficulty)

0688 答案を提出する前に検討する
go ________ your answers before submitting them(=review)

0689 基本原理に忠実である
stick ________ the basic principles (=continue doing something)

0690 成功の結末を期待する
look forward ________ a successful conclusion(=rely on)

0691 空港に着陸する
touch ________ at the airport(=land)

0692 可能性のある候補者の範囲を狭める
narrow ________ the list of possible candidates(=reduce the number or the range of a thing)

□空所に当てはまる動詞や前置詞を選びなさい。

0693 Due to the late payment, the phone company (sent, cut) off our phone.

0694 We are putting (up, off) our trip until January because of the hurricane.

0695 I'll have to (think, take) this job offer over before I make my final decision.

0696 We need to sort the bills (of, out) before the first of the month.

0697 As soon as we got (back, up) from our vacation last week, we immediately had to begin designing the next new ad campaign.

正解

0683 up 0684 up 0685 in 0686 in 0687 over 0688 over 0689 to
0690 to 0691 down 0692 down

0693 cut 訳 支払いが遅れたので電話会社が家の電話を解除した。
語句 □ cut off 止める、打ち切る (= stop providing) □ due to …が原因で、のせいで □ late payment 支払い遅延

0694 off 訳 ハリケーンのため旅行を1月まで延期する予定だ。
語句 □ put off …を延期する (= postpone) □ hurricane ハリケーン

0695 think
訳 最終決断の前に、この仕事を受けるか良く考える必要があるでしょう。
語句 □ think over... …を熟考する (= consider) □ job offer 仕事の口、採用通知 □ make a decision 決定する、決心する、決意する

0696 out 訳 月が変わる前に、請求書を整理する必要がある。
語句 □ sort out (= organize) まとめる、整理する □ bill 請求書

0697 back
訳 先週、休暇が明けるやいなや、次の新しい販促キャンペーンのデザインにすぐ取り掛からなければいけなかった。
語句 □ get back from... …から戻る (= return from) □ immediately すぐに、突然 □ ad campaign 販促キャンペーン

❸その他の動詞表現

動詞と前置詞・副詞の組み合わせ以外に、名詞や他の品詞と組み合わさって特定の意味になる動詞表現を以下に整理しておく。これらの表現は、ばらばらにすると意味がわからなくなるので、あくまでも一まとめにして覚えるようにしよう。

- □**put something into effect**　…を施行する、実施する
- □**keep the records of**　…の記録をとる
- □**return to normal**　正常に戻る
- □**defy description**　筆舌に尽くしがたい
- □**get in touch with**　連絡をとる
- □**place something on standby**　…を待機状態に置く、準備態勢に入る
- □**have something in common**　…に共通点がある
- □**stand in for**　(…の)代理・代役を務める
- □**put down a deposit**　頭金（保証金）を払う
- □**bring something to one's attention**　人に…を注目させる、指摘する
- □**call attention to**　…に注意を促す
- □**come close to**　…するところである、目標に近づいている
- □**come in for criticism**　非難を浴びる
- □**come to an end**　終わる
- □**come to the conclusion that**　…という結論に達する
- □**keep track of**　…を見失わないようにする、追跡する
- □**contract A out to B**　A（仕事など）をB（下請けの人・会社に）出す
- □**fall short of expectations**　期待はずれになる、予想を下回る
- □**fill in for**　…の代理をする
- □**focus attention on**　注意を注ぐ
- □**get rid of**　…を取り除く
- □**go out of business**　廃業する
- □**have a monopoly on**　…を独占する、…を一手販売する
- □**have confidence in**　…を信頼する
- □**have difficulty (in)**　…するのに苦労する
- □**have a reputation for**　…に人気が高い、有名である
- □**have an effect [influence / impact] on**　…に影響を及ぼす
- □**have implications for**　…に意味がある、関係がある
- □**have no regard for**　…を重んじない、尊敬しない
- □**have the edge over**　…より有利である、…に対して強みがある
- □**hold somebody responsible [accountable] for**　…に責任を負わせる
- □**have something to do with**　…にいくらか関係がある
- □**have nothing to do with**　…と関係が無い
- □**leave somebody with no option**　人に選択の余地を与えない
- □**make it a point to do**　必ず…する、…するのを主義としている
- □**place [put] emphasis [stress] on**　…を強調する
- □**put on alert**　警戒態勢をとらせる
- □**put something into production**　…を生産する
- □**raise awareness of**　…に対する認識を高める
- □**seek advice from**　…からの助言を求める
- □**take something for granted**　…を当然のことだと思う
- □**take account of**　…を考慮する
- □**take something into account [consideration]**　…を考慮に入れる
- □**take someone into custody**　…を収監（拘束）する、取り押さえる
- □**vary in size**　大小さまざま、大小の差が

ある
□**work from home** 家で仕事をする、在宅勤務する
□**become more selective about** …に対する眼目が高くなる
□**raise questions about [concerning/regarding]** …に対する疑問が起こる
□**bring about a revolution in digital technology** デジタル技術の革命をもたらす
□**remain the same** 横ばい状態である
□**go [come] into effect (=take effect)** 効力を発する、実施される
□**act against one's will** …の意思に逆らって行動する
□**go off the rails** 脱線する
□**pay off one's debt** 借金を払い終える
□**call something into question** …を疑う
□**keep in mind** 銘じる、覚えておく
□**take part in (=participate in)** …に参加する
□**run a risk of** …の危険を冒す
□**extend one's thanks to** …に礼を言う、…に心から感謝する
□**feel free to do** 自由に…する、遠慮なく…する
□**take something seriously** まじめに考える、真に受ける
□**stand in line** 列を作って待つ
□**take a day off** 1日仕事を休む
□**make it** 到達する、間に合う、成功する
□**give someone a hand** …に手を貸す、手伝う

例題

□空所に当てはまる単語を入れなさい。

0698 すぐに正常に戻る
return to ________ in no time

0699 賞がとれるのが間近だ
come close ________ winning the prize

0700 Amy が休暇の間業務を代行する
________ in for Amy while she is on vacation

0701 従業員の生産性について疑問を提起する
________ questions about employee productivity

0702 すべての海外配送品を追跡する
keep ________ of all overseas shipments

□空所に当てはまる単語を選びなさい。

0703 Management has a tendency to put (emphasis, effect) on the results rather than on the process.

0704 Please (keep, use) in mind that part-time workers are not eligible for the company pension plan.

0705 The aim of this advertising campaign has a lot in (common, normal) with our competitor's.

0706 The policy agreement will be put into (effect, affect) when a user submits the membership application.

0707 Our third quarter sales figures would fall (short, short of) expectations.

正解

0698 normal 0699 to 0700 fill / stand 0701 raise 0702 track

0703 emphasis 訳 経営者はプロセスよりも結果を重視しがちだ。

語句 □ put emphasis on …を重視する (= place emphasis [stress] on)
□ management 経営、経営者 □ have a tendency to do …する傾向にある、しがちだ □ result 結果 □ rather than …よりもむしろ □ process 過程

0704 keep

訳 パートタイムの人は会社の年金制度加入の資格は無いことご承知置きください。

語句 □ keep in mind 覚えておく、頭に入れておく □ part-time パートタイム、非常勤 □ be eligible for …の資格がある □ pension plan 年金制度

0705 common

訳 この広告キャンペーンは、ライバル社が行うものと多くの共通点がある。

語句 □ have something in common 共通点がある □ aim 目的 □ competitor 競争相手、競合他社

0706 effect

訳 ユーザーが会員申込書を提出すると、取り決めに同意したことになる。

語句 □ put something into effect 実施する、発効する □ policy 方針
□ agreement 合意 □ submit 提出する □ application 申し込み、応募

0707 short of 訳 わが社の第３四半期の売上は予想を下回るものだった。

語句 □fall short of expectations 期待が外れる、予想を下回る □quarter 四半期
□ sales figure 売上額

❹make / do / takeと組み合わさる名詞

以下は、make/do/take と組み合わさる名詞の語彙問題だ。これらを覚えるにあたって、3つの動詞を混同しないようにしよう。たとえば、make a reservation は「予約をする」なので do a reservation と言ってしまいがちだ。個別の動詞の意味にこだわらず、このままの形で覚えるようにしよう。

①make

□**make a speech**　演説する
□**make a reservation**　予約する
□**make an appointment**　約束する
□**make a mistake**　間違える、思い違いをする
□**make a judgement**　判断する
□**make a decision**　決定する
□**make an investment**　投資する
□**make a comment**　論評する
□**make an arrangement**　打ち合わせをする、準備をする
□**make a suggestion**　提案する
□**make a presentation**　発表する
□**make use of**　…を利用する
□**make a difference**　違いを生じる
□**make a move**　移住する、引っ越す
□**make an offer**　提案する
□**make a profit**　利得を得る
□**make an adjustment**　調整する
□**make a complaint**　不平を言う
□**make a choice**　選択する
□**make an effort**　努力する
□**make progress**　進歩する、発展する
□**make money**　お金を儲ける
□**make sense**　意味をなす、理に適っている
□**make no difference**　差が無い

②do

□**do the dishes [laundry / cooking]**　皿洗い（洗濯、料理）をする
□**do business with**　…と取引をする
□**do someone a favor**　…に恩恵を与える（施す）、人のために尽くす
□**do a job**　働く
□**do damage**　被害を被らせる
□**do research**　研究、調査をする
□**do one's best [utmost]**　最善を尽くす
□**do good to**　…に善を施す
□**do harm to**　…に害を与える

③take

□**take action**　行動を起こす
□**take an exam**　試験を受ける
□**take a chance [risk]**　一か八かやってみる（危険を冒す）
□**take advantage of**　…を利用する
□**take care of**　…を世話する
□**take charge of**　…の責任を負う
□**take (safety) precautions**　予防措置を取る
□**take one's time**　ゆっくりやる、ぐずぐずする
□**take the initiative**　先手を打つ、率先してやる
□**take place (=happen)**　起こる、生ずる
□**take turns**　交替でする

例題

□空所に当てはまる単語を選びなさい。

0708 We're going to conduct a thorough investigation before the final decision is (made, done).

0709 Due to concerns over safety, Mr. Beckham only does business (about, with) the government agencies.

0710 Any individuals can take (advantage, an advantage) of immediate access to information provided by management consulting firms.

0711 If there is no improvement made, we will (do, take) action to bring an end to this contract.

0712 Unexpected thunderstorms (did, made) great damage to the crops.

正解

0708 made

訳　最終決定の前に、徹底的な調査を実施するつもりです。

語句　□ make a decision　決定する　□ conduct　実施する　□ thorough　徹底的な、完璧な　□ investigation　調査

0709 with

訳　安全性への懸念から、Mr. Beckham だけがその政府機関と仕事をした。

語句　□ do business with　…と仕事（取引）をする　□ due to　…のせいで、…が原因で　□ concern over　…の心配、不安、関心　□ government agency　省庁、政府機関

0710 advantage

訳 経営コンサルティング会社の提供する情報に直接アクセスすることは、誰でも可能だ。

語句 □ take advantage of …を利用する、活用する □ individual 個人
□ immediate すぐの、直接の □ access to …へのアクセス、入手する権利
□ provide 提供する、与える □ consulting firm コンサルティング会社

0711 take

訳 何の改善もなければ、契約破棄を実行するつもりだ。

語句 □ take action 行動を起こす □ improvement 改善、改良、進歩 □ bring an end to …を終らせる、ピリオドを打つ □ contract 契約

0712 did

訳 予期せぬ雷雨が原因で、作物に多大なる被害が出た。

語句 □ do damage to …に被害(損害)を与える □ unexpected 予期しない
□ thunderstorm 雷雨 □ crop 作物

UNIT 03 ● 主要名詞 TOP 80 ●

動詞に続き以下に紹介する80の名詞は、TOEICのすべてのPartにわたって顔を出すものである。これらの単語は、次の手順にしたがって覚えよう。まず、一つ一つの単語の意味を理解する。2番目にその用法が示されている場合は、これも覚えよう。3番目に、語句の日本語訳をまず見て、それを英語でどういうかを考えてから英語を見て確認する。4番目に、例文を読んで単語の意味と用法を確認する。最後に10語ごとに出題される「例題」を解いてみて、覚えられた単語とまだ覚えていない単語を区別し、まだ覚えていない単語は上の手順を繰り返し、きちんと理解した上で次に進もう。

1 account

①（銀行の）預金口座
②取引勘定、個人取引情報、取引代金（個人対個人、個人対企業、企業対企業の取引で発生する費用、関連情報などを指す）

用例 open [close] an **account**（銀行口座を開設［解約］する）
receive up-to-date **account** balances（最新の口座残高を受け取る）
have salary automatically deposited into a bank **account**
（給料を銀行口座に自動的に振り込まれるようにする）
automated information about your **account**（口座に関する自動通知）
Your savings **account** has been opened successfully.
（預金口座を無事開設いたしました。）
All **accounts** have to be paid in full before more orders are shipped.
（注文の品をこれ以上発送する前に、取引代金を全てお支払いください。）
Accounts more than one month overdue will be charged.
（1ヶ月以上滞納すると取引代金をご請求します。）

㊔ **accounting** 会計、決算
用例 a proposal for the new **accounting** system
（新しい会計システムに関する提案書）

2 agenda

（会議で扱う）主題、議題、議事日程

用例 cover all the items on the **agenda**（議題の全項目を取り扱う）
circulate a meeting **agenda** to the attendees（出席者に会議の議題を配布する）
Be sure to send out copies of the **agenda** to the attendees.
（出席者に必ず議題のコピーを送るようにしてください。）

3 agreement

合意、協約、契約
「agreement on …に関する合意」
「agreement to do …をするという合意」

用例 a written **agreement**（書面合意）
loan **agreement**（貸付契約）
review the terms of the **agreement**（契約条件の確認）
come to[reach] an **agreement**（合意に達する）
According to the **agreement**, the caterer will also supply flowers for the event.
（契約によれば、仕出し業者がイベントの花も飾ることになっている。）

4 alternative　代案、他の方法 「alternative to＋名詞　…に対する代案」

用例 an **alternative to** conventional medicine（従来の医学に代わる方法）
provide an **alternative to** education programs
（教育プログラムに対する代案を提供する）
We have no other **alternative** but to postpone the meeting.
（私たちは、会議を延期する以外に対策がない。）

5 amount　（不可算名詞の）量、金額 number は可算複数名詞とともに使われる

用例 large **amount**（多額、大量）、small **amount**（少量、少額）
a large **amount** of money（多額のお金）
because of the **amount** of research（研究の分量が原因で）
an increase in the **amount** of data（データ量の増加）
The **amount** of foreign sales has slowly increased.
（海外の売上は徐々に増加している。）
If there are any problems during your tour, we will gladly refund the full **amount** paid.
（ツアー中に問題が発生した場合、お支払いの全額を払い戻しいたします。）

6 analysis　分析

用例 extremely thorough **analysis**（きわめて徹底的な分析）
conduct[perform] the statistical **analysis**（統計的分析を行う）
present an **analysis** on economic performance（景気に関する分析を示す）
a reliable **analysis** of economic trends（経済動向に関する信頼度の高い分析）
A detailed **analysis** of our growth plans needs to be prepared.
（事業計画の具体的な分析を用意する必要がある。）

PART 5 語彙

7 application　申請、志願書 「application for」

用例 a loan **application**（融資の申し込み）
accept all **applications**（全ての申し込みを受けつける）
complete the enclosed **application** form（同封の申請書を仕上げる）
submit an **application for** a position（求人の応募書類を提出する）
The **application** process **for** the position includes a personal interview.
（この求人の採用では面接も行います。）

8 approval　公式な承認、職権・権限による許諾、許可

用例 give **approval**（承認する）
following the **approval** of the new business plan
（新しい事業計画に対する承認に引き続き）
receive the bank **approval** for loans
（融資に対する銀行の承認を受ける）
Once the **approval** is given, the merger will be allowed to proceed.
（いったん是認されれば、その合併の件は先へ進められるでしょう。）

9 assignment　任務、課題

用例 highly confidential **assignment**（極秘任務）
questions regarding work **assignments** and policies
（業務課題と方針に関する質問）
complete the public affairs **assignment** on time
（予定通りに自分の公務を終わらせる）
There will be a number of challenging **assignments** in the upcoming months.
（来月は困難な仕事がたくさんあります。）

10 assurance　保証、保障、確信

用例 give an **assurance** that ...（…ということを保証する）
The administration has given **assurances** that work will begin as soon as possible.
（出来るだけ早く作業を開始することを経営陣は保証している。）
Sales of all appliances are covered by our quality-**assurance** guarantee.
（家電製品の販売品全てに品質保証をしています。）

例題

□空所に当てはまる名詞を選択肢から選びなさい。

assurance analysis alternative account amount applications assignment approval

0713 現在の状況に対する代案を提示する
offer an ________ to the status quo

0714 すべての入社願書を処理する
take care of all job ________

0715 自動車業界が得た利益額
the ________ of profits in the car industry

0716 中間管理者としての彼女の最後の任務
her last ________ as a middle-manager

0717 記録についての徹底的な分析
a thorough ________ of the records

0718 Usually, my salary is deposited into my (account, agenda) on the same date every month.

0719 The new sales promotion is at the top of this company's (house, agenda).

0720 The board has given its (honor, assurance) that the project will not be postponed.

0721 Additional overtime needs prior (approval, vote) of the supervisor.

0722 The CEOs of the two companies signed the merger (acceptance, agreement).

正解

0713 alternative 0714 applications 0715 amount 0716 assignment
0717 analysis
0718 account

訳 通常、私の給料は毎月同じ日に私の口座に振り込まれる。

語句 □ deposit 入金する、貯金する

0719 agenda

PART 5 語彙

訳 新たな販売促進がわが社の最重要課題です。
語句 □promotion 促進、奨励、昇進

0720 assurance
訳 役員はそのプロジェクトは延期しないと断言した。
語句 □board 役員(会) □postpone 延期する

0721 approval
訳 さらに残業するのは、事前に上司の許可が必要だ。
語句 □additional 追加の、さらなる □overtime 残業 □prior 事前の、先の
□supervisor 上司、管理者

0722 agreement
訳 両社の最高経営責任者は合併の同意にサインした。
語句 □sign 調印する、サインする □merger 合併、吸収

11 atmosphere 空気、雰囲気

用例 the fairly cold **atmosphere**（かなり冷たい空気）
create a welcoming **atmosphere**（居心地の良い雰囲気をつくり出す）
An **atmosphere** of extreme tension has reduced the effectiveness of the department.
（極度の緊張がただよう雰囲気が原因で部署の効率が下がっている。）

12 authorities 権限を持っている機関、公共機関、当局

用例 the airport **authorities**（空港当局）
the transit **authorities**（輸送機関）
The transit **authorities** are still looking into the cause of the massive train derailment.
（交通当局は、大規模な電車の脱線事故原因を今だに究明している。）

名 **authority** 権威、権限
用例 have the **authority** to make a decision（決定する権限を持つ）

13 capacity

①受容力、容量
②資格、立場

用例 increase production **capacity**（生産量を増やす）
filled to **capacity**（…で満員になる、いっぱいになる）
in the **capacity** as human resource director（人事部長としての立場で）
The plant has been running at full **capacity** since the economy began to recover.
（経済が回復し始めて以来、工場は完全操業をしている。）

14 certificate

各種証明書、受領証、免許証

用例 a health **certificate**（健康保険証）
a **certificate** in accounting（公認会計士資格）
redeem a gift **certificate**（商品券を商品と引き換える）
Many prizes, including a variety of gift **certificates**, will be given out to the shoppers.
（商品券を含む多くの賞品が買い物客に当たります。）
An attendee who misses one lecture will not be given a **certificate** of full attendance.
（1回でも講義を欠席した受講者は皆勤賞がもらえない。）

15 challenge

挑戦心を要する難しいこと、挑戦課題

用例 be faced with a **challenge**（難題に直面する）
the **challenge** of being a successful politician
（政治家として成功するという難題）
Attracting competent employees with technical expertise remains a **challenge**.
（技術的な専門知識のある社員を引きつけることが課題として残ったままだ。）

16 chance

機会、可能性

用例 partly cloudy with a **chance** of rain（所により曇りで雨の降る可能性）
improve the **chances** of being hired（就職のチャンスを高める）
There is a high **chance** that technical problems will take place.
（技術的問題が起こる可能性が高い。）

17 characteristic　特性、特徴

用例 **characteristics** of a competent candidate（有能な応募者の特徴）
based on certain individual **characteristics**（個々の特徴に基づいて）
Integrity is an important **characteristic** of all successful businessmen.
（誠実さは、成功するビジネスマン全てに共通する重要な特徴である。）

18 circumstance　周囲の事情、状況、環境

用例 present[certain/particular] **circumstances**（現在［特別］の事情）
under special **circumstances**（特別な環境のもとで）
Under favorable **circumstances** the harvest would have been completed in two weeks.
（好条件のもとであれば、収穫は2週間後には終わっていただろう。）

19 competition　競争、競争相手、競技
「competition for　…のための競争」
「competition between[among]　…たちの間での競争」

用例 as a result of stiff **competition**（厳しい競争の結果として）
Less **competition for** university entrance will reduce outrageous private education expenses.
（大学入試の競争が緩和されれば、高額な学校外の教育費も減少するだろう。）

20 commitment　約束、責任、義務、深い関与
「commitment to＋（動）名詞　…に対する責任」
「commitment to do　…するという約束」

用例 make a **commitment to** cooperate（協力する約束をする）
expect **commitment** and loyalty from customers
（お客様のご愛顧をお待ちする）
commitment to resolve our customers' problems
（得意先の問題を解決する責任）
We would like to thank our employees for their hard work and **commitment**.
（社員が熱心に働き責務を果たしてくれることに感謝の意を表します。）

例題

□空所に当てはまる名詞を選択肢から選びなさい。

characteristics capacity commitment chance certificate authorities circumstances

0723 昇進のかすかな可能性
the slightest ________ of promotion

0724 食品処理工場の総処理容量
the overall ________ of the food processing plant

0725 テスト方法の特性により
according to the ________ of the test method

0726 修了証書をもらいたがる学生
students who wish to earn a ________

0727 仕事に献身する姿を見せる
show his ________ to the job

0728 The (competition, sales) among the two largest media companies is getting stiffer.

0729 Our (challenge, morale) is to constantly develop new products.

0730 A(n) (background, atmosphere) of tension has arisen across the country because of North Korea's nuclear-weapon program.

0731 The unfavorable economic (settlement, circumstances) may cause high unemployment.

0732 Employers who have more than 50 employees report to the tax (representative, authorities) once a month.

正解

0723 chance 0724 capacity 0725 characteristics 0726 certificate
0727 commitment
0728 competition
訳 その二つの巨大メディア企業の競争はだんだん激しくなっている。

PART 5 語彙

語句 □stiff　厳しい、固い、厄介な

0729 challenge

訳 挑戦すべき課題は、常に新製品を開発し続けることだ。

語句 □constantly　常に、絶えず　□develop　開発する　□product　製品
□morale　やる気、士気

0730 atmosphere

訳 北朝鮮の核兵器プログラムにより、国中に緊張感が生まれた。

語句 □background　背景　□tension　緊張　□arise　生じる、起こる
□nuclear-weapon　核兵器

0731 circumstances

訳 厳しい経済環境が原因で、失業率が高くなるかもしれない。

語句 □unfavorable　不振の、芳しくない、好ましくない　□settlement　解決、和解、調停　□cause　引き起こす　□unemployment　失業

0732 authorities

訳 50人以上の従業員がいる雇用主は、税務当局に月1回届け出る。

語句 □more than　…以上　□report to　…に届け出る、報告する
□representative　代表、代理、担当者

21 complaint

不平、不満
「complaint about　…に対する苦情、不満、抗議」

用例 make a **complaint**（苦情を言う、告訴する）
formal **complaints about** the technical services
（技術的なサービスについての正式な苦情）
Each **complaint** will be reviewed by an experienced customer-service representative.
（経験を積んだカスタマーサービスの担当者がクレームの一つ一つを処理します。）

22 condition

①（不可算名詞）状態
②（conditions）条件、要件

用例 in good **condition**（良い状態で、健康で、よく整備されて）
working **conditions**（職場環境）
explain the **conditions** of employment（雇用条件を説明する）
We guarantee that your new automobile is in excellent **condition**.
（新車は極めて良好な状態であることを保証します。）
The **conditions** for a loan application are described in the booklet.
（ローン申し込み条件は冊子で詳述しています。）

23 decision

決定、決心 「decision on …に対する決定」「decision to do …しようという決心」

用例 the main [final] **decision**（主な［最終］決定）
make a **decision** (=decide) （決定する）
the president's **decision** to delay the elections
（選挙を延期するという大統領の決断）
The final **decision** has been postponed until spring.
（最終決議は春まで延期された。）

24 delay

遅れ、延期、遅延 「delay in …の延期」

用例 concern about the shipping **delay**（船積み遅延の心配）
expect any substantial **delay in** service（相当なサービス延長を期待する）
Please accept our apology for the **delay in** refunding your money.
（お客様への払い戻しが遅れたことをお許しください。）
There will be some **delay in** processing your order.
（いただいたご注文の処理に時間がかかることがあります。）

25 description

描写、叙述、説明書

用例 detailed **description**（詳細な説明）
job **description**（職務説明書）
defy **description**（筆舌に尽くしがたい）
give a **description** of（…について説明する）
The article gives a detailed **description** of the various production steps.
（その記事では、さまざまな生産工程の詳細な解説をしている。）

26 economy

経済、経済状態、節約

用例 boost [stimulate] **economy**（経済を活性化させる［刺激する］）
strong [sluggish] **economy**（強力［停滞気味］な経済）
the strength of the Korean **economy**（韓国の経済力）
maintain a strong and competitive **economy**
（強く競争力のある経済力を保持する）
An analyst group suggested that the **economy** would continue to struggle.
（経済は依然深刻さが続くだろうと解説者のグループは示唆した。）

27 edition 版、号（同じ版で１回に発行する本すべて）

用例 the January **edition**（1月号）
last week's **edition** of the newspaper（先週発行の新聞）
The new **edition** of this illustrated Encyclopedia was sent to the regional office.
（この挿絵入り百科事典の新版が地方事務所に送られた。）

28 effort 努力、苦労

用例 make an **effort**（努力する）
a lack of **effort**（努力不足）
thanks to the **efforts** of the designers（デザイナーの努力のおかげで）
in an **effort** to minimize traffic congestion（交通渋滞を極力減らそうと努力して）
Every **effort** is being made to attract foreign investors.
（海外の投資者たちを引きつけるべく、あらゆる努力をしている。）

29 employment 雇用、職業、仕事

用例 **employment** opportunities（雇用機会）
full-time **employment**（正社員）、part-time **employment**（パートタイム）
prior to the **employment** at Mazda Manufacturing
（Mazda Manufacturing社で働く前に）
We have sent you the contract detailing the conditions of **employment** for you to sign.
（あなたに署名してもらうため、雇用条件を詳述した契約書を送りました。）

30 enrollment 登録、記載、登録者数 「enrollment in …への登録」

用例 **enrollment** fee（登録料金）
Enrollment in the management classes has doubled in the last semester.
（この前の学期、経営学講座の登録者数は倍になった。）

例題

□空所に当てはまる名詞を選択肢から選びなさい。

employment edition effort economy delay decision description complaint

0733 アメリカ歴史百科事典の最新改訂版
the newest ________ of the Encyclopedia of American History

0734 我が国における外国人労働者の雇用
the ________ of foreigners in our country

0735 そのような決定を下す権限のある一人の人物
one person authorized to make such a ________

0736 止むことなく膨張する中国経済
the ceaselessly expanding Chinese ________

0737 オーダーの処理におけるいかなる遅れも避ける
avoid any ________ in filling orders

0738 Due to our extensive advertisement campaign, client (enrollment, installment) in the seminars has grown 50 percent.

0739 The (opinion, effort) made by our team this year is reflected in the sales figures.

0740 The following job (interpretation, description) includes the requirements of the assigned supervisor.

0741 The most common (complaint, regret) made by customers was about a lack of new products.

0742 Due to unpredictable weather (condition, conditions), it is likely that the company outing will be canceled.

正解

0733 edition 0734 employment 0735 decision 0736 economy
0737 delay
0738 enrollment

PART 5 語彙

訳 大規模な広告キャンペーンの結果、セミナーに参加登録した人が50%増えた。

語句 □due to …が原因で、…のおかげで □extensive 大規模な、広い □advertisement 広告 □client 顧客、得意先、依頼人

0739 effort

訳 チーム全員の努力が今年の売上高に反映している。

語句 □reflect 反映する、影響する □sales figure 売上額、売上高

0740 description

訳 下記の職務説明書には、管理職になった人の条件が含まれています。

語句 □following 次の、以下の □requirments 条件、要件 □assign 割り当てる、任命する □supervisor 管理者、監督者 □interpretation 通訳、解釈

0741 complaint

訳 顧客からくる主なクレームは、新製品が少ないということでした。

語句 □regret 遺憾、後悔 □a lack of …不足

0742 condition

訳 気まぐれな天気のせいで、会社のピクニックはキャンセルされそうだ。

語句 □unpredictable 予想できない □it is likely that …ということがありそうだ □outing 遠足、ピクニック □cancel 取り消す、キャンセルする

31 evaluation 価値、重要性、（質に対する）評価

用例 credit **evaluations**（信用力調査）
complete[fill out] the **evaluation** form（評価用紙を仕上げる）
send samples for **evaluation**（評価用の試供品を送る）
an **evaluation** of the building's foundation（建築基礎の重要性）
A home buyer who wants to get a loan from a bank is subject to credit **evaluations**.
（銀行から融資を受けたい住宅購入者は、信用力調査が条件です。）

32 exception 例外、除外 「exception to [of] …の例外」

用例 without **exception**（例外なく）
with the **exception of**（…を除いて、…のほかは）
make an **exception of**（…は例外とする）
No **exceptions** can be made to this rule.（この規則には例外を設けられない。）

33 expectation　期待、予想

用例 beyond [above] **expectations**（期待を上回って）
contrary to our **expectation**（私たちの予想に反して）
The popularity of this new product was far beyond everyone's **expectations**.
（この新製品の人気はみんなの期待をはるかに上回った。）

㊔ **expectancy**　予想、予期（文語）
用例 life **expectancy**（平均寿命）

34 expense　支出、支出した費用、経費

用例 at one's **expense**（自費で）
be reimbursed for travel **expenses**（交通費の払戻しを受ける）
spend **expenses** of（…を出費する）
overhead [entertainment] **expenses**（諸経費［接待費］）
Costs for the new system were around $150,000, but it was well worth the **expense**.
（新しいシステムにかかった費用はおよそ15万ドルだったが、妥当な額だった。）

35 expertise　専門知識、専門家の意見「expertise in　…に関する専門知識」

用例 bring customers **expertise**（顧客に専門知識を持ち出す）
broaden the knowledge and **expertise**（学識と専門知識を広げる）
The panels on the forum included members with **expertise** in environmental issues.（公開討論の識者には、環境問題の専門知識を持つメンバーがいる。）

36 facility　施設、設備（主に複数形 facilities で使われる。）

用例 production [manufacturing] **facilities**（生産設備）
child-care **facilities**（保育施設）
a complete renovation of the **facility**（全面的な施設の改装）
build a new medical **facility**（医療施設を新しく建てる）
The state-of-the-art medical **facilities** were added to help health researchers.
（保健医療の研究者を支援するため、最先端の医療施設が付属していた。）

37 factor

要因、要素 「factor in …の要因」

用例 **factors** contributing to globalization（国際化に貢献する要素）
factors in the decreasing sales（売上減少の要因）
Corporate arrogance harms the public image of a company more than any other single **factor**.
（企業の傲慢さは、他のどんな要因よりも会社の対外的イメージを損なうものである。）

38 feature

①製品の機能
②特性、特徴
③（新聞や雑誌の）特集記事

用例 plus several new convenient **features**（便利な機能を新たに加えて）
a distinctive **feature**（顕著な特徴）
a feature story（特集記事）
The S45 digital camera has a new **feature** which allows for easier storage of video clips.
（S45デジタルカメラには、動画を簡単に保存できる新しい機能が搭載されている。）

39 force

①力、影響力
②勢力、勢力集団

用例 task **force**（特殊部隊）
use excessive **force** to turn a bolt（ボルトをまわすために過度の力を入れる）
Thanks to the employees' hard work, our department became the strongest **force** in the firm.
（社員の熱心な働きのおかげで、我が部署は社内で最も勢いのあるチームとなった。）

40 form

（文書などの）様式、形態、形式

用例 a registration **form**（登録用紙）、evaluation **form**（評価様式）
submit the enclosed **form**（同封の用紙を提出する）
Please complete the enclosed application **form** and send it to us by next week.
（同封の申し込み用紙に記入して、来週までに我々に送ってください。）

例題

□空所に当てはまる名詞を選択肢から選びなさい。

failure feature evaluation expertise facility form force expense

0743 今年の運営費を減らす
decrease this year's operating ________

0744 会社の資産に対する肯定的な評価
a favorable ________ of the company's assets

0745 輸送車両を保管する施設
the ________ used to store transport vehicles

0746 国際政策に対する高い水準の知識
a high level of ________ in international policy

0747 書式にあるすべての項目を埋める
fill out all the sections of the ________

0748 The support from his family has been a key (effect, factor) in his success.

0749 The rules will be applied to everybody in the company without (exception, trace).

0750 The (expectation, implication) of investors cannot be ignored in this industry.

0751 A new (sound, feature) of the product includes MP3-compatibility.

0752 In the third quarter, KD Network will cut its work (strength, force) by up to 10%.

正解

0743 expence 0744 evaluation 0745 facility 0746 expertise
0747 form
0748 factor 訳 家族の協力が、彼の成功の大きな要因だった。
語句 □support 援助、応援、後押し □key 主要な □success 成功、出世
□effect 効果、影響
0749 exception 訳 その規則は、例外なく会社の誰にでも適用します。
語句 □rule 規則 □apply to …に適用する □without exception 例外なく
□trace 証拠、跡

PART 5 語彙

0750 expectation

訳 この業界では投資家の期待を無視することはできない。

語句 □implication　暗示、言外の意味　□investor　投資家　□ignore　無視する

0751 feature

訳 その製品の新機能には、MP3との互換性がある。

語句 □include　含む　□compatibility　互換性

0752 force

訳 第3四半期は、KD Network社は最大で10%の雇用削減をするつもりだ。

語句 □quarter　四半期　□cut　削除する　□work force　労働力　□by up to …まで

41 function

①機能、任務、役割
②会合、集まり、パーティー

用例 perform the essential **functions**（基本業務を遂行する）
a business **function**（ビジネス機能）
The most useful **function** of the application is finding words after inputting just a few of letters.
（このソフトの最も便利な機能は、字を少し入力するだけで単語を捜してくれることです。）
The banquet room is available for private **functions**.
（大広間は個人的な宴会にも利用できる。）

42 increase

増加、向上、増進　「increase in　…の増加」

用例 the population **increase**（人口増加）
anticipate significant revenue **increases**（大幅な歳入増加を予想する）
an **increase in** long-term loan rates（長期ローン金利の上昇）
due to a significant **increase in** the price of raw material
（原材料の価格が高騰したために）
The service sector showed the largest **increase in** advertising costs.
（サービス部門は広告費用の最も大きな増加を示した。）

43 indication

表示、指示、兆候
「indication of　…の兆候」
「indication that＋主語＋動詞　主語が…する兆候」

用例 give an **indication of**（…の兆候を示す）

indications of new economic growth（新しい経済成長の兆候）
There are **indications that** the new product line will be very successful.
（新しい生産ラインは首尾よく稼動する兆しだ。）

44 issue ①論点、問題 ②刊行物の発行、…号、…版

用例 a controversial **issue**（意見が分れる問題）
good at handling delicate **issues**（慎重な問題を扱うことが上手）
explain several safety **issues**（安全の課題をいくつか説明する）
refer to the March **issue** of the magazine（3月号の雑誌を参考にする）
My supervisor has asked me to limit his appointments to **issues** dealing with the proposed merger.
（面会予約は合併計画に関する問題に限定するようにと、上司から依頼があった。）

45 management 管理、経営（陣）、取り扱い、処理

用例 time **management**（時間管理）/ risk **management**（危機管理）
the apartment **management** company（アパート経営の管理会社）
an inventory **management** system（在庫管理システム）
senior **management** officials（上級管理職役員）
Management is considering postponing the final decision until spring.
（経営陣は、最終決定を春まで引き延ばすことを考慮中だ。）

46 measures 措置、手段、方法

用例 preventive **measures**（予防対策）
take **measures**（手段を講じる）
discuss cost-cutting **measures**（コスト削減の方法を議論する）
On the basis of the audit findings, executives agreed that further cost-cutting **measures** would be required.
（会計検査報告に基づいて、さらなる費用削減措置が必要なことに執行部は同意した。）

47 notice 通知、公示

用例 until further **notice**（追って通知があるまで）

PART 5 語彙

the change-of-address **notice**（アドレス変更の通知）
without prior **notice**（予告なしに）
take **notice**（注目する、自覚する）
You need to reschedule your appointment after receiving this **notice**.
（この通知を受け取った後、予定を組みなおす必要があります。）

48 objective　目的、目標

用例 main [primary / principal] **objective**（主要［第一 / 主］目的、目標）
achieve an **objective**（目標を達成する）
cite customer satisfaction as a chief **objective**
（主な目的として顧客満足に言及する）
Reducing the trade deficit is likely to be the chief **objective**.
（貿易赤字を減らすことが重要な目的となるようです。）

49 operation　（機械の）稼動、操作、（業務の）運営、操業、作業

用例 the **operation** of cameras（カメラの操作）
oversee banking **operations**（銀行業務を監視する）
Van Damn Farms Ltd. has expanded its **operations** substantially by acquiring more land.
（Van Damn Farms社は、より多くの土地を手に入れて自社の運営をさらに拡大させた。）

50 opportunity　機会、可能性「opportunity to do　…する機会」

用例 the **opportunity** for career advancement（昇進する機会）
give [provide] an **opportunity to do**（…する機会を提供する）
The job training course will give unemployed laborers the **opportunity to** gain new work skills.
（職業訓練コースのおかげで、失業者が技術をあらたに獲得する機会が得られるだろう。）

例題

□空所に当てはまる名詞を選択肢から選びなさい。

management increase measure function notice operation opportunity

0753 第3四半期の間の大幅な収益増加
a substantial _________ in profits during the third quarter

0754 将来性のある事業機会を利用する
take advantage of a promising business _________

0755 今後の約束の追加通知
further _________ of future appointments

0756 全体事業部門の円滑な業務運営
the smooth _________ of all business units

0757 重要なビジネスの集まりに参加する
attend an important business _________

0758 10% annual growth constitutes the company's prime (objection, objective).

0759 Mr. Clark has just been appointed to a position in (management, employment).

0760 Sexual harassment is a very controversial (forecast, issue) in the modern work place.

0761 There is no (indication, combination) that Mr. Collins is involved in the embezzlement.

0762 The financial (precautions, measures) taken to safeguard the company's assets appear sound.

正解

0753 increase 0754 opportunity 0755 notice 0756 operation
0757 function
0758 objective

訳 年10%の成長は、会社の重要な目標の一つだ。

語句 □annual 年一回の、毎年の □growth 成長 □constitute …を構成する
□prime 最も大事な □objection 異論、反対

PART 5 語彙

0759 management

訳 Mr. Clark は経営陣の一人に任命された。

語句 □appoint 任命する、指定する □position 身分、地位 □management 経営(者)

0760 issue

訳 セクシャルハラスメントは、昨今の職場では非常に議論の多い問題だ。

語句 □sexual harassment 性的な嫌がらせ、セクハラ □controversial 賛否両論のある、議論の多い □forecast 予想、予報 □modern 現代の、最新の □work place 職場

0761 indication

訳 Mr. Collins が着服に関与している兆候はない。

語句 □combination 連合、組み合わせ、合成 □be involved in …に関連している □embezzlement 着服、横領

0762 measures

訳 会社資産を守るための金融対策はしっかりしているように見える。

語句 □precaution 予防策、用心 □financial 財政上の、金融上の □safeguard 保護(する) □asset 資産 □appear …のように見える、…らしい □sound 健全な、しっかりした、正しい

51 option 選択の自由、選択権

用例 provide travelers with several **options** (ツアー客にいくつかの選択肢を与える)
the **option** of using all vacation days or exchanging them for cash
(休暇をすべて利用するか、現金に換金するかの選択)
Guests can choose either the all-inclusive **option** or the bed and breakfast special offer.
(お客様は、すべてが入っているパッケージか、部屋に朝食の特別提供がつく方かどちらかを選択できる。)
You have the **option** of cancelling your order if your merchandise is not delivered within 30 days.
(購入商品が30日以内に届かない場合、注文を取り消すことができます。)

52 organization 機関、機構、組織体

用例 the **organization**'s long term growth plan (組織の長期的な事業計画)
donate some money to the charitable **organization**

（慈善団体へお金を寄付する）
both the local and national **organizations**
（地域よび国家機関）
An **organization** that operates on a nonprofit basis is called an NGO.
（非営利的な運営をしている組織をNGOと呼ぶ。）

53 outcome 結果、結論

用例 determine the **outcome**（結論づける）
the **outcome** of the election（選挙結果）
the **outcome** of the economic slowdown（経済減速の結果）
Over 50 percent of respondents said they were pleased with the **outcome** of the election.
（回答者の50%以上が、選挙の結果に納得していると答えた。）

54 performance 履行、遂行、業務、演奏、公演、機械の性能

用例 the opening **performance**（開幕公演）
the poor **performance** of our new mobile phone（新しい携帯電話の乏しい性能）
have a considerable effect on their **performance**
（業務にかなりの効果を上げる）
Children who are under the age of five are not admitted to the **performance**.
（5歳未満のお子様は、この公演をご覧になれません。）
The results of the monthly **performance** evaluation will determine which employees deserve a pay raise.
（月間業務評価の結果により、どの社員が昇給に値するかが確定する。）

55 precaution 境界、予防策

用例 take **precautions**（予防措置を取る、安全策を取る）
follow basic safety **precautions**（基本的な安全対策に従って）
All hikers should take every **precaution** while climbing the northern slope of the mountain.
（登山旅行者たちは、山の北側斜面を登る間あらゆる安全対策を取らなければならない。）

PART 5 語彙

56 preference　好み、優先権

用例 **preference** for dogs over cats（猫より犬を好むこと）
personal **preference**（個人的好み）
in order of **preference**（好みの順に）
notify personnel of vacation **preferences**
（休暇の選択を人事部に知らせる）
Market surveys revealed a customer's strong **preference** for gas stoves over electric ranges.
（市場調査によると、顧客は電子レンジよりもガスレンジを著しく好むことがわかった。）

57 privilege　他人が持っていない特恵、特権、特典

用例 be eligible for the parking **privilege**（優先駐車の資格がある）
abuse the **privileges**（特権を乱用する）
When it comes to fairness, the airline industry should not be given any **privileges**.
（公平性を考えて、航空事業にどんな特権も与えるべきではない。）

58 procedures　手続き、過程

用例 simplify the **procedures**（手続きを簡略化する）
billing **procedures**（請求書の作成手順）
implement revised ordering **procedures**（注文の訂正手続きを行う）
information regarding reimbursement **procedures**（払戻し手続きに関する案内）
The first step toward filling job vacancies is to simplify recruitment **procedures**.
（求人活動をする最初のステップは、採用手続きを簡素化することである。）

59 profit　利益、収益

用例 make a **profit**（利益を上げる）
profits of 50,000 dollars（5万ドルの収益）
a low **profit**（低い利益）
New internet marketing promotions will boost **profits** faster than any other strategy.（インターネットで行う新たな販売促進は、他のどんな戦略よりも迅速に利益を高めてくれるでしょう。）

60 proposal

提案、提案書、企画案 「proposal for/to do …に対する・…しようという提案」

用例 submit [approve / adopt] a **proposal**
（提案書を提出[提案に賛成/企画案を採用]する）
The board members have accepted the **proposal to** expand operations in the service division.（取締役会は、サービス部門を事業拡大するという提案に承諾した。）

例題

□空所に当てはまる名詞を選択肢から選びなさい。

privilege profits options preference organization proposal procedures precautions

0763 組織の長期成長の展望
the long term growth prospects of the ________

0764 CEOになることにより持つ特権
one ________ of being a CEO

0765 新製品のための革新的な提案
an innovative ________ for new products

0766 すべての選択事項を徹底して検討する
thoroughly examine all ________

0767 承認された手続きにより
in accordance with approved ________

0768 Either tablet or capsule can be selected depending on the customer's (favor, preference).

0769 Continually losing orders to rival companies is an unacceptable (outcome, purpose).

0770 Employee life insurance is a basic (prescription, precaution) against future accidents at work.

0771 It should be noted that evaluations of job (performance, statement) will take place at the end of each quarter.

0772 A growth in quarterly (inspection, profits) will ensure success in this industry.

正解

0763 organization 0764 privilege 0765 proposal 0766 options
0767 procedures
0768 preference 訳 錠剤かカプセルかは、お客様の好みで選べます。
語句 □either A or B AもBも □tablet 錠剤 □capsule カプセル □select 選択する □depend on …次第である □favor 親切、恩恵

0769 outcome
訳 ライバル会社に受注をいつも取られるのは許されない結果だ。
語句 □continually 頻繁に、継続的に □lose 失う、負ける □order 注文 □rival 競争相手、ライバル □unacceptable 許されない、容認できない

0770 precaution
訳 生命保険は、仕事上で将来起こり得る事故に対する基本的な予防策だ。
語句 □life insurance 生命保険 □basic 基本的な、原則の □prescription 処方(薬) □accident 偶発事故、思いがけない出来事

0771 performance
訳 業務の実績評価は毎四半期の終わりに行うことを知っておいてください。
語句 □note 気付く、示す □evaluation 評価 □take place 起こる □at the end of …の終わりに

0772 profits
訳 この業界は四半期ごとの収益向上は確実だろう。
語句 □growth 成長 □quarterly 四半期ごとの □inspection 検査 □ensure 確実にする

61 prospect 成功の可能性、展望、期待

用例 promising [bright / gloomy] **prospect**
(有望な見通し[明るい前途/暗たんたる前途])
the company's growth **prospects** (会社の成長見込み)
Analysts believe that the company's **prospects** look more promising as the reforms take place.
(改革が行われることで会社の将来性がもっとよくなると、アナリストは信じている。)

62 rate ①比率 ②価格、料金

用例 growth [interest] **rate**（成長率［利率］）
at a [the] **rate** of（…の割合で、…の率で）
subscription [room] **rates**（購読価格［宿泊料］）
purchase tickets at much lower **rates**（はるかに安い価格でチケットを購入する）
Be sure to make a reservation in advance to take advantage of the special discounted **rate**.（特別割引価格のご利用には、必ず事前予約をしてください。）
Home buyers have benefited from the lower interest **rates** and housing sales are at a record high.
（低金利で住宅購入者は恩恵を受けてきて、記録的な住宅販売数となっている。）

63 registration 登録、申請、入会

用例 **registration** process [form]（登録手続き［申請用紙］）
include sales tax or **registration** fee（消費税あるいは登録料を含む）
Registration instructions for the upcoming self-development workshop are enclosed.（近く開催される自己啓発セミナーの登録案内が同封されている。）

64 regulation 規則、規定

用例 building [safety / environmental] **regulations**（建築基準［安全規定 / 環境法規］）
comply with **regulations**（規則に従う）、break **regulations**（規則を破る）
Labour unions have pressured the government to establish safety **regulations** for factory workers.
（労働組合は、工場勤務者のための安全規定を制定するよう、政府に圧力をかけた。）

65 resource 源泉、供給源、資源、資金

用例 human **resources**（人材、人的財源）
take substantial amount of time and **resources**
（十分な時間と資金は必要である）
It is especially important that the Federal Department of Health has sufficient **resources** in place to combat any potential outbreak of the disease.
（潜在的な病気の発生と闘うため、連邦保健省が十分な財源を持つことが特に重要だ。）

PART 5 語彙

66 requirement　必須事項、要件、条件　「requirement for　…のための要件」

用例 meet the **requirements**（要件を満たす）
the minimum **requirements for** a managerial position
（管理職になるための最低条件）
a loan proposal tailored to your **requirements**
（求めに応じて提案する個人別ローン）
The basic **requirements for** admission are listed on the university's website.
（入学にあたっての基本要件は当大学のウェブサイト上に掲載しています。）

67 revenue　収入、所得

用例 advertising [tax] **revenue**（広告［税］収入）
anticipate significant **revenue** increases（かなりの収入増加を期待する）
In the past year, **revenues** have nearly doubled, and profitability has increased.
（昨年度、所得は2倍近くになり収益性が増加した。）

68 revision　改訂、補正、修正

用例 undertake a **revision**（改訂に着手する［請け負う］）
a **revision** of hiring procedures（求人募集手続きの改訂）
the required **revisions** to the safety regulations
（安全規定の必要な修正）
The current contract requires major **revisions** in order to bring it in line with industry standards.
（業界標準に従うための主な修正が、現行の契約書には必須である。）

69 right　権利、権限　「a right to do　…する権利」

用例 the **right to** establish regulations（規則を制定する権利）
reserve [have] the **right to do**（…する権利を留保する、…する権利がある）
Management reserves the **right to** revise the job description if necessary.
（経営者は、必要とあれば、業務内容を修正する権利を持っている。）

70 role　社会的な役割、任務

用例 play a critical [important / key / major] **role**（重要な役割を果たす）
finish all training required for the **role**
（仕事に必要な訓練はすべて終える）
Mr. Geer has been working for Star Agency in the **role** of promotions representative.
（Geer氏は、Star Agencyで販売促進担当の任務についている。）

例題

□空所に当てはまる名詞を選択肢から選びなさい。

regulations rate registration role revision requirements right

0773 猛毒性化学物質の使用に関する規則
________ on the use of toxic chemicals

0774 空席の職位に必要な最小資格要件を充足させる
meet the minimum ________ for the vacant position

0775 変更になった登録手続に従う
follow the changed ________ procedures

0776 売り上げの伸び率が期待値を超える。
The sales growth ________ exceeds all expectations.

0777 保証金の支払いを求める権利がある
reserve the ________ to request payment of a deposit

0778 The editors made the necessary (revisions, processions) to the first draft.

0779 Business (appraisals, resources) consist of assets, people and systems you need to make your business run smoothly.

0780 One of the crucial (reactions, roles) of an entrepreneur is to represent the interests of shareholders.

0781 Your future (prospects, evidence) in this industry seem limitless; you could even be CEO one day.

0782 Ever since we expanded into the Asian market, our (revenue, rate) has more than doubled.

正解

0773 regulations 0774 requirements 0775 registration 0776 rate
0777 right
0778 revisions

訳 編集者は必要な校正を第一稿に入れた。
語句 □ editor 編集者 □ necessary 必要な □ draft 原稿 □ processions 行進

0779 resources

訳 経営資源は、ビジネスを円滑に進めるのに必要な資産・人・システムからなっている。
語句 □ appraisal 評価、査定 □ consisit of …から成る、…からできている □ assets 資産、資源 □ run 運営する □ smoothly スムーズに、円滑に

0780 roles

訳 起業家の重要な役割の一つは、株主の利益を代表しているということだ。
語句 □ crucial 重要な □ entrepreneur 起業家 □ represent …を代表する □ interest 利益 □ shareholder 株主

0781 prospects

訳 この業界であなたの将来性は無限だ。つまりいつかは経営最高責任者でさえもなれる可能性がある。
語句 □ evidence 証拠、証言 □ limitless 限りが無い、無限の □ even …ですら、…でさえも □ one day ある日、いつか

0782 revenue

訳 アジア市場に参入して以来、収益が倍以上になった。
語句 □ expand 拡大する、拡張する □ double 二倍になる □ rate 率

71 sale

①販売、割引セール（bargain sale）、営業、販売業務
②（sales）売り上げ、販売額

用例 for [on] **sale**（売出し中）
a summer clearance **sale**（夏物一掃セール）
an employee's **sales** record（社員の売上記録）
report the monthly **sales** figures（月間売上額を報告する）
The department store has a holiday **sale** on digital devices.
（デパートでデジタル機器の休日セールがある。）
Sales of telecommunication devices remain strong.
（通信機器の売上は根強く続いている。）

72 search

探索、調査 「search for …に対する探索」

用例 a job **search**（仕事探し、就職活動）
conduct an active **search**（積極的な調査を行う）
in your **search** for a skillful architect（熟練の建築家を探して）
After a long **search**, they finally found the perfect location for its headquarter offices.
（長い調査の末、彼らはついに本社を構えるのに最適な場所を見つけた。）

73 sense

感覚、五感、感じ、分別力

用例 a **sense** of commitment（責任感）、a **sense** of humor（ユーモアのセンス）
have keen business **sense**（ビジネス上の鋭い勘がある）
make **sense**（意味をなす、意味がわかる）
The light-colored furniture added a **sense** of sophistication to the workplace.
（明るい色のオフィス家具を置くと、職場が洗練された感じになる。）

74 session

（特定活動やものごとが起きる）期間、会期、開廷期間、集まり

用例 training [counseling / recording] **session**
（訓練［カウンセリング/レコーディング］期間）
schedule training **sessions** for all staff（全社員の研修期間を予定に入れる）
attend the orientation **session**（新人説明会に出席する）
The conference's final **session** will be held in the Gazette Auditorium at 5 p.m.
（協議の最終会合は、Gazette Auditoriumで午後5時から開かれます。）

75 shipment　（貨物の）船積み、運送、配送、配送品

用例 inform you of the exact **shipment** date（正確な船積みの日付を通知する）
keep track of all domestic **shipments**（国内貨物の全てを追跡する）
a worldwide **shipment** tracking system（全世界配送追跡システム）
The **shipment** is supposed to arrive at its destination within seven days.
（配送品は7日以内に目的地に到着することになっている。）

76 stability　安全性、安定

用例 political [economic / social] **stability**（政治［経済 / 社会］的安定）
ensure long-term **stability**（長期的な安定を確実にする）
bring **stability** to the region（その地域に安定をもたらす）
The main reasons I joined this company were the company's financial **stability** and employee benefits.
（私がこの会社に入社した一番の理由は、会社の財務が安定しているのと福利厚生のためでした。）

77 statement　明細書、一覧表、説明書、声明書

用例 the billing **statement**（請求明細書）
issue a **statement**（明細書を発行する）
sign the company's confidentiality **statement**（会社の機密書類に署名する）
The head office has issued a **statement** that contradicts the strategic growth plan.（本社は戦略的な事業計画を否定する声明を出した。）

78 status　政治的・社会的立場（地位）、ものごとの進行状態、現況

用例 have employee **status**（雇用状態にある）
the current **status** of the new project（新しいプロジェクトの進行状況）
check the **status** of shipment（配達状況を確認する）
The province is slowly reconfirming its **status** as the country's premier wine-growing region.
（その州では、国内一流のワイン生産地としての地位を徐々に見直しているところだ。）

79 term

①期限、学期、任期
②言葉、用語、単語
③(terms) 条件、条項

用例 long[short]-**term**（長［短］期間）
take an exam at the end of the **term**（学期末試験を受ける）
scientific [political] **term**（科学［政治］用語、用語）
terms of employment（雇用条件）
agree to the **terms** of the merger（合併条件に同意する）
Both parties should abide by the **terms** and conditions originally agreed.
（両当事者は、当初同意した契約条件に従わなければならない。）

80 value

価値、価格

用例 drop [rise] in **value**（価値が下がる［上がる］）
market [currency] **value**（市場［通貨］価値）
Temple Appliances has managed to create products which have good **value** for their price.
（Temple Appliancesは、価格に十分見合った製品を何とか開発してきた。）

例題

□空所に当てはまる名詞を選択肢から選びなさい。

statement value session sense suggestion status search stability terms

0783 通貨価値が増えるものと予想する
predict a rise in currency ________

0784 契約書の条項を検討する
review the ________ of the contract

0785 2週間にわたる会議の最終会期
the final ________ of the two-week conference

0786 広範囲な調査を実施する
conduct an extensive ________

0787 信頼感を生む
establish the ________ of trust

0788 The cargo tracking system allows customers to check the current (compliance, status) of their orders.

0789 It is expected that there will be great (sales, trial) losses in the 3rd quarter.

0790 All the savings account holders will receive a monthly (statement, forecast) regarding their bank account.

0791 There is no doubt that political (issue, stability) ensures economic prosperity.

0792 The quality control inspectors are responsible for checking every product before the materials are packed for (shipment, installment).

正解

0783 value　0784 terms　0785 session　0786 search　0787 sense
0788 status

訳　貨物追跡システムにより、顧客は注文したものが今どうなっているか調べることができる。

語句　□cargo　貨物　□tracking　追跡　□allow A to do　Aに…するのを許す

□ check　調べる　□ current　現在の　□ compliance　(規則の)遵守、服従

0789 sales

訳 第3四半期は大幅な売上減が予想される。

語句 □ expect　予想する、期待する　□ trial　試し、試み　□ loss　損失

0790 statement

訳 銀行口座を持つ預貯金者はすべて、口座明細書を毎月受け取ります。

語句 □ savings　貯金(額)　□ account　口座　□ regarding　…に関して

0791 stability

訳 政治的な安定が経済的な繁栄を確実なものにするというのは疑いの余地が無い。

語句 □ doubt　疑い、疑問　□ political　政治的な　□ ensure　確かにする、保証する　□ prosperity　繁栄　□ economic prosperity　経済的繁栄

0792 shipment

訳 品質管理の検査官は、出荷のため梱包する前の全製品をチェックする責任がある。

語句 □ quality control　品質管理　□ inspector　検査官　□ be responsible for　…に責任がある　□ product　製品　□ material　原料、材料、資材　□ pack　梱包する　□ installment　設置、分割払い

UNIT 04 ● 注意を要する名詞

動詞と同様に、名詞にもそれぞれ併用される前置詞があり、to不定詞やthat節を従えるものもある。単語の活用度を高めるためには、意味だけでなく、このような用法も覚える必要がある。ここでは名詞の意味だけでなく、どのような前置詞と併用され、どのような形をとるのかにフォーカスを合わせて学習しよう。

❶名詞＋to

- □**access to** …への接近、利用権限
- □**approach to** …に近づくこと、接近
- □**damage to** …に対する被害、損傷
- □**exposure to** …に接すること、…への暴露
- □**commitment to** …に対する約束、献身
- □**contribution to** …への寄付、寄与
- □**attention to** …に対する注目、注意
- □**objection[opposition] to** …に対する反対
- □**reference to** …に対する言及、参照
- □**reaction to** …に対する反応
- □**solution to** …の解決策
- □**addition to** …に対する追加
- □**resistance to** …に対する抵抗
- □**allergy to** …に対するアレルギー
- □**alternative to** …に対する代案
- □**devotion to** …に対する献身
- □**return to** …への帰還、回帰
- □**introduction to** …の導入、…入門、…概論
- □**answer/response/reply to** …に対する解答、反応、返事

❷名詞＋ in

- □**increase[rise, hike] in** …の増加、上昇
- □**difficulty in** …における困難
- □**decrease[decline, drop, cut] in** …の下落、減少
- □**participation in** …への参加、加入
- □**cutback[reduction] in** …の縮小、削減
- □**experience in** …の経験
- □**advance in** …の発達、…の向上
- □**development in** …の開発
- □**improvement in** …における向上、改善
- □**expertise in** …の専門知識
- □**interest in** …に対する興味、関心
- □**change in** …の変化
- □**investment in** …に対する投資
- □**confidence in** …に対する信頼、信用

❸名詞＋ for

- □**application for** …への申込み、志願、応募
- □**approval for** …に対する承認
- □**call for** …対する要求
- □**claim for** …に対する請求
- □**compensation for** …に対する補償
- □**competition for** …のための競争、…の争い
- □**demand for** …に対する需要
- □**guidelines for** …に関する指針
- □**implications for** …に対する影響
- □**opportunity for** …の機会
- □**preference for** …に対する好み、ひいき、選択
- □**preparation for** …の準備
- □**procedures for** …のための手続き

□**proposal for** …に関する提案
□**qualifications for** …に対する資格
□**recipe for** …の調理法、…の秘訣
□**recommendation for** …に対する推薦
□**regard for** …に対する好意、尊敬、思いやり
□**regulations for** …に対する規定、規則
□**replacement for** …の交替、取り替え、交替者
□**request for** …に対する要請
□**responsibility for** …に対する責任
□**room for** …の余地、機会
□**substitute for** …の代用（品）
□**sympathy for** …に対する同情、情け
□**talent for** …の才能
□**taste for** …の好み、嗜好

❹名詞＋ on

□**demand on** …に対する要求、需要
□**effect[influence] on** …に対する影響（力）
□**emphasis on** …に重点をおくこと
□**tax on** …に対する税金
□**impact on** …に対する衝撃
□**dependance on** …への依存
□**concentration on** …への集中
□**restriction on** …に対する制限
□**comment on** …に対する解説、論評、批評
□**stance on** …に対する姿勢、態勢

❺名詞＋ with

□**problem with** …における問題
□**compliance with** …の遵守
□**appointment with** …の約束、予約
□**concern with** …の関心、懸念
□**relation with** …との関係
□**dealings with** …との取引
□**familiarity with** …との親交、親しさ

❻名詞＋ of

□**cause of** …の原因
□**indication of** …の兆候、しるし
□**process of** …の過程、経過
□**awareness of** …に対する意識、認識
□**advocate of[for]** …の支援者、主張者
□**example of** …の実例、一例
□**effect of** …の影響
□**result of** …の結果
□**chance of** …の機会

❼名詞＋ about

- □**concern about**　…に関する懸念
- □**information about[on]**　…に関する情報、案内
- □**complaint about**　…に関する不平
- □**dispute about[over]**　…に関する論争
- □**agreement about**　…に対する同意
- □**knowledge about**　…に関する知識
- □**speculation about**　…に対する推測
- □**inquiry about**　…に対する問い合わせ
- □**discussion about**　…についての議論
- □**explanation about[of]**　…に対する説明
- □**question about**　…に対する質問
- □**doubt about**　…に対する疑念、不信感

❽名詞＋ to 不定詞

- □**plan to do**　…する計画
- □**time to do**　…する時間
- □**right to do**　…する権利
- □**ability to do**　…する能力
- □**effort to do**　…しようとする努力
- □**attempt to do**　…しようとする試み
- □**opportunity to do**　…する機会
- □**proposal to do**　…しようという提案

❾名詞＋ that 節

- □**indicator that**　…する暗示、兆候
- □**statement that**　…という声明
- □**assurance that**　…という保証、請負、確信
- □**opinion that**　…という意見
- □**news that**　…という報道
- □**report that**　…という報道
- □**by the time that**　…するころまでには
- □**in the event that**　…の場合には
- □**fact[truth] that**　…という事実
- □**despite the fact that**　…という事実にもかかわらず

例題

□空所に当てはまる前置詞・名詞を入れなさい。

0793 住宅への被害を補償する
cover ________ to the home

0794 データのセキュリティ問題に関する効果的な解決策
an effective ________ to data security problems

0795 財政支援削減にもかかわらず
in spite of the cutbacks ________ funding

0796 科学技術の発展のお陰で
________ ________ advances in technology

0797 事業に肯定的な影響を及ぼす
have a positive ________ on the business

0798 購買に対する税金を払う
pay taxes ________ certain purchase

0799 我々の製品に対して増える要求
increasing ________ for our product

0800 輸入品に対する強い嗜好を表わす
express a strong ________ for imported goods

0801 新しいプリンターのトラブルを経験する
experience problems ________ the new printer

0802 環境問題に対する認識を広める
broaden ________ of environmental issues

□空所に当てはまる動詞や前置詞を選びなさい。

0803 I have full confidence (on, in) his ability to attract new customers.

0804 In (compliance, reliance) with environmental law, facilities have to be remodeled.

0805 Candidates must possess a high level of (expertise, expert) in international investment.

0806 Ali Ashir is a leading advocate (around, of) women's rights.

0807 The event coordinator cannot offer (advice, intention) on hotel reservations or transportation.

0808 (Access, Track) to conference areas is strictly controlled.

0809 Employers will evaluate your qualifications (with, for) the job.

0810 Despite the fact (that, which) millions of dollars were put into the project, it was a failure.

0811 It is (moment, time) to resume the meeting.

0812 Employees from the branch office had an (occasion, opportunity) to visit the headquarters.

正解

0793 damage **0794** solution **0795** in **0796** thanks to **0797** effect **0798** on **0799** demand **0800** preference **0801** with **0802** knowledge **0803** in

訳 新規顧客を引きつける彼の能力を私は大いに信頼している。

語句 □ have confidence in …に自信を持っている、…を信頼している □ ability 能力 □ attract 引きつける □ customer 顧客

0804 compliance

訳 環境法に基づくと、施設は改修する必要がある。

語句 □ in compliance with …に従って、応じて □ environmental law 環境法 □ facility 施設、設備 □ remodel 改築する、リフォームする

0805 expertise

訳 候補者は、国際投資に関する高いレベルの専門的な知識を持っていなければならない。

語句 □ candidate 候補者 □ possess 所有する □ expertise in …の専門的知識 □ investment 投資

0806 of

訳 Ali Ashir は女性の権利を推進する第一人者だ。

語句 □ leading 優れた、一流の □ advocate of …の提唱者、□ right 権利

0807 advice

訳 そのイベント調整役は、ホテル予約や交通機関のアドバイスをすることができない。

語句 □coordinator コーディネーター、取りまとめ役 □advice on …への助言 □ intention 意図、故意 □ transportation 交通、輸送

0808 Access

訳 会場付近への入場は厳しく制限されている。

語句 □ access to …へのアクセス、…へ入場する権利 □ conference 会議 □ strictly 厳格に、厳しく

0809 for

訳 雇用主はあなたの仕事への適性を判断します。

語句 □ qualifications for …する資格、…の適性 □ evaluate 評価する、審査する

0810 that

訳 何百万ドルも投入したという事実にもかかわらず、プロジェクトは失敗した。

語句 □ fact that 節 （主語＋動詞）…という事実 □ despite …であるにもかかわらず □ put into …に入れる、投入する □ failure 失敗

0811 time

訳 会議を再開する時間だ。

語句 □ it is time to do …する時間だ □ resume 再開する、復旧させる

0812 opportunity

訳 支社にいる社員には本社を訪れる機会があった。

語句 □ branch office 支社、支店 □ occasion 出来事、好機 □ opportunity 機会 □ headquarters 本社（この意味では常に複数形）

UNIT 05 ● 複合名詞

複合名詞とは、異なる複数の名詞が合わさって一つの意味を成すものを指す。TOEICでは、複合名詞は「----- ＋名詞」の形で問題として出されることもあれば、文中にも広く用いられる。

❶名詞＋名詞（「単数名詞」＋「単数名詞」の結合を基本とする）

□**account number** 口座番号
□**advertising campaign** 広告キャンペーン
□**advertising strategy** 広告戦略
□**apartment complex** 団地、アパート
□**application fee** 登録料金、出願料
□**application form** 申込書
□**area code** 市外局番
□**assembly line** 組立ライン
□**attendance records** 出勤（出席）記録
□**baggage allowance** 手荷物重量制限
□**bank account** 銀行口座
□**bedroom community** 郊外、ベッドタウン
□**blood pressure** 血圧
□**board meeting** 取締役会
□**bonus payment** 特別手当
□**budget allocation** 予算配分
□**budget constraint** 予算制限
□**building code** 建築規約、建築法
□**building material** 建築資材
□**building project** 建設計画
□**building site** 建築用地、建築現場
□**bulletin board** 掲示板
□**business colleague** 仕事仲間
□**business contact** 取引先、仕事上の接触
□**business district[area]** 商業地域
□**business function** ビジネス機能、事業
□**business management** 経営学、経営
□**business trip** 出張
□**carry-on luggage** 機内持込手荷物
□**cash reserves** 現金保有高、手元資金
□**city council** 市議会
□**city planning** 都市計画
□**cleaning solution** 洗浄液
□**college degree** 大学学位
□**communication network** 通信網
□**communication skills** 意思疎通能力、コミュニケーション能力
□**community leader** 地域代表、地域の指導者
□**community organization** 地域団体、コミュニティ組織
□**community relations** 地域社会関係、地域の人間関係
□**complaint form** 顧客苦情受付書類
□**confidentiality policy** 守秘義務政策
□**confirmation number** 予約確認番号
□**contract negotiations** 契約交渉
□**convenience goods** 日用品
□**convenience store** コンビニエンスストア
□**corruption charges** 贈収賄容疑
□**course evaluation** 講義評価、授業アンケート
□**cover letter** 添え状、送り状
□**currency market** 通貨市場
□**customer needs** 顧客ニーズ
□**customer service representative** 顧客サービス担当者
□**customer [client] satisfaction** 顧客満足
□**department manager** 部署長、チーム長
□**discount ticket** 割引チケット、割引券
□**emergency evacuation** 緊急避難
□**emergency exit** 非常口
□**employee [staff] productivity** 従業員生産性
□**enrollment form** 登録様式
□**environment policy** 環境政策

□**evaluation form**　評価用紙、アンケート用紙
□**exchange rate**　為替レート
□**expiration date**　満期、使用期限、満了日
□**eye examination**　視力検査
□**fee collection**　集金
□**fire extinguisher**　消火器
□**first class mail**　第一種郵便、普通郵便、速達（英）
□**fitness activities**　運動
□**fitness club**　フィットネスクラブ
□**fossil fuel**　化石燃料（石炭、石油）
□**fuel consumption**　燃料消費
□**fund-raising activities [drive]**　資金調達活動
□**gift certificate**　商品券
□**government agency**　政府機関
□**group rate**　団体料金
□**growth potential**　成長性、成長潜在力
□**head office(=headquarters)**　本社
□**health benefits**　医療補助、健康保険給付
□**household utility**　（電気、ガスなどの）公益事業、公共料金
□**human resources department**　人事部
□**identification card**　身分証
□**income statement**　収入内訳書
□**influenza vaccination**　インフルエンザ予防接種
□**installation direction**　設置方法
□**installment payment**　分割払い
□**insurance coverage**　保険補償範囲
□**insurance premium**　保険料
□**interest rate**　利率
□**investment advice**　投資についての助言
□**investment analyst**　投資アナリスト
□**job application**　求職、仕事の申込み
□**job appraisal**　業務評価
□**job description**　職務説明書
□**job performance**　業務遂行
□**keynote speaker**　基調演説者
□**keynote speech**　基調演説
□**labor dispute**　労働争議、労使紛争
□**labor union**　労働組合
□**land taxation system**　土地税制
□**life expectancy**　平均寿命
□**long distance call**　長距離電話
□**maintenance section**　管理部
□**management fee**　管理費用
□**market awareness**　市場意識
□**market survey**　市場調査
□**marriage status (=marital status)**　婚姻関係の有無
□**maternity leave**　出産休暇
□**paternity leave**　父親産休
□**media coverage**　マスコミ報道
□**money order**　送金為替、郵便為替
□**national accounting certification**　公認会計士資格
□**niche market**　隙間市場
□**non-profit group**　非営利団体
□**occupancy rate**　利用率、居住率
□**office building**　オフィスビル
□**office efficiency**　事務能力
□**office equipment**　事務用品
□**opposition candidate**　対立候補、野党
□**order form**　注文書
□**overtime allowance**　超過勤務手当て
□**panel discussion**　公開討論会
□**pay raise [increase]**　昇給、賃上げ
□**performance appraisal [evaluation]**　業務評価
□**pilot study**　予備的（試験的）研究
□**population density**　人口密度
□**power failure [outage]**　停電
□**power line**　電線、送電線
□**precipitation data**　降雨量データ
□**prescription drug**　処方薬、調剤薬
□**press conference**　記者会見
□**press [news] release**　報道資料
□**product recognition**　製品認知度、商品知名度

□**product reliability** 製品の信頼性
□**production facilities** 生産設備（施設）
□**production figures** 生産高、生産統計
□**profit expectation** 収益予想値
□**project coordinator** 事業の調整者、進行者
□**project management** プロジェクト管理、企画管理
□**public relations** 広報
□**publicity campaign** 広告キャンペーン
□**question-and-answer session** 質疑応答時間
□**reception area** 受信地域
□**reception desk** 受け付け
□**reference letter** 推薦状
□**registration form** 登録用紙
□**research laboratory** 研究室、研究所
□**retirement party** 引退式
□**return policy** 返品処理
□**round-trip ticket** 往復チケット
□**safety belt** 安全ベルト
□**safety inspection** 安全点検
□**safety precautions [measures / procedures]** 安全守則（措置、手順）
□**safety standards** 安全基準
□**sample merchandise** 見本商品
□**security card** 社会保障カード
□**security deposit** 保証金、敷金、預かり金
□**security gate** 防犯ゲート
□**security service** 防犯サービス
□**self motivation** 自己動機づけ、自主性
□**service charge** サービス手数料
□**service desk** 案内デスク
□**side effects** 副作用、思わぬ結果
□**startup company** 新設企業
□**stock market** 株式市場
□**storage rack** 収納ラック
□**tax law** 税法
□**tax return** 納税申告書、確定申告
□**tax violation** 税法違反
□**team spirit** 団体精神
□**technical support department** 技術支援チーム
□**temperature data** 気温データ
□**time constraint** 時間制限
□**toll collection** 通行料徴収
□**travel agency** 旅行会社、旅行代理店
□**travel itinerary** 旅行日程
□**travel permit** 通行許可（証）
□**travel time** 移動時間、旅行時間
□**valet parking** （ホテル等での係による）代理駐車
□**ventilation facility** 換気施設
□**warranty repair** 保証修理
□**wind power** 風力
□**work force** 全従業員、労働人口
□**worksite supervisor** 現場監督

❷名詞 s ＋名詞

□**communications manager** 通信責任者
□**customs declaration** 税関申告
□**customs duties** 関税
□**customs office** 税関
□**customs officer** 税関職員
□**customs regulations** 関税規定
□**earnings growth** 収益増加
□**electronics division** 通信課
□**electronics firm** 電子製品会社
□**facilities management** 施設管理
□**parts shortage** 部品不足
□**public relations department** 広報部
□**sales department** 営業部
□**sales figures** 販売実績数、売上（額）
□**sales letter** 販売案内状
□**sales promotion** 販売促進
□**sales representative** 販売員

□**sales tax**　消費税、売上税
□**savings account**　預貯金口座
□**savings bank**　貯蓄銀行
□**shareholders meeting**　株主総会
□**sports complex**　スポーツ施設、競技場

❸動名詞＋名詞

□**answering machine**　留守番電話
□**automated banking machine**　自動現金支払機
□**boarding pass**　搭乗券
□**checking account**　当座預金口座
□**driving school**　自動車教習所
□**earning power**　収益力
□**filing days**　申告日
□**fundraising drive**　基金募集運動
□**gene-sequencing technique**　遺伝子配列技術
□**handling system**　設備、処理システム
□**heating equipment**　暖房設備
□**housing expense**　住宅費
□**housing industry**　住宅産業
□**housing reform**　住宅リフォーム
□**housing shortage**　住宅難
□**landing card**　入国証明書
□**living environment**　居住環境
□**lodging house**　下宿屋
□**marketing strategy**　市場戦略
□**marketing tool**　マーケティング手段
□**opening remarks**　開会の辞
□**closing remarks**　閉会の辞
□**operating manual**　操作マニュアル
□**parking facilities**　駐車場（施設）
□**parking lot**　駐車場
□**parking space [area]**　駐車区域
□**rafting trip**　いかだ下り
□**recycling plan**　リサイクル計画
□**shipping charges**　配送料
□**sightseeing tour**　観光旅行
□**staffing decision**　採用決定
□**steering wheel**　ハンドル
□**training course**　教育課程、訓練過程
□**waiting list**　順番待ち名簿、キャンセル待ち名簿
□**working conditions**　勤務条件

❹名詞＋動名詞

□**coal mining**　石炭採掘、炭鉱業
□**food poisoning**　食中毒
□**data-processing**　データ処理
□**global warming**　地球温暖化
□**company housing**　社宅
□**weight lifting**　重量上げ
□**job opening**　欠員、空席、働き口
□**hitch hiking**　ヒッチハイク
□**horseback riding**　乗馬
□**rock climbing**　岩登り、ロッククライミング

例題

□選択肢のうち適切なものを選びなさい。

0813 拡張計画の完成以降
since the completion of the (expanding, expansion) project

0814 すべての安全基準を充足させる
meet all safety (standard, standards)

0815 新たな税関規定に従うため
to comply with the new customs (regular, regulations)

0816 4四半期の間ずっと10%の収入伸び率を報告する
report a 10% (earning, earnings) growth in four consecutive quarters

0817 賃貸契約の完了日前に
prior to the (expiration, expiring) date of their rental agreement

□空所に当てはまる単語を選びなさい。

0818 Clark Steel in Baltimore has immediate job _____ in the shipping department.
(A) open (B) opens (C) openings (D) opened

0819 The delegates will have authority to finalize contract _____ .
(A) negotiations (B) interests (C) reasons (D) atmospheres

0820 The side _____ of second hand smoke are as of yet unproven, but numerous scientists believe they are quite serious.
(A) effects (B) reactions (C) results (D) outcomes

0821 Due to time _____ the panel was not able to conduct a thorough survey and therefore missed the deadline.
(A) confinement (B) obstacles (C) constraints (D) inhibitions

0822 The projected production _____ that were presented to the CEO were way off-base, compared to the strong seasonal demand for the product.
(A) checks (B) figures (C) scores (D) graphics

正解

0813 expansion 0814 standards 0815 regulations 0816 earnings
0817 expiration

0818 (C) openings

訳 バルチモアにある Clark Steel 社の発送部門に急な求人がある。

語句 □ immediate　即時の、直接の　□ job opening　仕事の口、求人　□ shipping department　輸送部、船積み部門、発送部門

0819 (A) negotiations

訳 代理人は契約交渉に決着をつける権限を持っている。

語句 □ delegate　代表団、代理人　□ have authority to do　…する権限がある　□ finalize　決着をつける、終らせる　□ contract negotiations　契約交渉　□ atmosphere　雰囲気

0820 (A) effects

訳 受動喫煙に副作用があることはまだ証明されていないが、かなり問題があると多くの科学者は思っている。

語句 □ side effects　副作用　□ second hand smoke　受動喫煙　□ as of yet　まだ…ない　□ unproven　証明されていない　□ numerous　多数の　□ reaction　反応　□ outcome　結果

0821 (C) constraints

訳 時間の制約が原因で、パネリストは徹底的な調査が行えず、それ故に締め切りに間に合わなかった。

語句 □ time constraint　時間の制約（constrain 制約する）　□ panel　識者、パネリスト　□ conduct　実施する　□ thorough　完全な、徹底的な　□ survey　調査　□ miss the deadline　締め切りに間に合わない　□ confinement　限定、監禁（confine 制限する）　□ obstacle　障害　□ inhibition　抑圧、禁止（inhibit 行動を抑制する）

0822 (B) figures

訳 その製品は季節により需要が多いことからすると、社長に報告した予定生産数は全くの的外れな数字だった。

語句 □ projected　計画された　□ production figure　生産統計　□ way　全くの、かなり　□ off-base　間違った、的外れの　□ compared to　…と比べて　□ seasonal demand　季節的な需要

PART 5 語彙

UNIT 06 ●物を表わす名詞 vs. 人を表わす名詞●

TOEICの問題には、空所に名詞を入れる問題で人を表わす名詞（人の職業・役割などを表す名詞）と物を表わす名詞を区別させるものがある。正解を選ぶための最も重要な基準は、人名詞はすべて可算名詞なので冠詞がつくという点だ。たとえば、空所の前にaやtheがなければnegotiatorという人名詞はそこには入らない。ここでは、TOEICに出題される人と物を表わす名詞を総整理しておこう。

□**review**　再検討、書評	□**reviewer**　評論家
□**growth**　成長、栽培	□**grower**　栽培者、飼育者
□**custom**　習慣、風習 □**customs**　税関	□**customer**　顧客、常連
□**engineering**　工学	□**engineer**　エンジニア、技術者
□**management**　経営、運用	□**manager**　経営者、管理
□**manufacture**　製造、製作	□**manufacturer**　製造業者
□**performance**　実行、公演、業務	□**performer**　実行者、演者
□**receipt**　領収書、受領	□**receiver**　受取人、受信機
□**subscription**　予約、申し込み	□**subscriber**　購読者、寄付者
□**use**　使用、利用／用途、使用法	□**user**　使用者、消費者
□**lending**　貸出、貸与	□**lender**　貸主
□**supplies**　供給、供給物	□**supplier**　供給者、供給業者
□**assistance**　手伝い、列席	□**assistant**　助手、店員
□**participation**　参与、参加	□**participant**　参加者、関係者
□**reception**　受領、受信、応接	□**receptionist**　応接係、受付係
□**physics**　物理学	□**physician**　医師 □**physicist**　物理学者
□**analysis**　分析	□**analyst**　分析家、アナリスト
□**bankruptcy**　破産、倒産	□**bankrupt**　破産者
□**electricity**　電気、電流	□**electrician**　電気技師
□**operation**　運転	□**operator**　運転者、操縦者
□**residence**　住宅、居住	□**resident**　居住者、在住者
□**ownership**　所有	□**owner**　所有者
□**translation**　翻訳	□**translator**　翻訳家、通訳
□**expectation,expectancy**　期待、予期	□**expectant**　期待する人、志願者
□**benefit**　利益	□**beneficiary**　受益者
□**edition**　本などの版	□**editor**　編集者
□**arbitration**　仲裁	□**arbitrator**　仲裁人
□**negotiation**　交渉	□**negotiator**　交渉者
□**speech**　言語、話すこと	□**speaker**　話す人、話者
□**product**　製品、生産品 □**produce**　生産高、農産物	□**producer**　生産者、製作者
□**deal**　量、程度、額	□**dealer**　販売人、ディーラー
□**interview**　面接、会見	□**interviewer**　会見者、面会者 □**interviewee**　面接を受ける人

□**wholesale** 卸売り	□**wholesaler** 卸業者
□**consumption** 消費、消費高	□**consumer** 消費者、需要家
□**application** 申込み、適用	□**applicant** 志願者、応募者
□**attendance** 出席、出勤、出席率	□**attendee** 出席者
□**attention** 注意、注目	□**attendant** 付添人、顧客係、列席者
□**consultation** 専門家との相談	□**consultant** 顧問、相談員
□**intention** 意思、意向	□**intendant** 監督者、行政官（**=superintendent**）
□**account** 計算、勘定書 □**accounting** 会計学、会計報告	□**accountant** 会計係、会計士
□**occupation** 占有、職業	□**occupant** 占有者、入居者
□**office** 事務所、営業所	□**officer** 役人、公務員 □**official** 公務員、職員
□**registration** 登録	□**registrant** 登録者
□**agency** 代理権、作用、代理店	□**agent** 代理人、仲介者
□**chemicals** 薬品、化学物質 □**chemistry** 化学	□**chemist** 化学者
□**finance** 財務、財政	□**financier** 資本家、金融業者
□**architecture** 建築、建築学	□**architect** 建築家
□**competition** 競争、競合	□**competitor** 競争相手、競合他社
□**foundation** 創設、設立	□**founder** 創設者、寄付基金者
□**photography** 写真撮影 □**photograph** 写真	□**photographer** 写真家、カメラマン
□**supervision** 監督、指揮	□**supervisor** 監督者
□**relation** 関係、関連	□**relative** 親類、身内
□**interpretation** 解釈、解説	□**interpreter** 解釈者、説明者
□**employment** 雇用	□**employer** 雇い主、社長 □**employee** 従業員、社員
□**donation** 寄付、寄贈	□**donator** 寄付者、寄贈者
□**presidency** 大統領の地位	□**president** 大統領、社長
□**rivalry** 競争、対抗、ライバル心	□**rival** 競争相手、対抗者

例題

□選択肢のうち適切なものを選びなさい。

0823 今年の建築大会に参加する
participate in this year's architecture (competition, competitor)

0824 お客様の口座に関する情報については下の番号に電話してください。
Call the number below for information about your (accountant, account).

0825 職務遂行について検討がなされることを知っている
be aware that (reviews, reviewers) of job performance will take place

0826 外部団体から分析家を雇い入れる
recruit (analyses, analysts) from outside organizations

0827 国際政策に関する水準の高い専門知識
a high level of (expert, expertise) in international policy

□空所に当てはまる単語を選びなさい。

0828 Training programs should provide workers with the tools they need to achieve long term _____ .
(A) employs (B) employee (C) employed (D) employment

0829 _____ of the interactive computer service don't need to be particularly skilled or experienced.
(A) Operations (B) Operators (C) Operating (D) Operate

0830 The travel agency hired an _____ to provide language services once a week.
(A) interpreter (B) interpreting (C) interpretation (D) interpret

0831 Any research _____ whose home address has changed recently should report to Mr. Alfonso.
(A) assistance (B) assistant (C) assists (D) assisted

0832 Despite the relatively poor _____ in the past few months, sales at Inter Computer Inc. are likely to improve.
(A) was performed (B) performing (C) performance (D) performer

正解

0823 competition 0824 account 0825 reviews 0826 analysts

0827 expertise

0828 (D) employment

訳 研修プログラムによって、長期雇用を実現するのに必要な手立てを社員に与えるべきだ。

語句 □ provide A with B　A に B を与える　□ tool　手段、道具　□ achieve　達成する　□ long term　長期間(の)　□ employee　従業員、社員

0829 (B) Operators

訳 双方向コンピューターサービスのオペレーターは、技能や経験が特別必要なわけではない。

語句 □ interactive　双方向の　□ particularly　特別に、殊更に　□ skilled　熟練した、技能のある　□ experienced　経験のある

0830 (A) interpreter

訳 週に一度外国語サービスをするのに、旅行会社は通訳を雇った。

語句 □ interpret　通訳する、解明する

0831 (B) assistant

訳 最近住所を変更した研究助手は皆、Mr. Alfonso に報告してください。

語句 □ report to　…に報告する　□ assistance　援助、支援

0832 (C) performance

訳 過去数ヶ月の実績はあまり良くなかったにもかかわらず、Inter Computer 社の売上は伸びそうだ。

語句 □ relatively　比較的　□ in the past few months　過去数ヶ月間に
□ be likely to do　…しそうである　□ improve　良くなる、伸びる
□ performer　演奏者、役者

UNIT 07 ● 主要形容詞 TOP 80 ●

動詞・名詞・副詞は、文法的要素が多いという特性のため文法問題でよく出題される一方、形容詞は純粋に意味を問う語彙問題が大多数を占める。空所に名詞を修飾する形容詞を入れる問題や、be動詞の後に入る叙述用法の形容詞を問う問題が出される。

1 accurate

（情報や数値・統計などに）誤差がない、内容が正確な、間違いない

用例 demand more **accurate** diagnosis（より精密な診断を求める）
While interviewing candidates for the embassy opening, we were not able to find a more **accurate** translator than Ms. Banks.
（大使館職員採用の応募者を面接している間、Ms.Banksの通訳が最も間違いが無かった。）

2 accessible

（場所に）接近できる、（物を）入手できる
「accessible to ＋人　…が利用できる」

用例 be **accessible** through the web site（ウェブサイトを通じて入手できる）
easily [readily] **accessible**（容易に［すぐに］近づける）
One of the proposals was to renovate the building to make it easily **accessible to** those with disabilities.
（建物を障害者の人々が容易に利用できるように改装することが提案の一つだった。）

3 affordable

（価格が）適当な、購入できる、誰でも買える

用例 at **affordable** prices（お手頃価格で）
The central government should try to provide **affordable** housing for all residents.
（国民だれもが購入可能な住宅を提供する努力を政府はしなければならない。）

4 appropriate

（特定の時間・状況・目的などに）適切な、適合した
「appropriate to / for ＋物　…に適合する」

用例 copies of **appropriate** identification（該当する身分証コピー）
appropriate building code（適合建築規定）
Mr. Riker does seem enthusiastic about the position, but it is probably **appropriate to** hire someone with experience to head the project.
（Mr. Rikerがその仕事をしたがっているようだが、プロジェクトを進めるには経験者を採用するのが相応しい。）

●

5 attractive

人の心を引く、魅力的な
「attractive to ＋人　…の興味（心）を引く」

用例 extremely **attractive to** foreign investors（海外投資家にとって非常に魅力的な）
an **attractive** salary（魅力的な給料）
Numerous new features will make our products more **attractive to** our customers.
（新しい機能が多いので、お客様は当社の商品に興味を持つでしょう。）

6 aware

分っている　「人＋be aware of, 人＋be aware that 節
人が…について知っている」

用例 **be aware of** the new dress code policy（新しい服装規定を承知している）
Please **be aware that** audience members will go through a metal detector upon entering the studio.
（観覧のお客様は、スタジオに入る際に金属検知器を通っていただくことをご承知ください。）

7 competitive

敵対する、競争の、（製品・価格が）競争力を持つ

用例 **competitive** marketing campaigns（競争力のある販売促進）
offer high quality products at **competitive** prices
（競争力のある価格で高品質の商品を提供する）
Continuous quality improvement keeps our company **competitive**.
（継続的な品質向上が当社の競争力を維持している。）

8 complicated

（状況や内容が）複雑な、理解しがたい

用例 **complicated** set of tax laws（複雑な税法）
The handouts will make the year-end settlement of accounts less **complicated**.
（その資料があれば年末調整の複雑さは軽減するだろう。）

9 comprehensive

包括的な、すべてを含む、総合的な

用例 **comprehensive** testing of a product（製品の総合点検）
a **comprehensive** review of all the facilities （全設備の包括的な精査）
Our company offers **comprehensive** health insurance.
（我が社は、総合健康保険を用意している。）

PART 5 語彙

10 confidential　秘密の、機密の

用例 **confidential** documents [information]（機密書類[情報]）
keep client's files **confidential**（顧客ファイルを機密に保管する）
Your personal information will remain **confidential** according to our privacy policy.（あなたの個人情報は、当社の個人情報保護方針によって機密を守られている。）

例題

□空所に当てはまる形容詞を選択肢から選びなさい。

competitive aware appropriate accessible affordable accurate consistent

0833 大多数の顧客を対象にするなら製品価格が安くなければならない。
Products need to be ________ if aimed at the majority of consumers.

0834 低所得層の住民でも簡単に利用できるようになる。
become more ________ for low-income residents

0835 該当のサービス部署にご連絡ください。
Please contact the ________ service department.

0836 自動車検査規定を知っている。
be ________ of the regulations for vehicle inspection

0837 非常に競争力のある価格を提示する
offer very ________ prices

0838 The research assistant realized that the data was not (separate, accurate) because there had been so many unknown factors involved.

0839 ACCEL Employment Service will keep all resumes (confidential, editorial) and will use them only for employment purposes.

0840 In order to be successful, one must develop a (portable, comprehensive) plan before actually opening a business.

0841 The U.S. small business tax system is so (complicated, acceptable) that it is important that you always confer with your CPA or tax advisor.

0842 The opportunity to do business in China is very (attractive, enthusiastic) to multinational companies.

正解

0833 affordable **0834** accessible **0835** appropriate **0836** aware

0837 competitive

0838 accurate

訳 研究データに多くの不明な要素が絡んでいたので、そのデータは正確ではないと研究助手は気がついた。

語句 □ assistant 助手 □ realize 気がつく □ unknown 未知の □ factor 要因 □ involved 関連の □ separate 別々の

0839 confidential

訳 ACCEL 職業斡旋サービス社は、全ての履歴書は秘密扱いにし、雇用目的のためにだけ使用します。

語句 □ resume 履歴書 □ employment 雇用 □ keep A B AをBという状態にしておく □ purpose 目的 □ editorial 編集上の

0840 comprehensive

訳 実際にビジネスを始める前には、成功するために総合的な計画を練っておかなければいけない。

語句 □ in order to do …するために □ develop 開発する、展開する □ actually 実際に □ open 始める □ portable 携帯用の、持ち運びのできる

0841 complicated

訳 アメリカの中小企業税制度は大変複雑なので、常に公認会計士や税務顧問と相談するのが重要だ。

語句 □ confer with …と相談する □ CPA(=Certified Public Accountant) 公認会計士 □ tax advisor 税務顧問 □ acceptable 受け入れられる

0842 attractive

訳 中国でビジネスをすることは、多国籍企業にとって非常に魅力的なものだ。

語句 □ opportunity 機会、チャンス □ multinational 多国籍企業

11 consistent

一貫した、矛盾のない、(言行の) 一致する
「be consistent with …と一致する」
「be consistent in …が一貫した」

用例 **be consistent in** his views (彼の考えは首尾一貫している)
the need for a **consistent** policy (一貫した政策の必要性)
The results of this questionnaire **are consistent with** those of the previous one.
(今回のアンケート調査結果は、前回のものと一致する。)

12 desirable　欲の出る、欲しい

用例 the most **desirable** place to live（最も暮らしたい場所）
constructed on the most **desirable** piece of land
（最も望ましい土地に建設された）
KORP based its decision on its management's belief that Houston would prove a more **desirable** market than Boston.
（KORPの判断の根拠は、ヒューストンがボストンよりも有益な市場になるという経営陣の確信だ。）

13 due　支払うべき　（時間・日付を表わす言葉とともに）…が期限になる

用例 the **due** date（支払期日）
be **due** three weeks from the checkout date
（手続き日から3週間が支払期限となる）
The interest rate is **due** on the second Thursday of the month.
（金利を毎月第2木曜日に更新する。）
In order to finish the project before the **due** date, an additional team of researchers has been added to the financial department.
（プロジェクトの完成が納期に間に合うように、財務部に研究者チームを別途投入したばかりだ。）

14 durable　しっかりした、耐久性のある、よく耐える

用例 **durable** material（耐久性のある資材）
durable and easy to use（丈夫で使いやすい）
The left side of the building is made of **durable** glass panes.
（建物の左側は、耐久性のガラス枠で作られる。）

15 efficient　能率的な、効率的な、有能な

用例 **efficient** processing of orders（効率的な注文処理）
make **efficient** use of（…を有効活用する）
hire an **efficient** assistant（有能な助手を雇う）
The state-of-the-art copier is so **efficient**.（最新鋭のコピー機は大変効率がよい。）

16 eligible

資格のある
「be eligible for＋名詞/be eligible to do　…する資格のある」

用例 **be eligible for** a reduction in course fees（講座料金の割引対象である）
be eligible to have vacation benefits（有給休暇を取る資格がある）
Any staff member with over three years of service within the company **is eligible for** a salary increase.（3年以上勤務した社員が昇給の対象となる。）

17 essential

必須の、欠くことのできない、最も重要な

用例 **essential** operators（絶対必要な運営者）
an **essential** part of global business travel（海外出張の重要な一部分）
It is **essential** that all drivers do not make or receive calls while driving.
（運転する人は、運転中に電話を使用しないようにすることが極めて重要である。）

18 former

以前の、過去の

用例 a speech by the **former** president of ACC Textile（ACC Textile社前社長のスピーチ）
his **former** career as a consultant（コンサルタントとしての彼の経歴）
Torey McLachlan, the new HR manager, is a **former** member of the Dallas Employment Board.
（新しい人事部長であるTorey McLachlanは、Dallas雇用委員会の元会員である。）

19 fragile

壊れやすい、割れやすい

用例 transfer **fragile** goods（壊れやすい商品を移動させる）
For perfect protection **fragile** items must be adequately wrapped.
（完全に保護するために、壊れやすい品物は十分に包装してください。）

20 frequent

頻繁な、よくある

用例 a **frequent** contributor to our Good Idea competition
（当社の名案コンテストへの常連投稿者）
J.R. Ewing is an executive who is well-known for his **frequent** motivational talks and meetings.

（取締役のJ.R.Ewingは、やる気を出させる話や会議をたびたび行うことで有名だ。）

例題

□空所に当てはまる形容詞を選択肢から選びなさい。

efficient friendly former frequent due eligible consistent

0843 いくつかの以前の利点がまだ含まれる
still include several of the ________ benefits

0844 しばしば装置の故障を起こす
lead to ________ equipment breakdowns

0845 レポート提出期限は次のセミナーまでだ。
Your report is ________ prior to the next seminar.

0846 我が社の製品価格はこの数年間ずっと同じだ。
The prices of our products have been ________ with those of previous years.

0847 効率的な意思決定過程の一環として
as part of the ________ decision making process

0848 If you sell 100 cars per month, you are (eligible, responsible) for the end-of-year bonus.

0849 Global Express specializes in the transportation of (fragile, legal) goods.

0850 Most companies spend considerable time and money finding and hiring (excessive, desirable) employees.

0851 The advertisement claims that the new trash bag is both bigger and more (reversible, durable) than that of their competitors.

0852 It is (enthusiastic, essential) that all elevators be inspected and maintained on a regular basis to insure the safety of those individuals using them.

正解

0843 former 0844 frequent 0845 due 0846 consistent 0847 efficient
0848 eligible 訳 1ヶ月に100台の車を売れば、年末賞与をもらう資格がある。

語句 □ end-of-year bonus　年末賞与

0849 fragile　訳 Global Express 社は、壊れ物専門の運送をしている。

語句 □ specialize in　…を専門とする

0850 desirable

訳 多くの会社が、申し分ない社員を採用するのにかなりの時間とお金をかけている。

語句 □ considerable　かなりの、相当な　□ hire　雇う　□ excessive　過度の、必要以上の

0851 durable

訳 広告で宣伝しているのは、新しいゴミ箱は他のライバル会社のものより大きく、そして壊れにくいということです。

語句 □ advertisement　広告、宣伝　□ claim　主張する、断言する　□ trash　ごみ　□ competitor　競争相手　□ reversible　両面が使える

0852 essential

訳 エレベーターを使用する個人の安全を確実なものにするため、定期的に点検し整備することが重要だ。

語句 □ inspect　検査する　□ maintain　整備する、維持する　□ regular　定期的な、いつもの　□ basis　基準、基礎、原則　□ insure　確実にする、保証する　□ individual　個人、特定の人　□ enthusiastic　熱中している、熱心な

21 friendly　親切な、使いやすい、…にやさしい

用例 **friendly** and courteous（親切で礼儀正しい）
user-**friendly** graphic interfaces（使いやすいグラフィックインターフェース）
Along with offering an excellent and durable product, Vord Motors sales representatives are extremely **friendly** and eager to assist customers.
（Vord Motors社は、優秀で魅力的な製品を提供するとともに、営業担当者が顧客に対して非常に親切で熱心に対応する。）

22 genuine　（物が）本物の、真の、（人が）誠実な

用例 use only **genuine** parts（本物の部品だけを使う）
Ms. Rogers was hired because she came across as being **genuine** during her interview.（Rogersさんは、面接で誠実な印象を与えたので採用された。）

23 ideal

最も完全な、理想的な
「ideal ～ for ＋名詞　…に理想的な～」

用例 the **ideal** venue **for** weddings（結婚式のための理想的な会場）
the **ideal** choice（理想的な選択）
Compton Hills' banquet hall is the **ideal** place to stage a business gathering.
（Compton Hillの宴会場は、ビジネスの集まりを開くのに最適な場所である。）

24 impressive

印象的な、印象に残る、感銘深い

用例 an **impressive** staff of planners and architects
（個性豊かな設計者と建築家のスタッフ）
Thanks to the efforts of each and every one of you in each department, we have seen **impressive** gains this quarter.
（各部署みなさんの努力のおかげで、この四半期に劇的な収益増加を達成できました。）

25 independent

独自の、自由な、自力の
「independent of ＋名詞　…から独立した」

用例 an **independent** polling firm（中立の世論調査会社）
The executives' decision to conduct **independent** management cost Burt Warner his lucrative advertising position.
（独自の運営を経営陣が決定したので、Burt Warnerは高収入の広報の仕事を失った。）

26 indicative

表わす、…の表示としての
「indicative of ＋名詞　…を表わす」

用例 be **indicative of** a failure in sales strategy（営業戦略の失敗を示している）
The lack of productivity may be **indicative of** poor management.
（生産性の欠如は、お粗末な経営を示しているのかもしれない。）

27 informative

有益な、教育的な、知識を与える

用例 both **informative** and interesting（有益的でありながら興味深い）
A mandatory **informative** meeting is scheduled for next Tuesday to familiarize all staff with the new building.
（社員全員が新ビルに馴染めるように、定例報告会議が来週の火曜日に予定されている。）

㊅ **informed**　情報を持っている、見聞の広い

用例 an **informed** decision（説明を受けた上での決断）

28 innovative　革新的な、以前には見られなかった、画期的な

用例 **innovative** designs（革新的なデザイン）
innovative ideas for new products（新製品に関する画期的な案）
The members of the research and development department have some of the most **innovative** minds in their respective fields.
（研究開発部のメンバーは、それぞれの分野で最も進取な気性を持っている。）

29 insecure　不安定な、不安な

用例 feel **insecure** about（…に不安を感じる）
With the numerous staffing cutbacks, workers are feeling **insecure** about their jobs.
（多数の人員削減で、社員は仕事がどうなるか不安を抱いている。）

30 instructional　教育上の、教育の

用例 an **instructional** computer program（教育用コンピュータプログラム）
Instructional videos are available in the Media Center located on the second floor of the City Library.
（教育用ビデオは、市立図書館の2階にあるメディアセンターで利用可能である。）

PART 5 語彙

例題

□空所に当てはまる形容詞を選択肢から選びなさい。

genuine　instructional　informative　independent　innovative　impressive　ideal

0853 無料の教育用コンピューター講座に参加申し込みをする
sign up for a free ________ computer class

0854 専門的・実用的・革新的なデザインを提供する

offer professional, practical, and ________ design services

0855 投資するのに理想的なところとみなされる
be considered an ________ place for investment

0856 カリスマ性のある人たちは忘れられない。そのため非常に印象的だ。
Charismatic people cannot be forgotten easily, so are quite ________ .

0857 アメリカ文化についての情報が載った案内書を受領する
receive an ________ handbook on American culture

0858 People sometimes spend too much money on pieces of art that are not (extensive, genuine).

0859 The disputes between labor and management will be resolved through (emphatic, independent) arbitration.

0860 His being late was (indicative, capable) of his dissatisfaction with poor workingconditions and pay.

0861 This hotel will provide (friendly, close) customer service and affordable accommodations to everyone visiting the Orange County area.

0862 According to the recent survey, 80% of respondents feel personally (insecure, fresh) about a long-term economic slump.

正解

0853 instructional **0854** innovative **0855** ideal **0856** impressive
0857 informative
0858 genuine

訳 本物ではない美術品にたくさんのお金を使う人が時々いる。
語句 □spend (お金を)使う □a piece of art 美術品 □extensive 広範囲の

0859 independent

訳 労使間の紛争は、利害関係の無い第三者が解決します。
語句 □dispute 紛争 □labor 労働者 □management 経営(者) □resolve 解決する □arbitration 仲裁、調停 □emphatic 強調された

0860 indicative

訳 彼が遅刻するのは、ひどい労働条件と給料に不満であることを示している。
語句 □be indicative of …を示している □dissatisfaction 不満 □poor 質が悪い □working condition 労働条件 □be capable of …の能力がある

0861 friendly

訳 このホテルが提供するのは、オレンジ郡地域を訪れる人皆さんへの親切な顧客サービスと手ごろな価格の宿泊施設だ。

語句 □ provide　提供する、与える　□ affordable　手ごろな価格の
□ accommodation　宿泊施設

0862 insecure

訳 最近の調査によると、回答者のうち80%が長引く不景気に個人的に不安を感じている。

語句 □ according to　…によると　□ survey　調査　□ respondent　回答者
□ insecure　不安な　□ long-term　長期間の　□ economic slump　不景気

31 likely

…するような、可能性のある
「be likely to do[be likely that]　…しやすい、…になるようだ」

用例 **be likely to** increase overall productivity（全体的な生産力が増加するようである）
be likely to recover from the recent sales slump
（最近の販売不振から脱するようである）
Employees who are unhappy with their job **are** more **likely to** find new jobs.
（職場に満足していない社員は転職する可能性が高い。）

32 marginal

とても少ない、存在感のない、あまり重要でない、影響力を持っていない

用例 turn out to be **marginal** improvement（ごくわずかな進歩であることが判明する）
have **marginal** impact on the stock market（株式市場に多少の影響を及ぼす）
Internet news is attracting many younger people who have only a **marginal** interest in the news.
（インターネットのニュースは、報道にほとんど関心のない多くの若者たちを引きつけている。）

33 normal

正常の、標準の、普通の

用例 make an exception to his **normal** routine（彼に日常業務の例外を認める）
With the approval of the department head, an employee may take one course during **normal** working hours.
（部門長の承認があれば、社員は勤務時間中に講座を受けることができる。）

PART 5 語彙

34 numerous　数多い、多数の　「numerous ＋複数名詞」

用例 **numerous** complaints about the personnel reorganization
（人事再編成に対する数々の不満）
offer **numerous** outdoor activities for travelers
（旅行者に数多くのアウトドア活動を用意する）
Numerous watchdog groups have contacted Reese Inc. to request financial information.（監査機関の多くがReese社に連絡して金融情報を求めた。）

35 operational　作動する、運営できる、操作上の

用例 look forward to being fully **operational**（完全稼働を期待する）
The entire factory remained **operational** during the power outage because back-up generators were recently installed.
（予備発電機が近ごろ設置されたことにより、停電時にも全工場が操業可能となった。）

36 optimistic　楽観的な、楽天的な　「optimistic about ＋名詞　…について楽観的な」

用例 be cautiously **optimistic about**（…に対して慎重ながらも楽観的である）
optimistic opinions over the business outlook
（景気の見通しに対する楽観的な意見）
Many economists are **optimistic** that the economic growth will be 6 percent.
（多くの経済学者が、経済成長は6%になるだろうと楽観視している。）

37 outstanding　①決済がされていない、未納の　②ずば抜けた、卓越した

用例 maintain a balance to cover all **outstanding** check
（すべての未決済小切手を支払うために残高を残す）
have **outstanding** qualifications for the position
（その仕事に対して抜群の適性がある）
Outstanding payments will begin to accrue interest charges after a grace period of ten days.（未払いの場合、10日間の支払い猶予期間後から利子がつく。）
The main selling point of Hampton Industrial Park is that it supplies **outstanding** facilities for new businesses.
（Hampton Industrial Parkの一番のセールスポイントは、新事業用のすぐれた設備を用意できることにある。）

38 **overall** 全体的な、総体的な

用例 an **overall** decline in tourism（観光産業における全体的な衰退）
the **overall** production of the chemical industry（化学産業の総生産高）
Ms. Prashad is planning a major revision of our hiring procedure after she has had time to study its **overall** effectiveness.
（Ms. Prashadは、採用手順の全体的な効率性を調べてから大幅に改訂することを計画している。）

39 **overdue** 支給期間の過ぎた、納期の過ぎた

用例 payment of **overdue** charges（延滞料金の支払い）
Please take these files back to the file room; they will be **overdue** if they are not returned by the end of the day.
（ファイルは資料室に返却して下さい。その日のうちに返却しない場合は延滞扱いとなります。）

40 **particular** 特別な、特定の

用例 a **particular** graphic designer（特定のグラフィックデザイナー）
focus on a **particular** area of business
（特定のビジネス分野に焦点を当てる）
The sale of any tickets includes no assurance of a seat on any **particular** train.
（販売されているどのチケットにも、特別列車の座席指定は含まれていない。）

PART 5 語彙

例題

□空所に当てはまる形容詞を選択肢から選びなさい。

particular marginal normal permanent numerous operational likely

0863 創意的なマーケティング活動に肯定的に反応する可能性が高い
be ________ to respond positively to a creative marketing campaign

0864 非常に少ない収益を補う
make up for ________ profits

0865 建物管理部署の正規勤務時間
the ________ working hours for the building maintenance service

0866 たくさんの品質保証賞を受けた
has received ________ quality assurance awards

0867 特定のデザイン一つだけを選ぶ
choose only one ________ design

0868 Your (overdue, courteous) bill will have to be paid before any further purchases can be made.

0869 We are (transferable, optimistic) that consumers will react favorably toward our new product despite what our competitors claim.

0870 Because the new signal processor consumes less power, we can save lots of money on (arguable, operational) costs.

0871 (Overall, Vacant) production has increased by 15% since the completion of the expansion project.

0872 Employees who have contributed (unpleasant, outstanding) personal service to customers will be awarded a prize at the upcoming annual convention.

正解

0863 likely **0864** marginal **0865** normal **0866** numerous
0867 particular
0868 overdue

訳 次のお買い物をされる前に、未払いの請求書についてお支払いが必要です。

語句 □overdue 支払い期間の過ぎた □bill 請求書 □further さらなる、追加の □purchase 購入 □courteous 丁寧な、礼儀正しい

0869 optimistic

訳 ライバル社が何をしかけてきても、消費者がわが社の製品に好印象を抱くだろうと楽観視している。

語句 □optimistic 楽観的な □consumer 消費者 □react 反応する □favorably 好意的に □toward …に対して □despite …であるにもかかわらず □competitor ライバル、競争相手 □claim 主張する、人の注意を引く □transferable 移転可能な、譲渡可能

0870 operational

訳 新しい信号処理は電力消費が少なくなったので、運営費が節約できる。

語句 □signal 信号(の) □processor 処理 □consume 消費する □operational 作動する、運営できる □arguable 議論の余地がある

0871 Overall

訳 事業の拡大が成功して以来、総売上額が15%増加した。

語句 □overall 全体的な、総体的な □completion 完成、終了 □expansion 拡大

0872 outstanding

訳 お客様へ自ら素晴らしいサービスをした社員は、来る年次総会で賞を受けることになるだろう。

語句 □contribute 貢献する、ささげる □outstanding 目立った、未払いの □personal 個人の □award a prize 賞を与える □upcoming 次の、来る □annual 年に一度の □convention 会議、総会 □unpleasant 不愉快な、嫌な

41 permanent 永久的な、常設の、終身の

用例 cause **permanent** damage（永久的な損傷を引き起こす）
a **permanent** fixture（恒久設備）
The Texaco company hired Mr. Hoover as a contractor, and later offered him a **permanent** position with the company.
（Texaco社は契約社員としてHoover氏を採用し、後で正社員になることを提案した。）

42 persuasive 説得力のある

用例 **persuasive** argument（説得力のある主張）
Mr. Smith's sales presentation was **persuasive** but lacked extra data to support his argument.
（Smith氏の営業発表は説得力があったが、彼の論拠を裏打ちする参考資料が不十分であった。）

43 flexible 柔軟な、融通のきく、弾力的な

用例 a **flexible** plan（変更のきく計画）
introduce **flexible** working hours（フレックスタイム制の導入）
The great thing about my new job is the **flexible** work schedule.
（新しい仕事の最大の利点は、仕事の予定に融通がきくことです。）

44 potential　潜在的な、可能性のある、㊔ 可能性、潜在性

用例 **potential** employee（期待できる社員）
try to attract many **potential** investors
（見込みのある投資家の多くを引きつけようと試みる）
PopCopy copy shop emphasizes friendly customer service in their advertisements to attract **potential** clients.（PopCopyコピー店は親切な顧客対応を広告で強調し、見込み客を引きつけようとしている。）

45 previous　（時間的に・順序が）先立った、以前の、先行する

用例 **previous** experience in Internet marketing（ウェブマーケティングの経験）
have a **previous** appointment（先約がある）
Our company's net profits have decreased slightly since the **previous** year.
（当社の純益は、前年度からわずかに減少している。）

46 profitable　収益性のある、利潤の上がる、利益のある

用例 a highly **profitable** development project（収益性の高い開発プロジェクト）
a **profitable** business（もうけの多い事業）
The marketing strategy to target young consumers turned out to be very **profitable**.（若年層を狙った市場戦略は、非常に収益性の高いことがわかった。）

47 regular　通常の、定期的な

用例 on a **regular** basis（定期的に）
a **regular** maintenance check（定期保守点検）
In light of the holiday season, **regular** shipping schedules will be re-instituted on January 11.（休暇時期を考慮して、定期配送は1月11日に再開するつもりだ。）

48 reflective　反射する、反映する 「be reflective of ＋名詞　…を反映する」

用例 wear **reflective** clothing（反射する防御服を着る）
Trends in architecture and design **are** sometimes **reflective of** a particular

country's financial stability.
（建築や設計の傾向には、特定の国の経済的な安定に左右されることがある。）

49 reliable　信じられる、信頼できる

用例 a **reliable** source（信頼できる情報筋）
a competent and **reliable** executive（有能で信頼できる幹部）
Most consumers are willing to pay a higher price for a **reliable** product.
（信頼出来る製品に対しては、高くても喜んで買う消費者がほとんどだ。）

50 seasonal　季節の、季節的な

用例 **seasonal** factors（季節的な要因）
seasonal price cuts（季節限定値引き）
to keep up with **seasonal** demands（季節的需要に追いつくため）
Apart from his normal business dealings, Ronald Plummer has invested in a **seasonal** cruise ship enterprise.
（通常の取引にくわえて、Ronald Plummerは季節的な遊覧船事業計画にも投資している。）

PART 5 語彙

例題

□空所に当てはまる形容詞を下の選択肢から選びなさい。

persuasive flexible profitable possible seasonal regular previous

0873 製品に対する高い季節的需要
the strong ________ demand for the product

0874 最も説得力のある販売戦略
the most ________ sales strategy

0875 金利に対する融通性のある政策を追求する
pursue a ________ policy on interest rates

0876 得意客を優待する
give preference to the ________ customers

0877 製品に収益性があるか調べる
see if the products are ________

0878 The first impression given by the company is often (possible, reflective) of the company's performance.

0879 All applicants must have (previous, perishable) experience in Internet marketing.

0880 If you are interested in applying for a (vague, permanent) position, please use our online application form.

0881 The free sessions are held every Wednesday to provide (potential, prescriptive) parents with information on parenting skills and baby development.

0882 The HR managers often insist that during interviews it is of the utmost importance that applicants seem (reliable, consequential).

正解

0873 seasonal **0874** persuasive **0875** flexible **0876** regular
0877 profitable
0878 reflective

訳 会社が与える第一印象が会社の業績に反映することがよくある。
語句 □impression 印象 □ reflective 反映する □performance 実績、業績 □ possible 可能性がある

0879 previous

訳 応募者はオンラインマーケティングの経験が必須である。
語句 □ applicant 応募者 □ previous 以前の □ perishable 壊れやすい

0880 permanent

訳 正社員に志願したい場合は、オンラインの応募用紙をご利用ください。
語句 apply for …に申し込む □ permanent 永久的な □ application form 申し込み用紙、応募用紙 □ vague あいまいな

0881 potential

訳 親になる人に親としての育児能力や赤ちゃんの能力開発に関する情報を提供するため、無料セミナーを毎週水曜日に開催している。
語句 □ be held 開催される □ provide 提供する □ potential 潜在的な □ parent 親(の役割を果たす) □ development 成長 □ prescriptive 規範的な

0882 reliable

訳 応募者は面接で信頼できる人だと思われることが最も重要だと、人事部長はよ

はよく力説している。

語句 □HR(=Human Resource)　人的資源､人事部　□insist　主張する　□utmost　最大の、細心の　□reliable　信頼できる　□consequential　必然の

51 significant　重大な、重要な、深刻な

用例 a **significant** level of（高水準の）
anticipate **significant** revenue increases（かなりの収益増加を予想する）
offer **significant** discounts to customers（顧客に相当な割引価格を提供する）
The patented new Mertilizer microprocessor reflects **significant** advances in both size and processing speed.
（特許済みの新しいMertilizerのマイクロプロセッサは、サイズと処理速度で大きな進歩を遂げている。）

52 skilled　熟練した、技術を習得した 「be skill in ＋名詞　…の技術がある」

用例 produce diversely **skilled** employees（様々な面で熟達した社員を送り出す）
There are fifteen **skilled** designers in the firm, but not one of them was able to come up with a suitable idea for the amphitheater project.
（会社には15人の熟練設計者がいるが、その円形劇場建設プロジェクトにふさわしい案を思いつく者は一人もいなかった。）

53 specific　具体的な、特定の、特殊な

用例 meet the **specific** needs of customers（顧客の特定のニーズを満たす）
pay the overdue payment by the **specific** date（指定期日までに延滞料金を支払う）
The Lakewood Department Store Security Staff has been given **specific** instructions to apprehend shoplifting offenders.
（Lakewoodデパートの警備員は､万引き犯を捕まえるという特別な指示を受けている。）

54 strategic　戦略上の、戦略的な

用例 to secure **strategic** locations（戦略的な立地確保のため）

PART 5 語彙

provide **strategic** solutions（戦略的解決策を提供する）
Mr. Kevin Johns is responsible for developing the company's **strategic** growth plans and market research.
（Kevin John氏は、会社の戦略的な事業計画と市場調査を進行していく担当責任者だ。）

55 subject

（影響を）受けやすい、法や制度の下の
「be subject to＋名詞（動詞でない点に注意） …に影響（支配）を受けやすい」

用例 **be subject to** change（変わりやすい）
be subject to approval by the board of directors（役員会の承認次第である）
All income, including overtime pay **is subject to** taxation.
（超過勤務手当てを含む全所得が課税対象となる。）

56 subsequent

事後の、次の、引き続き起きる
「subsequent to＋名詞 …に続いて」

用例 in **subsequent** interviews（次の面接で）
subsequent to receiving the phone call（電話を受けた後で）
The first productivity review is likely to be more difficult than **subsequent** review sessions.
（最初の生産性調査は、引き続き行われる調査会議よりも難航しそうだ。）

57 substantial

量が豊富な、たくさんの、重大な

用例 a **substantial** number [amount / proportion] of
（大多数の［大量の / 相当部分の］）
take a **substantial** amount of time（十分な時間を取る）
A **substantial** bonus will be awarded to everyone if sales goals are met.
（売上が目標を満たせば、全社員に相当な額の賞与が支給されるだろう。）

58 temporary

臨時の、一時的な

用例 a **temporary** employee [job]（派遣社員[臨時の仕事]）
a **temporary** employment opening（契約社員の募集）
serve as the **temporary** replacement for the secretary
（秘書の臨時代理人として務める）

Jose Gonzalo will serve as the **temporary** replacement for the project manager.
（Jose Gonzaloがプロジェクトマネージャーの臨時代理人として務めることになる。）

59 technical　技術的な、技術の、技術部分の

用例 a request for **technical** assistance（技術的な支援を求める）
a nearby **technical** university（近くにある技術大学）
have **technical** problems with the computer
（そのコンピュータには技術的不具合がある）
The IT coordinator provides computer assistance and **technical** support to every department.
（IT業務担当者は、各部署に対してコンピュータの技術的なサポートをする。）

60 timely　適時の、時機を得た

用例 in a **timely** manner（機宜を得たマナー）
make **timely** decisions（タイミングよく決断を下す）
Thanks to the **timely** arrival of our guests, dinner party will go on as planned.
（来客が定刻に到着したおかげで、夕食会は計画どおりに運びそうである。）

例題

□空所に当てはまる形容詞を選択肢から選びなさい。

technical subsequent skilled strategic substantial temporary specific

0883 専門の熟練工だけが必要だ
only specialized and ________ workers are needed

0884 かなりの賃金引上げを要求する
demand ________ pay increases

0885 派遣の労働環境を改善する
improve working conditions for ________ employees

0886 すべての技術的な問い合わせは 343-0811 に連絡する

PART 5 語彙

contact 343-0811 for all ________ inquiries

0887 次の会議で論議されるだろう
will be discussed in ________ meetings

0888 All guests must reply in a (timely, biannual) manner in order to secure a table at the reception following the exhibit.

0889 Currently, a (transparent, significant) number of large corporations have been undergoing considerable downsizing.

0890 It was a (chronic, strategic) decision to withdraw from the Middle East market at this time.

0891 Requests for special treatment service are (dedicated, subject) to cancellation.

0892 At the meeting, each sales team member was given (rhythmical, specific) assignments for the new product launch planned to take place next month.

正解

0883 skilled 0884 substantial 0885 temporary 0886 technical
0887 subsequent
0888 timely

訳 展示会後の歓迎会で座る席を確保するのに、来客たちはタイミングよく返事をしなければならない。

語句 □reply 返事をする □in a timely manner タイミングよく □in order to do …するために □secure 確保する □reception 歓迎会、パーティー □following …の次の □exhibit 展示会 □biannual 半年に一度の

0889 significant

訳 今や、かなりの数の企業が大幅な事業縮小にさらされている。

語句 □currently 現在は □significant かなりの □corporation 企業、法人 □undergo 経験する、受ける □considerable 相当の □downsize 削減する □transparent 透明な、明白な

0890 strategic

訳 この時期に中東市場から撤退することは戦略的な判断だった。

語句 □strategic 戦略的な □decision 決定、判断 □withdraw 撤収する、引き出す □chronic 慢性的な、習慣的な

0891 subject

訳 特別な取り扱いサービス依頼は取り消されることもあります。

語句 □be subject to …を条件として、…の影響を受け安い □request 依頼、要求 □treatment 処理、取り扱い □dedicated 献身的な、熱心な

□ cancellation　解約、キャンセル

0892 specific

訳　来月予定されている新製品の発売に向けて、各営業チームのメンバーには、会議上で具体的な任務が与えられた。

語句　□ specific　明確な、具体的な　□ assignment　割り当て、任務、課題　□ launch　開始、参入　□ take place　起こる　□ rhythmical　リズムに乗った

61 unstable　不安定な、変わりやすい

用例　emotionally **unstable**（情緒不安定な）
an **unstable** system [economy / situation]
（不安定なシステム［経済 / 情勢］）
Some investors benefited from this **unstable** real estate face a market.
（不安定な不動産で利益を得た投資家のなかには市場を直視している人がいる。）

62 upcoming　来たる、すぐにやって来る

用例　before the **upcoming** drought season（もうすぐやってくる水不足の季節前に）
be closed for the **upcoming** holiday（今度の休暇中は閉店している）
The office will be half-staffed during the **upcoming** holiday season.
（来たる休暇期間、オフィスは社員が半分になるだろう。）

63 valid　（法的に）有効な、認証された、（理由などが）妥当な、正当な

用例　a **valid** driver's license（有効な運転免許証）
draw statistically **valid** conclusions（統計的に筋の通った結論を引き出す）
This voucher can be exchanged at any area branch, but is not **valid** after December 1.
（この引換券はどの支店でも交換することができますが、12月1日以降は無効です。）

PART 5 語彙

64 vulnerable
傷つきやすい、脆弱な 「vulnerale to ＋名詞 …に弱い」

用例 be more **vulnerable to** damage（より被害を受けやすい）
The outdated anti-virus software had made the network **vulnerable to** a computer virus.（旧式のウィルス対策ソフトウェアが原因で、ネットワークはウィルスに感染しやすくなっていた。）

65 wide
（幅）広い、広大な

用例 a **wide** range of（幅広い範囲の）
Marcus Kennedy, head training coordinator, is going to host a **wide** range of courses on adapting to the recent advances in computer software.
（研修責任者であるMarcus Kennedyは、日進月歩のコンピュータソフトにうまく対応できるような幅広い講座を開催するつもりだ。）

66 challenging
挑戦的な、意欲を高める、骨の折れる、難しい

用例 a **challenging** job（やりがいのある仕事、難しい仕事）
challenging period（試練の時期）
This is the most **challenging** project I've ever had.
（これは、私が経験したなかで最も骨の折れるプロジェクトだ。）

67 dedicated
献身的な、専念する、仕事を熱心にする
「be dedicated to ＋名詞 /...ing …に専念する」

用例 a **dedicated** worker [employee]（勤勉な社員）
Werther Bros. **is dedicated to** providing wholesome programming for the entire family.
（Wertherブラザーズ社は、家族みんなで楽しめる健康的な番組をもっぱら提供している。）

68 designated
指定された

用例 smoke only in the **designated** areas（指定場所でのみ喫煙する）
depart from the **designated** hotel（指定ホテルから出発する）
Senior managers and all other authorized staff are reminded to gather in the **designated** meeting room for a seminar on network security.

(管理職と指名された社員は全員、ネットワークセキュリティに関する講習があるので指定された会議室にお集まりください。)

69 detailed　たくさんの内容を載せた、詳しい、詳細な

用例 a **detailed** study of our corporate investments(企業投資の詳しい研究)
a **detailed** analysis of our future growth plans.(今後の事業計画の詳細な分析)
Following the sales conference, attendees are expected to produce a **detailed** report of the materials covered.
(営業会議のあとで、出席者は会議で扱った内容の詳細な報告書を提出しなければならない。)

70 extended　幅の広い、広範囲な、(長さ・時間などが)延長された

用例 **extended** work hours(超過勤務時間)
be closed for an **extended** period of time(長期間閉鎖される)
Internet users wishing to apply for **extended** service need to be aware that it will be reflected in a higher monthly bill.
(広範囲なサービスに加入したいインターネット利用者は、毎月の請求額がより高くなるのをご了承ください。)

PART 5 語彙

例題

□空所に当てはまる形容詞を選択肢から選びなさい。

dedicated upcoming wide designated vulnerable challenging detailed

0893 顧客たちに貴重な情報を大量に提供する
supply your customers with a ________ variety of valuable information

0894 この次の会議で扱うことになるテーマに関して
concerning the topics to be covered at the ________ conference

0895 指定された温度や時間により
according to a ________ temperature or time

0896 最も骨の折れる課題を完遂する
complete the most ________ assignment

0897 インフルエンザにかかりやすい人たち
those who are ________ to influenza

0898 People who knew Dave in the marketing department called him an expert and said he was very (tentative, detailed) in everything he ever did.

0899 Due to the (unstable, preliminary) oil prices, the government is developing new energy policies.

0900 The books returned for a refund must be in their original condition and a (valid, reluctant) receipt must be presented.

0901 All positions require the ability to work (extended, respectful) work days and weekends when needed.

0902 The department head believes that a competitive work environment inspires employees to be more (dedicated, expected) to their work.

正解

0893 wide　0894 upcoming　0895 designated　0896 challenging

0897 vulnerable

0898 detailed

訳 マーケッティング部門の Dave と知り合いだった人は、彼は専門家で、自分のすること全てについて大変細かいと言っていた。

語句 □expert　専門家、ベテラン　□detailed　詳しい、きめ細かい　□tentative　一時的な、仮の

0899 unstable

訳 原油価格が不安定なため、政府は新エネルギー政策を策定中だ。

語句 □due to　…が原因で　□unstable　不安定な　□oil price　原油価格　□develop　開発する　□policy　政策　□preliminary　準備の、仮の

0900 valid

訳 返本で払い戻しを受けるには、本は購入時の状態でかつ有効なレシートの提示が必要だ。

語句 □return　返す　□refund　払い戻し、返金　□original　元の、原状の　□condition　状態、状況　□valid　有効な、正当な　□receipt　領収証、受領証　□reluctant　気が進まない、しぶしぶの

0901 extended

訳 どの仕事上の立場でも、必要なときは平日も週末も残業して働くことが求めら

れている。

語句 □ require　必要とする、求める　□ extended　延長された、伸ばされた
□ respectful　丁寧な、敬意を表する

0902 dedicated

訳 競争心のある職場環境が社員に活気を与え、自分達の仕事により一層熱心になれると部門長は考えている。

語句 □ department head　部長、部門長　□ competitive　競争の、競争の激しい
□ environment　環境　□ inspire　活気を与える　□ dedicated　献身的な、熱心な　□ expected　期待された、予期された

71 lasting　長く続く、持続的な

用例 a **lasting** impact（永続的な影響力）
prefer a longer-**lasting** product（長持ちする製品を選ぶ）
Dominic Chavez' work and leadership in the community has left a **lasting** impression on all who have known him.
（Dominic Chavezが地域で指導的役割を果たし貢献したことは、彼を知るみんなの記憶に残っている。）

72 limited　（特別な範囲や水準を）越えることのできない、制限された「be limited to ＋名詞　…に限定される」

用例 **limited** resources（限りある資源）
the **limited** number of spaces for the workshop（セミナーの人数制限）
Orko Software is offering its updated programs, complete with tutorial, all in a bundle for a **limited** time only.
（Orko Software社は、最新プログラムを期間限定で取り扱いマニュアルとセットで提供している。）

73 opposing　反対の、対立する

用例 the **opposing** point of view（対立する視点）
The negotiations over a land boundary dispute between the **opposing** sides have been heated, but are still turning out to be productive.
（土地の境界をめぐる紛争は対立する両者の間で加熱していたが、だんだんと実りあるものになってきている。）

PART 5 語彙

74 outdated　旧式の、時代遅れの

用例 **outdated** or expired medications（古い期限切れの薬）
With technology advancing so rapidly, computers are becoming **outdated** or obsolete quicker than ever before.
（技術が急速に発展すると、コンピュータは以前よりすぐに旧式になってしまう。）

75 pleased　喜ぶ、満足した 「be pleased with＋名詞/to do　…を喜ぶ」

用例 **be pleased with** success（成功を喜ぶ）
be pleased to inform [announce] that（…をお知らせする［発表させていただく］）
Mr. Carmello **was pleased with** the auditorium designs.
（Mr. Carmelloはホールのデザインに満足した。）

76 promising　有望な、将来が嘱望される

用例 a highly **promising** young scientist（非常に有望な若い科学者）
get off to a **promising** start（幸先の良いスタートを切る）
The job market over the next twelve months looks **promising**.
（今後1年の雇用環境には期待が持てそうだ。）

77 qualified　資格を持った、適格の 「be qualified for ＋名詞 /to do　…する資格がある」

用例 a highly [fully] **qualified** accountant（条件を十分に満たしている会計士）
be **qualified** for the position（その仕事に適任である）
There were several highly-**qualified** representatives here earlier to speak to the board about their suggestions for the merger.
（取締役会に合併案件について意見を提示しようと、有能な代表者何人かが早めにこちらへ来ていた。）

78 unauthorized　許可を受けていない、無許可の、無断の

用例 prohibit **unauthorized** entrance（無断侵入を禁止する）
unauthorized use of company assets（会社資産の無断使用）

Most electronics manufacturers will refuse to perform any kind of repairs on equipment that has received **unauthorized** service.
（無認可サービスを受けた機器の場合、電機メーカーの大部分はどんな修理にも対応しないだろう。）

79 unexpected　予想できない、予想外の

用例 an **unexpected** delay in production（予想外の生産遅延）
due to **unexpected** precipitation on Sunday（日曜日の予期せぬ降雨のため）
Some employees will need to work extra hours in order to deal with **unexpected** situation.（社員の中には、思わぬ事態に対処するため残業が必要となる者もいる。）

80 unprecedented　前例のない、類例のない

用例 an **unprecedented** event（前例の無い事件）
get an **unprecedented** promotion（前例のない昇進をする）
enjoy an **unprecedented** economic boom
（類例のない経済のにわか景気を経験する）
The reduction in available staff is partly to blame for the recent **unprecedented** drop in sales.
（余剰社員の削減は、一つには、近ごろの先例のない売上減少に原因がある。）

例題

□空所に当てはまる形容詞を選択肢から選びなさい。

opposing lasting pleased unprecedented unexpected outdated limited

0903 硬直した古い産業構造を反映する
reflect an inflexible and ________ industrial structure

0904 反対意見を表明する
express an ________ point of view

0905 交渉のパートナーと協力的で持続的な関係を構築する
build collaborative, ________ relationships with your negotiation partners

0906 類例のない半導体産業の成長
the ________ growth of the semiconductor industry

0907 新しい保安システムについてとても満足する
be extremely ________ with the new security system

0908 Access to the company's yearly review was (delighted, limited) to shareholders or their named representatives.

0909 We were surprised by the (unexpected, sparse) announcement that they were going to check for an oil leak in our plane right before takeoff.

0910 Auto mechanics are in high demand, but few young people see it as a (promising, expansive) career.

0911 Many small businesses cite a shortage of (qualified, abstract) labor as a serious problem.

0912 (Understanding, Unauthorized) personnel are not allowed to view any confidential information.

正解

0903 outdated **0904** opposing **0905** lasting **0906** unprecedented
0907 pleased
0908 limited

訳 会社の年鑑を入手できるのは株主と指名された担当者だけに限られている。

語句 □ access to …を入手する権利 □ review 論評、概説 □ limited 限られた、限定の □ shareholder 株主 □ name 指名する、任命する □ representative 代表者、代理人、担当者 □ delighted 嬉しい、喜んでいる

0909 unexpected

訳 離陸直前に機体の燃料漏れのチェックをするという思いがけないアナウンスに、私たちは驚いた。

語句 □ be surprised by …に驚く □ unexpected 思いがけない、予期しない □ announcement 発表、通知 □ check チェックする、確かめる □ oil leak 油漏れ □ right before …の直前 □ takeoff 離陸、除去 □ sparse まばらな、希薄な

0910 promising

訳 自動車整備士の需要は高いが、将来有望な仕事だとは若い人はほとんど思っていない。

語句 □ mechanic 機械工 □ demand 要求、需要 □ promising 見込みがある、期待できる □ expansive 拡張的な □ career 専門的職業、職歴

0911 qualified

訳 深刻な問題として有能な労働力不足があげられると、多くの中小企業が言及している。

語句 □ cite …について言及する、引用する □ a shortage of …の不足 □ qualified 資格のある、資質のある、適任の □ labor 労働力 □ abstract 抽象的な

0912 Unauthorized

訳 許可の無い社員は、どの機密情報も閲覧することは許されていない。

語句 □ unauthorized 未許可の □ personnel 人材、職員 □ be allowed to do …することが許されている □ view 閲覧する、概観する □ confidential 機密の、秘密の □ understanding 理解力のある

PART 5 語彙

UNIT 08 ● 注意を要する形容詞 ●

動詞・名詞に続き、このunitでも前置詞・to不定詞・that節などとともに使われる形容詞をまとめておく。形容詞と前置詞の組み合わせは、場合によっては形容詞固有の意味に基づきどのような前置詞が使われるか予想することもできる。たとえば、be suitable for（…に適合する）のforは「…に合う」「…を対象とする」という用途・適合性・対象を表わす前置詞なので、形容詞 suitable（適合する・あてはまる）とよくなじむ。しかし、ほとんどの組み合わせはこれといった規則のない慣用的なものなので、一つ一つ覚えなくてはならない。

❶ about

□**be crazy about** …に夢中になる、凝っている
□**be emphatic about** …について断固とした態度を取る
□**be enthusiastic about** …を熱心にする、乗り気になっている
□**be optimistic about** …を楽観視する
□**be passionate about** …に熱烈である
□**be pessimistic about** …に悲観的だ
□**be uncertain about** …を疑っている、不安に思う

❷ for

□**be accountable for** …に責任がある
□**be adequate for** …にふさわしい
□**be convenient for** …に便利である
□**be eager for** …を待ち焦がれる、切望する
□**be eligible for** …の資格がある
□**be famous for** …で有名である
□**be honored for** …を表彰される
□**be ideal for** …に理想的である
□**be inadequate for** …に不十分である
□**be necessary for** …に必要である
□**be noted for** …で名高い
□**be responsible for** …に責任がある
□**be sufficient for** …に十分である
□**be suitable for** …に適している
□**be valid for** …に有効である、妥当である

❸ of

□**be afraid of** …を恐れる、…について心配だ
□**be appreciative of** …に感謝する、理解する、評価する
□**be aware of** …を認識する、気づいている
□**be capable of** …し得る、…の能力がある
□**be cognizant of** …を知っている、分かっている
□**be confident of** …に自信がある
□**be conscious of** …に気づいている、認識している
□**be critical of** …に対して批判的である
□**be desirous of** …を望んでいる、切望する
□**be full of** …でいっぱいになる、満たされる
□**be incapable of** …できない
□**be indicative of** …を表わしている、暗示している
□**be mindful of** …に気を使う

❹ with

- □**be associated with** …と関連する、連想させる
- □**be complete with** …を完備する、取り揃える
- □**be commensurate with** …にふさわしい、比例する
- □**be comparable with** …と比較する、比べる
- □**be compatible with** …と両立する、互換性がある
- □**be consistent with** …と意見が一致する、調和する
- □**be consonant with** …にふさわしい
- □**be correspondent with** …と一致する、符合する
- □**be faced with** …に直面している
- □**be pleased with** …に喜ぶ、満足する

❺ to（前置詞なので、次に名詞・動名詞が置かれる）

- □**be accessible to** …を利用できる、…に接近できる
- □**be accustomed to** …に慣れる
- □**be adjacent to** …に近接している
- □**be affordable to** …を入手できる、乗り越えられる
- □**be attractive to** …にとって魅力的である
- □**be available to** …が利用可能である
- □**be beneficial to** …に有益である
- □**be close to** …に近い
- □**be comparable to** …に匹敵する、値する
- □**be comprehensible to** …にとって理解できる
- □**be devoted to** …に献身する
- □**be entitled to** …する資格がある
- □**be equal to** …と同等である
- □**be equivalent to** …に等しい、相当する
- □**be exposed to** …にさらされる
- □**be harmful to** …に有害である
- □**be integral to** …に必須である
- □**be liable to** …に対して責任がある
- □**be payable to** …に支払える
- □**be proportional to** …に比例する
- □**be related to** …と関連がある
- □**be relevant to** …と直接関係がある
- □**be resistant to** …に抵抗する
- □**be responsive to** …に応じる
- □**be sensitive to** …に敏感である
- □**be similar to** …と似ている
- □**be subject to** …を受けやすい、…しやすい
- □**be transferable to** …に移譲できる、移転可能な

❻形容詞＋ to 不定詞

- □**be able to do** …できる
- □**be apt to do** …する傾向がある
- □**be bored to do** …することにうんざりする
- □**be bound to do** …する義務がある
- □**be depressed to do** …してがっかりする、落胆する
- □**be difficult to do** …し難い
- □**be eager to do** …するのを切望する
- □**be easy to do** …しやすい
- □**be eligible to do** …する資格がある

□**be embarrassed to do**
…して決まりが悪い、とまどう
□**be entitled to do** …する資格がある
□**be excited to do**
…して興奮する、浮かれる
□**be happy [glad] to do** …して嬉しい
□**be liable to do** …しやすい
□**be likely to do**
…しがちである、…しそうである
□**be pleased [delighted] to do**
…してうれしい
□**be proud to do**
…することを誇らしく思う
□**be qualified to do** …する資格がある
□**be ready to do**
…する準備が整う、用意が出来る
□**be reluctant to do** …したがらない
□**be supposed to do**
…することになっている
□**be sure to do**
必ず…する、確実に…する
□**be surprised to do** …して驚く
□**be tired to do** …することに疲れる
□**be unable to do** …できない
□**be willing to do**
喜んで…しようと思う

❼形容詞＋ that 節

□**be aware that**
…がわかっている、…に気づいている
□**be sure that** …を確信する
□**be confident that** …を確信する
□**be optimistic that** …を楽観視している
□**be conscious that** …を認識している
□**be positive that** …と確信している
□**be unaware that** …に気づいていない
□**be convinced that** …を確信する
□**It is natural that** …は当然だ
□**It is possible that** …は可能である
□**It is clear [obvious / apparent] that**
…は明らかである
□**It is appropriate that** …は適切である
□**It is true that** …は事実である
□**It is essential that** …は必須である
□**It is important that** …は重要である
□**It is inevitable that**
…ということを避けることが出来ない
□**It is likely that** …が起こりそうである
□**It is unlikely that**
…起こらないようである

例題

□空所に当てはまる前置詞を入れなさい。

0913 インターネット技術活用の重要性を強調する
be emphatic ________ the importance of utilizing Internet technology

0914 成功の可能性について確信できない
be uncertain ________ the chances of success

0915 役員に適格だ
be suitable ________ the executive's position

0916 全体的な流通網に責任を負う
be accountable ________ overall sales channels

0917 市場占有率が増えることを確信する
be confident ________ gaining a market share

0918 顧客満足の重要性を認識する
be cognizant ________ the importance of customer satisfaction

0919 国際貿易の成長と密接な関連がある
be closely related ________ the growth of international trade

0920 小額株主たちに利益になる
can be beneficial ________ minority shareholders

0921 既存の会計プログラムと互換性のある
be compatible ________ existing accounting software

0922 経歴と資格に比例する
be commensurate ________ experience and qualifications

□空所に当てはまる形容詞・前置詞を入れなさい。

0923 Amsterdam, the capital of the Netherlands, is an historic city that is noted (with, for) its beauty and its cultural attractions.

0924 The government is (ready, capable) to fill necessary posts with competent and efficient individuals from the private sector.

0925 A number of medical experts recommend that regular exercise is (transferable, necessary) for controlling weight and maintaining good health.

0926 Women should not start to take aspirin to help prevent breast cancer because the painkiller is associated (about, with) other side-effects such as gastrointestinal complications.

0927 Six years of experience in business is considered (equivalent, pessimistic) to a Master's Degree.

正解

0913 about 0914 about 0915 for 0916 for 0917 of 0918 of
0919 to 0920 to 0921 with 0922 with

0923 for

訳 オランダの首都であるアムステルダムは、その美しさと文化的な魅力で有名な歴史的都市だ。

語句 □ be noted for …で有名な □ capital 首都 □ historic 歴史上の □ attraction 魅力のある、魅力的な

0924 ready

訳 有能な民間企業の人間を、空いている必要なポストに就いてもらう用意が政府にはあります。

語句 □ be ready to do …する用意がある □ fill post 仕事の空きを埋める □ efficient 効率的な、有能な □ private sector 民間企業 □ capable 能力がある

0925 necessary

訳 定期的な運動が体重コントロールと健康維持には必要なことだと、多くの医学専門家が提言している。

語句 □ be necessary for …に必要である □ a number of 多数の □ medical 医学的な □ expert 専門家 □ recommend 推奨する、推薦する、提言する □ regular 定期的な □ control 管理する、抑制する、支配する □ weight 体重、重さ □ maintain 維持する、持続する □ transferable 移転可能な

0926 with

訳 女性が乳がん予防のためアスピリンを飲むべきではないというのは、鎮痛作用により他の副作用、例えば胃腸障害になってしまうからだ。

語句 □ be associate with …と関係がある＜associate A with B AとBを結びつける＞ □ take 取る、(薬を)飲む □ prevent 防ぐ、避ける □ breast cancer 乳がん □ painkiller 痛み止め、鎮痛薬 □ side-effect 副作用 □ such as 例えば… □ gastrointestinal 胃腸の

0927 equivalent

訳 6年間のビジネス経験は修士課程修了に相当する。

語句 □ be equivalent to …と同等である、…に相当する □ consider 考慮する、見なす □ Master's Degree 修士課程 □ pessimistic 悲観的な

PLUS ＋ 「形容詞＋名詞」慣用表現

形容詞の主な役割は、名詞を修飾することだ。この「形容詞＋名詞」の組み合わせが自然なものは、あたかも一つの名詞のように感じられることがある。これらの表現は、2つの単語の組み合わせとしてではなく一つの単語のように覚えておくと、文章の読解時間がぐっと短縮される。以下は、TOEICによく出題される「形容詞＋名詞」表現である。

□**a challenging project**
やりがいのあるプロジェクト
□**a lasting impression**
忘れられない印象
□**a substantial discount**
破格的な値引き
□**a valued customer**　重要な顧客
□**additional fee**　追加料金
□**advance reservation**　事前予約
□**allergic reactions**　アレルギー反応
□**an answering machine**　留守番電話
□**annual parade**　年次パレード
□**annual sales**　年間売上
□**annual shareholders meeting**
年次株主総会
□**applicable taxes**　適用課税
□**budgeting decision**　予算編成の決定
□**business-related expenses**
事業名目の経費
□**charitable organization**　慈善団体
□**classified ad**　案内広告、求人広告
□**combined[joint] experience**
共通体験
□**commercial relations**　取引関係
□**complimentary coupon**
無料クーポン
□**confidential material**　機密資料
□**confirmed reservation**　確定予約
□**consulting firm**
コンサルティング会社
□**continental breakfast**
コーヒーとパンのみの軽食
□**critical acclaim**　評論家の称賛
□**current event**　時事、最新ニュース
□**daily output**　1日の生産量
□**damaged luggage**　破損した荷物
□**declining demand**　減少する需要量
□**defective product [merchandise]**
欠陥製品
□**delicate issue**　微妙な問題、慎重な問題
□**detailed map**　詳細な地図
□**distinguished guest**　貴賓、賓客
□**domestic product**　国産品、国内生産品
□**dramatic scenery**　劇的な光景
□**due date**　満期日、支払期日
□**durable material**　耐久性のある材料
□**early retirement**　早期退職
□**economic growth**　経済成長
□**electrical appliance**　家電製品
□**electrical power outage**　停電
□**electronic goods**　電子製品
□**existing equipment**　既存の設備
□**extended periods of time**　延長期間
□**extra charge**　追加料金
□**federal mandate**　連邦命令、連邦指令
□**financial setback**　財政悪化
□**financial statements**　財務諸表
□**first aid**　応急手当、処置
□**fiscal year**　会計年度
□**fixed price**　定価、固定価格
□**free admission**　入場無料
□**frozen food products**　冷凍食品
□**further details**　より詳細な説明
□**general consensus**　全体的な合意
□**guided tour**　案内旅行、ガイド付見学
□**heavy traffic**　交通渋滞
□**incidental expense**　雑費、臨時費
□**incoming call**　外部からの電話、着信
□**informed decision**
説明を受けた上での決定
□**intended recipient**　指定受取人
□**internal communications**　内部連絡
□**legal advisor**　法律顧問
□**limited capacity**　収容能力の限界
□**local call**　市内電話
□**long-term employment**　長期雇用
□**loyal customer**　得意客
□**major carrier**　主要航空会社
□**manufacturing firm**　製造会社
□**medical insurance**　医療保険
□**missing luggage**　忘れ物
□**monthly quota**　1ヶ月の割当量
□**mounting pressure**　高まる圧力
□**natural resources**　天然資源

PART 5 語彙

□**normal [regular] operating [working] hours** 通常営業時間
□**official arrangement** 公式合意
□**online order** オンライン注文
□**operating expenses** 運営費
□**opposing point of view** 対立する見解
□**outdoor activity** 屋外活動
□**outgoing mail** 発送メール
□**outstanding payment** 未納支払い
□**overhead expenses** 諸経費、一般経費
□**personal effects** 身の回り品、所持品
□**personal information** 個人情報
□**persuasive argument** 説得力ある主張
□**postage-paid envelope** 料金前納郵便用の封筒
□**potential [prospective] client** 見込み客
□**preferred means** 優先手段
□**preliminary interview** 見合い、予備面接
□**presiding officer** 局長、裁判長
□**promising candidate** 有望な志願者、候補者
□**promotional offer** 昇進の提案、申込み
□**protective equipment** 保護装備、防具
□**real estate** 不動産
□**rear seat** 後部座席
□**recycled paper** 再生紙
□**registered mail** 書留郵便
□**renewable energy** 再生エネルギー
□**rental agreement** 賃貸契約
□**repeated requests** 度重なる要求
□**revised edition** 改訂版
□**rough outline** 概略
□**secondary effects** 副次的効果
□**sick leave** 病気休暇
□**sincere thanks** 心からの感謝
□**slight chance** わずかな可能性
□**striking difference** 著しい差
□**structural flaw** 構造上の欠点
□**technical problem** 技術的な問題
□**temporary employee** 派遣社員、臨時社員
□**the first priority** 最優先事項
□**thorough inspection** 徹底的な調査
□**unauthorized entrance** 無断侵入
□**unclaimed luggage** 引き取り手のない手荷物
□**updated manual** 最新版マニュアル
□**valued customer** 大切な顧客
□**welcome speech** 歓迎演説
□**written consent** 承諾書、書面による同意

PLUS ++ 意味の似ている形容詞

形容詞の穴埋め問題に、次の形容詞が組みになって出題される。意味が少しずつ異なるので、ここでしっかり整理しておこう。

□**advisable** 望ましい、勧めるに値する	□**advisory** 助言の、忠告の
□**arguable** 疑わしい、議論の余地がある	□**argumentative** 論争が好きな
□**certifiable** 証明できる、保証できる	□**certified** 保証された
□**comparable** 比べるに値する	□**comparative** 比較の、比較による
□**confidential** 秘密の	□**confident** 確信する、固く信じる
□**considerable** かなりの、相当な	□**considerate** 思慮深い
□**dependable** 信頼するに値する	□**dependent (on)** …に頼る、依存する
□**economical** 経済的な	□**economic** 経済の
□**favorable** 好意的な、肯定的な	□**favorite** 好きな、気に入る
□**industrial** 産業の	□**industrious** 勤勉な
□**informal** 非公式の、略式の	□**informative** 有益な
□**numerical** 数の、数に関する、数的な	□**numerous** 非常に多い
□**persuadable** 説得できる	□**persuasive** 説得力がある
□**reliable** 信頼出来る	□**reliant (on)** …に依存している
□**respectable** 尊敬するに値する	□**respectful** 礼儀正しい、丁寧な
□**responsible (for)** …の責任感ある	□**responsive (to)** …に答える
□**sensible** 分別のある、賢い	□**sensitive (to)** …に敏感な
□**successive** 連続する、継続的な	□**successful** 成功した、好結果の
□**understandable** 理解できる、分かりやすい	□**understanding** 理解力のある、分別のある

PART 5 語彙

UNIT 09 ● 主要副詞 TOP 80

TOEIC では、副詞を問う問題は品詞問題よりも文法・語彙問題に出題される。副詞の用法については文法編で扱ったので、ここでは意味にフォーカスを合わせてできるだけ多くの語彙を整理しておく。

1 absolutely 絶対に、完全に 「Absolutely not 絶対に違う」

用例 It is **absolutely** essential that（…が絶対に必須である）
absolutely free of charge（完全無料の）
absolutely impossible（絶対に不可能な）
Smoking is **absolutely** forbidden within the chemical processing plant.
（化学処理工場内は完全禁煙である。）

2 accurately 正確に、精密に

用例 predict [estimate] **accurately**（正確に予測する［評価する・見積もる］）
be recorded **accurately** in（…に正確に記録される）
accurately account for（…を正確に説明する）
The dam's construction costs were not **accurately** calculated in public.
（ダム建設費用を、公開して正確に算出しなかった。）
Voters can see and verify that their votes are recorded **accurately** and stored in a secure ballot box.
（投票者は自分達の投票が正確に記録され厳重に保護された投票箱に保管されているのを、見て確かめることができる。）

3 adequately 十分に、適切に

用例 be **adequately** addressed（適切に処理される）
be **adequately** regulated by local authorities（地方自治体が十分に規制している）
Dr. Whail argued that the issue of teenage depression has not been **adequately** addressed.（Whail博士は、10代の鬱病の問題は十分に取り組まれてこなかったと論じた。）

4 aggressively 攻撃的に、積極的に

用例 expand **aggressively**（積極的に拡大する）
be competing **aggressively** with（攻めの姿勢で…と競い合っている）
pursue potential clients **aggressively**（見込み客を積極的に獲得する）

The company has decided to **aggressively** target young adults with its ads.
（会社は若者をターゲットにした広告を積極的に行うことを決めた。）

5 appropriately 適当に、ちょうどよく

用例 dress **appropriately** for a formal interview（面接本番にふさわしい服装にする）
set boundaries **appropriately**（ちゃんと境界線を定める）
carry out **appropriately**（しっかり実行する）
It is recommended that you dress **appropriately** for the hike as it is very windy.
（風が強いので、ハイキングに適した服装にしてください。）

6 approximately 約、おおむね「approximately＋数量・性質・位置　おおむね…」

用例 **approximately** ten days（約10日）
cut **approximately** 30 percent（おおむね30%の削減をする）
There are expected to be **approximately** 200 guests in attendance.
（およそ200人の来客が出席すると予想している。）

7 cautiously 注意深く

用例 drive **cautiously**（注意深く運転する）
be **cautiously** optimistic（慎重ではあるが楽観視している）
approach the market **cautiously**（市場へのアプローチを慎重にする）
It is advised that all interested home buyers enter the market **cautiously**.
（住宅購入に関心のあるすべての人は、注意深くなるよう助言を受けている。）

8 clearly 明確に、はっきりと

用例 speak **clearly**（はっきりと話す）
indicate **clearly** on the document（書類上に明確に示す）
express the idea **clearly**（考えを明確に表現する）
have **clearly** marked on（…に明らかに示す）
be **clearly** specified in the contract（契約書ではっきりと定めている）
Please check that your name is **clearly** marked on the form before submitting it.
（提出する前に、あなたの名前が正しく記入されているか確認してください。）

9 closely 接近して、密接に

用例 cooperate **closely** with the government（政府と一体的に協力する）
closely examine applicants' educational backgrounds
（志願者の学歴を詳細に審査する）
be **closely** related [connected] to（…と密接な関連のある）
Applications for law school are **closely** examined by the Admissions Committee.
（ロースクールの願書は、試験委員が綿密に審査する。）

10 collaboratively 共同で、協力して、協調的に

用例 work **collaboratively** to achieve our goal（業績達成のために協力して取り組む）
respond rapidly and **collaboratively** to changing customer demands
（顧客ニーズの変化に迅速かつ共同で対応する）
All departments have been instructed to work **collaboratively** on the project.
（そのプロジェクトにすべての部署が協力して取り組むよう指示されてきた。）

例題

□空所に当てはまる副詞を選択肢から選びなさい。

absolutely aggressively appropriately approximately cautiously clearly collaboratively

0928 青のインクではっきりとラベルに書かれている
________ labeled in blue ink

0929 彼の歳に合わせて適切に行動する
act ________ for his age

0930 注意深く実験を進める
proceed ________ with the experiment

0931 …ということは絶対に重要だ
it is ________ crucial that

0932 おおむね5年
________ 5 years

0933 There has been no attempt to (absolutely, adequately) address the problem of the homeless.

0934 It is difficult to (accurately, aggressively) measure the amount of rainfall in the remote valley.

0935 Mr. Patterson was (closely, accordingly) linked to the right wing party.

0936 In order to survive, we must (approximately, aggressively) target the overseas market.

0937 The two teams will work (collaboratively, apart) in order to increase efficiency.

正解

0928 clearly　0929 appropriately　0930 cautiously　0931 absolutely
0932 approximately

0933 adequately
訳 ホームレスの問題に適切に取り組もうという試みは今までなかった。
語句 □ attempt　試み　□ address　取り組む　□ the homeless　ホームレス

0934 accurately　訳 辺ぴな場所にある村の降雨量を正確に測るのは難しい。
語句 □ it is difficult to do　…するのは難しい　□ measure　測定する
□ the amount of　…の量　□ rainfall　降雨　□ remote　遠い、人里離れた

0935 closely　訳 Mr. Patterson は右翼政党と密接なつながりがある。
語句 □ be linked to　…とつながりがある　□ right wing party　右翼政党
□ accordingly　状況に応じて、それゆえに

0936 aggressively
訳 生き残るために積極的に海外市場を目指さなければいけない。
語句 □ survive　生き残る　□ target　目標にする、対象にする　□ overseas　海外の

0937 collaboratively
訳 効率性を高めるために2つのチームは協力して活動するつもりだ。
語句 □ efficiency　効率性　□ apart　離れて、別々に

11 completely　完璧に、完全に、全的に

用例 a **completely** independent agency（完全独立機関）
keep **completely** confidential（完全に機密扱いにする）
be **completely** functional by（…によって完全に機能する）

PART 5 語彙

fill the questionnaire out **completely**（質問事項をすべて記入する）
be **completely** satisfied with the product（製品に完璧に満足する）
The foreman has stated that the construction work will be **completely** finished by next week.（建設工事は来週までに完全に終わると現場責任者は言った。）
All sections of the form are filled out **completely**.
（書式の項目すべてがちゃんと記入されている。）

12 considerably　相当に、かなり

用例 tend to vary **considerably**（かなり変化する傾向にある）
improve **considerably**（大幅に改善する）
Quality improved **considerably**.（品質がかなり向上した。）
It shows a **considerably** strong durability against physical shock.
（身体の衝撃に相当絶え得る強度を示している。）
The government has **considerably** raised expenditure on education.
（政府は教育に関する予算を大幅に増やした。）

13 consistently　地道に、一貫して

用例 the country's **consistently** strong economy（国の一貫した強い経済力）
consistently pursue progress（地道に向上しようとする）
consistently provide service（堅実にサービスを提供する）
He has **consistently** impressed his teammates with his leadership skills.
（彼はいつも持ち前の統率力を発揮してチームメートをまとめてきた。）
We are **consistently** updating our software.（当社は絶えずソフトを更新している。）

14 conveniently　便利に、ちょうどよく

用例 be **conveniently** placed [situated / located] in（…に立地して便利である）
be **conveniently** close to（…に近くて便利である）
conveniently check the account（口座確認が便利にできる）
There are many stores **conveniently** located near the apartment complex.
（アパート近くの便利な場所にお店がたくさんある。）
My house is **conveniently** located adjacent to the subway station.
（我が家は地下鉄駅近辺の便利な所にある。）

15 correctly　正しく、正確に

用例 **correctly** predict that（…を正しく予測する）
answer the following questions **correctly**（次の質問に正確に答える）
All files must be **correctly** labelled before being placed in the cabinet.
（キャビネットに保管する前に、ファイルはすべてちゃんと分類してください。）
He **correctly** predicted that the stock index would rise above 1000 points.
（株価指数が1000ポイント上回るということを、彼は正確に予測した。）

16 currently　一般的に、現在は

用例 the project that is **currently** being studied（現在検討中のプロジェクト）
currently out of stock（現在在庫切れ）
be **currently** on schedule（予定通り進行中である）
Despite the lack of funding, the project is **currently** underway.
（資金不足にもかかわらず、プロジェクトは進行している。）
The items you have ordered are **currently** out of stock.
（ご注文いただいた商品は、現在在庫がありません。）
There are **currently** many positions available.（現在に多くの求人がある。）

17 directly　①直接　②まっすぐ、そのまま

用例 proceed **directly** to the destination（目的地に直行する）
directly opposite to that building（そのビルの真向かい）
contact[call] to **directly**（直接連絡を取る［電話をする］）
Please speak to a customer service agent **directly** if the software doesn't work.
（ソフトウェアが作動しない場合は、顧客サービス代理店へ直接ご相談ください。）

18 dramatically　劇的に、大幅に

用例 begin to climb **dramatically**（急速に値上がりし始める）
dramatically alter（大幅に変える）
have changed **dramatically**（大幅に変更した）
Business has **dramatically** improved since tariffs were reduced.
（関税の引き下げ以来、事業は目を見張るほどに向上した。）

Typhoon Maemi **dramatically** reduced the nation's rice production output.
（Maemi台風によって、国全体の米生産高が大幅に減少した。）

19 easily　簡単に、容易に

用例 **easily** accessible（接近しやすい）
easily available（入手しやすい）
communicate **easily**（意思疎通がしやすい）
be **easily** found（見つけられやすい）
Yoga is especially helpful for those who get stressed **easily** at work.
（ヨガは、職場でストレスを受けやすい人々に特に効果がある。）

20 efficiently　能率的に、有用に、効率的に

用例 perform a project **efficiently**（効率的にプロジェクトを遂行する）
operate more **efficiently**（より効率的に操作する）
utilize one's time more **efficiently**（より効果的に時間を使う）
We have instituted changes in the office so that we can operate more **efficiently**.
（もっと効率的に働けるように、事務所で改善を始めた。）

例題

□空所に当てはまる副詞を選択肢から選びなさい。

closely completely confidently currently directly easily efficiently eventually

0938 現在、次世代 MP3 市場をリードする
________ leading the next-generation MP3 market

0939 学生たちに簡単に理解される ________ understood by students

0940 家のすぐ前に ________ in front of the house

0941 …を完全に確信する ________ certain that

0942 業務をより効率的に遂行する perform tasks more ________

0943 St. Michael's Hospital has (consistently, calmly) been ranked as the nation's top health care provider.

0944 The patient's condition improved (clearly, considerably) since the surgery.

0945 With online banking, you can (cooperatively, conveniently) check your account from home.

0946 The situation has changed (dramatically, densely) after the scandal was uncovered.

0947 He (considerably, correctly) guessed what the final answer was on the quiz show.

正解

0938 currently 0939 easily 0940 directly 0941 completely
0942 efficiently

0943 consistently
訳 St. Michael 病院は国の医療機関の中でいつもトップの位置を占めてきた 。
語句 □ rank 位置づける、分類する □ health care 医療、ヘルスケア
□ provider 提供者 □ calmly 静かに

0944 considerably 訳 患者の状態は手術してからかなり良くなった。
語句 □ improve 改善する、進む □ surgery 手術

0945 conveniently
訳 ネット上で銀行と取引すれば、便利なことに自宅にいながら口座の確認ができる。
語句 □ account 口座

0946 dramatically
訳 スキャンダルが明らかになってから状況が劇的に変わってきた。
語句 □ situation 状況 □ uncover 暴露する □ densely 密に、密集して

0947 correctly 訳 クイズ番組で答えが何かを彼は正確に当てた。

21 electronically 電子的に、オンラインで

用例 **electronically** transacted（オンラインで処理された）
send files **electronically**（オンラインでファイルを送る）
The files were transferred **electronically** to the portable player.
（ファイルはオンラインで携帯プレーヤーに転送された。）

22 enthusiastically　熱狂的に、とても熱中して

用例 review the financial statement **enthusiastically**（財務諸表を真剣に確認する）
be welcomed **enthusiastically** by the crowd（大勢の人の熱狂的な歓迎を受ける）
The audience **enthusiastically** applauded the orchestra's final movement.
（聴衆は、オーケストラの最終楽章に熱狂して拍手を送った。）

23 equally　同じに、均等に

用例 be distributed [allocated / shared] **equally**（均等に割り当て[分配す/共有す]る）
treat **equally**（平等にもてなす）
We were **equally** impressed by both the quality and the honesty of your speech.
（私たちは皆、あなたの演説内容と誠実さに心を打たれました。）

24 eventually　結局、つまるところ 「eventually need to do　結局は…する必要がある」

用例 will **eventually** hold a management position（ゆくゆくは管理職になる）
eventually lead to more jobs（結局は、より多くの仕事につながる）
Eventually, the oil company hopes to increase its sales by up to 20%.
（ゆくゆくは、石油会社は最大20%の売上増加を目標にしている。）
The school will **eventually** be renovated to make room for more classrooms.
（教室をもっと設置するための場所を作るのに、学校はいずれ改修する予定だ。）

25 exactly　正確に、間違いなく 「not exactly　必ずしも…ではない」

用例 at **exactly** five o'clock（ちょうど5時に）
know **exactly** what to do（まさに何をするべきかを知る）
This guide book is designed to help you decide **exactly** which network is right for your business.
（このガイドブックで、仕事に合ったネットワークはどれか正確に決められます。）

26 exclusively　独占的に、ひたすら（=solely）

用例 focus **exclusively** on customer satisfaction（もっぱら顧客満足に焦点を置く）

available **exclusively** to（…のみ利用できる）
exclusively designed to do（…に的を絞って制作した）
Fotosizer is created **exclusively to** reduce the waiting time for every photo upload.（Fotosizerは、写真アップロードの時間縮小に的を絞って開発されている。）

27 extremely　極度に、過度に

用例 an **extremely** valuable staff（非常に有能な社員）
extremely successful[profitable/hazardous]
（きわめて成功した[収益性のある/危険な]）
be **extremely** proud of（…をとても誇りに思う）
The films which are **extremely** popular nowadays are located in aisle 4.
（最近とても人気の高い映画は、4番売り場に置いてある。）

28 fairly　公平に、相当に　反 unfairly　不公平に、不当に

用例 It is **fairly** common for（…にかなり一般的である）
fairly cold（かなり寒い）
unfairly raise the rent（家賃を不当に値上げする）
an employee who was **unfairly** dismissed（不当に解雇された従業員）
Banks should be able to compete **fairly** with other financial services.
（銀行は他の金融サービスと公正に競争できるようになるべきである。）

29 favorably　好意を持って、順調に

用例 be **favorably** impressed with（…に良い印象を受ける）
be **favorably** received（好意的に受け入れられる、受けが良い）
Investors reacted **favorably** to the news that Cellno Technologies would expand.
（投資家たちは、Cellno Technologies社が事業を拡大するという報道に好意的な反応を示した。）

30 finally　結局、ついに、最後に

用例 **finally** receive the bank approval for loans（融資の銀行承認をようやく受ける）

finally decide to release the result of the negotiation
（遂に交渉結果を公表することに決める）
The workers were pleased to find out that they could **finally** receive their overtime pay.（社員は、ついに残業手当を受け取ることができるとわかって喜んだ。）

例題

□空所に当てはまる副詞を選択肢から選びなさい。

electronically enthusiastically entirely environmentally equally exactly fairly finally

0948 今朝10時ちょうどに at ________ 10 o'clock this morning

0949 …の間で公平に分けられる be divided ________ among

0950 動作がとても簡単な ________ simple to operate

0951 彼女のファンたちにより熱狂的に歓迎される
greeted ________ by her fans

0952 ついに作業を終える ________ complete the work

0953 The conditions are (directly, extremely) dangerous for inexperienced mountaineers.

0954 The money can be (deeply, electronically) transferred to your account.

0955 The designer shoes were sold (exclusively, gracefully) at Remington Fashion.

0956 Critics responded (favorably, personally) to the Broadway musical.

0957 The department will (equally, eventually) merge with the School of Interactive Design.

正解

0948 exactly 0949 equally 0950 fairly 0951 enthusiastically
0952 finally
0953 extremely
訳 未経験の登山家にとってかなり危険な状態だ。

語句 □condition　状態　□inexperienced　未経験の　□mountaineer　登山家

0954 electronically　訳 オンラインであなたの口座に送金できます。

語句 □transfer　送る

0955 exclusively

訳 そのデザイナーの靴は Remington Fashion で独占販売されている。

語句 □gracefully　上品に、礼儀にかなって

0956 favorably

訳 そのブロードウェイのミュージカルに評論家は好意的に反応した。

語句 □critic　評論家、批評家　□respond　反応する　□personally　直接、自ら

0957 eventually

訳 学部は遂にインタラクティブデザイン学部と合併する。

語句 □department　部、省、学部、学科　□merge with　…と合併する　□equally　等しく、同様に

31 firmly　しっかりと、堅固に

用例 attach a label **firmly**（しっかりとラベルを貼り付ける）
press **firmly** to ensure（確実に…するようにしっかりと押す）
state firmly（断固として言い切る）
The board agreed that they would **firmly** discipline all staff who had used funds carelessly.
（いい加減に資金を運用していた社員全員を間違いなく懲戒することに、取締役会は同意した。）

32 frequently　しばしば、頻繁に

用例 make cash withdrawal **frequently**（しょっちゅう現金を引き出す）
be **frequently** used（頻繁に使用される）
be **frequently** described as（たびたび…だと評される、言われる）
be **frequently** disrupted by（頻繁に…に中断させられる）
The ship's navigation equipment is tested **frequently** to ensure that our high safety standards are met.（高い安全基準を満たしているか確認するために、船の方向誘導装置をたびたび点検する。）

33 fully　十分に、完全に

用例 be **fully** satisfied（十分に満足している）
be **fully** automated（完全に自動化されている）
become **fully** operational（完全稼働状態になる）
The customer service division has been **fully** automated as of last week.
（顧客サービス部門は、先週の時点で完全に自動化されている。）

34 generally　一般的に、普通

用例 It is **generally** agreed that（…というのが一般の定評である）
generally speaking（一般的に言えば、概して）
generally adhere to established procedures（通常、確立された手順を遵守する）
The controversial book is **generally** available in most book stores.
（話題となる本はたいてい大部分の書店で入手できる。）

35 hardly　ほとんど…しない 「hardly ever　めったに…しない」

用例 be **hardly** used lately（最近ほとんど使われない）
can **hardly ever** access the Internet service
（なかなかインターネットサービスに接続できない）
The bulbs had **hardly** been replaced with new ones when they malfunctioned.
（電球がうまく点かなかったとき、新しいものと交換されることはほとんどなかった。）

36 heavily　①重く、重厚に　②ひどく、はなはだ

用例 be **heavily** strapped with debt（借金でひどくがんじがらめになっている）
heavily dependent on（…に深く依存する）
heavily discounted airfare rates（大幅に値引きされた航空運賃）
Heavily discounted holiday packages are being promoted in an attempt to bring tourists back to the storm-damaged resort.
（嵐の被害を受けたリゾート地に旅行者を取り戻そうとして、大幅に割引された休日パック旅行を売りに出してる。）

37 **immediately** 即時、すぐに

用例 the areas **immediately** affected by the storms（暴風の影響を直接受ける地域）
be **immediately** involved in the investigation（調査に直接関与している）
In order to prevent further contamination, all officials will be notified **immediately**.
（さらなる汚職を防止するために、公務員全員に直ちに通告する。）

38 **increasingly** だんだん、さらに

用例 get **increasingly** difficult（だんだん難しくなる）
in an **increasingly** competitive market（ますます競争の激しい市場で）
Increasingly, tourism is becoming the dominant source of employment for the local people.
（地元住民にとって観光事業は、ますます有力な就職先となってきている。）

39 **inherently** 元来、もともと、生まれつき

用例 **inherently** risky investment（もともとリスクのある投資）
not **inherently** dangerous（もともと危険ではない）
The scientists all agreed that there was something **inherently** wrong with their theoretical model.
（理論モデルに最初から誤りがあったと科学者は皆認めた。）

40 **initially** 最初に、初めから

用例 be hired **initially** for 6 months（6ヶ月間試用で雇用される）
initially estimate that（最初に…と見積もる）
initially planned on[planned to do]（最初は…する予定だった）
City Hall **initially** estimated that the new taxes would raise enough money to balance the budget.
（新しい税金が市の収支の均衡をとれるだけの十分な金額になるように、最初に市は見積もった。）

例題

□空所に当てはまる副詞を選択肢から選びなさい。

finally firmly frequently generally hardly heavily immediately increasingly

0958 学生たちがテストに受かるのが徐々に簡単な
________ easy for students to pass the exam

0959 なかなか起きないだろう will ________ ever happen

0960 重く課税されるだろう will be ________ taxed

0961 …しようと固く決意する be ________ resolved to do

0962 しばしば…のために使われる be ________ used for

0963 Economists (fluently, initially) estimated that the project would cost almost 2 million dollars.

0964 The CEO claimed that he was (fully, knowingly) satisfied with the sales figures.

0965 The investment plan was (inherently, necessarily) flawed from the beginning.

0966 The international campaign has (diligently, generally) been a success according to most sources.

0967 All residents must be (immediately, correctly) contacted and informed of contamination.

正解

0958 increasingly 0959 hardly 0960 heavily 0961 firmly
0962 frequently

0963 initially

訳 プロジェクトには200万ドルかかるだろうと、経済学者は当初見積もっていた。

語句 □economist 経済学者、エコノミスト □estimate 見積もる □cost (お金が)かかる □fluently 流暢に

0964 fully

訳 売上額には充分満足していると最高経営責任者は断言した。

語句 □ claim 主張する、要求する □ be satisfied with …に満足する

0965 inherently 訳 投資計画は当初から元々不備があった。

語句 □ investment 投資 □ flaw 傷をつける □ necessarily 必然的に

0966 generally

訳 ほとんどの情報筋によると、海外販促はおおむね成功だった。

語句 □ international campaign 国際キャンペーン、海外販促 □ according to …によると □ source 出所、源

0967 immediately 訳 汚染をすべての住民に直ちに連絡し知らせる必要がある。

語句 □ resident 住民、居住者 □ contact 連絡する □ inform 知らせる □ contamination 汚染

41 largely 主に、大部分、大きく（=mainly）

用例 **largely** because of[due largely to]（大部分は…の理由で）

be **largely** concerned with（主に…に関係している）

Air pollution has nearly doubled over the past 5 years, **largely** due to the increased number of cars.

（主に自動車台数の増加により、過去5年にわたって大気汚染は倍増した。）

42 markedly 目に付いて、顕著に

用例 be **markedly** different from（…と著しく異なる）

tensions **markedly** reduced between the two parties

（両当事者間のかなり緩和した緊張感）

be **markedly** placed along the main route

（主要ルート沿いに目立つように置かれている）

Sales have increased **markedly** after the recent promotion.

（売上は最近の販売促進後、著しく増加している。）

43 nearly　ほとんど、おおよそ、やっと 「nearly ＋期間・程度・位置」

用例 **nearly** 30 percent of budget surpluses（おおよそ30%の黒字予算）
for **nearly** 5 years（約5年間）
have **nearly** tripled（ほぼ3倍になる）
nearly two million dollars（200万ドル近く）
Nearly 40 percent of university students said that they were dissatisfied with their major.（大学生の40%近くは、自分の専攻学科に満足していないと答えた。）

44 necessarily　必ず、必然的に 一般に not necessarily（必ずしも…ではない）の形で使われる

用例 do **not necessarily** lead to high profits（必ずしも高収益につながる訳ではない）
The Board does **not necessarily** have to agree with every decision made by departmental managers.（各部門長が下すあらゆる決定を、取締役会は必ずしも同意しなければならないという訳ではない。）
The merger does **not necessarily** mean that the company's labor costs will be reduced.（合併は必ずしも会社の人件費削減を意味する訳ではない。）

45 normally　正常に、普通は

用例 be **normally** completed at the beginning（通常、最初に終わらせる）
normally conducted by outside safety officers
（通常、外部の安全管理者に任される）
Our company's books are **normally** inspected by auditors once a year.
（当社の会計帳簿は、年に一度、会計監査役が調査することになっている。）
There are **normally** a small amount of cancellation charges.
（通常、少額の取消し手数料が請求される。）

46 originally　元来、元々、独創的に

用例 contracts **originally** agreed upon（当初同意された契約）
be **originally** scheduled to last until December（元々12月まで継続する予定で）
The brand was more successful than most people had **originally** anticipated.
（そのブランドは、大部分の人々が当初予想していたよりも大いに好評だった。）

47 overwhelmingly 圧倒的に、とても

用例 beat the opponent **overwhelmingly**（圧倒的に相手を負かす）
overwhelmingly approved（圧倒的に賛成されている）
overwhelmingly popular（圧倒的に人気のある）
Voters chose **overwhelmingly** to elect the New Democratic Party for the first time in a decade.
（この10年で初めて、有権者は新民主党を圧倒的に支持して選んでいる。）

48 partially 部分的に、不完全に、不公平に

用例 accept returns **partially**（一部返品を受ける）
partially obstruct the view（部分的に視界をさえぎる）
The money raised will go partially to the victims of the recent earthquake in India.
（募金は、インドで最近起きた地震の被災者に一部寄付されます。）

49 particularly 特に

用例 **particularly** good at handling delicate issues
（特に繊細な問題を扱うことに長けている）
not **particularly** impressive（特段印象に残らない）
As a manager, Jane Simmons has been **particularly** effective in motivating her staff.（所長としてのJane Simmonsは、部下にやる気を起こさせることにおいて特に有能であった。）

50 periodically 定期的に

用例 reflect **periodically** on the approaches（定期的にやり方をじっくり考える）
evaluate the existing curriculum **periodically**
（既存のカリキュラムを定期的に評価検討する）
All teachers are advised to **periodically** reflect on their approach to education.
（教育に対する取り組みを、すべての教師が定期的に熟考したほうがいい。）

PART 5 語彙

例題

□空所に当てはまる副詞を選択肢から選びなさい。

nearly necessarily normally officially overwhelmingly periodically personally

0968 必ずしも規則に従わなくてもよい do not ________ follow the regulations

0969 定期的に確認しなければならない should be checked ________

0970 ほぼ一年中 for ________ one year

0971 圧倒的に賞賛された was ________ praised

0972 普通要求される is ________ required

0973 He seems to be (particularly, persuasively) good at predicting future market behaviour.

0974 It is said that one's success in life is (legally, largely) determined by one's attitude.

0975 We hope that this seminar will (markedly, minimally) increase your chances of landing a top position.

0976 The idea for the book (mutually, originally) came from a conversation between the author and his mother.

0977 The film was only (partially, universally) successful in depicting the failings of liberal democracy.

正解

0968 necessarily 0969 periodically 0970 nearly 0971 overwhelmingly
0972 normally

0973 particularly

訳 将来の市場動向を予測するのが特に彼は得意なようだ。

語句 □be good at …が得意だ、上手だ □predict 予測する、予言する
□behaviour 態度、行動、動き具合 □persuasively 説得力のある

0974 largely

訳 人生における成功は、主にその人の心がまえによって決定すると言われている。
語句 □ determine 決定する □ attitude 態度、心がまえ、姿勢 □ legally 合法的に

0975 markedly
訳 このセミナーによって、トップの地位を手に入れるチャンスが著しく高まることを願っています。
語句 □ land 獲得する、釣り上げる、上陸させる □ position 地位、役職 □ minimally 最小限に

0976 originally
訳 本のアイデアは元はと言えば、著者と彼の母との会話から産まれた。
語句 □ author 著者

0977 partially
訳 その映画は自由民主主義の欠点を描くのに部分的にしか成功しなかった。
語句 □ film 映画 □ successful 成功した、満足な □ depict 表現する、描写する □ failing 失敗、欠点 □ liberal 自由な、公平な □ democracy 民主主義

51 personally 自ら、個人的に、直接

用例 **personally** deliver the order（注文品を直接配達する）
personally welcom each of them（一人一人をじきじきに歓迎する）
speak to each employee **personally** about the change in policy
（各社員に方針の変更について直接話す）
The order will be **personally** delivered to your home within the next week.
（注文品は来週中にご自宅に直接お送りします。）

52 politely 丁重に、礼儀正しく

用例 reassure upset customers **politely**（腹を立てている客を丁重に落ち着かせる）
ask for a help **politely**（丁重に助けを求める）
The ambassador was greeted **politely** by the Prime Minister and ushered into the assembly hall.
（大使は総理大臣から丁寧な出迎えを受け、会議場へと案内された。）

53 poorly　粗雑に、下手に、みすぼらしく

用例 **poorly** maintained building（管理が不十分な建物）
be **poorly** lit（薄暗い）
speak very **poorly**（話しベタである）
Dividends performed **poorly** in the second quarter due to financial instability.
（金融不安が原因で、第2四半期の配当は良くなかった。）

54 presumably　おそらく、推し量るに（＝probably）

用例 **presumably** to get higher paid jobs（おそらく、もっと給料のいい仕事に就くため）
food poisoning **presumably** caused by catered food
（おそらく仕出し料理が原因の食中毒）
He will presumably think that（おそらく…だと彼は考えるだろう）
John Phillips' son will **presumably** take over the company when Mr. Phillips retires.
（John Phillipsが退職したら、おそらく彼の息子が会社を継ぐことになるだろう。）

55 previously　あらかじめ、事前に、以前に

用例 be **previously** criticized for（以前…で非難されている）
previously owned automobiles（前所有者の自動車）
Mr. Williams had **previously** rented the house for eight months.
（Mr. Williamsは、以前8ヶ月間家を借りていた。）

56 primarily　最初に、本来、まず

用例 be made **primarily** of（本来…からできている）
primarily by ...ing（最初に…することで）
It is **primarily** known for（主に…で知られている）
At Taylor Publishing, we will **primarily** focus on children's literature.
（私たちTaylor出版では、主に児童文学を中心にするつもりです。）

57 **promptly** 即時、すぐに

用例 begin **promptly** at 7 a.m.（午前7時きっかりに始める）
report to the police **promptly**（すぐに警官に通報する）
answer the phone calls **promptly**（すぐに電話に出る）
We apologize for any inconvenience and assure you that our maintenance crew will be notified **promptly**.
（ご不便をお詫びするとともに、当社整備スタッフに直ちに徹底通知いたします。）

58 **properly** 適当に、適切に、きちんと

用例 operate [function] **properly**（正しく作動[機能]する）
be **properly** registered（正しく登録される）
properly concentrate on one's work（仕事にきちんと集中する）
be adjusted **properly**（適切に調整される）
Please be sure to follow all maintenance instructions so that your lawnmower works **properly**.
（芝刈り機がきちんと作動するように、取り扱いの指示すべてに必ず従ってください。）

59 **quickly** 早く、迅速に

用例 react **quickly** to the changing situation（状況の変化に素早く対応する）
get a new job as **quickly** as possible（出来るだけ早く新しい仕事に就く）
Donations will be delivered as **quickly** as possible to the areas worst hit by the tsunami.
（寄付金は最も津波の被害を受けた地域へ、出来るだけ早く届けるつもりだ。）

60 **rapidly** 早く、急速に

用例 increase [grow] **rapidly**（急速に増加［成長］する）
rapidly changing industry [technology]（急速な産業［技術］変化）
Companies will suffer financially if they do not keep pace with the **rapidly** changing business environment.
（急速な事業環境の変化に対応しなければ、企業は財政的な痛手を経験することになるだろう。）

PART 5 語彙

例題

□空所に当てはまる副詞を選択肢から選びなさい。

perfectly politely poorly previously primarily privately promptly properly

0978 粗雑に構成された was ________ organized

0979 …により事前に統制された was ________ controlled by

0980 機械を適切に操作するために to ________ operate the machine

0981 謙虚に話すことを心に決める be sure to speak ________

0982 午前9時ちょうどに始まるだろう will begin ________ at 9 a.m.

0983 All guests will be (personally, presently) escorted to their seats upon arrival.

0984 His research is (primarily, periodically) focused on cell biology.

0985 We are (realistically, rapidly) beginning to convert all paper files into electronic format.

0986 The work must be completed as (quickly, proudly) as you can without compromising quality.

0987 The position will (frequently, presumably) be given to Michael Fink's son.

正解

0978 poorly 0979 previously 0980 properly 0981 politely
0982 promptly

0983 personally

訳 ゲストの皆様は到着され次第、直接席までご案内いたします。

語句 □escort 案内する、付き添う □presently 現在

0984 primarily

訳 彼の研究は主として細胞生物学に焦点を当てている。

語句 □research 研究 □focus on …に焦点を当てる □cell 細胞、小部屋 □biology 生物学 □periodically 定期的に

0985 rapidly

訳 紙のファイルを全て電子的なフォーマットに急速に切り替え始めている。
語句 □ convert 切り替える □ electronic format 電子形式、電子的なフォーマット □ realistically 現実的に

0986 quickly
訳 品質の妥協をせずに、仕事を出来るだけ早く仕上げなくてはいけない。
語句 □ complete 完成させる、終える □ compromise 妥協する □ quality 品質、質 □ proudly 得意に、威張って、堂々と

0987 presumably
訳 Michael Fink のご子息が恐らくそのポジションに就くだろう。
語句 □ frequently 頻繁に

61 readily 快く、手軽に

用例 **readily** available（手軽に利用できる）
accept the proposal **readily**（快く提案を受け入れる）
All research materials are **readily** available in the graduate library.
（研究資料のすべては、大学院図書館で容易に入手できる。）

62 recently 最近

用例 **recently** hired supervisor（最近入社した上司）
recently added（最近追加された）
recently released software（最近発売されたソフトウェア）
The **recently** released version of the software is far superior to last year's.
（最近発売されたソフトウェアのバージョンは、昨年のものよりもかなり優れている。）

63 regularly 規則的に、定期的に

用例 return **regularly**（定期的に戻る）
eat breakfast **regularly**（規則正しく朝食を取る）
check **regularly**（定期的に確認する）
According to a recent study, senior citizens who **regularly** exercise over 20 minutes per day are more likely to live longer.
（最近の研究によれば、1日20分以上定期的に運動をしている高齢者は、より長生きする傾向にあるようだ。）

64 relatively　相対的に、比較的

用例 a **relatively** poor performance（比較的不振な業績）
relatively inexperienced（比較的経験が浅い）
relatively new [low]（比較的新しい［低い・安い］）
be **relatively** unknown（あまり知られていない）
Although the band is popular in their hometown, they remain **relatively** unknown elsewhere.
（そのバンドは彼らの郷里でこそ人気があるものの、それ以外ではあまり知られていない。）

65 repeatedly　繰り返し、何回も

用例 **repeatedly** request（再三の要求）
make the same mistake **repeatedly**（何度も同じ間違いを犯す）
repeatedly deny admission into a country（入国を繰り返し拒否する）
The truck model was cancelled after **repeatedly** failing safety tests.
（そのトラックのモデルは、たびたびの安全テストに不合格後取りやめになった。）

66 respectfully　謙虚に、丁重に　㊓ respectively　それぞれ、各自

用例 treat every employee **respectfully**（社員全員と丁寧に接する）
be **respectively** provided（個々に用意される）
We promise to treat all our customers **respectfully** and we appreciate any complaints you can provide us with.
（お客様への心からの対応をお約束し、お客様からいただく苦情をありがたく思います。）
Their employees, Mr. Smith and Mr. Ford, have worked in the company for six and ten years **respectively**.
（社員であるMr. SmithとMr. Fordは、それぞれ6年間と10年間会社で働いてきた。）

67 securely　安全に、確実に、しっかりと

用例 wrap fragile articles **securely**（壊れやすい物をしっかりと梱包する）
lock the door **securely**（きちんとドアに鍵をかける）
be **securely** tightened [fastened]（しっかりと結ばれる[締められる]）
Please be sure that all windows are **securely** shut after parking your vehicle.
（駐車したら、必ず窓はすべてきちんと締めてください。）

68 seemingly　見かけは、外見上、表面上（=apparently）

用例 have **seemingly** led to the failure（表面的には失敗に至った）
seemingly unimportant documents（一見重要でない書類）
The bizarre weather has **seemingly** encouraged political candidates to discuss environmental issues.
（異常気象だからということで選挙立候補者が環境問題に言及しているかのように映った。）

69 separately　別々に、個別に、別途

用例 order **separately**（別々に注文する）
be submitted **separately**（個別に提出される）
The issues of new revenue sources and a new marketing strategy were covered **separately** at the meeting.
（新しい財源の問題と新市場戦略の問題は、会議で別々に話し合った。）

70 seriously　真剣に、重大に

用例 be **seriously** affected by（ひどく影響を受ける）
take something **seriously**（真に受ける、真面目に考える）
We must take the issue of human rights abuses in some countries **seriously**.
（いくつかの国にある人権侵害の問題について真剣に考えなければならない。）

PART 5 語彙

例題

□空所に当てはまる副詞を選択肢から選びなさい。

rapidly recently relatively repeatedly securely separately seriously strongly

0988 比較的探しにくい ________ difficult to find

0989 深刻に受け止めなければならない must be taken ________

0990 繰り返し聞く was ________ told

0991 口座は個別に扱われた。 The accounts were ________ handled.

0992 安全にドアを施錠する ________ lock the door

0993 Far from being censured, books on radical politics are (respectfully, readily) accessible.

0994 The children of parents who (regularly, rapidly) attend parent-teacher meetings receive higher grades in school.

0995 The theatre was (recently, relatively) restored to resemble its 19th century origins.

0996 The bill's progress through the senate has (successfully, seemingly) been blocked by the opposition party.

0997 By treating our clients (respectfully, readily), we hope to develop longtime business relationships.

正解

0988 relatively　0989 seriously　0990 repeatedly　0991 separately
0992 securely

0993 readily

訳 急進的な政治学の本は非難されているどころか手軽に入手できる。

語句 □far from …から遠くに、決して…ではない □censure 批判する、非難する □radical 急進的な、極端な □politics 政治、政治学 □accessible 入手しやすい、買いやすい □respectfully 丁寧に

0994 regularly

訳 保護者会にきちんと参加している家の子どもは、学校の成績が総じて高い。

語句 □attend 参加する、出席する □parent-teacher meeting 保護者会 □grade 成績の点、成績評価 □rapidly 急速に

0995 recently

訳 劇場は 19 世紀の元々の姿に似せて最近復元された。

語句 □restore 元の状態に戻す、復活させる、復元する □resemble 似ている □origin 発端、由来、生まれ □relatively 比較的に、相対的に

0996 seemingly

訳 議会で審議中の法案を野党が妨害してきたように見える。

語句 □bill 法案、議案、請求書 □progress 進行、経過 □senate 議会、立法機関 □block 妨害する、閉鎖する □opposition 反対の、逆の □party 政党、契約の当事者

0997 respectfully

訳 お客様へ丁寧に接することで、長年のビジネス上の関係を発展させたい。

語句 □ treat 扱う、もてなす □ client 顧客 □ develop 発達させる、進展させる、展開する □ longtime 昔からの、長年の

71 sharply 急激に、鋭く、ひどく、敏捷に

用例 decline [fall / drop] **sharply**（急に下落する）
be **sharply** reduced（急に減少した）
Stocks rose **sharply** on the news that Flangerd had succeeded in developing a new medicine.
（Flangerd社が新しい薬品の開発に成功したという報道で株価は急騰した。）

72 significantly 相当に、かなり、重大に

用例 reduce labor costs **significantly**（著しく人件費を縮小する）
cultures that are **significantly** different（相当に違いのある文化）
By selling their products over the Internet, Willow Books would be able to reduce costs **significantly**.
（ネット販売により、Willow Booksは経費節減がかなりできた。）

73 specifically 明確に、特に、具体的に

用例 be **specifically** designed for the prevention of computer viruses
（特にコンピュータウィルス防止のために設計される）
including risks **specifically** associated with the service
（サービスに関する危険を特に含んで）
The CEO **specifically** requested that Harold Holloway be added to the project team.（Harold Hollowayがプロジェクトチームに新たに加われるよう、最高経営責任者は明確に要請した。）

74 strictly　厳格に、完全に

用例 be **strictly** limited [prohibited]（厳しく制限［禁止］される）
strictly speaking（厳密に言えば）
be **strictly** followed（しっかり従って）
strictly enforced laws（完全に施行された法律）
The number of spaces available on the boat is **strictly** limited due to safety concerns.（ボートに乗られる人数は、安全確保のため厳密に制限されている。）

75 strongly　強力に、強く、しっかりと

用例 **strongly** disagree with the views of（…という見解に強く反対する）
be **strongly** encouraged to do（…するよう強く勧められる）
strongly recommend that（…ことを熱心に薦める）
strongly biased（はなはだしく見方が偏った）
The opposition party **strongly** disagrees with the proposed labor reform bill.
（野党は、提案された労働改革法案に激しく異議を唱えている。）

76 substantially　実質的に、大体、十分に

用例 be reduced **substantially**（事実上縮小される）
expand operations **substantially**（実際に事業を拡大する）
substantially exceed the minimum requirements（最低必要条件を十分に上回る）
Sales of the new computers **substantially** exceeded the expectations of their manufacturer.
（新しいコンピュータの売上は、メーカーの予想を大いに上回った。）

77 temporarily　一時的に、臨時に

用例 be **temporarily** distracted by（一時的に…で混乱する）
be **temporarily** suspended（一時中止になる）
be **temporarily** out of stock（一時的に売り切れる）
For the next few months, I will **temporarily** be working from home.
（今後数ヶ月間、一時的に家で仕事をするつもりです。）

78 thoroughly 完全に、徹底して

用例 examine it **thoroughly**（徹底して調べる）
thoroughly enjoyable（存分に楽しめる）
thoroughly analyze [review / check]（徹底して分析［再調査 / 確認］する）
We must be sure to first **thoroughly** check all our sources before we decide to broadcast a story.
（ニュースの放送を決める前に、先ず情報源をすべて徹底的に確認しなければならない。）

79 unusually 普通とは異なり、かなり、異常に

用例 in an **unusually** harsh tone（かなりとげとげしい口調で）
unusually high temperatures（異常に高い気温）
This spring's **unusually** cold weather has hurt the tourist industry.
（この春は異常に寒かったので観光業界は打撃を受けている。）

80 widely 広く、広範囲に

用例 **widely** different opinions（大幅に異なる意見）
one of the most **widely** used（最も多方面で使用されている一つ）
Danson Ltd. is **widely** regarded as a leader in the chemical industry.
（Danson Ltd社は化学産業のリーディングカンパニーとして広く評価されている。）

例題

□空所に当てはまる副詞を選択肢から選びなさい。

slightly solely strictly strongly substantially temporarily universally unusually

0998 実質的に安くなった価格 ________ reduced prices

0999 普段とは異なり、雨の降る天気で ________ rainy weather

1000 一時的にサービスが停止された ________ out of service

1001 厳格に法の規制を受ける ________ regulated by law

1002 強く勧められる is ________ encouraged to

1003 Shares in Ribozone.com fell (solely, sharply) as news of their third quarter losses circulated.

1004 The audience seemed to find the performance (tentatively, thoroughly) exciting.

1005 Even though we are buying Mertel, our company strategy will not change (significantly, voluntarily).

1006 The improper monitoring of safety regulations is (widely, routinely) blamed for the bridge's collapse.

1007 Openviewer was (regrettably, specifically) designed to protect high-capacity data storage systems.

正解

0998 substantially 0999 unusually 1000 temporarily 1001 strictly
1002 strongly

1003 sharply

訳 第3四半期に損失を出したというニュースが広まると、Ribozone.comのシェアが急激に下がった。

語句 □shares 市場占有率、シェア □quarter 四半期 □loss 損失、損害 □circulate 広がる、流通する、循環する □solely 単に、ただひとりで

1004 thoroughly

訳 演奏は最高に感動的だと観客は思っているようだった。

語句 □audience 観客、観衆 □performance 演奏、公演；成果、実行 □exciting 感動的な、おもしろい □tentatively 仮の、一時的な、不確かな

1005 significantly

訳 Mertel を買収するとはいえ、会社の戦略はそれほど変わるわけではない。

語句 □strategy 戦略 □voluntarily 自発的に

1006 widely

訳 橋の倒壊について、安全基準を誤って運用していたという非難が各方面から起こっている。

語句 □improper 適切でない、妥当でない □monitor 監視する、観察する □safety 安全性の □regulation 規則、基準 □blame A for B Bのことで A を責める □collapse 崩壊、倒壊、挫折 □routinely 決まって

1007 specifically

訳 オープンビューアソフトは大容量データの保存システムを保護するために制作された。

語句 □protect 保護する □high-capacity 大容量の □storage 記憶、保存、格納 □regrettably 残念ながら

PART 5 語彙

UNIT 10 ●前置詞を使った副詞句●

副詞というと、普通Unit 09で紹介したquickly, reportedlyといった一つの単語を思い浮かべる。しかし、これ以外にも副詞の役割をするものがある。前置詞句やto不定詞句が代表的なものだ。これらは副詞と同様に時間・場所・条件・状況・目的・程度を表わし、独立して使われる。

□**all the way**
途中ずっと、はるばる、完全に
□**as a matter of fact (=in fact, actually)**
実際は、実は
□**at a rapid rate**　急速に
□**at all times (=always)**　いつも
□**at first (=initially)**　初めに、最初に
□**at last (=finally)**　ついに、結局
□**at least (=minimally)**　少なくとも
□**at most**　いくら多くても、せいぜい
□**at no cost**　費用をかけずに、無料で
□**at once (=immediately)**
すぐに、直ちに
□**at one's convenience**
都合の良い時に
□**at one's disposal**
…の勝手になる、人の意のままになる
□**at one's earliest convenience**
都合のつき次第
□**at one's expense**
…持ちで、…の費用で
□**at present (=currently)**　今は、現在
□**at random**　出任せに、無作為に
□**at regular intervals (=regularly)**
規則的に、定期的に
□**at the earliest**　どんなに早くとも
□**at the end [beginning] of the year**
年末（年明け）に
□**at the latest**　遅くても
□**at the same time (=simultaneously)**
同時に
□**behind schedule**
予定（定刻）に遅れて
□**by the way**　ところで
□**for a long time**　長い間
□**for a moment (=momentarily)**
しばらくの間
□**for a small consideration [payment]**
少ない報酬で、心づけ程度の値段で
□**for example (=for instance)**　例えば
□**for future reference**　今後の参考のために、ついでに言っておくが
□**for future use**　将来使うために
□**for nothing(=free)**　ただで
□**for one's convenience**
…の便宜のために
□**for safety reasons**　安全上の理由で
□**for the first time**　初めて
□**for the present (=for the time being)**
しばらく
□**from one's point of view**
…の観点から（論じると）
□**in a hurry (=hurriedly)**　急いで
□**in a row (=consecutively)**
立て続けに、連続的に
□**in advance (=already)**
事前に、あらかじめ
□**in detail (=thoroughly)**　詳細に
□**in effect**　事実上、効力のある
□**in fact (=actually)**　実は、事実は
□**in general (=generally)**　一般的に
□**in one's absence**　…が留守の間に
□**in part (=partially)**　部分的に
□**in person (=personally)**
自ら、直接、個人的に
□**in private (=privately)**
非公式に、内内で
□**in public (=publicly)**
公に、公然と、人前で
□**in short (=in summary)**　要約して
□**in the coming year (=in the foreseeable [near] future)**　近い未来に
□**in the heart of the city**
都市の中心部に

□**in these days (=nowadays)**
このごろ
□**in time (=eventually)**　間に合って、ちょうど良いときに、時節を待てば
□**in transit (=in shipping)**
運送中、移動中
□**in turn (=successively)**
引き続いて、順繰りに
□**in vain (=vainly)**　無駄に、むなしく
□**in writing**　書面で
□**on a regular basis (=regularly)**
規則的に
□**on business**　事業上
□**on demand (=upon request)**
要求次第、要求があり次第
□**on no account**　決して…ない、どんな事情があっても…ない
□**on one's own**
ひとりで、独立して、自ら
□**on purpose (=purposely)**
故意に、わざと
□**on schedule (=in a timely manner)**
予定通りに
□**on site**　現場で
□**on the contrary (=contrarily)**
これとは逆に、反対に
□**on time**　適時に、定刻に
□**out of curiosity**　好奇心から
□**out of danger (=safely)**
危険を脱して
□**out of date (=outdated)**
時代遅れの、流行遅れの
□**out of order**　故障した
□**out of place (=inappropriately)**
置き違えた、場違いの
□**out of print**　絶版になって
□**out of question**　問題外で
□**out of reach**
手の届かないところに、力が及ばない
□**out of room**　余地がない
□**out of stock**　在庫切れ、品切れで
□**out of the question**　不可能な
□**over the past five years**
過去5年にわたって
□**over the recent years**
ここ数年にわたって
□**over thirty years**　30年以上
□**over [on] the course of**
…のうちに、…にかけて、…にわたって
□**through the year**　1年を通して、1年中
□**to one's satisfaction (=satisfactorily)**
…が満足したことには
□**to capacity**　最大限に、いっぱいに
□**to the end**　最後まで
□**under consideration**　検討中で
□**under construction**　工事中の
□**under discussion**　審議中の
□**under investigation**　調査中
□**under no circumstances**
どんなことがあっても…ない
□**under one's guidance**
…の案内で、…の指導のもとに
□**under review**　検討中の
□**under supervision**　監督のもとに
□**under the age of**　…歳未満
□**under the contract**
契約のもとに、契約を結んでいて
□**under the guidance**　指導のもとに
□**under the management**　管理の下
□**up to date**　最新の
□**with no doubt (=certainly)**
疑いもなく
□**with no exception (=completely)**
例外なく

例題

□空所に当てはまる単語を入れなさい。

1008 自費で留学する
study abroad ________ one's expense

1009 3回続けて提案を断る
turn the proposal down three times in a ________

1010 日程より遅くプロジェクトを終える
complete the project ________ schedule

1011 最大限に満たされる
be filled to ________

1012 後で参考にするために文書を安全な場所に保管する
store the document in a safe place ________ future reference

□空所に当てはまる選択肢を選びなさい。

1013 If you wish to be considered for this position, please send your resume at your earliest _____ .
(A) option (B) probability (C) requirement (D) convenience

1014 It is advisable to hand out a meeting agenda to the attendees in _____.
(A) advanced (B) advancement (C) advancing (D) advance

1015 All thermal recovery facilities should be operated _____ the direct supervision of an individual who has successfully completed a training course.
(A) of (B) in (C) under (D) by

1016 According to company policy, we can only respond to complaints that are made _____ writing.
(A) in (B) under (C) for (D) behind

1017 The network of service providers has been established _____ years of research and relationship-building.
(A) regarding (B) while (C) when (D) through

正解

1008 at **1009** row **1010** behind **1011** capacity **1012** for

1013 (D) convenience

訳 この仕事を検討しているなら、都合がつく最も早い時期に履歴書を送ってください。

語句 □ at one's eariest convenience …の都合がつく最も早い時に □ consider 熟考する、斟酌する □ resume 履歴書 □ option 選択肢、選択権 □ propability 蓋然性、起こりそうなこと □ requirement 必要条件、要件

1014 (D) advance

訳 会議の議題を前もって参加者に配っておくことが望ましい。

語句 □advisable 望ましい、賢明な □in advance 前もって □hand out 配る □ agenda 議題 □ attendee 参加者 □ advancement 前進、昇進、進歩

1015 (C) under

訳 温度復旧設備は、研修を完全に受けた人の直接管理の下でしか運転できません。

語句 □ under supervision 管理下で、監督の下で □ thermal 熱の、温度の □recovery 回復、復旧 □facilities 設備 □operate 運転する □direct 直接の □ individual 個々の、個人の、独特の

1016 (A) in

訳 会社の方針によると、文書で来た苦情にだけにしか返答できない。

語句 □ in writing 書面で、文書で □ according to …によると □ policy 方針、政策 □ complaint 苦情

1017 (D) through

訳 長年の研究と関係強化を通じて、接続サービス会社のネットワークを構築してきた。

語句 □through the years 長い間（ずっと） □provider 供給者 □establish 設立する、確立する、導入する、設定する □ relationship-building 関係構築

PART 5 語彙

UNIT 11 ●混同しやすい単語●

give, provide, grant, presentなどを辞書で引くといずれも「あげる」となっているが、実際には微妙な意味や用法の違いがあり、使い分けなければならない。このような違いを問う問題がTOEICによく出題されるが、難易度が高く、最後に残った2つの単語を見比べながら悩むことが多い。ハイスコアを出すためにはこのような問題を解かなければならないので、ここではこのような単語を例題を挙げながら詳しく紹介しよう。

1. ensure vs. assure 例題1018

Inspectors will check the facilities to ______ that they meet all necessary safety standards.
(A) ensure (B) assure

・**ensure** ensure（確かにする、保証する）は assure と意味が似ているが、後に人を目的語として取ることも取らないこともでき、「ensure ＋（人）＋目的語」「ensure ＋ that 節」といった構文になる。

・**assure** assure は「保証する」「確信を持たせる」という意味である。ensure と意味の違いはないが、assure は必ず目的語として人をとり、「assure ＋人＋ of」「assure ＋人＋ that 節」の構文になる。

正解 (A) 調査官たちは施設が十分に安全基準に適合しているか確認するため、点検する予定だ。

解説 動詞の直後に that 節が置かれる形なので、人を目的語にする assure は答えになりえない。

2. installment vs. installation 例題1019

The New Tekno Stereo System can be yours for monthly ______ of only $49.99.
(A) installments (B) installations

・**installment** 単語の形が installation に似ているので、意味も似たようなものだと思うと大間違いだ。お金を分け合って出す「分割」「割賦」などの意味で、24 months installment（24ヶ月払い）、pay in installment（割賦で支払う）のように使われる。

・**installation** 動詞 install（設置する）の名詞形 installation は、「設置」「設置過程」を意味する。装置・器具・プログラムなどのように「設置」できる名詞とともに使われる。installation of new computer systems（新たなコンピューターシステムのインストール）

●

正解 (A) New Tekno ステレオシステムはたった月々49.99ドルの分割払いで購入できます。

解説 49.99 ドルという金額に関連して毎月必要なのは「割賦金」「月払い金」を意味する installment である。

3. recall vs. remind 例題 1020

We would like to ______ all the clients to review the terms of agreement before signing the contract.
(A) recall (B) remind

・**recall** 動詞 recall は本来の意味「回想する」「思い出す」から発展して「思い出させる」「想起させる」のように remind の意味も持つ。ただし、remind とは異なり、recall は「recall ＋ものごと＋ to ＋人」の形で使われる。

・**remind** 「想起させる」「思い出させる」の意味だが、誰に何を思い出させるかが常に問題になるので、「remind ＋人＋ of ＋ものごと」または「remind ＋人＋ to do / that 節」の形で使われる。

正解 (B) 契約書にサインする前に契約条件を詳しくご確認くだされば幸いです。

解説 意味が似ているので、空所の後にくる表現の形から正解を判断する。「____ ＋人＋ to do」なので、(B) が正解である。

語句 □ terms of agreement 契約条件

4. register vs. sign 例題 1021

Many employees ______ up for one of the training sessions that will be held next month.
(A) registered (B) signed

・**register** register は「名前を登録する」という意味である。どこに登録するかは、前置詞 for を使って I have registered for the TOEIC classes.（TOEIC の授業に登録した）のように使う。sign のように up を伴うことはない。

・**sign** sign は動詞として「署名する」、名詞として「符号」「信号」「表示」などの意味を持つ。TOEIC によく出題される sing up for は「プログラムや組織に参加したり、リストなどに名前を登録する」という意味で、sign は前置詞 up を伴うことで register と同じ意味になる。

正解 (B) 社員の多くが来月開かれる研修セミナーのうちの一つに登録した。

解説 up for を伴って「登録する」という意味になる動詞は sign である。

5. vulnerable vs. delicate 例題 1022

Local companies are ______ to hostile mergers and acquisitions by foreign investors.
(A) vulnerable (B) delicate

・**vulnerable** 「外部の物理的・精神的な攻撃や、危険な行為に露出されており、攻撃を受け傷つきやすく、脆弱な」という意味の形容詞 vulnerable は、後に「前置詞 to ＋傷などの被害を与える主体」を伴う。ex) vulnerable to damage（被害を受けやすい）

・**delicate** delicate は vulnerable とは異なり、外部の影響とは無関係に、本来の性質が壊れやすく傷つきやすい「繊細な」ものや「微妙な」「敏感な」状況を表現するときに使われる。

正解 (A) 国内企業は外国人投資家による敵対的買収・合併に脆弱である。

解説 被害を与える主体は外部（投資家）なので、vulnerable が適切。

語句 □ hostile 非友好的な、敵対する… □ mergers and aquisitions 企業買収、M&A

6. worth vs. value 例題 1023

Out of 250 competitors, only one student can receive the presidential scholarship ______ $100, 000.
(A) value (B) worth

・**worth** worth は、「価値」「地価」という意味の名詞としては value と同義語といえる。しかし、名詞としてよりも形容詞として使われることが多く、「worth ＋金額」「worth ＋名詞」「worth ＋ ...ing」の形で「…の価値がある」という意味になる。
ex) worth diamond（ダイアモンドの価値がある）、My car is worth one million dollars.（私の車は 100 万ドルの価値がある）、Remodeling was worth the extra expense.（リフォームに追加の費用をかけた価値があった）、This book is worth reading.（この本は読むに値する）

· **value**　「価値」「真価」「大切さ」そのものを意味する value は、worth のように数・金額と組み合わせて使われることはない。
ex) The value of the currency has dropped.（貨幣価値が落ちた）、drop / decrease in value（価値が落ちる）、market value（時価）、value for money（金額に見合う価値（のあるもの））、the value of the diamond（ダイアモンドの価値）

正解 (B) 250人の志願者の中でただ一人の学生だけ10万ドルの大統領奨学金がもらえる。

解説 金額の直前に使えるのは、前置詞と同じような機能をする worth である。

7. small vs. little 例題 1024

You can save a ______ amount of money in interest charges by consolidating your credit card debt.
(A) small　(B) little

· **small**　small は数・量・大きさを表わす名詞（amount, number, degree, size）などを直に修飾し、「少ない量」「少数」「小さなサイズ」などを意味する。また、quite, rather, fairly のような副詞の修飾を受け quite small incident（非常に些細な出来事）、a rather small size of shoes（若干小さなサイズの靴）のように使われる。対語は large である。

· **little**　small と意味は似ているが、amount, number, degree, size のような数・量・大きさを表わす名詞を直に修飾することはない。a small amount of money は、a little money と簡単に表現することができる。

正解 (A) クレジットカードの債務を一元化すると、利子を少額節約できる。

解説 amount を修飾できる形容詞は small である。

語句 □ consolidate　集約する、一元管理する、強化する

8. accept vs. agree 例題 1025

A promising company has ______ to invest a million dollars in the construction of the Motown Building.
(A) accepted　(B) agreed

· **accept**　「受諾する」「認定する」「同意する」という幅広い意味を持つ accept は、動詞 agree と意味が通じる。ただし、accept の後には目的語とし

て名詞や that 節が置かれる。

· **agree** 動詞 agree は「(意見・提案などに) 同意する」「承諾する」という意味の他動詞として使われるときは、目的語として to 不定詞や that 節をとり、自動詞のときには前置詞 with, to の後に目的語を置く。つまり「agree ＋ to do」「agree that 節」「agree ＋ with ＋人」「agree to ＋提案・意見」となる。

正解 (B) ある有望企業がMotown Buildingの建設に100万ドルを投資することで同意した。

解説 空所の動詞の後の to invest は to 不定詞なので、これを目的語にできる agreed が正解である。

語句 □ promising 前途有望な、将来性のある、見込みのある

9. like vs. as 例題 1026

Mr. Simpson participated in the annual General Conference ______ regional director.
(A) like (B) as

· **like** like もやはり複数の品詞・意味で使われるが、前置詞の場合は as とは少し意味が異なる。as が資格を持つ本人を直に指すのに対し、like は「…のように」「…のするように」という意味で本来のものとは別の類似したものを指す。

· **as** as は品詞も多く意味も多様だが、「…の資格で」という意味の前置詞として見た場合、as の後の名詞が「地位」「役割」「資格」「性質」などを表わし、冠詞をとらないという点に注意しよう。
ex) The committee selected him as head of the new division.(委員会は彼を新しい部署のリーダーとして選んだ。)(him ＝ head)

正解 (B) Mr. Simpsonは年次総会に支社長として参加した。

解説 この文は「…の資格で参加する」という意味。「…のように参加する」ではないので、資格を表わす前置詞 as が正解である。

語句 □ particpate in …に参加する □ annual 年に 1 回の

10. allow vs. entitle 例題 1027

Customers not satisfied with our products are ______ to a full refund.
(A) entitled (B) allowed

· **entitle** 「…する資格を与える」という意味の entitle は、「entitle ＋人＋ to do」と「entitle ＋人＋ to ＋名詞」の２つの形をとる。受動態の「人＋ is entitled ＋ to do」「人＋ is entitled to ＋名詞」は「人は…する資格がある」という意味で、広く用いられる。

· **allow** 「許諾する」「許容する」という意味の allow は、「allow ＋人＋ to do」の形で使われる。受動態の「人＋ is allowed to do」がよく使われ、「人は…することができる」「人は…してもよい」という意味の慣用句として覚えておくとよい。

正解 (A) 私たちの製品に満足できない顧客は、全額払い戻しが受けられる。

解説 空所の後にある to 以下がヒントになる。to の後に a full refund という名詞が続いているので、この to は前置詞だ。allow と entitle のうち、前置詞が取るのは entitle である。

語句 □ full refund　全額払戻し

11. next vs. beside 例題 1028

The final session of the program will be held in the conference room which is ______ to the lounge.
(A) next (B) beside

· **next (to)** next は形容詞として「時間や順序が次の」という意味を持つ。後に前置詞 to が付くと、全体が前置詞のようになって beside に似た「…に接して」「…の横に」「…の次に」という意味になる。前置詞 to なしに next day（翌日）、next person（次の人）などのように使われる場合と、next to me（私の脇に）、next to the table（テーブルの横に）のように使われる場合とを区別できるようにしよう。

· **beside** 「…の横に」という意味の前置詞で、直後に名詞が置かれる。-s が付いて besides となると、「…以外にも」という付加の意味になる。

正解 (A) プログラムの最後の課程は、ラウンジの横にある会議室で開かれます。

解説 前置詞 to とともに「…の横に」の意味になるのは next である。beside を使うには、to があってはならない。

12. attract vs. capture 例題 1029

The municipal government hopes that the new folk village will ______ tourists from across the country.
(A) attract　　(B) capture

· attract　動詞 attract は「魅力・センスで引きつける」という意味で、interest, attention などを目的語としてとる。
ex) attract foreign investors（外国人投資家を誘致する）、attract one's attention（…の注意を引く）

· capture　capture も人を目的語としてとるが、この場合「人の心を引きつける」という意味ではなく「人の体を拘束して動けないようにする」という意味だ。また、「心をとりこにする」「関心を引く」という場合は、mind, heart, attention などを直に目的語とする。

正解 (A) 新しい民俗資料館が全国から観光客を誘致することを、地方自治体は望んでいる。

解説 空所の後の目的語に注目しよう。tourists は観光客という人を表わす単語で、ここでは「捕まえる」「閉じ込める」という意味ではなく「呼び込む」「誘致する」という意味なので、(A) が正解である。

語句 □ municipal　地方自治体の、地方自治の　□ folk village　民族資料館

13. thank vs. appreciate 例題 1030

We ______ that you have donated your time and effort to this relief operation.
(A) thank　　(B) appreciate

· thank　一般的に thank が「感謝する」の意味で使われるときには「thank ＋人＋ for ＋感謝すること」の形になる。また、名詞として前置詞 to を伴い thanks to ... の形になると、「…のお陰で」という意味になる。
ex) Thank you for your cooperation.（御協力に感謝いたします。）

· appreciate　thank とともに「感謝する」という意味の代表的な動詞 appreciate は、用法が thank と少し異なる。thank の後には必ずありがたい人を表わす言葉が置かれるが、appreciate の後には代名詞 it や that が置かれる。
ex) I appreciate that you cooperated with us.（御協力くださり感謝します。）

正解 (B) 皆さんの時間と努力を救護活動に捧げてくださったことに感謝します。

解説 直後に that 節があるので、appreciate が入る。

14. permit vs. approve 例題 1031

You are not ______ to use any images or content on this web site for any commercial purpose.
(A) permitted (B) approved

· **permit** 動詞 permit は、ものごとを行うことを許諾したり、ある状況になるよう許すという意味だ。普通、直に目的語をとったり「permit ＋人・物＋ to do」の形になるが、受動態の「人・物 is（not）permitted to do」がよく使われる。受動態の場合は、「…が入場できる」「受け入れられる」の意味もある。ex) Pets are not permitted.（ペットは入れません）

· **approve** 「公式に承認する」「許可する」という意味の他動詞で、主に design/plan/proposal/bid/procedures のような名詞を目的語にとる。approve は自動詞の場合「賛成する」「同意する」という意味で、「approve ＋ of ＋目的語」のように前置詞 of をとる。

正解 (A) このウェブサイトのイメージや内容はいかなる商業的目的でも使うことができない。

解説 受動態構文だが、元々は permit you to use の形だ。「目的語＋ to 不定詞」の形を取るのは permit である。

語句 □ content　内容、中身

15. eligible vs. capable 例題 1032

Those who donated more than $1,000 are ______ to become members of the organization.
(A) eligible (B) capable

· **eligible** 形容詞 eligible は、TOEIC に特によく出題される単語だ。「資格のある」「適任な」という意味で、「for ＋名詞」や「to 不定詞」をとる。特に、前置詞 for の後には membership, bonus, pension, position, scholarship のように地位などを表わす名詞が置かれる。

· **capable** 「…できる」「…する能力がある」という意味の capable は、eligible と意味的に大きな違いはない。ただ、eligible が「for ＋名詞」や「to 不定詞」をとるのに対し、capable は of ...ing をとるという用法の差が見られる。

PART 5 語彙

正解 (A) 1000ドル以上を寄付した人だけがその組織の会員になれる。

解説 空所の後の to become がヒントだ。to 不定詞とともに使われるのは eligible で、capable が空所に入るためには of becoming でなければならない。

16. benefit vs. advantage 例題 1033

All new employees are entitled to receive our company's substantial ______ package.
(A) benefits (B) advantage

· **benefit** 「利点」「反対給付として受けた利益」などを意味する benefit は、TOEIC に benefit packages の形でよく登場する。benefit packages は会社が社員に提供する「福利厚生」を意味する。benefit はまた動詞としても使われ、前置詞 from を伴って「…から利益を得る」という意味になる。
ex) Using the outsourcing system provides significant benefits to our company.（アウトソーシングシステムを利用することは我が社に相当な利益をもたらす。）

· **advantage** advantage は「利益」「長所」「優越した状況や能力から得た利点」などを意味する。TOEIC では、take advantage of（…を利用する）のような熟語でよく出てくるので、覚えておこう。
ex) Our new facility has some advantages because it is located downtown.（我々の新たな施設は中心街に位置しているので、いくつかの利点がある。）

正解 (A) 会社が提供する十分な福利厚生を受ける資格が新入社員は全員ある。

解説 package とともに「福利厚生」を意味する複合名詞になるのは benefit である。

語句 □ be entitled to do …する資格がある □ substantial 十分な、かなりの、相当の

17. rise vs. raise vs. arise 例題 1034

The prices of raw materials are expected to ______ in the near future.
(A) rise (B) raise (C) arise

· **raise** raise は rise と意味が似ているが、他動詞であるという点が rise との違いだ。他動詞なので目的語をとるが、TOEIC では raise the production by fifteen percent（生産を 15 パーセント向上させる）、raise the rent（賃貸料を引き上げる）、raise the interest rates（利率を上げる）のように

数や金額を表わす言葉とともによく使われる。

· **rise** rise は自動詞なので、目的語をとらない。意味は「上る」「上昇する」で、The sun rises.（太陽が昇る）、The smoke rises from the cigarette.（タバコから煙が上がる）のように物理的状況を表わしたり、The costs rose.（費用が増えた）、He rose to the head of the company.（彼は社長の地位に上った）のような抽象的な概念を表わす。

· **arise** arise は rise と綴りや自動詞だという点が似ているが、意味は「出来事が起きる」「生じる」で、むしろ happen に近い。

正解 (A) 原材料価格が近々上がることが予想される。

解説 in the near futureは動詞の目的語にはなれないので、空所には目的語を取らない自動詞が入る。(A)(C) のうち、prices に関連して「上がる」という意味の自動詞 rise が適切である。arise も自動詞だが、ここでは「価格が生じる」というおかしな意味になってしまう。

語句 □ raw material　原材料、原料　□ in the near future　近い将来

18. aware vs. known 例題 1035

All residents should be ______ of the renovation work that will begin next week.
(A) known　　(B) aware

· **aware** aware は「分っている」「認識している」という意味で、前置詞 of とともに be aware of という形になると動詞 know と同じ意味になる。that 節をとると「…ということを知っている」という意味になることも覚えておこう。

· **known** 動詞 know の過去分詞 known は「知られている」という受身の意味を持つ。known の後に様々な前置詞が置かれ、be known to（…に知られている）、be known as/for（…として知られている）のような形になる。

正解 (B) 来週改修作業が始まることを、住民すべての皆様はご承知おきください。

解説 All residents が the renovation work を「知っている」「認知している」ことが求められているので、この意味を持つ aware が正解である。

19. spacious vs. extensive 例題1036

McCoy & Schmidt's Seafood Restaurant features the most ______ selection of fresh seafood and other regional favorites..
(A) spacious (B) extensive

· **spacious** spacious は「空間が広い」「広大な」という意味で、面積や広さに限って使われる形容詞である。ex) a spacious dining room（広い食堂）、You can park your car for free on our spacious parking lot.（広い駐車スペースに無料で車を停められます。）

· **extensive** 形容詞 extensive は、空間に限定されず「範囲や程度が広い」「大規模な」「多くの内容を含む」という意味を持ち、様々な名詞を修飾することができる。ex) have extensive knowledge（幅広い知識を持っている）、extensive damage（広範囲な被害）、conduct an extensive research / conduct extensive research（広範囲な調査を行う）

正解 (B) McCoy & Schmidt's Seafood Restaurantは新鮮で多様な海産物と他の地域特産物を厳選して提供している。

解説 空所に入る形容詞は、selection of fresh seafood（厳選した新鮮な海産物）を修飾できるものでなければならない。spacious は空間に限って使えるものなので、「たくさんのものを含む」という意味でも使える extensive が正解となる。

語句 □ feature …を特色とする、特徴付ける □ regional 地域の □ favorite お気に入り

20. rules vs. precautions 例題1037

Once the data has been downloaded into the PDA, appropriate ______ must be taken to ensure that the device is secure from unauthorized access.
(A) precautions (B) rules

· **rules** regulations とともに「規則」「規定」などを意味する rules は、「従う」「守る」という意味の動詞 follow, comply with や、「破る」「違反する」という意味の break とともに使われることが多い。

· **precaution** precaution は、望ましくないことを未然に予防すること、すなわち「注意」「警戒」「措置」などの意味で、-s を付け複数形にして使う。動詞 take とともに take precautions の形で「予防措置をとる」という意味でよく使われる。

正解 (A) 情報がひとたびPDAにダウンロードされたら、PDA無断利用を遮断するための適切

な措置がとられなければならない。

解説 受動態の文だが、主語「appropriate ______ 」は take の目的語になり「予防措置をとる」という意味になるので、(A) が正解。

語句 □ appropriate　適切な　□ ensure that　…を確実にする、確認する　□ device　機器、装置
□ secure from　…の恐れがない　□ unauthorized　権限の無い、許可が与えられていない

21. offer vs. provide 例題 1038

The hotel ______ guests with complimentary scheduled shuttle service to the airport.
(A) offers　　(B) provides

· **offer**　offer のような「提供する」「与える」という意味の動詞は、意味的な特性から「誰」に「何」を与えるのかを明らかにしなければならないので、大部分 2 つの目的語をとる。普通「offer ＋人＋物」のように先に「人」が、後に「物」がくる。もし先に「物」がきた場合には、「offer ＋物＋ to ＋人」の形になる点に注意しよう。offer のような形をとる動詞には、give, grant, award, hand などがある。

· **provide**　TOEIC に最もよく出る動詞 provide も、やはり「与える」「提供する」という意味だが、その形は offer などとは異なる。「provide ＋人＋ with ＋物」「provide ＋物＋ for ＋人」となり、人・物のいずれが先にくるかで前置詞が異なる点に注意しよう。

正解 (B) ホテルは宿泊客のために定期運行の空港シャトルバスを用意している。

解説 前置詞 with がヒントだ。「人＋ with ＋物」の形をとるのは provide である。

語句 □ complimentary　無料の、優遇の　□ scheduled　計画的な、定期的な

22. majority vs. most 例題 1039

It is expected that the ______ of city residents would benefit from an improved transportation system.
(A) most　　(B) majority

· **majority**　「大多数」「大部分」を意味する名詞 majority は、「the majority of ＋複数名詞」の形で使われる。ex) the majority of people（大多数の人たち）、the majority of cases（大部分の場合）

· most most もやはり majority と同様に「大多数」「大部分」の意味だが、majority と区別される特徴は、most of の前には the が付かないという点である。the majority of の後には複数名詞が置かれるが、most of の後には複数名詞・不可算名詞のいずれもが置かれる。ex) most of the participants（大部分の参加者）、most of the work（大部分の仕事）

正解 (B) 都市居住者の大部分は、改善された交通システムの恩恵を受けることになる。

解説 「大部分」を意味する most と majority のうち定冠詞 the をとるのは majority である。

語句 □ benefit from …から恩恵を受ける、利益を受ける □ improved 改善された

23. lead vs. result 例題 1040

The collapse of the housing market could potentially ______ to a nationwide recession.
(A) lead (B) result

· lead 動詞 lead は「導く」「案内する」という意味の他動詞としてよく知られているが、自動詞として前置詞 to とともに「…な結果をもたらす」「…の原因になる」「…を引き起こす」の意味でも使われる。
ex) lead to serious accidents（深刻な事故を引き起こす）、Misunderstandings and thoughtlessness can lead to a breakdown in communication.（誤解と配慮の欠如は意思疎通の断絶をもたらすことがある。）

· result 自動詞 result は、ともに使われる前置詞により対照的な意味になる特異な動詞だ。前置詞 in をとると lead to のような「…になる」の意味になるが、前置詞 from をとると「…から生じる」という意味になる。in の後の名詞は結果物で、from の後の名詞は原因物である。
ex) result in an increase in sales（販売増加をもたらす）、damage that results from errors（間違いによりもたらされる被害、過失を原因とする被害）

正解 (A) 住宅市場の崩壊によって、国全体が不況になる可能性がある。

解説 全国的な不況を「起こす」「もたらす」の意味で、前置詞 to を伴う動詞は lead である。

語句 □ collapse 崩壊、失敗 □ potentially 潜在的に □ nationwide 全国的な □ recession 景気後退、不景気

24. be opposed to vs. object to 例題 1041

There were many people who ______ to changing the work schedule.
(A) opposed (B) objected

· **oppose** opposeは「…に反対する」という意味の他動詞で、過去分詞形opposedにして「be opposed to ＋（動）名詞（…に反対する）」の形でよく使われる。toは前置詞なので、後に動詞がくることはない。

· **object** 動詞objectは前置詞toとともに「object to ＋（動）名詞（…に反対する）」の形で使われるが、that節を目的語にとることもある。
ex) Some people object that the new road will create more traffic.（新しい道路によって交通量が増えると言って反対している人がいる。）

正解 (B) 作業スケジュールを変えることに反対するたくさんの人たちがいた。

解説 opposedはbe動詞とともに使わなければならないので、objectedが正解である。

25. reside vs. occupy 例題 1042

Long-term residents ______ more than 80% of the building.
(A) reside (B) occupy

· **reside** resideは「…に住む」という意味の自動詞で、前置詞inやatとともに使われる。
ex) reside in the suburban area（郊外に住む）

· **occupy** occupyは基本的に「場所を占有する」「占領する」という意味で、ここから発展して「住む」「居住する」の意味でもよく使われる。resideとは異なり他動詞なので、後に場所を表わす言葉が目的語として置かれる。分詞形のoccupiedはTOEICによく出題されるもので、「人のいる」「場を占められた」という意味である。
ex) The seat is occupied.（その席には人がいる）

正解 (B) 長期居住者たちが建物の80パーセント以上を占めている。

解説 空所の直後に目的語があるので、前置詞を必要としない他動詞occupyが正解である。

Chapter 2 | Part 5 語彙問題に慣れるための実践問題

1. 実践問題を解こう。

本番形式の 40 問（設問 101 ～ 140）を、時間厳守（15 分）で解いてみよう。

2. 復習しよう。

あやふやな問題や間違えた問題は「解き方」を熟読し、文章を何度も音読してみよう。

● 実践問題　P.561　☞ 解き方 P.566

実践問題　制限時間 15 分　☞ 解き方 P.566

101 The e-commerce industry has ------- to become an essential market worldwide, with more customers than ever before.

(A) expired
(B) retreated
(C) expanded
(D) included

Ⓐ Ⓑ Ⓒ Ⓓ

102 To ensure the livelihood of future generations, ------- of natural resources is crucial.

(A) consideration
(B) caution
(C) preservation
(D) extinction

Ⓐ Ⓑ Ⓒ Ⓓ

103 By starting the meeting before noon, the advisory board has ample time to cover many issues and still have an early ------- .

(A) check
(B) floor
(C) cover
(D) finish

Ⓐ Ⓑ Ⓒ Ⓓ

104 All passengers must present ------- tickets in order to enter the boarding area.

(A) valid
(B) remedial
(C) treatable
(D) fair

Ⓐ Ⓑ Ⓒ Ⓓ

105 There are quite a few dining places ------- located near the banquet hall.

(A) quickly
(B) gradually
(C) conveniently
(D) marginally

Ⓐ Ⓑ Ⓒ Ⓓ

106 Upon receipt of your completed application, the superintendent will review your application and if approved, will ------- a permit.

(A) apply
(B) issue
(C) cancel
(D) become

Ⓐ Ⓑ Ⓒ Ⓓ

107 After bargaining for quite some time, they finally ------- a purchase price.

(A) arrived at
(B) bought out
(C) agreed on
(D) accounted for

Ⓐ Ⓑ Ⓒ Ⓓ

108 Although he has failed to reach a conclusion, we have full confidence ------- Mr. Wales' ability to deal with the problems of the research.

(A) to
(B) in
(C) on
(D) by

Ⓐ Ⓑ Ⓒ Ⓓ

実践問題

109 ------- to the company's confidential documents was limited to executives and board members.

(A) Advocate
(B) Access
(C) Opponent
(D) Approach

Ⓐ Ⓑ Ⓒ Ⓓ

110 It is important that all parties involved in the ------- demonstrate their willingness to discuss issues openly and come to an agreement.

(A) negotiates
(B) negotiator
(C) negotiations
(D) negotiable

Ⓐ Ⓑ Ⓒ Ⓓ

111 The plans presented by the team of city planners included some ------- ideas to regulate the flow of traffic in the congested areas.

(A) arguable
(B) limitless
(C) innovative
(D) previous

Ⓐ Ⓑ Ⓒ Ⓓ

112 After replacing the building's old plumbing system, some ------- maintenance work will be required.

(A) harmful
(B) tiresome
(C) routine
(D) opposing

Ⓐ Ⓑ Ⓒ Ⓓ

113 Purchasing new computers and textbooks for the public schools will certainly ------- to a better standard of education for the community.

(A) offer
(B) submit
(C) donate
(D) contribute

Ⓐ Ⓑ Ⓒ Ⓓ

114 It is ------- critical that all workers wear protective clothing while working near the assembly line.

(A) willingly
(B) greatly
(C) preferably
(D) absolutely

Ⓐ Ⓑ Ⓒ Ⓓ

115 Customers who are calling to dispute a ------- on their recent bill are asked to please hold on the line.

(A) surplus
(B) charge
(C) credit
(D) loan

Ⓐ Ⓑ Ⓒ Ⓓ

116 A healthy diet must include not only nutritious choices, but also meals with fresh ------- .

(A) dishes
(B) ingredients
(C) refreshments
(D) scents

Ⓐ Ⓑ Ⓒ Ⓓ

117 Please note that ------- use of images on this site, without prior permission, is strictly prohibited.

(A) superficial
(B) ineffective
(C) perfect
(D) unauthorized

Ⓐ Ⓑ Ⓒ Ⓓ

118 Mr. Heinz responded with great disappointment ------- the news that his firm would be sold to a rival company.

(A) with
(B) for
(C) over
(D) to

Ⓐ Ⓑ Ⓒ Ⓓ

119 Most financial institutes ------- to lose a large percentage of their customers after they lower interest rates next month.

(A) realize
(B) rely
(C) compromise
(D) expect

Ⓐ Ⓑ Ⓒ Ⓓ

120 The bonus program will be halted this quarter because the share prices have dropped so ------- .

(A) rightly
(B) significantly
(C) shortly
(D) newly

Ⓐ Ⓑ Ⓒ Ⓓ

121 Those who return books in a damaged ------- with torn or missing pages will be required to replace the book with a new one.

(A) condition
(B) conditions
(C) conditioning
(D) conditioner

Ⓐ Ⓑ Ⓒ Ⓓ

122 Granada System can provide the regular technical support and maintenance that complex business systems need to keep running ------ .

(A) effectively
(B) needlessly
(C) restfully
(D) informally

Ⓐ Ⓑ Ⓒ Ⓓ

123 The company's donations ------- their interest in the greater public good.

(A) signified
(B) limited
(C) supervised
(D) appreciated

Ⓐ Ⓑ Ⓒ Ⓓ

124 Management promised to take all suggestions ------- consideration in an effort to improve interactive communications.

(A) through
(B) among
(C) into
(D) within

Ⓐ Ⓑ Ⓒ Ⓓ

実践問題

125 The importer across the street sells expensive, rare and ------- interior goods.

(A) open
(B) cheap
(C) reasonable
(D) luxury

Ⓐ Ⓑ Ⓒ Ⓓ

126 All vehicles parked in the ------- parking areas must display a Class A permit.

(A) capable
(B) imperfect
(C) gorgeous
(D) reserved

Ⓐ Ⓑ Ⓒ Ⓓ

127 ------- pay raises will be given after the performance evaluation of each individual.

(A) Radiant
(B) Abstract
(C) Disoriented
(D) Substantial

Ⓐ Ⓑ Ⓒ Ⓓ

128 The danger involved in merging with a failing company ------- warrants a proper investigation of the corporation's finances.

(A) extensively
(B) surely
(C) originally
(D) briefly

Ⓐ Ⓑ Ⓒ Ⓓ

129 At the meeting, the CEO promised to keep his ------- to the safety and well-being of all his employees.

(A) idea
(B) ideal
(C) premise
(D) commitment

Ⓐ Ⓑ Ⓒ Ⓓ

130 Because of the increasing demand for diesel-powered automobiles, manufacturers are intending to ------- their prices.

(A) borrow
(B) raise
(C) contend
(D) grow

Ⓐ Ⓑ Ⓒ Ⓓ

131 It is anticipated that the day ------- will be much busier than the afternoon and evening ones.

(A) shift
(B) labor
(C) profession
(D) occupant

Ⓐ Ⓑ Ⓒ Ⓓ

132 The weekend charity drive for community wellness will be ------- by Spice Telecom to raise funds.

(A) invited
(B) reduced
(C) hosted
(D) excused

Ⓐ Ⓑ Ⓒ Ⓓ

133 Those who work with toxic materials are ------- to use protective gloves to minimize skin contact.

(A) committed
(B) recommended
(C) contented
(D) behaved

Ⓐ Ⓑ Ⓒ Ⓓ

134 It is unfortunate that the government officials are not ------- enough to detect tax evasion at large companies.

(A) uncovered
(B) observable
(C) alert
(D) obvious

Ⓐ Ⓑ Ⓒ Ⓓ

135 From the beginning, we have offered our employees the most ------- insurance coverage also available to factory workers.

(A) impending
(B) comprehensive
(C) unaccustomed
(D) elapsed

Ⓐ Ⓑ Ⓒ Ⓓ

136 As soon as we receive the ------- documents we will begin processing the loan application.

(A) necessary
(B) total
(C) near
(D) preferred

Ⓐ Ⓑ Ⓒ Ⓓ

137 The board admitted that Ms. Marsh is highly ------- for the position of director of human resources.

(A) engaged
(B) qualified
(C) reserved
(D) successful

Ⓐ Ⓑ Ⓒ Ⓓ

138 Emerging overseas markets may have helped make ------- for slower growth in the domestic market.

(A) out
(B) up
(C) over
(D) away

Ⓐ Ⓑ Ⓒ Ⓓ

139 Suggestion forms should be completed by the end of the workday and responses will be made by ------- 5:00 p.m. the following day.

(A) generally
(B) generously
(C) approximately
(D) slightly

Ⓐ Ⓑ Ⓒ Ⓓ

140 The committee has ------- special permission to call an urgent meeting during office hours.

(A) hosted
(B) obtained
(C) descended
(D) participated

Ⓐ Ⓑ Ⓒ Ⓓ

実践問題　解き方

101

The e-commerce industry has -------- to become an essential market worldwide, with more customers than ever before.

(A) expired
(B) retreated
(C) expanded
(D) included

Ⓐ Ⓑ Ⓒ Ⓓ

102

To ensure the livelihood of future generations, -------- of natural resources is crucial.

(A) consideration
(B) caution
(C) preservation
(D) extinction

Ⓐ Ⓑ Ⓒ Ⓓ

103

By starting the meeting before noon, the advisory board has ample time to cover many issues and still have an early -------- .

(A) check
(B) floor
(C) cover
(D) finish

Ⓐ Ⓑ Ⓒ Ⓓ

104

All passengers must present -------- tickets in order to enter the boarding area.

(A) valid
(B) remedial
(C) treatable
(D) fair

Ⓐ Ⓑ Ⓒ Ⓓ

101

訳 電子商取引産業は成長して、かつてないほど取引先が多くなり世界中で重要な市場となってきた。

ポイントと正解 動詞を選ぶ問題では、まず主語の名詞と動詞が一致するかを見極める必要がある。主語は特定産業分野を表わす The e-commerce industry であり、結果を表わす to 不定詞以下 worldwide までを見ると、「成長する」「拡張する」という意味の動詞が当てはまる。正解は (C) expanded。

語句 □ e-commerce 電子商取引 □ worldwide 世界中に、世界中で □ than ever before いままでよりも、かつてないほど □ expire 失効する □ retreat 後退させる、撤退する □ expand 拡大する、拡張する、成長する

102

訳 次世代の生活手段を確保するために自然資源の保護は重要だ。

ポイントと正解 主語の名詞を修飾する of natural resources の意味に注目しよう。選択肢のうち「自然資源」とともに用いることができる名詞は、「保存」「保護」という意味の (C) しかない。(D) の extinction は、特定の動物や植物に対して用いられるものである。正解は (C) preservation。

語句 □ ensure 確かにする、(危険から)守る □ livelihood 生計、暮らし、生活手段 □ crucial 重大な、重要な □ consideration 考慮、熟慮 □ caution 慎重さ、警戒 □ preservation 保存、保護 □ extinction 絶滅、消火、消去

103

訳 昼前に会議を始めることで委員会は十分な時間があるので、多くの問題を取り上げてもまだ早く終わらせることができる。

ポイントと正解 空所に入る名詞を修飾する形容詞 early に注目しよう。ample time(十分な時間) という前提条件が与えられているので、「早く終わらせることができる」という意味にするのが自然である。「終わり」「終結」という意味の名詞 (D)finish が正解。

語句 □ ample 十分な、豊富な □ advisory board 委員会、審議会 □ cover 覆う、賄う □ check 検査、点検 □ finish 終わり、終結

104

訳 搭乗待合室に入るには、全ての乗客は有効なチケットを提示しなればいけない。

ポイントと正解 形容詞は名詞を修飾するものなので、後の名詞に注目しよう。tickets を修飾する形容詞としてふさわしいのは、基本的に「書類」「証書」などの名詞とともに用いられ、「公式に使える」「有効な」という意味の (A)valid である。ticket は治療の対象ではないので、(B)(C) はおかしい。正解は (A)。

語句 □ present 差し出す、提示する □ valid 有効な、公式に使える □ remedial 治療上の、救済的な □ treatable 扱いやすい □ fair 公平な；晴れの

実践問題　解き方

105

There are quite a few dining places -------- located near the banquet hall.
(A) quickly
(B) gradually
(C) conveniently
(D) marginally

Ⓐ Ⓑ Ⓒ Ⓓ

106

Upon receipt of your completed application, the superintendent will review your application and if approved, will -------- a permit.
(A) apply
(B) issue
(C) cancel
(D) become

Ⓐ Ⓑ Ⓒ Ⓓ

107

After bargaining for quite some time, they finally -------- a purchase price.
(A) arrived at
(B) bought out
(C) agreed on
(D) accounted for

Ⓐ Ⓑ Ⓒ Ⓓ

108

Although he has failed to reach a conclusion, we have full confidence -------- Mr. Wales' ability to deal with the problems of the research.
(A) to
(B) in
(C) on
(D) by

Ⓐ Ⓑ Ⓒ Ⓓ

105

訳 宴会場に近くて便利な場所に食べるところがたくさんある。

ポイントと正解 修飾される located と意味のつながる副詞を探そう。(A)(B) は動きや変化を表わす言葉で、状態を表わす located とはなじまない。また、(D) は位置を表わす言葉だが、後に位置を表わす前置詞 near があるので、重複して用いられることはない。正解は (C) conveniently。

語句 □ quite a few　かなり多くの　□ located　位置している　□ banquet hall　宴会場
□ gradually　徐々に　□ conveniently　便利に、好都合に　□ marginally　周辺に

106

訳 全て記入した申請書を受け取り次第、責任者が確認の上問題がなければ許可証を発行します。

ポイントと正解 「許可証」を意味する permit を目的語としてとる動詞を選べばよい。(A) apply が「申請する」という意味で使われるときは前置詞 for が必要なので、これは除外する。Upon receipt が前提となっているので、cancel も適当ではない。申請書を検討した後、承認されるまでのことを述べているので、「証書を発行・発給する」という意味の (B) issue が適切である。

語句 □ upon ＋名詞 /-ing　…するとすぐ　□ completed　完成した □ superintendent　管理者、最高責任者　□review　精査する　□approve　認可する □issue　発行する　□permit　認可（する）、許可（する）

107

訳 結構長い間交渉した後、彼らはやっと購入を決めた。

ポイントと正解 bargaining の後にとる行動で、purchase price と自然に意味のつながるものは、「合意する」という意味の agree on である。(A) は「…に到着する」という意味で、後の目的語 (a purchase price) とは意味が通らない。価格は購入の対象ではないので (B) もおかしい。購入価格を「説明する」というのも bargaining と関連がないので、(D) も誤答である。正解は (C) agreed on。

語句 □bargain　条件を話す、取引の交渉をする　□ for quite some time　かなり長い間　□buy out　事業を買い取る、吸収合併する　□ agree on　合意する　□ account for　…の説明をする、…の責任を負う

108

訳 Mr. Wales は結論を出すことが出来なかったけれども、この研究上の問題点を解決する彼の能力を私たちは完全に信頼している。

ポイントと正解 名詞と結び付く適切な前置詞を選ぶ問題。confidence は後に前置詞 in をとり、信頼の対象を表わす。正解は (B) in。

語句 □ fail to do　…しそこなう、…するのに失敗する　□ reach a conclusion　結論に達する
□ ability to do　…する能力　□ deal with　…に対応する、…と取引する、…を取り扱う
□ have confidence in　…を信頼している

PART 5 語彙

実践問題　解き方

109

-------- to the company's confidential documents was limited to executives and board members.

(A) Advocate
(B) Access
(C) Opponent
(D) Approach

Ⓐ Ⓑ Ⓒ Ⓓ

110

It is important that all parties involved in the -------- demonstrate their willingness to discuss issues openly and come to an agreement.

(A) negotiates
(B) negotiator
(C) negotiations
(D) negotiable

Ⓐ Ⓑ Ⓒ Ⓓ

111

The plans presented by the team of city planners included some -------- ideas to regulate the flow of traffic in the congested areas.

(A) arguable
(B) limitless
(C) innovative
(D) previous

Ⓐ Ⓑ Ⓒ Ⓓ

112

After replacing the building's old plumbing system, some -------- maintenance work will be required.

(A) harmful
(B) tiresome
(C) routine
(D) opposing

Ⓐ Ⓑ Ⓒ Ⓓ

113

Purchasing new computers and textbooks for the public schools will certainly -------- to a better standard of education for the community.

(A) offer
(B) submit
(C) donate
(D) contribute

Ⓐ Ⓑ Ⓒ Ⓓ

109

訳 会社の機密書類を入手できるのは重役と取締役に限られている。

ポイントと正解 空所に入る単語は前置詞 to とともに用いられる。文中の documents は物なので、「利用」「入手」という意味の access と結び付く。approach は「近づくこと」「接近」などの意味で、documents とはなじまない。正解は (B) Access。

語句 □ confidential 機密の □ be limited to …に限定されている □ executive 幹部、重役 □ advocate 提唱者、調停者 □ access to …に入る権利、…を入手する権利 □ opponent 競争相手 □ approach 接近

110

訳 交渉に関係している当事者は皆積極的に問題を議論し合い、合意に至るようにすることが重要だ。

ポイントと正解 空所は定冠詞の直後にあるので、名詞が入ることがわかる。したがって、(B)(C) のいずれかが正解だが、involved は「(ある事件・事柄・状況などに) 巻き込まれる・関連する」という意味であり、人を表わす negotiator は巻き込まれる状況を表わす言葉としてはふさわしくない。正解は (C) negotiations。

語句 □ party 仲間、関係者、当事者 □ involved in …に関係している □ demonstrate 示す、表す、実際に使って説明する、立証する □ willingness to do 積極的に…する □ come to an agreement 合意に達する

111

訳 都市計画の設計者チームが示したプランには、渋滞地区で交通規制をしようという革新的な構想が含まれていた。

ポイントと正解 「交通規制についての構想」を修飾する形容詞として適切なものは、「革新的な」という意味の (C)innovative である。正解は (C)。

語句 □ regulate 規制する □ congested 渋滞した、混雑した □ arguable 議論の余地がある □ limitless 無限の □ innovative 革新的な、創造力に富んでいる □ previous 以前の

112

訳 ビルの古い配管設備を取り替えたら、日常的な保守作業が必要になる。

ポイントと正解 maintenance work という作業に求められるのは継続的に行われることなので、これを修飾する形容詞としてふさわしいのは (C)routine である。正解は (C)。

語句 □ replace 取り替える、入れ替える □ plumbing 配管、水道設備 □ maintenance 保守、メンテナンス、維持 □ require 必要とする、要求する □ harmful 有害な、危険な □ tiresome 退屈な、やっかいな □ routine 決まりきった、日常的な □ opposing 正反対の

113

訳 公立学校のために新しいコンピューターや書籍を購入することにより、地域の教育水準の向上に必ず寄与するだろう。

ポイントと正解 「教育水準の向上に寄与する」という意味にするのが適切である。したがって (C) か (D) が正解になるが、(C) donate は to の後に寄付を受ける機関や団体を表わす名詞が置かれるので、a better standard とはなじまない。正解は (D) contribute。

語句 □ certainly 確かに、きっと □ standard 基準、水準 □ submit to …に従う、…に応じる □ donate 寄付する □ contribute to …に貢献する

PART 5 語彙

114

It is -------- critical that all workers wear protective clothing while working near the assembly line.
(A) willingly
(B) greatly
(C) preferably
(D) absolutely
Ⓐ Ⓑ Ⓒ Ⓓ

115

Customers who are calling to dispute a -------- on their recent bill are asked to please hold on the line.
(A) surplus
(B) charge
(C) credit
(D) loan
Ⓐ Ⓑ Ⓒ Ⓓ

116

A healthy diet must include not only nutritious choices, but also meals with fresh -------- .
(A) dishes
(B) ingredients
(C) refreshments
(D) scents
Ⓐ Ⓑ Ⓒ Ⓓ

117

Please note that -------- use of images on this site, without prior permission, is strictly prohibited.
(A) superficial
(B) ineffective
(C) perfect
(D) unauthorized
Ⓐ Ⓑ Ⓒ Ⓓ

118

Mr. Heinz responded with great disappointment -------- the news that his firm would be sold to a rival company.
(A) with
(B) for
(C) over
(D) to
Ⓐ Ⓑ Ⓒ Ⓓ

114

訳 組み立てラインの近くで仕事をする間、社員は皆防護服を着用することが絶対に大事だ。

ポイントと正解 形容詞 critical の程度を強調する副詞が必要なので、「絶対に」という意味の (D) が適切である。greatly も意味上可能なように思えるが、この副詞は主に動詞や比較の形容詞を強調するときに用いられる。例えば、benefit greatly from「…から大いに利益を得る」。正解は (D) absolutely。

語句 □ critical　重大な　□ protective clothing　防護服　□ assembly line　工場の組み立てライン　□ willingly　喜んで　□ greatly　大いに　□ preferably　むしろ　□ absolutely　絶対に

115

訳 最近の請求書に異議があってお電話下さったお客様はそのまま電話を切らずにお待ちください。

ポイントと正解 空所の後の on their recent bill が問題を解くカギとなる。bill（請求書）の内容で dispute（異義を唱える）の対象になるのは「請求額」なので、正解は (B) charge。

語句 □ dispute　異議を唱える、反論する　□ bill　請求書　□ hold on the line　電話を切らないで待つ　□ charge　料金　□ surplus　余剰、超過分　□ credit　評判、名声、信用

116

訳 健康的なダイエットには栄養のある食事をするだけではなく、新鮮な材料を使った食事も必須である。

ポイントと正解 with は「…をともなう」の意味なので、後に置かれる名詞は meal の「成分」あるいは「添加物」に当たる言葉になる。(A)(C) は、前にある meal と似た言葉を繰り返すことになるのでおかしい。正解は (B) ingredients。

語句 □ not only A but (also) B　A のみならず B もまた　□ nutritious　栄養になる　□ dish　料理　□ ingredient　成分、材料　□ refreshment　飲食物、軽食　□ scent　におい、好ましい香り

117

訳 このサイトの画像を事前の許可なく無断で使用することは、厳しく制限されておりますことご注意ください。

ポイントと正解 image の使用が厳しく禁止されるのは、「承認されていない」ときであると考えられる。挿入句 without prior permission も正解へのヒントになる。正解は (D) unauthorized。

語句 □ note that　…に注意する　□ prior　先の　□ permission　許可　□ strictly　厳しく　□ prohibit　禁止する　□ superficial　外見上の　□ ineffective　効果の無い　□ unauthorized　許可されていない

118

訳 自分の会社がライバル企業に売却されるというニュースに、Mr.Heinz はひどく失望してコメントした。

ポイントと正解 with great disappointment は「ひどく失望して」という意味の副詞句で、文中に挿入されているものである。空所には動詞 responded がとる前置詞 to が入る。正解は (D) to。

語句 □ respond to　…に返答する　□ disappointment　失望　□ rival　ライバル、競争相手

PART 5 語彙

実践問題　解き方

119

Most financial institutes -------- to lose a large percentage of their customers after they lower interest rates next month.
(A) realize
(B) rely
(C) compromise
(D) expect

Ⓐ Ⓑ Ⓒ Ⓓ

120

The bonus program will be halted this quarter because the share prices have dropped so -------- .
(A) rightly
(B) significantly
(C) shortly
(D) newly

Ⓐ Ⓑ Ⓒ Ⓓ

121

Those who return books in a damaged -------- with torn or missing pages will be required to replace the book with a new one.
(A) condition
(B) conditions
(C) conditioning
(D) conditioner

Ⓐ Ⓑ Ⓒ Ⓓ

122

Granada System can provide the regular technical support and maintenance that complex business systems need to keep running -------- .
(A) effectively
(B) needlessly
(C) restfully
(D) informally

Ⓐ Ⓑ Ⓒ Ⓓ

123

The company's donations -------- their interest in the greater public good.
(A) signified
(B) limited
(C) supervised
(D) appreciated

Ⓐ Ⓑ Ⓒ Ⓓ

119

訳 来月金利を引き下げたら、顧客をかなりの割合で失う金融機関がほとんどだ。

ポイントと正解 後にある to 不定詞が決定的なヒントになる。to 不定詞を目的語としてとる動詞 (D) expect が正解。rely は自動詞としてのみ用いられ、後に前置詞 on がくる。正解は (D)。

語句 □ institute 研究所、機関 □ lower 下げる □ interest rates 金利 □ realize 実感する □ rely on …に頼る □ compromise 妥協する □ expect to …する予定だ

120

訳 株価が大幅に下落したので、今期のボーナス支給は中止になる予定だ。

ポイントと正解 「株価が下落した」を修飾する副詞を探す問題。程度を表わす副詞で、「意味ありげに」「かなり」という意味の (B) が正解である。(A) は行動の正当性を表わす言葉なので適切ではない。また (C) は、「まもなく（…だろう）」という未来の状況を表わすので、現在完了時制とはなじまない。正解は (B) significantly。

語句 □ halt 停止させる、中止させる □ share price 株価 □ rightly 正しく、適切に □ significantly かなり □ shortly まもなく

121

訳 ページが破れたり無かったりした状態で本を返却する人は、新しいものに取り替えて下さい。

ポイントと正解 名詞 condition は単数形と複数形で意味が異なる。不可算名詞 condition は「状態」を表わし、weather condition（天気の状態）のように用いられる。一方、conditions は「条件」「要件」などを意味し、working conditions（勤務条件）のように用いられる。ここでは本の「状態」という意味になるので、(A) condition が正解。

語句 □damaged 破損した、損傷した □missing 抜けている、欠けている □be required to do …するように求められている □ replace A with B A を B に取り替える □ condition 状態 □ conditioning 調節 □ conditioner 添加物、空調装置

122

訳 複雑なビジネスシステムが効率的に作動するように、Granada System 社は定期的な技術的サポートと保守作業を提供できる。

ポイントと正解 文中の run は「作動する」の意味だ。この動詞に合う副詞は「効果的に」という意味の (A) effectively である。正解は (A)。

語句 □ support 援助 □ maintenance 保守 □ complex 複雑な □ effectively 効率的に □ needlessly 無駄に □ restfully 落ち着いて □ informally 非公式に

123

訳 企業が寄付をするのは、より大きな公共の利益に関心がある事を示している。

ポイントと正解 主語 donations の述語になる動詞を探す問題。寄付行為は公共の利益への関心を表わすものなので、「意味する」「表わす」という意味の signify が適切である。supervise, appreciate は人を主語にとる動詞で、donations とはなじまない。正解は (A) signified。

語句 □ donation 寄付 □ public good 公共の利益 □ signify 意味する、表す □ limit 制限する □ supervise 監督する □ appreciate 正当に評価する、よく理解する、感謝する

実践問題　解き方

124

Management promised to take all suggestions -------- consideration in an effort to improve interactive communications.
(A) through
(B) among
(C) into
(D) within

Ⓐ Ⓑ Ⓒ Ⓓ

125

The importer across the street sells expensive, rare and -------- interior goods.
(A) open
(B) cheap
(C) reasonable
(D) luxury

Ⓐ Ⓑ Ⓒ Ⓓ

126

All vehicles parked in the -------- parking areas must display a Class A permit.
(A) capable
(B) imperfect
(C) gorgeous
(D) reserved

Ⓐ Ⓑ Ⓒ Ⓓ

127

-------- pay raises will be given after the performance evaluation of each individual.
(A) Radiant
(B) Abstract
(C) Disoriented
(D) Substantial

Ⓐ Ⓑ Ⓒ Ⓓ

128

The danger involved in merging with a failing company -------- warrants a proper investigation of the corporation's finances.
(A) extensively
(B) surely
(C) originally
(D) briefly

Ⓐ Ⓑ Ⓒ Ⓓ

124

訳　お互いのコミュニケーションをしっかりやっていこうと努力していく中で、経営陣は提案の全てを考えていくと約束した。

ポイントと正解　take...into consideration（…を考慮する）はよく出題される慣用句なので、必ず覚えておこう。正解は (C) into。

語句　□ management　経営陣　□ in an effort to do　…しようと努力して　□ interactive　相互に作用する　□ take...into consideration　…を考慮に入れる

125

訳　通りの向こう側にある輸入業者は高価で珍しく豪華なインテリア商品を売っている。

ポイントと正解　expensive, rare とともに interior goods を修飾する形容詞としては、「華やかな」「贅沢な」という意味の (D) が適切である。reasonable は expensive とは対照的な意味なので、空所には入らない。正解は (D) luxury。

語句　□ importer　輸入業者　□ reasonable　高くない、手ごろな　□ luxury　華やかな、贅沢な

126

訳　指定駐車場に駐車する車両は全て「Class A 許可証」を必ず表示してください。

ポイントと正解　parking area を修飾できる形容詞・過去分詞を選ぶ問題だ。場所を表わす言葉を修飾する形容詞としては、「指定された」「(…のために) 取ってある」という意味の (D) reserved が適切である。正解は (D)。

語句　□ vehicle　乗り物、車両　□ display　展示する、示す　□ permit　許可　□ reserved　予約済みの、取っておいた　□ capable　有能な　□ imperfect　未完成の　□ gorgeous　豪華な

127

訳　個々の業績評価をした後に、大幅な賃上げをする予定だ。

ポイントと正解　pay raises（賃上げ）という名詞を修飾する形容詞として適切なのは、「(分量や程度が) 多大な」という意味の (D) Substantial である。正解は (D)。

語句　□ evaluation　評価　□ radiant　晴れ晴れとした、輝いた　□ abstract　抽象的な　□ disoriented　混乱して　□ substantial　多大な、かなりの

128

訳　企業の財務内容を適切に調査することが正当とされるのは、問題のあった会社と合併する際に危険があるからだ。

ポイントと正解　この問題では warrant の意味を正確に理解しなければならない。warrant を「(製品の品質を) 保証する」という意味にとらえれば、(A) extensively でも意味が通じそうだが、ここでは「…の正当な理由になる」という意味で使われている。したがって「確かに」という意味の surely が適切である。正解は (B)。

語句　□ merge　合併する　□ failing　失敗、欠陥　□ warrant　正当とする；保証する　□ investigation　調査　□ extensively　広範囲に渡って　□ surely　確かに　□ originally　元来、初めは　□ briefly　簡単に、手短に

実践問題　解き方

129

At the meeting, the CEO promised to keep his -------- to the safety and well-being of all his employees.

(A) idea
(B) ideal
(C) premise
(D) commitment

Ⓐ Ⓑ Ⓒ Ⓓ

130

Because of the increasing demand for diesel-powered automobiles, manufacturers are intending to -------- their prices.

(A) borrow
(B) raise
(C) contend
(D) grow

Ⓐ Ⓑ Ⓒ Ⓓ

131

It is anticipated that the day -------- will be much busier than the afternoon and evening ones.

(A) shift
(B) labor
(C) profession
(D) occupant

Ⓐ Ⓑ Ⓒ Ⓓ

132

The weekend charity drive for community wellness will be -------- by Spice Telecom to raise funds.

(A) invited
(B) reduced
(C) hosted
(D) excused

Ⓐ Ⓑ Ⓒ Ⓓ

133

Those who work with toxic materials are -------- to use protective gloves to minimize skin contact.

(A) committed
(B) recommended
(C) contented
(D) behaved

Ⓐ Ⓑ Ⓒ Ⓓ

129

訳　従業員全ての安全と健康についての約束は守ると、CEO は会議で誓った。

ポイントと正解　空所の直後の前置詞 to が決定的なヒントとなる。語彙の問題では単語の意味だけではなく、後に続く前置詞にも注意しよう。選択肢のうち、to と結びついて「…についての約束」という意味を表わす名詞は (D) しかない。ちなみに、idea や ideal の後には前置詞 of が続く。正解は (D) commitment。

語句　□CEO(=Chief Executive Officer)　最高経営責任者　□well-being　幸福、健康　□ideal　理想　□premise　(推理の)前提、根拠　□commitment to　…についての約束、…するという約束

130

訳　ディーゼル車の需要が高まっているので、製造メーカーは価格を引き上げるつもりだ。

ポイントと正解　the increasing demand（高まる需要）は price を上げる前提条件になるので、空所には「上げる」「高くする」という意味の動詞 raise が入る。grow は「(植物や動物を) 育てる」「(ひげなどを) はやす」という意味で、目的語に「価格」をとることはない。正解は (B) raise。

語句　□demand　需要、要求　□manufacturer　製造メーカー　□contend　競争する、主張する

131

訳　昼夜交替の勤務よりもっと忙しいのは日勤だと予想される。

ポイントと正解　shift の意味が正確にわからないと難しい問題。the day の比較対照になる afternoon and evening ones から、この文は「昼夜交替の勤務形態」について述べていることがわかる。したがって、交替勤務を意味する shift が適切である。labor は、より抽象的に「労働」「仕事」を意味する。正解は (A) shift 。

語句　□anticipate　予期する、予想する　□shift　交代勤務　□profession　職業　□occupant　占有者、乗客

132

訳　週末の地域健康増進を目的とした慈善行事は、資金を調達するために Spice Telecom 社が主催する。

ポイントと正解　この受動文の主語 charity drive は「慈善行事」の意味だが、仮に能動文にすると、charity drive は空所に入る動詞の目的語ということになる。charity drive を目的語とする動詞は、「(行事を) 主催する」という意味の host である。無生物名詞を「招待する」ことはできないので、(A) invited は当てはまらない。正解は (C) hosted。

語句　□charity drive　慈善行事、慈善募金活動　□wellness　健康　□raise funds　資金を募る、資金を調達する　□reduce　削減する　□host　主催する　□excuse　許す、言い訳をする

133

訳　有毒な材料を扱う作業をしている人には、皮膚への接触が最小限になるように防護手袋の着用をお勧めします。

ポイントと正解　空所の後の to use に注目しよう。「保護用手袋を使用する」という内容は有害物質を扱う者への勧告事項なので、「勧める」「推薦する」という意味の (B) が適切である。(A) commit も to 不定詞をとるが、「(～すると) 約束する・誓う」という意味なので、空所には当てはまらない。正解は (B) recommended。

語句　□minimize　最小限にする　□toxic　有毒な　□material　原料、材料　□recommend　推薦する、推奨する　□content　満足させる　□behave　ふるまう

実践問題　解き方

134

It is unfortunate that the government officials are not -------- enough to detect tax evasion at large companies.

(A) uncovered
(B) observable
(C) alert
(D) obvious

Ⓐ Ⓑ Ⓒ Ⓓ

135

From the beginning, we have offered our employees the most -------- insurance coverage also available to factory workers.

(A) impending
(B) comprehensive
(C) unaccustomed
(D) elapsed

Ⓐ Ⓑ Ⓒ Ⓓ

136

As soon as we receive the -------- documents we will begin processing the loan application.

(A) necessary
(B) total
(C) near
(D) preferred

Ⓐ Ⓑ Ⓒ Ⓓ

137

The board admitted that Ms. Marsh is highly -------- for the position of director of human resources.

(A) engaged
(B) qualified
(C) reserved
(D) successful

Ⓐ Ⓑ Ⓒ Ⓓ

134

訳 残念なことに政府官僚は大企業の脱税を見つけるのに十分な注意を払っていない。

ポイントと正解 government officials と detect ～ companies の関連性を考えると、政府官僚が大企業の脱税を見つけるのは彼らの「本分」「任務」である。選択肢のうち、任務遂行のために要求される態度としては、「注意を払っている」「警戒している」という意味の (C) alert が最も適切である。(B) observable は「(ある対象が) 目につく」「識別できる」という意味であり、観察の対象を修飾する形容詞である。正解は (C) alert。

語句 □It is unfortunate that　残念なことに… □government official　政府官僚、役人、政府高官 □be alert to do　…するよう注意する、警告する □detect　見つける、見抜く □tax evasion　脱税 □uncovered　覆いが無い、暴露した □observable　目につく □obvious　明らかな

135

訳 工場勤務者にも適用可能な最も包括的な保険を、我々は当初から提案してきた。

ポイントと正解 insurance coverage (保険の補償範囲) に関する内容であり、factory workers までもが利用できるということから、「包括的な」という意味の (B) が適切である。(D) elapsed は「(時間が) 経過した」という意味で、後に置かれる名詞も時間と関連のあるものになる。正解は (B) comprehensive。

語句 □from the beginning　当初から □insurance　保険 □coverage　補償範囲、適用範囲 □available　入手できる、利用できる □impending　差し迫った、切迫した □comprehensive　包括的な、網羅的な □unaccustomed　慣れていない □elapsed　経過した、時が経った

136

訳 必要な書類を受け取り次第、ローンの申し込み手続きを開始します。

ポイントと正解 主節で「貸出手続きを始める」と述べているので、業務処理に「必要な」書類の提出が求められていることがわかる。(B) total は総体を表わすもので、名詞の複数形を修飾することはない。正解は (A) necessary。

語句 □process　処理する □loan application　ローンの申し込み □preferred　推奨の、望ましい

137

訳 Ms. Marsh が人事部の部長として一番適任だと取締役会が認めた。

ポイントと正解 前置詞 for とともに名詞 the position の前に置かれる形容詞としては、「的確な」「資格のある」という意味の (B)qualified が適切である。(C) reserved も for をとるが、「…のために保留された」という意味になり、文脈に合わない。(A) engaged は on か in と、(D) successful は in とともに用いられる。正解は (B) qualified。

語句 □board　委員会 □admit that　…を認める □highly　非常に、大いに □human resources　人材、人事 □engaged　予約済みの、使用中の □qualified　資格のある、適任の

PART 5 語彙

138

Emerging overseas markets may have helped make -------- for slower growth in the domestic market.

(A) out
(B) up
(C) over
(D) away

Ⓐ Ⓑ Ⓒ Ⓓ

139

Suggestion forms should be completed by the end of the workday and responses will be made by -------- 5:00 p.m. the following day.

(A) generally
(B) generously
(C) approximately
(D) slightly

Ⓐ Ⓑ Ⓒ Ⓓ

140

The committee has -------- special permission to call an urgent meeting during office hours.

(A) hosted
(B) obtained
(C) descended
(D) participated

Ⓐ Ⓑ Ⓒ Ⓓ

138

訳 海外市場が発展したことにより、国内市場の緩やかな成長の埋め合わせになったかもしれない。

ポイントと正解 選択肢はいずれも make とともに動詞句を作る副詞である。この中で前置詞 for と結びつくのは (B) しかない。make up for で「(損害や不足分などを) 埋める・補償する」という意味になる。正解は (B) up。

語句 □ emerging　発展中の　□ overseas　海外の　□ make out　理解する、作成する　□ growth　成長　□ domestic　国内の　□ make over　作り直す、譲る　□ make away　逃げる

139

訳 提案書は一日の仕事が終わるまでに記入すれば、翌日午後 5 時までには返答します。

ポイントと正解 空所の後の数字（時間）に注目しよう。具体的な数字の前に置かれる副詞は、数の「基準」または「概略」を表わす言葉である。正解は (C) approximately。

語句 □complete　終える、完成させる　□workday　一日の仕事（時間）　□the following day　翌日　□ generally　一般的に　□ generously　寛大に、気前よく　□ approximately　おおよそ、約　□ slightly　わずかに

140

訳 勤務中に緊急会議を開く特別許可を委員会は得た。

ポイントと正解 他動詞を選ぶ問題では、目的語となる後続の名詞との意味的関連性を考える必要がある。この文の目的語 permission（許可）を対象とする動作としては、「得る」「求める」が最も適切である。(A) host は「行事」などが、(C) descend は「道」「人」などが目的語になる。(D) participate は自動詞なので、前置詞 in が必要である。正解は (B) obtained。

語句 □ permission　許可　□ call a meeting　会議を徴集する　□ obtain　得る、獲得する　□ descend　降りる、下る、伝わる　□ participate　参加する、加入する

PART 6 長文穴埋め問題

UNIT 01 Part6 Context Question 攻略法
UNIT 02 Part6 に慣れるための実践問題

PART 6 長文穴埋め問題の手引き

1. Part 6 の構成

番号	141〜152
構成	長文4、各3問、計12問
形式	空所に当てはまる言葉を4者択一。問題形式はPart 5と同じだが、長文の中に空所が設けられている。
内容	手紙・Eメール・公告・広告など多様だが、手紙とEメールが最も多い。
特徴	各長文の3問は、Part 5のように一つの文を読めば解ける単純な文法・語彙問題と、長文全体の内容を把握しないと解けない問題とに分けられる。普通、前者が2問、後者が1問出題される。
時間	6分の間にPart 6すべてを解かなければならない。(1長文当り1分30秒/1問当り30秒)

2. Part 6 の問題パターン分析

❶単純文法・語彙問題

1文1問のPart 5の文法・語彙問題のように、長文の中にあっても該当する1文だけ読めば十分に正解を選べる問題である。

❷Context Question

Part 6の各長文の3問中、最低1問は、長文の文脈を理解しないと答えられない語彙・文法問題が出題される。空所のある文を読んだだけでは答えを絞れないが、前後の文脈に合う答えは一つしかない。このような問題をContext Questionという。各長文ごとに1問ずつ出されるが、ない場合もある。

①Context Questionは、語彙問題と文法問題とに分けられる。
②選択肢（A）（B）（C）（D）のうちどれを入れても文の中では意味が通る。
③選択肢（A）（B）（C）（D）には、意味的に対立する単語や表現が含まれることが多い。
④長文全体を理解しないと解けない問題はまれで、大部分は空所のある文の前後の文にヒントが含まれる。

3. Part6 はどんな問題なのか

サンプル問題

When it comes to putting a cap on gas guzzling, ------- you drive is almost as important as

Context Question 文法問題
どの選択肢を入れても意味は通るので、後の内容を読まないと正解を選べない。

1 (A) when
(B) who
(C) how
(D) where

what you drive. Fuel ------- begins to suffer at speeds higher than 60 and gets much worse

2 (A) economic
(B) economics
(C) economical
(D) economy

品詞選択問題
長文とは無関係に、この一つの文だけ理解すれば正解を選べる。

above 70. Slowing from 70 to 55 can increase your miles per gallon by 15 percent. Putting the brakes on gently as you approach a red light cuts use by 25 percent, and using cruise control also saves fuel. ------- use of air conditioners and defrosters.

3 (A) Make
(B) Allow
(C) Increase
(D) Limit

Context Question 語彙問題
前後の文脈を理解しないときちんと正解を選べない。make, allow, increase, limit のいずれも可能だが、文脈に合うものは一つしかない。

Unload unnecessary luggage, since you lose one mile per gallon or more for each 300 pounds. And avoid idling: one minute of idle is almost equal to starting the car. Finally, consult the dealer about fuel-efficient cars before you buy.

解き方 ☞P.590

UNIT 01 ● Part 6 Context Question 攻略法 ●

すでに説明したように、Part 6の長文ごとの3問のうち少なくとも1問は長文の文脈を理解しないと答えが選べないContext Question語彙問題あるいはContext Question文法問題である。これ以外の、長文の内容とは無関係に一つの文さえ理解すれば解ける問題は、事実上Part 5の文法・語彙問題と変わるところはない。Part 5はVocabularyとGrammarで集中的に練習したので、ここではContext Questionを集中的に練習しよう。

1．Context Question の種類

1 Context Question 語彙問題

❶文脈に合う単語選択問題

形だけを見れば、Part 5 の語彙問題と変わることはない。しかし、選択肢（A）（B）（C）（D）の単語を空所に入れてみるとその文中では意味が通じるが、うち３つは長文全体の内容と一致せず、残るのは一つのみとなる。選択肢の正確な意味がわからなければならないのは当然だが、長文の内容も理解しなければならないので、Part 5 の語彙問題と Part 7 の読解問題が合わさった問題形式と言えるだろう。Part 5 から Part 7 の速読テストに移る段階で、受験者の語彙・読解能力を同時に測る問題である。Context Question 語彙問題は、大部分が空所のある文の前後の文に正解へのヒントが含まれている。

❷文脈に合う順序・時間・頻度関連単語選択問題

上で説明した単語選択問題の一種で、長文の内容と関連して、ある出来事の順序、事件の時間関係、出来事の頻度などを正確に理解しているかを問う問題である。たとえば、「私は払い戻しを要求するためにこの手紙を（　　　　）書いています」という問題があるとして、空所に入る選択肢として「初めて」「再度」があったとすると、この文だけを読めばいずれも適切である。しかし、後に「私はすでに２通の手紙を送りましたが、まだ回答を受け取っていません」という文があったら、論理的に「再度」が正解になる。つまり、「私は払い戻しを要求するためにこの手紙を再度書いています」にならないと、意味が通じなくなる。このような順序・時間・頻度に関連する単語を選ぶ問題が頻繁に出題されている。下の単語がその例である。上の❶文脈に合う単語選択問題とは異なり、正解へのヒントが空所から離れたところにあり、上の例のように「初めて」と「再度」という意味的に対立する単語が選択肢に含まれる。

prior 先の／ past ～を過ぎて／ previous 以前の／ future 今後の／ initially 最初は／ first 最初の／ last 最後の／ new 新しい／ old 古い／ current 現在の／ now 今／ present 現在／ upcoming 今度の／ soon もうすぐ／ next 次の／ again 再び

2 Context Question 文法問題

Context Question 文法問題として出題される代表的な文法項目は、時制である。長文全体の内容と一致する時制が過去・現在・未来のいずれかを問う問題が典型的なものである。たとえば、「メールに日程表を（　　　　）」という問題文の空所に「添付するつもりです」が入るか「添付しました」が入るかを問われた場合、答えは前後の文脈から判断するしかない。Context Question の時制問題は、ほぼ毎回出題されている。時制の次に出題されるのは代名詞、前置詞問題だ。代名詞の場合は、「11 時 30 分まで（　　　　）教えてください」の空所に「私に」「彼に」のいずれかを問う問題が出されたら、やはり前後の文脈から判断しなくてはならない。前置詞の問題は、主に時間関連前置詞が出題されるが、たとえば before the interview（面接前に）か after the interview（面接後）かは、やはり文脈から判断することになる。

2．Context Question 問題の解き方

1 長文を最初から読まずに、すぐに問題を解け！

Part 6 は、1 問当り 30 秒以内に解かなければならないので、長文全体をのんびりと読んでいる暇はない。すぐに空所のある文を読み、正解を選ばなくてはならない。一つの長文に出題される 3 問のうち 1 問が Context Question で残り 2 つは単純語彙・文法問題である。つまり、2 問は該当する短文さえ読めば解けるわけだ。Context Question でも、普通その前後の文からヒントが得られるし、Part 6 の長文はそれほど長くないので、問題を解きながらでもその内容を把握できることが多い。したがって、Part 6 は長文をまず読もうとせず、最初から問題に取り組むのが時間の節約になる。

2 意味的に対立する単語のうちの一つが正解だ

Context Question は、選択肢に意味の対立する単語が挙げられることが多い。つまり、選択肢（A）（B）（C）（D）のうち互いに正反対の意味や時制の単語があったとしたら、大部分はその 2 つのうちの一つが正解だ。たとえば、問題に your ------- account（あなたの……口座）とあり、選択肢に prior と new のような反対の意味の単語があったら、この 2 つのうちの一つが正解になる可能性が高い。つまり、「あなたの以前の口座」または「あなたの新しい口座」のうちのいずれかが文脈に適合するというわけだ。

3 Context Question 語彙問題は、最初の文に空所がある場合はその次の文を、最後の文に空所がある場合は直前の文を読め

Context Question が長文の冒頭に登場する場合は、普通その直後の文に正解へのヒントが含まれる。逆に、長文の最後の文にある場合は、その直前の文に正解へのヒントが含まれる。

PART 6 | 長文穴埋め問題　パターン分析

When it comes to putting a cap on gas guzzling, ------- you drive is almost as important as

1043 (A) when (B) who
(C) how (D) where
Ⓐ Ⓑ Ⓒ Ⓓ

what you drive. Fuel ------- begins to suffer at speeds higher than 60 and gets much worse

1044 (A) economic (B) economics
(C) economical (D) economy
Ⓐ Ⓑ Ⓒ Ⓓ

above 70. Slowing from 70 to 55 can increase your miles per gallon by 15 percent. Putting the brakes on gently as you approach a red light cuts use by 25 percent, and using cruise control also saves fuel. ------- use of air conditioners and defrosters.

1045 (A) Make (B) Allow
(C) Increase (D) Limit
Ⓐ Ⓑ Ⓒ Ⓓ

Unload unnecessary luggage, since you lose one mile per gallon or more for each 300 pounds. And avoid idling: one minute of idle is almost equal to starting the car. Finally, consult the dealer about fuel-efficient cars before you buy.

訳 ガソリン消費の抑制に関して言えば、どのように運転するかが、何を運転するかということとほとんど同じくらい重要です。燃費は60マイル以上の速度で悪くなり始め、70マイルを上回ると、さらに悪くなります。70マイルから55マイルまで減速すれば、15%燃費を良くすることができます。赤信号でそっとブレーキをかけると、25%燃料が削減できます。自動速度制御装置も燃料節約に役立ちます。エアコンと霜とり装置の使用を制限してください。不必要な荷物は積まないで下さい。というのは、300ポンドの重量ごとに、1ガロン1マイル以上の損失になるからです。そして、アイドリングを避けて下さい。1分間のアイドリングは、車を発車させることとほぼ等しいのです。最後に、燃費のよい車について、購入前にディーラーに相談してみましょう。

語句 □when it comes to　…に関して言えば　□put a cap on　…を抑える　□gas guzzling　ガソリンをよく消費する　□guzzle　ガツガツ食べる　□economy　節約、経済　□suffer　苦しむ、弱点がある　□miles per gallon　1ガロンあたりのマイル　□put on a brake　ブレーキをかける、…に待ったをかける　□cruise control　自動速度制御装置　□defroster　霜取り装置　□unload　荷を降ろす　□idling　アイドリング（エンジンだけかけている状態）　□be equal to　…に匹敵する、相当する　□fuel-efficient　燃費の良い

例題 1043 → Context question 文法問題

When it comes to putting a cap on gas guzzling, ------- you drive is almost as important as what you drive.
(A) when (B) who (C) how (D) where

➡ 長文の最初の文に空所がある場合は、直後の文を読めば答えがわかる。長文の最初の文はその内容をまとめたり目的を要約した主題文であることが多く、一般にその次に具体的な説明が述べられるからである。2 番目の文には「時速 60 マイル以上の速度では燃費が悪くなりはじめ、70 マイルを越えるとさらに悪化する」とあり、その後に引き続き燃料を節約するための運転方法が述べられている。したがって、問題の個所は「何を運転するか（what you drive)」、すなわち「どのような車を運転するか」に加えて「いかに運転するか」も重要だという意味にしなければならないので、方法を意味する how が正解となる。正解は (C)。

例題 1044 → Context question 品詞選択問題

Fuel ------- begins to suffer at speeds higher than 60 and gets much worse above 70.
(A) economic (B) economics (C) economical (D) economy

➡ 燃料のどのような側面が 60 マイル以上の速度で悪くなり、70 マイル以上でさらに悪化するのかについて、つじつまの合う選択肢を選ばなくてはならない。空所は動詞 begin の主語の位置なので、fuel と複合名詞を作ることのできる単語が入る。(A)economic は「経済の」という意味の形容詞であり、また (B)economics は名詞だが「経済学」なので「燃料経済学が悪化する」というおかしな意味になってしまう。(C)economical も「節約になる」「経済的に有利な」という意味の形容詞なので誤答だ。(D)economy は、ここでは「経済」ではなく「節約」という意味で、「fuel economy」は「燃料節約」である。全体として「燃料節約が悪化する」という意味になる。正解は (D)。

例題 1045 → Context question 語彙問題

------- use of air conditioners and defrosters.
(A) Make (B) Allow (C) Increase (D) Limit

➡ 選択肢にある動詞は、いずれも空所に入れることができる。make use of は「…を利用する」、allow use of は「…の使用を許す」、increase use of は「…の使用を増やす」、limit use of は「…の使用を制限する」という意味だ。前の文を読むと、ブレーキをそっと踏むとか cruise control を使うことなど、燃料節約の方法が述べられており、後の文でも燃料の消耗を減らすために不要な荷物を積むなと言っている。したがって、空所のある文はエアコンや霜取り装置の使用を「制限しろ」という意味にしなくてはならない。選択肢の中でこの意味の動詞は (D)Limit しかない。正解は (D)。

Lincoln Library offers a(an) ------- for those who enjoy arts and crafts to meet and work

1046 (A) position (B) discount
(C) advice (D) place Ⓐ Ⓑ Ⓒ Ⓓ

together on their own projects. Bring your arts and crafts materials to the library's reading room beginning in September from 6:00 to 8:00 PM on weekdays and join us for some fun! We hope -------

1047 (A) experience (B) experiencing
(C) experienced (D) to experience Ⓐ Ⓑ Ⓒ Ⓓ

people will share their knowledge with beginners and that everyone will find inspiration in seeing other enthusiasts' projects. Just bring your materials and come enjoy the company of fellow art lovers. You can register for the annual fall art club program beginning September 1st. This club ------- gaining

1048 (A) was (B) will be
Ⓐ Ⓑ Ⓒ Ⓓ (C) has been (D) had been

in popularity so please do not delay in registering.

訳 Lincoln図書館では、芸術と工芸愛好家の方々が集って自分達の作品を一緒に制作できる場所を提供します。9月初旬、平日夜6時から8時に図書館の読書室に各自材料を持ち寄って、そして一緒に楽しみましょう！初心者とお持ちの知識を共有してください。そして他の人の真剣な取り組みに刺激をうけることもできるでしょう。さあ材料を持ち寄って芸術好きな仲間と充実した時間を過ごしましょう。9月1日から始まる年に一度の秋の芸術クラブプログラムにご登録ください。このクラブはこのところ人気になっていますので遅れずにご登録を！

語句 □craft 技術、工芸 □reading room 読書室 □beginning 初め、初旬、上旬 □weekday 平日 □inspiration 創造性、ひらめき、刺激 cf) inspire 元気づける、ひらめきを与える □enthusiast 熱心な人、ファン □company 会社、仲間、交際 cf) enjoy company 人と一緒に過ごす、同席して楽しい □fellow 仲間 □register 登録する □annual 1年に1回の □gain 増す、加える、得をする □popularity 人気、流行 □delay 遅れる

例題 1046 → Context question 語彙問題

Lincoln Library offers a (an) ------- for those who enjoy arts and crafts to meet and work together on their own projects.
(A) position (B) discount (C) advice (D) place

➡ (C)advice は不可算の抽象名詞なので、前に不定冠詞 an はつかない。これ以外の単語はいずれも空所に入り得るので、これは文脈を把握しないと答えの選べない Context Question 語彙問題である。先に説明したように、長文の最初の文に空所がある場合、大部分はその次の文に答えのヒントがある。ここでは the library's reading room で我々の活動に参加できるとあるので、図書館では芸術・工芸愛好家たちに出会いと作業の「場所」を提供するということがわかる。正解は (D)。

語句 □position 位置、職位、地位 □discount 割引、値引き □place 場所

例題 1047 → Context question 品詞選択問題

We hope ------- people will share their knowledge with beginners and that everyone will find inspiration in seeing other enthusiasts' projects.
(A) experience (B) experiencing (C) experienced (D) to experience

➡ hope の後に節があり、この節の主語が people なので、空所には名詞 people を修飾する形容詞が入る。選択肢の中で形容詞は (B) と (C) だが、ここでは「経験の多い人」が知識を分かつという意味になるので、「経験の多い」「経験豊かな」という意味の形容詞 experienced が正解だ。この問題は、長文の文脈とは関係のない単純品詞選択問題である。正解は (C)。

語句 □experience 経験(する) □experienced 経験の豊かな (参考)□inexperienced 経験不足の、未熟な

例題 1048 → Context question 文法(時制)問題

This club ------- gaining in popularity so please do not delay in registering.
(A) was (B) will be (C) has been (D) had been

➡ 選択肢にある単語はいずれも空所に入れられるが、長文の文脈に合う時制は一つだけだ。前の文に、このクラブは毎年開かれるとあるので、過去から現在までずっと人気があるという意味の現在完了 has been gaining が正解だ。「willl be …ing」は、予定されている未来の事実を述べるときに使われるもので、(B)will be gaining は未来に人気を得ているだろうというおかしな意味になる。(D)had been gaining は特定の過去の時点よりさらに以前の過去を表わすので、ここでは意味が通じない。正解は (C)。

PART 6 長文穴埋め問題 例題

▶文脈に合う表現を選びなさい。

例題 1049

It has been brought to my attention that we have not received payment for any orders delivered to SLK Plastic. The -------- payment received from your

(A) first
(B) early
(C) overdue
(D) last Ⓐ Ⓑ Ⓒ Ⓓ

company was five months ago. Under these circumstances, we are left with no choice but to stop shipments to SLK Plastic.

例題 1050

All employees are required to use the lot at the rear of the building. In the rear lot, all spaces in row one are reserved for department managers. Additionally, there are a few assigned spaces. All -------- spaces may be occupied as available.

(A) designated
(B) parking
(C) remaining
(D) alloted Ⓐ Ⓑ Ⓒ Ⓓ

例題 1051

Several -------- changes were discussed at the staff meeting yesterday.

(A) benefit
(B) financial
(C) calendar
(D) staff Ⓐ Ⓑ Ⓒ Ⓓ

Weekly sales analysis reports, previously due on Wednesday, are now due on Monday. Department weekly budgets, which used to be posted on Friday, will appear on Thursday. Market surveys should still be submitted to supervisors at least three days before the one of the month.

例題 解き方

1049

訳 SLK Plastic 社にお届けした注文に対するお支払いがされていないということが分りました。最近のお支払いは 5ヶ月前です。このような状況では、SLK Plastic 社への配送は中止する以外ありません。

ポイントと正解 選択肢のうち (A) first と (D) last が対照を成している。前半部にある have not received payment から、この文が督促状の一部であることがわかる。督促状には相手の最終入金時期を明記し、それ以降の金額を督促するのが一般的だ。したがって、空所には「最近」「最終」を意味する last が入る。正解は (D) last。

語句 □ attention　注目、注意　□ payment　支払い　□ be left with　…が残されている　□ no choice but to do (=no alternative but to do)　…すること以外に選択肢がない　□ overdue　期限が過ぎた

1050

訳 社員は全員、建物の後ろの駐車場を使用するようお願いします。裏の駐車場では、1 列めのスペースはすべて部長用です。さらに、いくつか割り当てられているスペースもあります。残りすべてのスペースは利用しても構いません。

ポイントと正解 冒頭以降で指定された駐車スペースについて述べ、その後に残りのスペースも使用可能だとしているので、「残っている」という意味の remaining がふさわしい。正解は (C) remainng。

語句 □ be required to do　…するようにお願いされている　□ lot　一区画　□ parking lot　駐車場　□ rear　後方、後ろ　□ row　列　□ reserve　用意しておく、取っておく　□ additionally　さらに　□ assigned　割り当てられた　□ occupy　…を占める　□ available　利用可能な　□ designated　指定された　□ remaining　残りの　□ allot　…を割り振る

1051

訳 いくつかの日程変更について昨日会議で話し合いました。以前水曜日に出していた週の売上分析報告は、現在は月曜日が報告日です。金曜日に出していた部の週予算は木曜日になります。市場調査は今までと同様、少なくとも、月初めの 3 日前に責任者に提出してください。

ポイントと正解 空所の後の文は、いずれも日付の変更に関する内容なので、日程変更について述べていることがわかる。選択肢の中で日程を表わす単語は calendar である。正解は (C)。

語句 □ analysis　分析　□ previously　以前は　□ due　期日　□ budget　予算　□ used to do　以前は…していた　□ post　最新情報を連絡する　□ survey　調査　□ submit　提出する　□ at least　少なくとも　□ financial　財政上の　□ calendar　日程

PART 6

例題 1052

Dear Mr. Remington:

The attached literature -------- to assist you and your fellow employees in preparing

(A) is developed
(B) is being developed
(C) will be developed
(D) has been developed Ⓐ Ⓑ Ⓒ Ⓓ

for your forthcoming relocation. We seek to provide you with a hassle free relocation. The attached literature should be used as a guide. Your company may have additional instructions or restrictions.

例題 1053

Thank you for contacting us about your recent problem with an online payment. I understand that the funds have not yet been transferred from your account. We -------- to look into the matter for you.

(A) need
(B) needed
(C) had needed
(D) will be needed Ⓐ Ⓑ Ⓒ Ⓓ

Please contact our office at 888-933-2000 and ask to speak with an Online Payment Specialist.

例題 1054

From 1995 through 2005 Taiwanese investment in India has gone up by 4% every year. In 1995 Taiwan invested about $100 billion and in 2005 Taiwan invested about $160 billion. It remains to be seen how much Taiwan will finally invest because in certain sectors investment is not -------- to Taiwan.

(A) negative
(B) favorable
(C) disapproving
(D) amenable Ⓐ Ⓑ Ⓒ Ⓓ

For example, in the manufacturing sector there are high labor costs.

例題 解き方

• • **1052**

訳 Remington 様
添付した書類は、貴社の社員の方々の間近に迫った転勤準備に役立ててもらうように作成してあります。手間のかからない引越しを提供いたします。この書類は手引きとしてもお使いいただけます。（というのは）貴社には別の指示や制限があるかもしれません。

ポイントと正解 添付文書は手引きとして利用するように (The attached literature should be used as a guide) とあるので、この文書は既に作成されたものであることがわかる。したがって、空欄の時制は現在完了または過去になるべきで、現在・現在進行・未来形はいずれもこの文脈には当てはまらない。正解は (D) has been developed。

語句 □ attached 添付された □ literature 資料・文書、文献、文学 □ develop 作成する、開発する □ assist A in ...ing A が…するのを手助けする □ prepare for …を準備する □ forthcoming 来るべき、間近に迫った □ relocation 転勤、移転 □ seek to do …しようとする □ provide A with B A に B を与える、提供する □ hassle free 手間のかからない、簡単な □ hassle 面倒なこと、喧嘩 □ guide 手引書 □ additional 追加の、さらなる □ instruction 説明書、指示 □ restriction 制約、制限、条件

• • **1053**

訳 先般起きたオンライン決済の問題でご連絡いただきありがとうございます。お客様の口座からまだ引き落としができていないことを確認しました。この問題の原因を詳しく調べる必要があります。888-933-2000 までご連絡いただき、オンライン決済の担当者にお問い合わせ下さい。

ポイントと正解 We ------- to look into the matter for you は、オンライン決済した金額が振込みになっていない問題について調査するということだ。need to do（…する必要がある・…しなければならない）を使う場合、ここでは (A)(B) のどちらかが当てはまる。(B) の過去時制は後に調査内容が続けば自然だが、ここでは事務所に電話するようにとの内容が続くので、現在時制の (A) need が正解である。

語句 □ contact 連絡する □ recent 最近の、つい最近あった、今しがたの □ online payment オンライン決済 □ fund 資金、現金 □ transfer 送金する □ account 口座 □ look into …を詳しく調べる、…の原因を調べる □ matter 問題

• • **1054**

訳 1995 年から 2005 年にかけて、台湾のインドへの投資は毎年最大 4%増えてきた。台湾は 1995 年に 1000 億ドル投資し、2005 年は 1600 億ドルの投資となった。最終的にどのくらいの投資額になるかがまだわからないのは、ある産業領域の投資では台湾は期待できないからだ。例えば、製造業部門では人件費が高いことがあげられる。

ポイントと正解 for example は、前で述べたことに対して具体例を示すときに用いる表現だ。高コストの例を挙げて論拠にしようとするのは、「投資に不利だ」と述べるためである。空所の前に not があるので、「有利だ」という意味の (B)favorable が正解となる。

語句 □ investment 投資 □ go up 上がる、高くなる、達する □ about だいたい、約 (=some, around, roughly, approximately) □ sector 部門、領域、産業部門 □ manufacturing 製造業 □ labor costs 人件費、労働コスト □ negative 否定的な、嫌な □ favorable 有利な、期待できる、好ましい □ disapproving 反対の、不賛成の □ amenable 従順な、素直に従う

PART 6

例題 1055

DigMac founder Wain Lee will lead a special workshop to explore the issue of finding work in animation. Participants -------- an animation

(A) attend
(B) attended
(C) have attended
(D) must have attended Ⓐ Ⓑ Ⓒ Ⓓ

introductory seminar or have equivalent experience in working on digital video production. Applications will be reviewed prior to final registration.

例題 1056

After all the confusion and joy of the wedding, newlyweds usually can't wait to get away. However, honeymoons, especially because you want them to be so wonderful, are all too often times of tension. Let us offer you newlyweds a few tips to help make your journey as -------- and special as possible.

(A) carefree
(B) enlightening
(C) informative
(D) affordable Ⓐ Ⓑ Ⓒ Ⓓ

例題 1057

Things to bring
Please bring your personal toiletries and a small amount of money for magazines or newspapers. We discourage bringing large amounts of money or other -------- . The hospital cannot be held responsible for personal items left in your room.

(A) prizes
(B) valuables
(C) rewards
(D) donations Ⓐ Ⓑ Ⓒ Ⓓ

例題 解き方

1055

訳 DigMacの創立者であるWain Leeが、アニメ業界の仕事を探すと題してセミナーを主催します。参加者は、アニメ入門セミナーを受講し、デジタルビデオ作品の制作に取り組んだ経験がなければいけません。応募者の方は最終申し込み前によくご検討ください。

ポイントと正解 Participants ------- an animation introductory seminar or have equivalent experience ～は、ワークショップへの参加資格を述べている部分だ。「入門セミナーの参加経験などがなければならない」という意味になるのが自然なので、must have ＋過去分詞が正解となる。must have ＋過去分詞の意味は通常「…したにちがいない」となるが、「人はすでに…してしまっていなければならない」という意味にもなる。正解は (D) must have attended。

語句 □ founder　創立者、設立者　□ lead a workshop　セミナーを主催する　□ explore　追求する、調査する　□ issue　問題点　□ animation　アニメーション、動画、活発　□ attend　参加する、出席する　□ introductory　導入の、入門の　□ equivalent　同等の、同価値の　□ equivalent to　…に等しい　□ production　製品、作品、著作物　□ application　申し込み、応募　□ review　検討する、よく考える (=go over)　□ prior to　…より前に、…に先立って　□ final　最終の、最後の

1056

訳 興奮と喜びのあふれた結婚式の後、新婚カップルはたいてい新婚旅行に旅立ちたくて仕方がありません。ただし、最高の旅行にしたいという気持ちから肩に力が入ってしまいます。そんな新婚カップルにお届けするのは、旅行を出来る限り心配のない格別なものにするためのいくつかの役立つ情報です。

ポイントと正解 新婚旅行はtensionの時間だと述べながら助言をすると言っているので、tensionを減らしてくれる助言でなければならない。tensionは「心配」から始まるので、「心配のない」という意味の (A) carefree が正解。

語句 □ confusion　混乱、困惑　□ newlywed　新婚者　□ can't wait to do　…するのが待ち遠しい　□ get away　出発する、逃げる　□ tension　緊張、ストレス、不安　□ carefree　心配のない、のんびりした　□ enlightening　勉強になる、啓発的な　□ informative　有益な、情報がためになる　□ affordable　手ごろな価格の

1057

訳 携行品
個人で使用する洗面用具、雑誌や新聞購入用の少額のお金をお持ちください。多額のお金や貴重品は見合わせてください。部屋に残した個人のものに対して病院は責任を負えません。

ポイントと正解 後半部は、病院では責任を負えないので金銭や（　　）を持ってこないようにという内容だ。空所には、金銭のようになくなっては困るものを表わす言葉が入るので、「貴重品」という意味の valuables が適切である。正解は (B) valuables。

語句 □ toiletry　洗面道具　□ discourage　防ぐ、阻止する、やめさせる、失望させる　□ be held responsible for　…に対して責任がある　□ valuables　貴重品　□ reward　報酬、謝礼金　□ donation　寄付

PART 6

例題 1058

Upon examination of the received order, we found that the red boards had been sent by mistake in place of green boards. Considering the fact that this is not the first time such a mistake has been made and that we have to satisfy our customers immediately, we would appreciate it if you would send us the green boards by the quickest possible means at your -------- .

(A) ease
(B) leisure
(C) discretion
(D) expense Ⓐ Ⓑ Ⓒ Ⓓ

例題 1059

SuperStore is pleased to announce that construction is underway at its new Little Rock location. The new 300,000 square-foot SuperStore is being built at the I-35 and University Boulevard intersection. In order to prepare for our grand opening, we -------- 300 new employees.

(A) hired
(B) were hiring
(C) will be hiring
(D) hiring Ⓐ Ⓑ Ⓒ Ⓓ

Applications will be reviewed on a first-come, first-serve basis.

例題 1060

As you know, construction on the new storage facility will begin October 1. This is to remind you that we will be unable to use the parking lot during construction, as it will be used as a staging area for the construction crews. Anyone who drives to work will have to make -------- parking plans for the duration..

(A) garage
(B) city
(C) time-efficient
(D) alternate Ⓐ Ⓑ Ⓒ Ⓓ

例題 解き方

1058

訳 注文品を受け取り検品したところ、緑色の板ではなく間違って赤の板が入っていました。このような間違いが今回が初めてではないことと私どもの顧客への満足を考慮すれば、貴社の負担で出来るだけ早い方法で緑の板をご送付下されば幸いです。

ポイントと正解 緑の板ではなく赤い板が間違って届いたことを伝え、できるだけ早く緑の板を送るよう督促する内容である。このような間違いは今回が初めてではなく、相手側の落ち度が明らかなので、再発送時には「費用は貴社負担で」となるのが自然だ。at your ease（気楽に）、at your leisure（都合のよいときに）、at your discretion は（貴下の裁量で）は、この文で述べられている問題の深刻性から考えてつじつまが合わない。正解は (D) expense。

語句 □ examination　検査、調査、試験　□ by mistake　間違って　□ in place of　…の代わりに、…の代理で　□ considering　…を考慮すれば　□ immediately　早急に　□ we would appreciate it if you would　…していただければ幸いです　□ by ... means　…の方法で　□ discretion　裁量、決定権、思慮深さ　□ at one's expense　…の負担で

1059

訳 SuperStore は新しく Little Rock で建設が進んでいることを発表させていただきます。30 万平方フィートの新しい SuperStore は I-35 と大学通りの交差点に建設中です。グランドオープンの準備で 300 人の新規採用をするつもりです。応募書類は先着順に審査いたします。

ポイントと正解 大規模な売場を建設中であると述べ、開店に向けて社員の新規採用について広告している。売場はまだオープンしておらず、願書も先着順で審査するとあるので、「現在募集中」あるいは「採用する予定」という意味になるのが自然だ。したがって、未来時制の (C) が当てはまる。正解は (C) will be hiring。

語句 □ be pleased to do　喜んで…する　□ announce　発表する　□ construction　建築、建設　□be underway　進行中で、動作中で　□square-foot　平方フィート　□intersection　交差点　□ grand opening　堂々開店、グランドオープン　□ application　応募、申し込み　□ on a first-come, first-serve basis　先着順で

1060

訳 ご存知の通り、新倉庫の建設が 10 月 1 日に始まります。建設作業員の荷物置き場となるので、駐車場は使用できなくなることをお知らせします。車で通勤している人はその期間は代わりの駐車場を確保してください。

ポイントと正解 工事のため現在の駐車場が使えなくなれば、代わりの駐車スペースを探さなければならない。したがって、「代わりに」という意味の形容詞 (D) の alternate が正解となる。

語句 □ storage　倉庫　□ facility　施設　□ be unable to do　…することができない　□ staging area　集結地、準備する場所　□ duration　存続期間　□ garage　車庫　□ time-efficient　時間効率の良い　□ alternate　代わりの (=alternative)

PART 6

例題 1061

There are a large number of miscellaneous items in your expense report that require further clarification. Some of the items have receipts, but no descriptions; others have descriptions, but lack receipts. I am returning your report and receipts with this memo and have indicated the items needing clarification. Could you please resubmit your report with the -------- information?

(A) latest
(B) deleted
(C) inaccurate
(D) missing Ⓐ Ⓑ Ⓒ Ⓓ

例題 1062

Companies that sell water-treatment equipment often offer a free or low-cost water analysis. Do not depend on that kind of test: the results may be -------- .

(A) biased
(B) classified
(C) conclusive
Ⓐ Ⓑ Ⓒ Ⓓ (D) predictable

Instead, ask your water company or health department for a referral.

例題 1063

The consumption of vegetables is on the -------- and meat is on the way out, or so say

(A) need
(B) way
(C) use
(D) rise Ⓐ Ⓑ Ⓒ Ⓓ

some people about the up-and-coming vegetarianism trend. More and more people across the country are becoming concerned with their health and have taken on the vegetarian lifestyle.

例題 解き方

1061

訳 あなたの経費報告書の中には、もっと説明が必要な種々項目がたくさんあります。領収証があっても明細がなかったり、明細があっても領収書がないものがあります。そのようなメモをつけて報告書と領収書を戻します。そして、説明が必要な部分を指摘しました。不足している情報と一緒に再提出していただけますか。

ポイントと正解 報告書は、descriptions が抜けている部分もあれば、receipts が添付されていない部分もあると指摘し、再度提出するよう求めている。再提出する報告書には、抜けている (missing) 情報を入れることになる。正解は (D) missing。

語句 □ a number of　いくつもの、多くの　□ miscellaneous　種々雑多な、多方面の　□ expense　経費、費用　□ further　さらなる　□ clarification　明確化、説明　□ receipt　レシート、領収証　□ description　説明、解説　□ indicate　指摘する、支持する、示唆する　□ resubmit　再提示する、再提出する　□ latest　最新の、最後の　□ deleted　削除した　□ inaccurate　不正確な　□ missing　欠けている、不足した、紛失した

1062

訳 浄水器を販売している会社がよく無料あるいは低価格で水質検査を行おうとします。その結果を信頼してはいけません。公正な検査結果ではないかもしれません。代わりに、水道会社や保健局に確認のために尋ねてください。

ポイントと正解 この文では、浄水器会社の示す水質検査結果を信頼してはならないと主張しており、空所の文ではその理由を述べることになる。浄水器を売る立場では自社に有利な検査結果を示すだろうと考えられるので、空所には「公正ではない」「偏っている」という意味の biased が当てはまる。正解は (A) biased。

語句 □ water treatment　水処理　□ equipment　機器、装置、設備　□ depend on (=rely on, count on)　…に頼る　□ instead　代わりに　□ referral　照会、委託　□ biased　偏見のある、先入観のある　□ classified　分類された、機密扱いの　□ conclusive　決定的な、最終的な　□ predictable　予測可能な、ありきたりな

1063

訳 野菜の消費が増加し肉の消費が落ち込んでいる。あるいは、これからのトレンドである菜食主義に関してそのように言っている人もいる。ますます国中の人が健康に気を使い始め、菜食主義という生活スタイルを取り入れてきている。

ポイントと正解 空所の後のほうに up-and-coming vegetarianism trend とあり、vegetarianism（菜食主義）が増える傾向にあるならば、菜食主義者の主要食品である vegetables（野菜）の消費もまた増えるものと考えられる。したがって、空所には up と同じ意味の rise が入る。また、相反する消費特性を見せる vegetables と meat が列挙されており、meat が on the way out とあるので、vegetables は逆の状態であると推し量ることもできる。正解は (D) の rise。

語句 □ on the rise　上昇中で　□ on the way out　落ち目だ、時代遅れになってきて　□ up-and-coming　成功の見込みがある、うまくいきそうな、進取の気性がある　□ vegetarianism　菜食主義　□ more and more　ますます　□ become concerned with　…に関心を持つようになる　□ take on　取る、引き受ける　□ vegetarian　菜食主義者　□ on the way　途中で、間もなく到着で

例題 1064

Please, do yourself a big favor. DO NOT BUY your next cell phone from this dealer. I just had a nightmare experience buying a RAZR V3. I feel like such an idiot after seeing all of the -------- posted on this site.

(A) proposals
(B) recommendations
(C) warnings
(D) signs Ⓐ Ⓑ Ⓒ Ⓓ

I wish I had read them before purchasing the phone from this dealer. Go to Walmart, the RARZ V3 is only $68.98 without any rebates (2 years contract). Save yourself from a lot of trouble. This is the worst Internet company I have ever done business with.

例題 1065

Upon being made public, the new city bylaws were surprisingly welcomed by the city workers, who will likely be the most affected by the laws. In fact, they were reserved in their response at first, but most now feel that the changes were -------- .

(A) invalid
(B) unnecessary
(C) minor
(D) fair Ⓐ Ⓑ Ⓒ Ⓓ

例題 1066

When we receive your package, the bar code on the label is electronically scanned and logged into our AD system. The bar code identifies your package from among thousands of packages we handle each day. The data gathered from scanning is transmitted to our central computer. So -------- you want to check on

(A) since
(B) because
(C) although
(D) whenever Ⓐ Ⓑ Ⓒ Ⓓ

the delivery status of your shipment - 24 hours a day - this information is readily available from your customer service department.

例題 解き方

1064

訳 いいですか。携帯電話の買い替えをこの販売店で、「買わないで下さい。」RAZR V3 を買ってひどい経験をしました。サイトの書き込みで警告のすべてを見て自分の愚かさを痛感しました。この販売店から買う前に読んでおけばよかった。Walmart だったら、RAZR V3 は手数料なし (2 年契約の場合) でたった 68 ドル 98 セントです。厄介ごとから身を守りましょう。いままで取引をした中で最悪のネット会社です。

ポイントと正解 空所の文は、サイトへの書き込みを全て読み、自分が愚かだったと感じているという意味である。どのような書き込みだったのかを文脈から考えると、馬鹿なことはやめろという警告的内容であることは明らかだ。したがって、空所には「警告」という意味の warnings が当てはまる。正解は (C)warnings。

語句 □ do yourself a favor　いいですか(呼びかけ)、人の願いを聞く、人のために役立つ　□ dealer　販売店、販売業者　□ idiot　間抜け、あほ、ばか　□ post　掲示する、投稿する　□ purchase　購入する　□ rebate　手数料、払戻し　□ contract　契約　□ save A from B　A を B から救う　□ do business with　…と取引(仕事)をする　□ proposal　提案　□ recommendation　推薦　□ warning　警告　□ sign　表示、標識

1065

訳 条例が公表されるや否や、市の新条例の影響を最も受けるであろう労働者は驚くほどの支持をした。実際、当初は態度を保留している人が多かったが、今やその条例修正は公正だと感じる人がほとんどである。

ポイントと正解 bylaws were surprising welcomed by the city workers(条例は労働者から驚くほどの支持を得た）ということなので、空所には肯定的な意味の単語が入る。したがって、「公正な」という意味の fair が正解。unnecessary（不必要な）や minor（小さい）は文意に合わない。正解は (D) fair。

語句 □ upon ...ing (=as soon as)　…するとすぐに　□ be made public　公になる、明らかになる　□ bylaw　条例、規則　□ be surprisingly welcomed by　…から驚くほど歓迎される　□ likely　…しそうな、…らしい、思われる　□ be the most affected by A　A の影響をもっとも受ける　□ in fact　実際　□ be reserved in　…するのを留保しておく　□ response　反応、返答、回答　□ invalid　無効な

1066

訳 小包を受け取ったらラベルのバーコードをデータで取り込んで AD システムにログオンします。毎日我々が取り扱う何千という小包の中から特定のお客様の小包をバーコードで識別しています。取り込んで集めたデータを中央コンピューターに送信します。したがって、荷物の配送状況を確認したい時はいつでも、つまり 24 時間、そのデータはカスタマーサービス部門で容易に確認できます。

ポイントと正解 小包のバーコードをスキャンし、コンピューターシステムに接続すれば、数ある小包の中から特定顧客の小包をより分けられると説明している。したがって空所の文は、配送情報はいつでも容易に確認できる (readily available) という文脈になるのが自然なので、(D) の接続詞 whenever（いつ…しても、…するときはいつでも）が正解である。

語句 □ package　小包　□ bar code　バーコード　□ label　ラベル、名札　□ electronically　電子商取引で、電子的に　□ scan　読み取る、取り込む、スキャンする　□ log into (=log on to, log in)　ログインする　□ identify　(本人と)識別する、特定する　□ handle　操作する、取り扱う、処理する　□ gather　集める　□ transmit to　…に送信する　□ delivery status　配送状況　□ shipment　船積み、配送　□ readily available　容易に入手[利用]できる

PART 6

例題 1067

In the case of a lost or stolen credit card, please notify our 24-hr. Lost Card Service at your earliest convenience using the toll-free number listed below. Please be aware that you may be responsible for charges made to the card 24 hours prior to reporting its -------- .

(A) dismissal
(B) distribution
(C) disappearance
Ⓐ Ⓑ Ⓒ Ⓓ (D) distinction

例題 1068

As we are aware of the -------- that face our employees overseas, we do our

(A) challenges
(B) complaints
(C) incidents
(D) denials Ⓐ Ⓑ Ⓒ Ⓓ

best to make them feel at home by providing a number of benefits, such as an increased housing stipend, free language lessons and an extended leave of absence.

例題 1069

Hello Everyone:
I am sorry to report that Sean Thomas has accepted the position of assistant managing editor at Biz Magazine in San Diego. His last day at our company -------- May 17.

(A) had been
(B) will be
(C) is being
Ⓐ Ⓑ Ⓒ Ⓓ (D) has been

In his short tenure as business editor, Sean has helped us follow a great number of important business stories, including the task of reporting on the merger of our company.

例題 解き方

1067

訳 クレジットカードの紛失、盗難に遭ったら24時間サービスまでご連絡ください。下記のフリーダイヤル番号でできるだけ早く紛失カードサービスまで。紛失届け出24時間前までの使用金額はご本人の責任となりますことご了承ください。

ポイントと正解 空所の文は、クレジットカードの紛失・盗難時の規約として、届け出の24時間前までの使用金額は本人責任になるという注意事項を述べたものである。24 hours prior to reporting its の it はクレジットカードを指しているので、空所には「紛失」という意味の名詞が入る。正解は (C) disappearance。

語句 in the case of …の場合は、…ついては □ lost なくなった □ stolen 盗まれた □ notify (=inform) 知らせる、通知する □ at one's earliest convenience できるだけ早くに □ toll-free number フリーダイヤル番号 □ be aware that …だと承知している □ charges made to the card カードに請求された額 □ 24 hours prior to …の24時間前 □ dismissal 解雇、棄却 □ distribution 配布、流通 □ disappearance 紛失、行方不明 □ distinction 区別、識別、特徴

1068

訳 海外駐在員が直面している困難な問題を了解しているので、安心して過ごせるようなメリットを与えるよう努力しています。例えば、割増住宅手当、無料語学研修、休暇を増やすなどです。

ポイントと正解 海外勤務の社員が安心して過ごせるように住宅手当や無料語学研修、休暇を増やすなどのメリットを与えるのは、彼らが海外で何かに直面しているためだ。空所には、「難問」「困難」という意味の単語が当てはまる。正解は (A) challenges。

語句 be aware of …を知っている、…を気づいている □ face 直面する □ feel at home くつろぐ、安心する □ benefits such as …のような恩恵・利益・援助 □ housing stipend 住宅手当 (参考)stipend 固定給、給付金 □ leave of absence 休暇、休職 □ challenge 困難 □ complaint 苦情、不満 □ incident 事件、出来事 □ denial 否認、否定

1069

訳 みなさん、こんにちは。
残念なことに、Sean Thomas がサンディエゴの Biz Magazine で副編集長として働くことになりました。彼の最終勤務日は5月17日です。経済記事の編集者として短い間に、我々の会社が合併するというレポートを仕上げたことも含めて、大変多くの重要なビジネス記事をまとめるのに力を貸してくれました。

ポイントと正解 Sean Thomas が他の雑誌社に移ることになり、今の会社での最終勤務日が5月17日であると述べている。空所に入る be 動詞の形を選ぶ問題であるが、Sean が副編集長としての職を受諾したと言っているだけで、すでに退職したわけではないため、「最終勤務日は5月17日になるだろう」と未来時制にするのが自然である。正解は (B) will be。

語句 □ report 報告する □ accept 受け入れる □ assistant 補佐(の) □ managing editor 編集長 □ tenure 在職(在任)期間 □ follow …の後についていく、…に従う、…をよく知っている □ a great number of 大変多くの □ including …を含めて □ task 任務、課題、職務 □ report on …について報告する □ merger 企業合併

例題 1070

I am not -------- with the new advertising campaign. If we had more time I would have

(A) experienced
(B) disappointed
(C) satisfied
(D) acquainted　Ⓐ Ⓑ Ⓒ Ⓓ

the agency develop a better proposal. Since it appears that we don't have the time, I have decided to support the advertising campaign as it is.
The agency has always given us their best work, so I must assume this is a rare exception.

例題 1071

I believe that I am not being considered for promotion because some managers have a bad image of me caused by some arguments we had at the beginning of the year. I believe other firms in the area would better -------- my skills and experience.

(A) overlook
(B) conceive
(C) recognize
(D) ignore　Ⓐ Ⓑ Ⓒ Ⓓ

I regret to inform you that I feel a new environment would provide me with more opportunities for personal and career growth.

例題 1072

We wish to welcome you to the grand opening of the Emerald City Zoo's new Dangerous Animals exhibit. The exhibit will remain open from now until next August. Bring the family and come see our lions, tigers and bears! Tickets -------- at the main entrance.

(A) were available
(B) is available
(C) are available
(D) had been available　Ⓐ Ⓑ Ⓒ Ⓓ

The price of admission is only $15 for adults and $8 for children under the age of 12.

例題 解き方

1070

訳 新広告キャンペーンには私は満足していません。もう少し時間があれば代理店にもっと良い案を作ってもらいました。時間がないようだったのでそのままでいこうと決定しました。代理店はいつもいい仕事をしてくれるので、今回は例外中の例外だと考えるべきです。

ポイントと正解 時間があればよりよい試案を作らせるとか、今回の広告案は例外とすると述べていることから、今回の広告キャンペーンには満足していないということがわかる。空所の前に not があるので (C)satisfied が正解となる。

語句 □be satisfied with …に満足する □agency 代理店 □have 人 ＋動詞の原形 人に…してもらう、させる □proposal 提案 □it appears that …であるように見える □as it is そのままに □assume …と仮定する、当然と思う □rare まれな □experienced 経験豊富な、熟練の □disappointed がっかりした、失望した □be acquainted with …をよく知っている

1071

訳 今年の初めに幹部と言い争いをしたことが原因で悪い印象をもたれているので、私は昇進の対象にはならないだろうと思います。この分野で他社ならば自分の技術や経験をより認めてもらえるでしょう。残念ながら新しい環境の下で自身の成長とキャリアアップが図れるだろうと感じていることをお知らせします。

ポイントと正解 一部の幹部に悪い印象を与えたため自分は昇進の対象にならないとし、他社ならば自分の技術や経験をより（　　）だろうと述べている。空所に入るのは skills and experience を目的語とする動詞だが、今の会社と他社との関係を考えると、「認める」のような肯定的な意味の動詞が当てはまる。正解は (C) recognize。

語句 □promotion 昇進 □caused by …が原因となっている □argument 議論 □firm 会社、事務所 □regret to do 残念なことに…する □inform A that Aに…を知らせる □provide A with B AにBを与える、供給する □opportunity 機会 □growth 成長、発展 □overlook 見落とす、監視する □conceive （考えなどを）心に描く、抱く □recognize 見なす □ignore 無視する

1072

訳 Emerald City 動物園の猛獣展示を新しく始めるグランドオープンに是非おいでください。来月8月までオープンしています。ご家族連れでライオン、虎、熊を見に来ませんか。チケットは入場口でお買い求めいただけます。入場料はたった大人 15 ドル、12 歳未満の子ども 8 ドルとなっています。

ポイントと正解 動物園で猛獣の展示を始めるという案内文である。チケットをどこで販売しているかを述べるには現在時制を用いればよいが、主語 tickets が複数なので (B) は誤答である。正解は (C) are available。

語句 □we wish to welcome you to …にお立ち寄りください □grand opening グランドオープン、華々しい開店 □exhibit 展示 □remain …のままである □bring 連れてくる □come see 見に来る □main entrance 入場口 □admission 入場 □under the age of 12 12 歳未満

PART 6

例題 1073

I recently bought a 30-oz box of your McCains french fries which unfortunately was not fresh. I checked the product expiration date on the box and it is -------- a year away.

(A) yet
(B) still
(C) already
(D) far

Ⓐ Ⓑ Ⓒ Ⓓ

It should still be good.
Perhaps there was a mistake in printing the date or maybe the bag was not properly sealed.

例題 1074

Upon reviewing your claim, we have to inform you that we cannot --------

(A) deny
(B) protect
(C) compensate
(D) penalize

Ⓐ Ⓑ Ⓒ Ⓓ

you because:
- The incident is not covered by the insurance policy.
- The incident happened outside of the coverage period specified by the insurance policy.

例題 1075

Contractors will be selected by an open competition. They will need to demonstrate successful experience in providing road repair services, particularly in the downtown area. The city will acknowledge only the -------- who fulfill that criteria.

(A) rivals
(B) officials
(C) distributors
(D) candidates

Ⓐ Ⓑ Ⓒ Ⓓ

例題 解き方

・・**1073**

訳 先日貴社の McCains フレンチフライ 30 オンス 1 箱を買いましたが、あいにく新鮮なものではありませんでした。箱の賞味期限表示を確認したところまだ 1 年先になっていました。まだいいものであるはずです。恐らく日付印刷を間違えたか、袋がちゃんと封されていなかったのかもしれません。

ポイントと正解 空所の後の文で「まだ状態はよいはずだ」と述べているので、有効期限が相当残っているという意味になることがわかる。yet は主に否定文や疑問文に用いられるため、この文にはふさわしくない。already は動作や状態の完了を表わすが、後に続く a year away とは意味が通じない。また、far は漠然と「(時間や距離的に) 遠い」ことを表わすので、a year のように具体的な時間を表わす語とは合わない。正解は (B) still。

語句 □ recently　最近、このところ　□ unfortunately　不運にも、あいにく　□ product　製品　□ expiration　期限切れ、満期　□ be a year away　1 年先である　□ mistake in ...ing　…するのを間違える　□ properly　適切に、正確に　□ yet　まだ、今のところは　□ still　まだ　□ already　既に

・・**1074**

訳 申し立てを検討した結果、補償できないということをお知らせしなければいけません。
理由は、
● この事故は保険証書では補償されていない。
● 保険証書に表示の保証期間外に事故が起きた。
ということです。

ポイントと正解 理由を表わす because 節が空所に入る動詞を選ぶ根拠になるので、この節の内容から論理的に考えよう。理由として示された 2 つの文を読むと、保険金請求を拒否していることがわかる。(B)(D) は文脈とはかけ離れており、(A) は前に否定の cannot があるので当てはまらない。正解は (C)compensate。

語句 upon [on] ...ing　…するや否や、…するとき　□ claim　要求、申し立て　□ incident　事件、出来事　□ cover　…を保険で保証する　□ insurance policy　保険証書、保険証券　□ coverage　(保険)対象、範囲　□ specified by　…によって規定されている　□ specify　指定する、明記する　□ deny　否定する、否認する　□ protect　保護する、守る　□ compensate　補償する　□ penalize　罰する、不利にする

・・**1075**

訳 自由競争で契約業者を決定します。道路補修、特に市内での経験がある旨明示してください。基準を満たす候補業者のみ市では承認します。

ポイントと正解 公開競争により契約業者を選定するという内容。「市では条件を満たす（　　）のみ認める」とあり、空所には公開競争に参加する「候補者」「志望者」という名詞が入るのが妥当だ。このような意味の名詞は (D) candidates であり、これが正解である。

語句 contractor　請負業者、契約業者　□ select　選択する　□ open competition　公開競争、自由競争　□ demonstrate　明らかにする、明示する　□ successful experience in　…の成功例、体験例　□ road repair　道路補修　□ particularly　特に (=in particular, especially)　□ acknowledge　認める、承認する　□ fulfill　満たす、実行する、果たす　□ criteria　基準　□ rival　ライバル、競争相手　□ official　公務員、役人　□ distributor　代理店、販売業者　□ candidate　候補者、志望者

PART 6

例題 1076

It is likely that some of our guests will suffer from jet lag. Therefore, it is recommended that managers designing -------- for our visiting partners from Asia

(A) adaptation
(B) charts
(C) itineraries
(D) plants Ⓐ Ⓑ Ⓒ Ⓓ

allow for an initial two-day adjustment period. If you do plan anything for them during this time, make sure it has a lot of sleep.

例題 1077

Dear Mr. Tinman, On behalf of Dorothy Dog Grooming, I would like to issue you a formal apology. During the time we were grooming your dog Toto, we had in our care another family's dog of the same breed and color as your own. One of our employees accidentally -------- you home with the other dog.

(A) send
(B) sent
(C) is sending
(D) will send Ⓐ Ⓑ Ⓒ Ⓓ

I would like to assure you such an incident will never occur again. Thank you for your patience.

例題 1078

South End Electronics
We invite you to visit our newest showroom. Designed like no other electronics store, our new Portland location offers a unique shopping experience where you can -------- state-of-the-art technology in a comfortable and relaxed atmosphere.

(A) test
(B) sell
(C) exchange
Ⓐ Ⓑ Ⓒ Ⓓ (D) manufacture

Visit us soon and take advantage of our special Grand Opening offers.

例題 解き方

• • **1076**

訳 お客様は時差ぼけで大変だろうと思われます。そこで、アジアからの訪問客の日程を組む責任者は最初の2日間は適応期間として考えておいてください。訪問期間中何か予定を組む場合、十分な睡眠を取れるようにしてください。

ポイントと正解 時差による疲労を考え、アジア地域からのお客様に2日間の適応期間を考慮するよう述べている。最後の文には、この2日間の適応期間に何かプランを組むのであれば、a lot of sleep（十分な睡眠）を取れるようにすべきだともあり、全体に日程の組み方について述べていることから、空所には「日程」という意味の名詞が入る。正解は (C) itineraries。

語句 □ it is likely that …だと思われる、…のようだ □ suffer from …に苦しむ、…に悩まされる □ jet lag 時差ボケ □ design itineraries for …の日程を組む □ allow for …の余裕を認める、…を考慮に入れる □ 2-day adjustment period 2日間の調整期間、適応期間 □ make sure (that) 確かめる、確認する □ adaptation 適応、順応 □ chart 表、図表、グラフ

• • **1077**

訳 Tinman 様
Drothy Dog Grooming を代表し正式な謝罪をいたします。お客様の飼い犬 Toto のお世話中に、品種と色が同じ他の飼い犬の手入れをしました。社員の一人が誤って別の犬を送り届けてしまいました。このような事故を二度と起こさないようにいたします。ご理解に感謝いたします。

ポイントと正解 この文は、顧客の Tinman 氏に飼い犬ではない犬を間違って送り届けたことに対する、ペット美容室からの謝罪文である。過去の出来事について謝罪する内容なので、正解は過去時制の (B) sent。

語句 □ on behalf of …を代表して、…の代わりに □ groom 手入れする、訓練する、育てる □ issue 出す、発表する □ formal 公式の、正式な □ apology 謝罪 □ have A in one's care Aを自分の監督下に置く □ breed 品種、種類 □ the same A as B Bと同様のA □ accidentally 偶然に、誤って、うっかり、つい □ assure A B AにBを確信させる □ patience 忍耐、我慢

• • **1078**

訳 South End Electronics
最新ショールームにあなたをご招待します。他の家電ストアとは違うデザインの Portland にある新しい場所では、ユニークな買い物体験ができます。そこではくつろいだゆっくりした雰囲気で最先端の技術を体験できます。今すぐおいでくださり、グランドオープンの特典を利用してください。

ポイントと正解 家電量販店に新しくオープンした showroom を紹介している。買い物客がこのショールームに来て最先端の製品に対しできることは、test することである。正解は (A) test。

語句 □ invite A to do Aに…するよう招待する □ showroom 展示室、ショールーム □ designed like no other 他の家電ストアとは違う設計で □ location 位置、場所 □ unique ユニークな、変わった □ state-of-the art technology 最新技術 □ comfortable くつろいだ □ relaxed ゆったりした、リラックスした □ atmosphere 雰囲気 □ take advantage of …を利用する、…の特典を生かす □ special offer 特別提供 □ manufacture 製造する

PART 6

UNIT 02 ● Part6 に慣れるための実践問題 ●

設問 141 ～ 152　制限時間 6 分　☞解き方 P.618

▶Questions 141-143 refer to the following e-mail.

To: stephmoore@hotmail.com
From: chattanoogapower@bus.org
Date: August 1, 2007
Subject: Phase-In Program

Dear Resident:

Some of our customers received a letter that contained wrong information regarding their rate increase. We apologize for the error; a -------- letter has been mailed to confirm the rate increase.

141 (A) late
(B) recalled
(C) cared
(D) corrected

Ⓐ Ⓑ Ⓒ Ⓓ

We are offering a gradual payment program for the rate increase. This plan allows customers to defer a portion of the increase and pay it back at a later date. For more information on the program, please log on to our website at www.power.com and click on Phase-In Information. While you're there, check out Phase-In Billing Options, which includes information on assistance programs, and Safety & Conservation for -------- to save energy and lower your electric bill.

142 (A) era
(B) bills
(C) access
(D) ways

Ⓐ Ⓑ Ⓒ Ⓓ

Due to this error, the enrollment period for this gradual payment program has been extended -------- September 15, 2007.

143 (A) from
(B) into
(C) over
(D) to

Ⓐ Ⓑ Ⓒ Ⓓ

Sincerely,
Richard LeBlanc

▶**Questions 144-146 refer to the following letter.**

April 14, 2007
Ms. Samantha Jones
111 5th Street,
Suite 205
Charlotte, NC 82302

Dear Samantha:

The firm I worked for over the last five years recently merged with another financial institution. As a result, my job was -------- . The bank president asked me to remain

144 (A) retired
(B) assessed
(C) eliminated
(D) verified Ⓐ Ⓑ Ⓒ Ⓓ

and assist in managing the real estate loan/asset portfolio. I've just completed that -------- , and I'm now ready to move on.

145 (A) question
(B) application
(C) homework
(D) assignment Ⓐ Ⓑ Ⓒ Ⓓ

I'd like to continue to be a manager in a financial services company. I'm good at managing people and other resources to attain corporate profits. I like being part of a dynamic organization, and I am looking for that next opportunity.

I thought perhaps you might know of a firm that needs someone -------- my

146 (A) on
(B) with
(C) for
(D) at Ⓐ Ⓑ Ⓒ Ⓓ

capabilities.
If so, I'd appreciate you giving them a copy of my enclosed resume.

Best regards,
Jose Hernandez

▶Questions 147-149 refer to the following article.

Robinson's Department Stores announced plans today to renovate the historic downtown Portland store. Last week, plans were -------- to renovate the lower level

147 (A) expected
(B) entitled
(C) approved
(D) denied

Ⓐ Ⓑ Ⓒ Ⓓ

and floors 1-5 of the famous building.

The store will feature one basement level and five upper floors of retail. The ground floor facade will be -------- renovated in a

148 (A) complete
(B) completed
(C) completion
(D) completely

Ⓐ Ⓑ Ⓒ Ⓓ

manner consistent with a high quality retail environment, with attractive window displays and lighting, and new low profile awnings that are appropriate for the historic character of the building. The bid for the construction will start next Monday.

The department store will remain open throughout construction and every effort will be made to -------- disruption to shoppers.

149 (A) condensed
(B) recognized
(C) emphasized
(D) minimize

Ⓐ Ⓑ Ⓒ Ⓓ

Some favorite icons within the store, such as the historic clock on the first floor, will be retained.

▶**Questions 150-152 refer to the following letter.**

June 1, 2007
S&L Corp.
48 Intervale St.
Detroit, MI 21483

Dear Customer:

Prices for copper, brass and steel have risen sharply on the world market over the past year. At present there is no end in sight in regard to increasing costs for alloying component materials. Despite all our efforts to cope with this reality, we are now forced to -------- our prices, too.

150 (A) reduce
(B) define
(C) notify
(D) adjust
Ⓐ Ⓑ Ⓒ Ⓓ

Please note that all incoming orders -------- with a supplement for high material costs.

151 (A) charge
(B) are charged
(C) will charge
(D) will be charged
Ⓐ Ⓑ Ⓒ Ⓓ

This extra fee is a flexible instrument to cover our increased costs. It may be reduced or rise again, depending on the development of the prices for raw materials.

We ask for your understanding regarding this -------- measure and trust the

152 (A) desirable
(B) acceptable
(C) inevitable
(D) adaptable
Ⓐ Ⓑ Ⓒ Ⓓ

continuous development of a successful business relationship between our company and yours.

Sincerely,
Robert Thomas

PART 6

▶Questions 141-143 refer to the following e-mail.

To: stephmoore@hotmail.com
From: chattanoogapower@bus.org
Date: August 1, 2007
Subject: Phase-In Program

Dear Resident:

Some of our customers received a letter that contained wrong information regarding their rate increase. We apologize for the error; a (141) letter has been mailed to confirm the rate increase.

We are offering a gradual payment program for the rate increase. This plan allows customers to defer a portion of the increase and pay it back at a later date. For more information on the program, please log on to our website at www.power.com and click on Phase-In Information. While you're there, check out Phase-In Billing Options, which includes information on assistance programs, and Safety & Conservation for (142) to save energy and lower your electric bill.

Due to this error, the enrollment period for this gradual payment program has been extended (143) September 15, 2007.

Sincerely,
Richard LeBlanc

141 (A) late
(B) recalled
(C) cared
(D) corrected

142 (A) era
(B) bills
(C) access
(D) ways

143 (A) from
(B) into
(C) over
(D) to

語句 □phase-in　段階的導入　□contain　含む　□regarding　…に関して　□rate increase　増税、利上げ、料金　□apologize for　…を謝罪する　□corrected　訂正した　□confirm　確認する　□gradual　段階的な、徐々の　□payment　支払い　□defer　延期する、保留する、委ねる、優先させる　□pay back　返済、払戻し　□log on to　…にログオンする　□click on　…をクリックする　□check out　よく見直す、よく調べる　□option　選択権、選択肢　□include　含む　□assistance　援助、支援、手伝い　□lower　下げる、落とす　□enrollment　登録、加入、入学　□period　期間　□extend to　…まで延長される　□late 遅れた　□recalled　回収された　□cared　世話された　□corrected　訂正された、修正された　□era　時代、年代　□bill　請求書　□access　接近、近づく手段　□way　手段、方法

141 → Context question【語彙問題】
誤った情報を含む手紙を発送したことに対し謝罪しているので、再度発送する手紙は正しく訂正されたものでなければならない。したがって、空所には「訂正された」という意味の (D) corrected が入る。

142 → 語彙問題【名詞】
2 番目の段落は、エネルギーを節約し電気料金を減らすための有益な情報をウェブサイトで確認してくれとの内容だ。これらの情報からエネルギーを節約する方法を知ることになるので、空所には「方法」「手段」という意味の (D) ways が入る。

143 → 文法問題【動詞と結びつく前置詞の選択】
動詞 extend に続く前置詞を選ぶ問題。extend（延長する）は、時間や期限の終わりを表わす前置詞 to とともに用いられる。正解は (D) to。

問題文訳
設問 141 から 143 は、次の E-mail に関するものです。

あて先：stephmoore@hotmail.com
差出人：chattanoogapower@bus.org
日付：2007 年 8 月 1 日
件名：段階的導入プログラム

居住者　様

料金引き上げに関して間違った情報を記載した手紙を受け取ったお客様がいます。申し訳ありません。料金引き上げ確認のため手紙を訂正しご郵送しました。

料金引き上げに伴い、段階的支払いプログラムを導入いたします。このプログラムによって、お客様は増加した分のお支払いを延期して、後日お支払いすることが可能となります。プログラムの詳細については、ウェブサイト www.power.com にログオンし、「段階的導入の情報」をクリックしてください。サイトでは「段階的支払いオプション」をよくご確認ください。助成プログラムに関する情報やエネルギーを節約し電気料金を減らす方法の「安心、備え」を参照できます。

間違いがありましたので、段階的支払いプログラムの登録期間は 2007 年 9 月 15 日まで延長することになりました。

敬具
Richard LeBlanc

▶Questions 144-146 refer to the following letter.

April 14, 2007
Ms. Samantha Jones
111 5th Street,
Suite 205
Charlotte, NC 82302

Dear Samantha:

The firm I worked for over the last five years recently merged with another financial institution. As a result, my job was (144). The bank president asked me to remain and assist in managing the real estate loan/asset portfolio. I've just completed that (145), and I'm now ready to move on.

I'd like to continue to be a manager in a financial services company. I'm good at managing people and other resources to attain corporate profits. I like being part of a dynamic organization, and I am looking for that next opportunity.

I thought perhaps you might know of a firm that needs someone (146) my capabilities.

If so, I'd appreciate you giving them a copy of my enclosed resume.

Best regards,
Jose Hernandez

144 (A)retired
(B)assessed
(C)eliminated
(D)verified

145 (A)question
(B)application
(C)homework
(D)assignment

146 (A)on
(B)with
(C)for
(D)at

語句 □firm 会社 □merge with …と合併する □financial institution 金融機関 □as a result 結果として □eliminate 削除する、排除する □remain …のままである、とどまる □assist in ...ing …するのを手伝う □real estate 不動産 □loan 貸付、融資、ローン □asset 資産 □move on 別の仕事に移る、進む □resource 要員、資金、資源 □attain 達成する、実現する □dynamic 力強い、活動的な、生き生きとした □organization 組織、団体 □opportunity 機会 □capability 能力、性能 □appreciate 感謝する □enclosed 同封した(物) □resume 経歴書、履歴書 □retire 辞めさせる、引退させる □assess (資産を)評価する、査定する □verify 立証する、確かめる □assignment 課題、宿題、仕事の割当

144 → Context question【語彙問題】
直前の文にヒントを探そう。勤めていた会社が合併された結果として起こりうることは何だろうか。仕事を探しているという内容が後に出てくるので、仕事を失ったことが考えられる。したがって、(C) eliminated が正解。主語が人ではなく job なので、retire（退職する）では意味が成り立たない。

145 → Context question【語彙問題】
何をやり終えたのかはこの文からだけではわからない。失業はしているが、前の職場の社長からある仕事を手伝うよう頼まれたという内容が前に出ている。空所の後は、転職の準備ができたという内容なので、転職前に自分自身がすべきことを全て終えたという意味だろう。したがって、空所には「仕事の割当・課題」を意味する (D) assignments が当てはまる。

146 → 文法問題【前置詞】
空所には、my capabilities と結びついて someone を修飾する前置詞が必要だ。所有を表わす (B) with が入り、「私のような能力を持っている人」という意味にするのが自然である。

問題文訳
設問 144 から 146 は、次の手紙に関するものです。

2007 年 4 月 14 日
Samantha Jones 様
111 5th Street,
Suite 205
Charlotte, NC 82302

拝啓 Samantha 様

私が最近まで 5 年間働いてきた会社が他の金融機関と合併しました。その結果私の仕事はなくなりました。頭取から残ってくれと頼まれ、不動産ローンや資産ポートフォリオ管理の手伝いをしました。ちょうど割り当てられた仕事が終わり、今は転職する準備が整っています。

私は引き続き金融機関の管理職の仕事を希望しています。会社の収益を達成するため、人材その他の資源をマネジメントするのが得意です。生き生きとした組織の一員でいることが好きなので、次の転機を伺っています。

私の能力を必要としている会社を、あなたが知っているかも知れないと考えました。

もしそうであれば、同封した履歴書のコピーを渡してくだされぱありがたく存じます。

敬具
Jose Hernandez

▶Questions 147-149 refer to the following article.

Robinson's Department Stores announced plans today to renovate the historic downtown Portland store. Last week, plans were (147) to renovate the lower level and floors 1-5 of the famous building.

The store will feature one basement level and five upper floors of retail. The ground floor facade will be (148) renovated in a manner consistent with a high quality retail environment, with attractive window displays and lighting, and new low profile awnings that are appropriate for the historic character of the building. The bid for the construction will start next Monday.

The department store will remain open throughout construction and every effort will be made to (149) disruption to shoppers.

Some favorite icons within the store, such as the historic clock on the first floor, will be retained.

147 (A) expected
(B) entitled
(C) approved
(D) denied

148 (A) complete
(B) completed
(C) completion
(D) completely

149 (A) condensed
(B) recognized
(C) emphasized
(D) minimize

語句 □plan　計画　□renovate　改修する　□historic　歴史的な、歴史上の　□downtown　市内、市の中心部、繁華街　□lower level　下の階、階下　□feature　…を特徴とする　□basement level　地下1階　□upper　上位の、上部の　□retail　小売店　□ground floor　1階　□facade　建物の正面(=front)、壁面、表面、見せかけ、うわべ　□completely　完全に、十分に　□consistent with　…と調和する、一致する　□attractive　魅力的な、引きつける　□lighting　照明　□profile　側面、外形　□awning　日よけ　□appropriate for　…にふさわしい、適切な　□bid　入札、努力、案内　□remain　…のままである　□minimize　…を最小限に抑える　□disruption　混乱、崩壊、分裂　□icon　象徴、肖像　□retain　保持する、持ち続ける　□be expected to do　…する予定だ、期待されている　□be entitled to do　…する資格がある、権利がある　□be approved to do　…するのを許可されている　□deny　否定する　□condense　液化する、要約する、凝縮する　□recognize　評価する、見分けがつく　□emphasize　強調する、目立たせる

147 → Context question【語彙問題】
今日デパートが補修工事計画について発表したとの内容だ。工事計画を発表したということは、すでに公式に承認を得ているわけなので、空所には「認可された」という意味の (C) approved が当てはまる。

148 → 品詞問題
空所に入る品詞を選ぶ問題。be 動詞と動詞の過去分詞 (renovated) の間に入る品詞は副詞しかないので、正解は (D)completely である。全体的な意味を把握しなくてもよい単純な品詞問題である。

149 → 語彙問題【動詞】
工事期間中も営業するのは、客の便宜のためと考えられる。したがって、客の混乱を「最小限にする」という意味の (D)minimize が適切である。

問題文訳

設問 147 から 149 は、次の記事に関するものです。

Robinson's デパートは市の中心部にある歴史的に価値のある Portland 店を改修すると、今日発表しました。有名なそのビルの下の階、1 階から 5 階の改修が許可されました。

地下 1 階と 1 階から 5 階のお店が特色を持つデパートとなる予定です。1 階正面はすべて改修されて、高級店の空間、ショーウィンドウ、照明、そして目立たないような新しい日よけによって、歴史的価値のある建物にふさわしい様相となります。建設入札は来週月曜日に始まります。

デパートは改修中も開店し、お買い物の皆様にご迷惑をおかけしないようにあらゆる努力をします。

デパートの象徴、例えば 2 階にある歴史的な意義のある時計などいくつかはそのまま残す予定です。

▶**Questions 150-152 refer to the following letter.**

June 1, 2007
S&L Corp.
48 Intervale St.
Detroit, MI 21483

Dear Customer:

Prices for copper, brass and steel have risen sharply on the world market over the past year. At present there is no end in sight in regard to increasing costs for alloying component materials. Despite all our efforts to cope with this reality, we are now forced to (150) our prices, too.

Please note that all incoming orders (151) with a supplement for high material costs.

This extra fee is a flexible instrument to cover our increased costs. It may be reduced or rise again, depending on the development of the prices for raw materials.

We ask for your understanding regarding this (152) measure and trust the continuous development of a successful business relationship between our company and yours.

Sincerely,
Robert Thomas

150 (A) reduce
(B) define
(C) notify
(D) adjust

151 (A) charge
(B) are charged
(C) will charge
(D) will be charged

152 (A) desirable
(B) acceptable
(C) inevitable
(D) adaptable

語句 □copper　銅　□brass　真ちゅう、企業の幹部　□steel　スチール　□rise　上がる、上昇する　□sharply　急に、激しく　□on the world market　世界市場において　□at present　現時点で　□there is no end　終わりがない　□sight　視界、見えること　□in regard to　…に関して　□alloy　合金にする（なる）　□component　構成要素　□material　材料　□cope with　…に対処する　□be forced to do　…するのを余儀なくさせる　□note that　…を留意する　□incoming　入ってくる　□be charged with　…を負っている　□supplement　補足、追加　□extra fee　追加料金　□flexible　柔軟性のある　□instrument　道具、手段　□reduce　減らす　□depending on　…次第である　□raw material　原材料　□regarding　…に関して　□inevitable　避けられない　□measure　方策、手段　□trust　信頼する、任せる　□continuous　継続的な
「語句」次ページ下へ続く

150 → Context question【語彙問題】
価格というものは、原材料価格により上がりも下がりもするものである。金属原材料の価格が値上がりする中、会社としては値上げをせざるをえない。したがって、空所には価格を「調整する」という意味の (D) adjust が当てはまる。

151 → 文法問題【時制】
今後の注文 (all incoming orders) には価格が上乗せされるだろうという内容なので、時制は未来となり、主語 orders は charge される対象なので受身形となる。したがって、(D) will be charged が正解。

152 → 語彙問題【形容詞】
会社側は価格調整について取引先に理解を求めている。値上げ後も引き続き利用してもらうには、避けられない状況であることを明確にする必要がある。したがって、空所には「避けられない」という意味の (C) inevitable が当てはまる。

問題文訳
設問 150 から 152 は、次の手紙に関するものです。

2007 年 6 月 1 日
S&L　Corp.
48 Intervale St.
Detroit, MI 21483

顧客各位

銅、真ちゅう、スチールの世界市場での価格がこの 1 年大幅に上昇しています。金属原材料の価格値上がりがいつまで続くか現在のところわかりません。この状況に対してあらゆる努力をしていますが、価格調整もせざるを得ません。

今後のすべての注文分から材料の値上がり分が追加されますことご承知ください。

この追加料金は費用の増加分に充てるため弾力的に扱います。原材料の価格の進展具合に応じて減額するかもしれませんし、再び値上げするかもしれません。このような避けることのできない措置へのご理解をお願いしております。また、貴社と弊社との変わりないお取引の継続がうまくいくと信じております。

敬具
Robert Thomas

語句続き □ define　…の意味を明確にする　□ notify　知らせる　□ adjust　調節する、調整する　□ desirable　好ましい、価値のある　□ acceptable　容認できる　□ adaptable　順応できる

PART 6

著者紹介

イ・イクフン LEE IK HOON 1947-2008

延世大学校卒業後アメリカへ留学し、英文学修士・博士号取得。
東亜日報 在アメリカ記者（在米 8 年）、イ・イクフン語学院会長、漢陽大学校教育大学院兼任教授、檀国大学校招聘教授、KOREA TIMES TOEFL 解説委員、月刊「AP 5 分ニュース」発行編集人を務める。Who's Who 世界人名辞典専門教育人（International Who's Who of Professional Educators）分野に掲載。日刊スポーツ、週刊ニュースピープル、朝鮮日報、東亜日報、スポーツソウル等でコラムニストとしても活躍。

主な著書
『New EAR / EYE of the TOEIC 模試 800』、『New EAR / EYE of the TOEIC』、『New E-TOEIC Basic L / C, R/C』『E-TOEIC 模擬試験 1, 2』、『E-TOEIC Vocabulary』、他多数。

日本での著書
『極めろ！リスニング解答力 TOEIC® TEST』、『極めろ！リーディング解答力 TOEIC® TEST Part 7』、『解きまくれ！リスニングドリル TOEIC® TEST Part 1 & 2』、『同 Part 3 & 4』、『解きまくれ！リーディングドリル TOEIC® TEST Part 5 & 6』、『同 Part 7』（以上 スリーエーネットワーク）。「30 時間マスター TOEIC® TEST」シリーズとして、『最重要単語』『最重要長文』『最重要文法』『リスニング基礎編』『リスニング実践編』（以上 アスク）。

極めろ！ リーディング解答力 TOEIC® TEST Part 5&6

2009年 9月14日 初版第1刷発行
2012年 4月17日 第 9 刷 発 行

著　者　イ・イクフン
発行者　小林　卓爾
発行所　株式会社　スリーエーネットワーク
〒102-0083 東京都千代田区麹町 3 丁目 4 番
トラスティ麹町ビル 2 F
電話：03-5275-2722（営業）
03-5275-2726（編集）
http://www.3anet.co.jp/

印刷・製本　ケーワイオフィス

装幀　芳賀　のどか
本文デザイン　株式会社　インフォルム
翻訳　中村克哉、ケーワイオフィス、REIKO t.

Printed in Japan　ISBN978-4-88319-473-5　C0082

極めろ！リーディング解答力 Part 5&6 TOEIC® TEST
例題・実践問題 解答一覧

■PART 5： 文法問題

Chapter 1 文法のポイント

● Unit 01 動詞の種類 (p. 22--41)

0001: A	0002: B	0003: B	0004: B	0005: A	0006: B	0007: A	0008: B
0009: A	0010: B	0011: A	0012: B	0013: B	0014: B	0015: B	0016: B
0017: A	0018: B	0019: B	0020: A	0021: B	0022: A	0023: A	0024: A
0025: B	0026: B	0027: B	0028: A	0029: B	0030: A	0031: B	0032: A
0033: B	0034: B	0035: A	0036: A	0037: D	0038: B	0039: D	0040: D
0041: A	0042: C	0043: A	0044: A	0045: A	0046: D	0047: D	0048: A
0049: D	0050: C	0051: B	0052: D	0053: C	0054: B	0055: D	

● Unit 02 動詞の時制 (p. 46--59)

0056: B	0057: A	0058: B	0059: B	0060: B	0061: B	0062: A	0063: A
0064: B	0065: A	0066: A	0067: A	0068: B	0069: B	0070: B	0071: B
0072: A	0073: B	0074: D	0075: C	0076: B	0077: D	0078: D	0079: A
0080: C	0081: C	0082: D	0083: C	0084: C	0085: C	0086: B	0087: D
0088: A	0089: C	0090: C	0091: B	0092: B	0093: C		

● Unit 03 受動態 (p. 64--73)

0094: A	0095: B	0096: B	0097: A	0098: A	0099: B	0100: B	0101: A
0102: A	0103: A	0104: B	0105: B	0106: A	0107: D	0108: A	0109: D
0110: B	0111: C	0112: C	0113: A	0114: C	0115: C	0116: B	0117: D
0118: D	0119: A						

● Unit 04 不定詞 (p. 80--93)

0120: B	0121: B	0122: B	0123: B	0124: B	0125: A	0126: B	0127: B
0128: A	0129: B	0130: B	0131: A	0132: B	0133: A	0134: B	0135: B
0136: C	0137: B	0138: D	0139: B	0140: D	0141: C	0142: C	0143: D
0144: C	0145: A	0146: A	0147: D	0148: B	0149: D	0150: D	0151: C
0152: C	0153: B						

● Unit 05 分詞 (p. 100--113)

0154: B	0155: A	0156: A	0157: B	0158: A	0159: B	0160: B	0161: A
0162: B	0163: A	0164: A	0165: A	0166: B	0167: B	0168: B	0169: A
0170: A	0171: A	0172: D	0173: C	0174: B	0175: D	0176: C	0177: B
0178: C	0179: A	0180: D	0181: A	0182: C	0183: B	0184: B	0185: C
0186: D							

● Unit 06 動名詞 (p. 116--125)

0187: A	0188: B	0189: A	0190: A	0191: B	0192: B	0193: B	0194: B
0195: C	0196: C	0197: A	0198: D	0199: A	0200: B	0201: B	0202: A
0203: D	0204: C	0205: D	0206: B	0207: B	0208: A	0209: A	0210: C

● Unit 07 代名詞 (p. 132--143)

0211: B	0212: A	0213: B	0214: B	0215: A	0216: B	0217: A	0218: B
0219: A	0220: B	0221: B	0222: B	0223: B	0224: B	0225: A	0226: B
0227: C	0228: D	0229: D	0230: D	0231: C	0232: B	0233: D	0234: C
0235: A	0236: C	0237: C	0238: C	0239: B	0240: A	0241: A	0242: B

● Unit 08 名詞・冠詞 (p. 152--165)

0243: B	0244: A	0245: B	0246: B	0247: B	0248: B	0249: A	0250: A
0251: B	0252: A	0253: A	0254: A	0255: B	0256: B	0257: B	0258: A
0259: A	0260: B	0261: B	0262: B	0263: B	0264: C	0265: A	0266: D
0267: A	0268: C	0269: D	0270: C	0271: C	0272: D	0273: D	0274: B
0275: D	0276: C	0277: B	0278: A	0279: B			

切り取り線

● Unit 09 形容詞 (p. 172--181)

0280: A	0281: A	0282: A	0283: A	0284: B	0285: B	0286: B	0287: A
0288: A	0289: A	0290: C	0291: D	0292: C	0293: D	0294: A	0295: D
0296: C	0297: D	0298: A	0299: D	0300: C	0301: B	0302: C	0303: C
0304: A							

● Unit 10 副詞 (p. 190--203)

0305: A	0306: A	0307: B	0308: B	0309: B	0310: A	0311: A	0312: A
0313: B	0314: B	0315: B	0316: A	0317: A	0318: B	0319: B	0320: A
0321: B	0322: C	0323: A	0324: C	0325: C	0326: C	0327: A	0328: D
0329: A	0330: A	0331: A	0332: B	0333: C	0334: B	0335: D	0336: B
0337: A	0338: B	0339: D	0340: D				

● Unit 11 前置詞 (p. 214--231)

0341: A	0342: B	0343: A	0344: B	0345: B	0346: A	0347: A	0348: B
0349: A	0350: A	0351: B	0352: B	0353: B	0354: B	0355: B	0356: A
0357: A	0358: A	0359: B	0360: A	0361: A	0362: B	0363: A	0364: B
0365: A	0366: A	0367: D	0368: B	0369: D	0370: B	0371: A	0372: B
0373: A	0374: D	0375: C	0376: C	0377: B	0378: D	0379: A	0380: D
0381: A	0382: B	0383: A	0384: D	0385: D			

● Unit 12 接続詞 (p. 244--261)

0386: B	0387: A	0388: A	0389: B	0390: B	0391: A	0392: A	0393: B
0394: B	0395: A	0396: B	0397: A	0398: B	0399: B	0400: B	0401: A
0402: A	0403: B	0404: A	0405: A	0406: B	0407: A	0408: A	0409: B
0410: A	0411: A	0412: A	0413: A	0414: D	0415: D	0416: A	0417: C
0418: C	0419: D	0420: D	0421: D	0422: B	0423: B	0424: A	0425: B
0426: A	0427: A	0428: C	0429: A	0430: C	0431: B	0432: B	

● Unit 13 関係代名詞 (p. 270--283)

0433: B	0434: A	0435: B	0436: B	0437: A	0438: B	0439: B	0440: A
0441: B	0442: A	0443: A	0444: B	0445: B	0446: B	0447: B	0448: A
0449: B	0450: D	0451: D	0452: A	0453: D	0454: C	0455: C	0456: B
0457: D	0458: A	0459: A	0460: C	0461: B	0462: C	0463: A	0464: D
0465: B	0466: B						

● Unit 14 仮定法 (p. 288--297)

0467: B	0468: A	0469: B	0470: B	0471: B	0472: B	0473: B	0474: A
0475: B	0476: A	0477: A	0478: D	0479: B	0480: C	0481: A	0482: A
0483: C	0484: A	0485: B	0486: C	0487: D	0488: B	0489: A	0490: B
0491: D							

● Unit 15 比較・最上級 (p. 304--315)

0492: B	0493: A	0494: B	0495: A	0496: B	0497: A	0498: A	0499: B
0500: B	0501: A	0502: B	0503: C	0504: B	0505: D	0506: C	0507: A
0508: C	0509: B	0510: C	0511: B	0512: A	0513: D	0514: C	0515: A
0516: B	0517: D	0518: C	0519: B				

● Unit 16 省略・倒置 (p. 320--331)

0520: A	0521: B	0522: B	0523: B	0524: B	0525: A	0526: A	0527: A
0528: B	0529: B	0530: A	0531: B	0532: A	0533: B	0534: A	0535: A
0536: B	0537: B	0538: C	0539: D	0540: A	0541: D	0542: D	0543: C
0544: D	0545: A	0546: C	0547: D	0548: D			

Chapter 2 Part 5 文法問題に慣れるための実践問題 (p. 333--337)

101: C	102: C	103: C	104: D	105: D	106: C	107: B	108: D
109: C	110: D	111: D	112: A	113: A	114: D	115: A	116: B
117: C	118: C	119: C	120: B	121: B	122: C	123: C	124: D
125: D	126: B	127: A	128: A	129: D	130: B	131: B	132: B
133: A	134: A	135: B	136: B	137: B	138: C	139: A	140: D

切り取り線

切り取り線

■PART 5： 文法問題

Chapter 1 語彙チェック

● Unit 01 主要動詞 TOP 100 (p. 363--403)

0549: analyze	0550: anticipate	0551: allocate	0552: accomplish
0553: accommodate	0554: agreed	0555: accepted	0556: allowed
0557: acquire	0558: affect	0559: assume	0560: apply
0561: approve	0562: attract	0563: authorize	0564: arrange
0565: appreciate	0566: assured	0567: awarded	0568: assigned
0569: bill	0570: cooperate	0571: compensate	0572: broaden
0573: borrow	0574: charged	0575: compare	0576: commute
0577: concentrate	0578: benefit	0579: conducted	0580: considered
0581: deposit	0582: demonstrate	0583: criticized	0584: described
0585: contains	0586: completed	0587: confirmed	0588: contact
0589: divide	0590: donate	0591: ensure	0592: establish
0593: evaluate	0594: determine	0595: estimate	0596: deserves
0597: encourage	0598: enabled	0599: implement	0600: function
0601: fill	0602: focus	0603: expand	0604: expect
0605: granted	0606: generated	0607: improve	0608: exceeded
0609: located	0610: maintain	0611: issue	0612: involved
0613: inform	0614: increased	0615: intended	0616: inspected
0617: indicates	0618: installed	0619: persuade	0620: offer
0621: occurred	0622: organize	0623: presented	0624: notified
0625: outlined	0626: planning	0627: prefer	0628: permit
0629: promoted	0630: refer	0631: reduce	0632: reached
0633: proceed	0634: recognized	0635: raised	0636: regarded
0637: registered	0638: produced	0639: renew	0640: remain
0641: released	0642: respond	0643: reserve	0644: submit
0645: remind	0646: verify	0647: required	0648: reimbursed

● Unit 02 注意を要する動詞 (p. 405--419)

0649: with	0650: with	0651: for	0652: for
0653: to	0654: to	0655: to	0656: in
0657: in	0658: from	0659: from	0660: experimented
0661: transferred	0662: for	0663: lead	0664: in
0665: up with	0666: up with	0667: up with	0668: off
0669: off	0670: off	0671: into	0672 into
0673: on	0674: on	0675: out	0676: out
0677: out	0678: set	0679: down	0680: out
0681: up	0682: called	0683: up	0684: up
0685: in	0686: in	0687: over	0688: over
0689: to	0690: to	0691: down	0692: down
0693: cut	0694: off	0695: think	0696: out
0697: back	0698: normal	0699: to	0700: fill/stand
0701: raise	0702: track	0703: emphasis	0704: keep
0705: common	0706: effect	0707: short of	0708: made
0709: with	0710: advantage	0711: take	0712: did

● Unit 03 主要名詞 TOP 80 (p. 423--452)

0713: alternative	0714: applications	0715: amount	0716: assignment
0717: analysis	0718: account	0719: agenda	0720: assurance
0721: approval	0722: agreement	0723: chance	0724: capacity
0725: characteristics	0726: certificate	0727: commitment	0728: competition
0729: challenge	0730: atmosphere	0731: circumstances	0732: authorities
0733: edition	0734: employment	0735: decision	0736: economy
0737: delay	0738: enrollment	0739: effort	0740: description
0741: complaint	0742: condition	0743: expense	0744: evaluation
0745: facility	0746: expertise	0747: form	0748: factor
0749: exception	0750: expectation	0751: feature	0752: force
0753: increase	0754: opportunity	0755: notice	0756: operation
0757: function	0758: objective	0759: management	0760: issue
0761: indication	0762: measures	0763: organization	0764: privilege
0765: proposal	0766: options	0767: procedures	0768: preference
0769 outcome	0770: precaution	0771: performance	0772: profits

0773: regulations 0774: requirements 0775: registration 0776: rate
0777: right 0778: revisions 0779: resources 0780: roles
0781: prospects 0782: revenue 0783: value 0784: terms
0785: session 0786: search 0787: sense 0788: status
0789: sales 0790: statement 0791: stability 0792: shipment

● Unit 04 注意を要する名詞 (p. 457--459)

0793: damage 0794: solution 0795: in 0796: thanks to
0797: effect 0798: on 0799: demand 0800: preference
0801: with 0802: knowledge 0803: in 0804: compliance
0805: expertise 0806: of 0807: advice 0808: Access
0809: for 0810: that 0811: time 0812: opportunity

● Unit 05 複合名詞 (p. 464--465)

0813: expansion 0814: standards 0815: regulations 0816: earnings
0817: expiration 0818: openings 0819: negotiations 0820: effects
0821: constraints 0822: figures

● Unit 06 物を表す名詞 vs 人を表す名詞 (p. 468--467)

0823: competition 0824: account 0825: reviews 0826: analysts
0827: expertise 0828: employment 0829: Operators 0830: interpreter
0831: assistant 0832: performance

● Unit 07 主要形容詞 TOP 80 (p. 472--501)

0833: affordable 0834: accessible 0835: appropriate 0836: aware
0837: competitive 0838: accurate 0839: confidential 0840: comprehensive
0841: complicated 0842: attractive 0843: former 0844: frequent
0845: due 0846: consistent 0847: efficient 0848: eligible
0849: fragile 0850: desirable 0851: durable 0852: essential
0853: instructional 0854: innovative 0855: ideal 0856: impressive
0857: informative 0858: genuine 0859: independent 0860: indicative
0861: friendly 0862: insecure 0863: likely 0864: maginal
0865: normal 0866: numerous 0867: particular 0868: overdue
0869: optimistic 0870: operational 0871: Overall 0872: outstanding
0873: seasonal 0874: persuasive 0875: flexible 0876: regular
0877: profitable 0878: reflective 0879: previous 0880: permanent
0881: potential 0882: reliable 0883: skilled 0884: substantial
0885: temporary 0886: technical 0887: subsequent 0888: timely
0889: significant 0890: strategic 0891: subject 0892: specific
0893: wide 0894: upcoming 0895: designated 0896: challenging
0897: vulnerable 0898: detailed 0899: unstable 0900: valid
0901: extended 0902: dedicated 0903: outdated 0904: opposing
0905: lasting 0906: unprecedented 0907: pleased 0908: limited
0909: unexpected 0910: promising 0911: qualified 0912: Unauthorized

● Unit 08 注意を要する形容詞 (p. 504--506)

0913: about 0914: about 0915: for 0916: for
0917: of 0918: of 0919: to 0920: to
0921: with 0922: with 0923: for 0924: ready
0925: necessary 0926: with 0927: equivalent

● Unit 09 主要副詞 TOP 80 (p. 512--541)

0928: clearly 0929: appropriately 0930: cautiously 0931: absolutely
0932: approximately 0933: adequately 0934: accurately 0935: closely
0936: aggressively 0937: collaboratively 0938: currently 0939: easily
0940: directly 0941: completely 0942: efficiently 0943: consistently
0944: considerably 0945: conveniently 0946: dramatically 0947: correctly
0948: exactly 0949: equally 0950: fairly 0951: enthusiastically
0952: finally 0953: extremely 0954: electronically 0955: exclusively
0956: favorably 0957: eventually 0958: increasingly 0959: hardly
0960: heavily 0961: firmly 0962: frequently 0963: initially
0964: fully 0965: inherently 0966: generally 0967: immediately
0968: necessarily 0969: periodically 0970: nearly 0971: overwhelmingly
0972: normally 0973: particularly 0974: largely 0975: markedly

切り取り線

0976: originally	0977: partially	0978: poorly	0979: previously
0980: properly	0981: politely	0982: promptly	0983: personally
0984: primarily	0985: rapidly	0986: quickly	0987: presumably
0988: relatively	0989: seriously	0990: repeatedly	0991: separately
0992: securely	0993: readily	0994: regularly	0995: recently
0996: seemingly	0997: respectfully	0998: substantially	0999: unusually
1000: temporarily	1001: strictly	1002: strongly	1003: sharply
1004: thoroughly	1005: significantly	1006: widely	1007: specifically

● Unit 10 前置詞を使った副詞句 (p. 544--545)

1008: at	1009: row	1010: behind	1011: capacity
1012: for	1013: convenience	1014: advance	1015: under
1016: in	1017: through		

● Unit 11 混同しやすい単語 (p. 546--559)

1018: A	1019: A	1020: B	1021: B	1022: A	1023: B	1024: A	1025: B
1026: B	1027: A	1028: A	1029: A	1030: B	1031: A	1032: A	1033: A
1034: A	1035: B	1036: B	1037: A	1038: B	1039: B	1040: A	1041: B
1042: B							

Chapter 2 Part 5 語彙に慣れるための実践問題 (p. 561--565)

101: C	102: C	103: D	104: A	105: C	106: B	107: C	108: B
109: B	110: C	111: C	112: C	113: D	114: D	115: B	116: B
117: D	118: D	119: D	120: B	121: A	122: A	123: A	124: C
125: D	126: D	127: D	128: B	129: D	130: B	131: A	132: C
133: B	134: C	135: B	136: A	137: B	138: B	139: C	140: B

■PART 6： 長文穴埋め問題

● Unit 01 Context Question 攻略法 (p. 590--613)

1043: C	1044: D	1045: D	1046: D	1047: C	1048: C	1049: D	1050: C
1051: C	1052: D	1053: A	1054: B	1055: D	1056: A	1057: B	1058: D
1059: C	1060: D	1061: D	1062: A	1063: D	1064: C	1065: D	1066: D
1067: C	1068: A	1069: B	1070: C	1071: C	1072: C	1073: B	1074: C
1075: D	1076: C	1077: B	1078: A				

● Unit 02 Part 6に慣れるための実践問題 (p. 614--617)

141: D	142: D	143: D	144: C	145: D	146: B	147: C	148: D
149: D	150: D	151: D	152: C				

切り取り線